DIEU
ETAIT DEJA LA

DU MÊME AUTEUR

CIVILISATIONS MYSTÉRIEUSES

IVAR LISSNER

DIEU ETAIT DEJA LA

BIBLIOTHÈQUE
DES
GRANDES ÉNIGMES

Imprimé aux Etats-Unis, 1976

REMERCIEMENTS

Je tiens à remercier tout particulièrement les éminents spécialistes qui m'ont aidé de leurs conseils, de leurs précieuses suggestions ou qui ont bien voulu vérifier certains chapitres de cet ouvrage.

M. Heinz Bachler, professeur à l'école cantonale de Saint-Gall et préhistorien.

M. Hermann Baumann, docteur en philosophie, professeur d'ethnographie et directeur de l'Institut d'ethnographie de l'université de Munich.

M. Hans Dietrich Disselhoff, docteur en philosophie, spécialiste des civilisations paléo-américaines, directeur du musée d'ethnographie de Berlin.

M. W. Ehgartner, docteur en philosophie, professeur d'anthropologie à l'université de Vienne et président de la Société d'anthropologie de Vienne.

M. Herbert Franke, professeur de philosophie et spécialiste des civilisations extrême-orientales de l'université de Munich.

M. Martin Gusinde, professeur à l'université Nanzan de Nagoya ; ancien professeur d'anthropologie à l'université de Santiago du Chili, professeur d'anthropologie à l'université catholique de Washington.

M. Josef Hækel, docteur en philosophie, professeur d'ethnologie et directeur de l'Institut ethnologique de l'université de Vienne.

M. W. Jahn, docteur en philosophie, observatoire de Munich.

M. Wilhelm Koppers, docteur en philosophie, titulaire de la chaire d'ethnologie de l'université de Vienne.

M. Siegfried Lauffer, docteur en philosophie, professeur d'histoire ancienne à l'université de Munich.

M. Oswald Menghin, docteur en philosophie, professeur de préhistoire à l'université de Buenos Aires, directeur du Centre d'études préhistoriques, responsable de la publication des *Acta Praehistorica,* Buenos Aires.

M. Karl J. Narr, docteur en philosophie, chargé de cours sur la préhistoire à l'université de Göttingen.

Introduction

RIEN, sur cette terre, ne disparaît jamais complètement, nulle lumière ne s'éteint pour toujours et l'immortalité est l'unique « réalité » qu'épargnent la poussière, la destruction, la ruine. C'est pourquoi aucune vie n'est vaine et ce que pense l'individu n'est jamais indifférent. Aucune heure n'est perdue inutilement ; tout se retrouve, se reconstitue quelque part et continue à exercer son action.

La manière dont l'homme fut créé peut, elle aussi, être reconstituée à condition toutefois d'explorer les parties les plus reculées du globe. Car l'homme, bipède pensant, trace partout des sillons, recouvre les continents de villes, d'usines, qui crachent fumées et poussière, et de monceaux de détritus et il s'ingénie à dénaturer le vieux visage de la planète. Datant d'époques qui remontent à la nuit des temps, les sublimes vérités ont néanmoins bravé les millénaires et se sont conservées jusqu'à nous. Au seuil de la ruine et de la destruction, elles demeurent les ultimes témoins des gestes primordiaux.

De tout temps, la taïga fut rude, inhumaine, impitoyable ; de tout temps, elle servit de refuge à ceux qui, traqués, n'avaient plus de patrie et furent contraints de fuir de peur d'une vengeance. Mais l'infinie tolérance dont témoigne la forêt, impénétrable et protectrice, a également assuré la survie des derniers primitifs. C'est à eux que je me suis adressé pour retrouver les paradis perdus, pour comprendre le passé qui précéda l'histoire, pour « appréhender » la créature humaine et constater combien jadis l'homme était proche de l'Eternel.

CHAPITRE PREMIER

L'homme n'a pas seulement besoin de nourritures terrestres

> « *La science et, plus spécialement, les sciences naturelles ne contestent plus la réalité du Créateur. Il y a quelques décennies, on croyait encore à la possibilité d'expliquer l'univers ; chacun sait désormais que les limites sont assignées à la recherche...* »
>
> HANS ULLRICH SANDIG, astronome.

LES GRANDES RÉVÉLATIONS sont, par essence, invisibles et les domaines de la connaissance sont autant d'îles dans l'océan immense de l'inconnu. L'homme est l'unique créature rebelle qui, échappant à l'univers du concret, s'efforce d'explorer les immenses espaces de l'irréel.

Il continue à le faire comme il l'a toujours fait. L'homme ne s'est jamais contenté du tangible, du visible, de la réalité palpable et ses exigences intellectuelles le poussent à franchir les frontières du réel. C'est pourquoi, à l'inverse de l'animal, il a creusé un infranchissable fossé, obstacle insurmontable entre lui et la nature ambiante ; il s'est affranchi des entraves qui sont le lot de tous les représentants du règne animal. L'homme est seul mais, plus sa solitude augmentait, plus il s'acharnait à reprendre contact avec ses paradis perdus. C'est justement parce qu'il a coupé les ponts avec la nature que la biologie est incapable de cerner l'exacte réalité de l'être et qu'elle peut, tant bien que mal, définir ce qu'est le phénomène humain.

Avec une énergie stupéfiante, l'être étrange que désigne le term« « homo » emprunté au latin, s'est, à toutes les époques, efforcé de se hausser au-dessus de sa condition. Ses tentatives n'ont jamais eu pour unique objectif la satisfaction des seuls besoins matériels. Il chercha, tâtonna, s'efforça d'atteindre l'inaccessible. Or, cette exigence particulière à l'homme, cette force mystérieuse qui le pousse procèdent de l'esprit et de l'intelligence perpétuellement en quête d'un idéal qu'elle ne conçoit qu'imparfaitement et qui a pour nom Dieu.

L'instinct oriente toujours l'animal vers le concret, vers ce qui est tangible et positif et, en fait, l'adjectif « positiviste » ne s'applique réellement qu'à la bête. Contrairement à l'animal ou au végétal, l'homme n'est pas un être irrémédiablement esclave de la matière ; la satisfaction de ses besoins physiques et la possession de biens matériels sont incapables de le contenter. C'est pour cette raison que les philanthropes qui promettent le bonheur sur cette terre et procurent à leurs protégés vêtements, chaussures et aliments ne sont guère plus que d'efficaces directeurs de parcs zoologiques, puisque le fait de se contenter de biens concrets et matériels est, par définition, contraire à la nature humaine.

Ce besoin de se sublimer, de sortir de lui-même, de tendre vers l'irréel et le surnaturel, vers la religion et vers Dieu, est la justification de toutes les grandes réalisations qui ont marqué l'histoire du genre humain ; de toute manière, les tentatives effectuées pour approcher ce qui est éternel et impérissable sont le point de départ de toutes les manifestations artistiques et culturelles. C'est pour glorifier l'esprit et la divinité qu'ont été construites les pyramides d'Egypte, les pagodes de Chine, les temples des Mayas et ceux qui furent édifiés sur le sol de la Grèce. Dans le même ordre d'idée, les tableaux et retables du Moyen Age, humbles et naïfs témoignages, sont des prières muettes. Par la suite, les œuvres magistrales des peintres de la Renaissance firent craquer le cadre restreint des surfaces. De même, dans les églises romanes et gothiques, la foi se mua en hymne de pierre.

Depuis combien de millénaires l'homme a-t-il sacrifié le visible à l'invisible ? Des peuples entiers ont été rendus esclaves de représentations et d'images fictives, produits de tentatives artistiques et intellectuelles. Si d'énormes blocs de pierre furent hissés au sommet des pyramides et sur les hauts plateaux des Andes, c'est non pas pour satisfaire des besoins matériels mais en vertu de l'extraordinaire instinct qui pousse sans cesse la créature humaine à donner à ses idéaux une forme concrète. D'innombrables mythes, des milliers de légendes, des centaines de cultes et de rites témoignent depuis des temps immémoriaux de l'énergie considérable que l'homme a mobilisée au seul profit de créations intellectuelles. Ce qui, dès le début, distingue l'homme de la bête, c'est le fait qu'il ne se contente pas seulement de dormir, de manger et de se chauffer ; son comportement est dicté par l'intelligence et l'esprit oriente tous ses actes. Les civilisations procèdent toutes de l'idée religieuse et de la recherche de Dieu. Sans foi, sans religion, sans Dieu, il n'y a pas de civilisation possible.

Or, l'homme n'a pas toujours joui de sa liberté ; les petites flammes qu'il s'efforça de faire surgir secrètement en période d'oppression furent sans cesse étouffées et éteintes. Chaque fois, néanmoins, les flammes se rallumèrent. Des tyrans ont, certes, nié l'existence de Dieu et l'ont tourné en dérision ; ils le craignaient pourtant, car Dieu élève l'homme au-dessus de sa condition et, parce qu'il ne tolère pas longtemps la force qui le défie, il abat les despotes. La privation de liberté existe encore, c'est un fait, mais le temps pendant lequel l'individu est contraint de se mettre au service de l'Etat, du travail mécanique, de la production est néanmoins réduit. Que sont quarante ou cinquante ans comparés à six cent mille ans, durée de la période qui s'est écoulée depuis la création de l'homme ? Faire son salut ou atteindre au bonheur terrestre en fabriquant des objets inertes n'est pas un idéal pour des êtres dont les mobiles essentiels sont d'essence métaphysique. A eux seuls, la lutte pour la vie et le souci du pain quotidien n'auraient pas suffi à faire éclore la civilisation, concept trop vaste, trop complexe et trop multiforme pour relever de mobiles aussi frustes. La civilisation est la conséquence d'une impulsion divine communiquée à l'homme par l'intermédiaire de son âme.

Le progrès matériel n'est pas le point de départ de la civilisation qui n'a rien de commun avec les conditions de vie, avec l'alimentation, avec le rendement. Elle dépend de l'esprit, seul capable de conquérir les cieux. De tous les Grecs, Diogène fut sans doute celui dont l'intellect fut le plus développé. Vivant dans un tonneau, il ne se souciait ni du vêtement ni de sa subsistance et, même en plein hiver, il se promenait pieds nus.

Dans tous les domaines où les efforts de l'homme tendent essentiellement vers le concret, c'est toujours au détriment de la liberté de pensée, de la recherche de la vérité, des préoccupations philosophiques et artistiques. Dans les pays où la population est mobilisée au profit exclusif de l'augmentation du rendement et de la production, où sont les écrivains, les auteurs dramatiques, les peintres, les sculpteurs, les architectes ? Pourquoi en rendre exclusivement responsables les dirigeants de ces pays ? A nous de savoir quels sont nos aptitudes intellectuelles, nos motivations et les buts que nous nous proposons d'atteindre.

Dès l'aube de l'humanité, on croyait déjà en Dieu et le fait que la même certitude de l'existence d'un Etre Suprême se retrouve chez des primitifs comme les indigènes des îles Andaman, dans le golfe du Bengale, les Pygmées Bambouti de l'Ituri, dans le centre de l'Afrique, chez les Négritos des Philippines et les peuples voisins du cercle polaire, fixés dans des régions totalement différentes, n'est pas le résultat d'une simple coïncidence.

Que ces peuples, les plus archaïques de tous, aient hérité cette fois d'un passé immémorial laisse supposer que Dieu n'est pas surgi, tel un phénomène naturel, du tréfonds de l'âme humaine, mais qu'à l'origine de cette réminiscence constatée chez tant de populations aussi diverses, il y eut un événement vécu peut-être aussi ancien que l'humanité. Peut-être n'est-il oublié qu'en partie ? Au cours du siècle écoulé, un grand nombre d'indices ont été retrouvés et l'on a constaté que les primitifs qui ne possèdent pas de système d'écriture ont une mémoire infiniment plus fidèle et précise que la nôtre. Or, les ethnographes qui ont étudié les peuples primitifs archaïques ont tous été frappés par la connaissance qu'ils avaient de la divinité, du souvenir qu'ils conservaient d'un dieu suprême et de leur profonde conviction de sa toute-puissance et de sa miséricorde. Ce concept est immémorial ; il n'est pas le produit d'une évolution, mais existait déjà le jour où un bipède se mit à raisonner en homme.

Les sciences naturelles ne permettent pas, à elles seules, de définir l'être humain ; l'intelligence, le don humain par excellence, échappe à l'analyse scientifique. Et, d'abord, rien ne dit que les sciences dites exactes le sont en réalité. Qui peut dire si les critères imaginés par l'homme sont authentiquement « objectifs » ? Et nul ne sait avec une absolue certitude si les constructions artificielles que l'homme appelle sciences ne sont pas des vues de l'esprit. On sait seulement que l'univers humain ne résulte pas de constatations scientifiques, mais de la faculté de créer et d'imaginer des mythes. Contrairement à l'animal, l'homme est libre, c'est-à-dire libéré des contingences du milieu. C'est de son plein gré qu'il se tourne vers l'Etre Suprême dont l'existence est attestée depuis plusieurs centaines de milliers d'années par les mythes et les légendes des peuples archaïques. La liberté a d'ailleurs les plus grandes chances de se maintenir ; profondément enracinée dans le cœur de l'homme, elle ne disparaîtra qu'avec la race humaine.

Aucune idéologie, aucune doctrine dont le nom se termine en « isme », aucune tyrannie, aucune dictature, aucun système philosophique, aucune image peinte ou sculptée ne peut prétendre à l'éternité. Telle est la leçon de l'histoire et, surtout, de la protohistoire dont on commence à peine à percer les ténèbres. Considérer comme éternelle et immuable une forme de gouvernement qui ne s'efforce pas de sauvegarder la liberté de l'individu est la preuve d'une totale aberration, et prétendre venir en aide à l'homme en lui fournissant des secours exclusivement matériels alors que l'homme est ainsi fait que ses aspirations les plus puissantes sont d'ordre psychique et intellectuel est l'indice d'une formation erronée.

Un raisonnement est nécessairement subjectif ; aucune science, aucune vérité, aucun témoignage ne peut être totalement objectif. Einstein disait : « Aucune expérimentation si poussée qu'elle soit ne peut apporter la preuve que j'ai raison mais, à tout moment, une expérience suffit pour réfuter mes théories. » Addington déclarait pour sa part : « Ne feignons pas d'apporter des preuves. La preuve est une idole devant laquelle le mathématicien courbe servilement l'échine. En matière de physique et dans l'ensemble, estimons-nous heureux de sacrifier sur l'autel mineur des probabilités. »

Dans la vie des peuples, le psychisme l'emporte sur les autres préoccupations car, chez l'homme, esprit et âme jouent un rôle essentiel. Tous les individus se ressemblent, car jaunes, noirs, bruns ou blancs, tous ont une âme ou un esprit qui conditionnent leurs actes et leur comportement. Comme le proclame saint Paul dans l'Epître aux Romains, je suis intimement convaincu de l'existence d'un Etre Suprême qui, lors de la Création, se tenait aux côtés de l'être humain. Dieu est l'apothéose de la spiritualité, car quiconque, en ce bas monde, préfère ce qui est humain à ce qui est strictement mécanique, quiconque met l'intelligence au-dessus du rendement ne peut imaginer le triomphe de l'esprit et l'idéal suprême que sous l'aspect de la divinité.

La machine, le navire, l'avion, la fusée, l'association, le parti, la médaille, le bilan commercial ne font pas, à mes yeux, figure de réalités ; comme les mirages, ils disparaissent, s'effacent, tombent en poussière et sombrent dans le néant. S'ils revoyaient les richesses et les biens qui leur appartinrent et qui furent ensuite dispersés à tous les vents, les morts dont le nombre dépasse de beaucoup le nombre des vivants pourraient en témoigner. Les seules authentiques vérités sont l'imagination créatrice, l'âme et l'inspiration. Les épopées d'Homère, transmises par voie orale, se sont conservées pendant bien plus longtemps que les objets utilisés par les contemporains de l'aède, et le Sermon sur la Montagne continuera à exister après que les machines et les fusées, produits de l'industrie humaine, auront été incendiées, les gratte-ciel et les forteresses broyés et retournés en poussière et que seul le vent mugira sur une terre dévastée par la faute de l'homme.

L'inexploré est considérablement plus vaste que l'exploré, mais l'inexploré n'est pas, et de très loin, le néant car les faits et les forces dont l'homme ignore l'existence sont incalculables. Il est probable que, dans quelques années, l'homme possédera les moyens lui permettant d'alunir, mais l'être humain n'en reste pas moins une énigme et l'amour, pour ne parler que de lui, échappe à la raison.

De quand date le divorce entre Dieu et l'homme ? Quand donc la créature humaine a-t-elle ressenti le besoin de se rapprocher de son Créateur ? Qui a déclenché le processus qui fit d'un animal un être pensant ?

Les grandes vérités sont invisibles. Ou bien alors, l'homme s'imagine-t-il avoir déjà pénétré dans l'univers des vivants et des visionnaires ?

CHAPITRE II

La question essentielle

« Dans un monde où la matière menace d'étouffer l'esprit, où un grand nombre d'humains sont incapables de croire autre chose que ce qu'ils voient et considèrent Dieu comme une figure mythique, la question essentielle est la suivante : Dieu existe-t-il réellement ? »

L'HOMME naît, l'homme meurt, les portes s'ouvrent puis se referment. Les vestiges laissés par les peuples disparus gisent ensevelis sous le sable et les pierres.

Que subsiste-t-il des habitants de Tartessos, florissante capitale de l'Atlantide, située à l'embouchure du Guadalquivir ? Pourquoi leurs palais, leurs maisons, leurs temples sont-ils retournés au néant ? Saurons-nous jamais ce que fut l'agonie des Sardes, à la civilisation très évoluée, qui peuplaient la Sardaigne à l'époque protohistorique ? Quel sort fut celui des Lélègues et des Pélasges, population pré-indo-européenne de la péninsule hellénique ? Qu'est-il advenu des Rhétiques, population alpine et de leur langue totalement oubliée ?

Qui étaient les Parthéniens, mystérieux fondateurs de Tarente, et comment sombrèrent-ils dans l'oubli ? Comment disparurent les Sicules, premiers habitants de la Sicile ? Pourquoi la splendide civilisation minoenne sombra-t-elle, en 1400, sans qu'on en connaisse la raison ? Quel peuple entassa d'immenses blocs de roche, à

4 000 mètres d'altitude, sur les hauts plateaux andins ? De quel cataclysme, de quelle guerre furent victimes les habitants de Tiahuanaco, voisins du lac Titicaca ? Si l'apogée de la civilisation de l'Indus se situe dans la seconde moitié du troisième millénaire avant l'ère chrétienne, à la fin du même millénaire elle n'était déjà plus qu'un souvenir. De quelles scènes l'homme de Pékin fut-il le témoin il y a trois cent mille ans et comment expliquer l'extinction de sa race ? Pourquoi les derniers Neandertaliens qui chassaient sur trois continents disparurent-ils brusquement vers 30 000 avant J.-C. après 10 000 ans et probablement plus d'existence ?

L'une après l'autre, les civilisations s'éteignirent et ce qui s'est conservé et dont nous avons connaissance est bien peu de chose en comparaison de ce qui s'est abîmé en poussière et en cendres. Malgré tout, les œuvres façonnées ou construites par l'homme ont une curieuse tendance, difficile à préciser, à revenir à la surface, à se multiplier, à se manifester et à poursuivre leur action. Cette vie que l'on peut, dans un sens, qualifier d'éternelle n'est, en somme, que le reflet des desseins de Dieu.

D'où vient l'homme ? Où va-t-il ? Les générations se sont toutes efforcées d'apporter une réponse à cette double question. Sur les débuts de l'humanité, l'Ancien Testament fournit des précisions et le Christ lui-même parle de la rédemption. Toutes les nations de l'Occident ont extrait de l'Ecriture l'ensemble des principes et des préceptes de leur éthique, de leur esthétique et les fondements de leur littérature. Et Dieu ? Dieu est-il né de l'esprit, de la nostalgie et de l'imagination des hommes qui racontèrent ces histoires ? Ce que nous appelons l'Ancien Testament est, en fait, relativement récent puisque les traditions les plus anciennes qui s'y trouvent consignées ne sont guère antérieures à l'époque où Moïse, l'un des grands hommes d'Etat, l'un des principaux législateurs et l'un des plus grands génies militaires de tous les temps, réforma la religion du peuple juif. Abraham vécut entre 1900 et 1700 avant J.-C., David composa ses psaumes vers l'an mille et Salomon régna 950 ans seulement avant la naissance de Jésus. Cela ne représente, en fait, que les derniers mètres de la longue route pénible et semée d'épines suivie par l'homme pendant les centaines de milliers d'années qui précédèrent la relation des faits rapportés dans l'Ancien Testament.

Mais Dieu est bien antérieur et la science moderne en apporte la preuve. Des centaines de milliers d'années avant la rédaction du « Livre des Livres », l'homme peuplait déjà la planète ; il différait totalement de l'animal non seulement parce qu'il savait faire du feu et confectionner des outils mais, surtout, par sa croyance dans l'existence d'un Etre Suprême. Dieu n'a jamais cessé d'exister et, depuis qu'il l'a créé, il y a 600 000 ans, il n'a jamais cessé de se tenir aux côtés de l'homme.

Comment le sait-on et quelles preuves permettent d'étayer une telle affirmation ?

La science actuelle prétend tout confirmer. On s'efforce d'arracher aux pierres inertes les messages que les générations se transmettaient jadis par voie orale. Nos contemporains ne croient plus guère au verbe et préfèrent se fier à la pierre, au métal, aux machines, à la physique et à la chimie. Nous sommes devenus sceptiques, mais notre confiance dans les sciences exactes et dans la mécanique est aveugle. Dans un monde où la matière menace d'étouffer l'esprit, où le plus grand nombre ne croit qu'à ce qu'il sait et considère Dieu comme une pieuse « invention », le problème primordial est le suivant : Dieu a-t-il toujours existé ? Est-ce lui qui créa le premier homme ? Et l'homme connut-il Dieu dès le début de sa vie d'être pensant ? Fut-il le témoin à demi conscient de son hominisation ? Au contraire, Dieu a-t-il simplement fait « surgir » l'homme du néant ? Si la transformation de la bête en animal raisonnable est la conséquence d'un contact de l'homme avec l'Etre Suprême, le fait qu'il s'éloigne de Dieu devrait logiquement entraîner une déshumanisation et conduire à l'extinction de l'espèce humaine. Il est donc indispensable d'étudier à fond cette question en empruntant les sentiers biens réels qu'ont ouverts ethnologues et préhistoriens.

Ou l'on aspire à la spiritualité ou l'on s'efforce d'accroître le rendement ; or, sur cette terre, le bonheur suprême est celui que procurent les satisfactions d'ordre intellectuel et psychique, car les biens matériels ne comblent qu'en partie les aspirations des êtres humains. Le seul chemin susceptible d'aboutir à une forme supérieure d'existence est celui dont nous allons tenter de retracer les étapes. « Rien n'est plus éloigné de la vérité que la croyance futile en vertu de laquelle Dieu ne se manifesterait qu'en accord avec le progrès, avec l'amélioration des conditions de vie, avec la vulgarisation de l'hygiène, avec l'abolition des coutumes barbares et avec la propagation du christianisme. » (ALBRIGHT.)

Dans la mesure où le gouvernement des nations est entre les mains d'hommes qui font passer l'esprit avant la matière, on peut avoir confiance dans l'avenir et dans la survie de l'espèce humaine.

Mais si, par malheur, notre planète tombait au pouvoir des matérialistes : technocrates, chimistes, atomistes et spécialistes des fusées, si les sciences abstraites périclitaient, si l'humanité cessait de s'interroger sur l'essence de l'être, sur Dieu et sur les vertus humaines, si l'homme renonçait à l'exercice de la liberté et à la sauvegarde de ce qui forme depuis des centaines de milliers d'années le patrimoine moral de l'humanité, le genre humain serait près de sa fin. Car la destinée de l'homme n'est pas exclusivement fonction des buts que se fixent les sciences exactes ; il est indispensable qu'elle soit guidée par des intelligences et des esprits universels. Plus proches des vérités ultimes, ils sont mieux à même de jauger et d'apprécier les forces qui s'exercent et, en particulier, celles qui débordent le cadre de la technique.

Si tant est que le déclin, si souvent décrit et annoncé, de l'Occident s'amorce — personnellement, je n'y crois pas — le fait que, de plus en plus, les jeunes et leurs parents se détournent de la formation classique et humaniste au profit d'une orientation exclusivement concrète et scientifique pourrait constituer un indice. « Spengler n'éprouvait aucun scrupule à transposer dans la vie quotidienne les constatations qu'il avait faites ; il conseillait donc à ses lecteurs de se détourner des écrivains et des penseurs pour se consacrer à l'étude des techniques, estimant que, dans la nouvelle ère industrielle, la réflexion était un art dépassé. » (HELMUT KUHN.) A mon avis, Spengler a tort et, dans l'ère industrielle nouvelle, l'art n'est nullement superflu. Bien loin de faire litière des préoccupations purement intellectuelles, l'homme a de plus en plus besoin d'un contrepoids spirituel nécessaire à son équilibre. Il faut, au contraire, consacrer davantage de temps et d'attention aux réalisations de la civilisation occidentale et orienter l'enseignement vers l'étude des sciences abstraites, car les progrès accomplis dans le domaine des conditions de vie matérielle sont très en avance sur l'évolution psychique et spirituelle. Toute civilisation possède un critère suprême et Dieu est le couronnement et l'aboutissement de la civilisation spirituelle occidentale. Mais si l'on n'attache d'importance qu'aux œuvres humaines, qu'aux choses visibles et concrètes, on sera amené, tôt ou tard, à nier ouvertement ou secrètement l'existence de Dieu. Or, le concept de la divinité a obligatoirement vu le jour quelque part dans le monde. « Personne ne l'a vu se former, déclarait un Indien yuki, mais je pense que quelqu'un a dû le voir ; autrement, nous n'en saurions rien. »

LA QUESTION ESSENTIELLE

L'ethnographie moderne a fait une constatation, malheureusement trop peu connue, qui présente un intérêt capital : tous les peuples primitifs de la terre ont une tradition centrée autour d'un dieu suprême et chaque fois qu'on s'efforce de retrouver la trace des religions fondamentales on s'aperçoit que les hommes n'ont pas créé leur religion ; les peuples les plus anciens sont persuadés qu'à l'origine des temps l'Etre Suprême cohabitait avec les hommes. Or le fait que l'idée religieuse se soit imposée, sous une forme ou sous une autre, à chaque rameau de l'espèce humaine, ne peut pas être l'effet du hasard.

Les peuples chasseurs de l'hémisphère septentrional sont ceux qui ont le mieux conservé la mémoire des époques révolues. Quiconque vit parmi eux constate chaque jour plus nettement l'existence d'une religion unique originelle qui, au lieu de s'épanouir progressivement, souffrit, au contraire, d'une lente dégradation. Les peuples de la région circumpolaire rattachent tous cette religion au dieu suprême : sur tous les continents, la religion archaïque s'altéra, mais c'est seulement au cours des millénaires qui suivirent que se manifestèrent successivement le polythéisme, la magie, la sorcellerie, l'animisme, le chamanisme et l'iconolâtrie.

En règle générale, les peuples contemporains ne s'intéressent, chose curieuse, qu'aux derniers sept millénaires d'un passé vieux de six cent mille ans. Que représentent sept mille ans dans le passé de l'humanité ! Ce ne sont que quelques secondes dans la destinée de l'humanité. Mais, d'un autre côté, comment faire pour dissiper plus encore les ténèbres du passé ? Ethnologie et paléontologie sont seules susceptibles de fournir des indications sur les faits qui se sont déroulés avant ces dernières « secondes » de l'histoire humaine. L'ethnologie est la science qui a pour objet l'étude des peuples et de leurs caractères spécifiques et l'ethnographie la description des diverses nations et de leurs activités.

Or, toutes nos sciences comportent un grand nombre d'erreurs et d'hypothèses chimériques. Les manuels scolaires nous enseignent que les débuts de l'histoire coïncident avec ceux de la tradition écrite et avec les premiers témoignages épigraphiques ; les peuples qui n'ont laissé aucune relation de leur passé sont qualifiés de « proto-littéraires ». Nous devrions savoir, au contraire, que la vie d'un peuple fait nécessairement partie intégrante de l'histoire. Si les peuples sans écriture sont classés parmi les primitifs, les Chinois, les Indiens, les populations du Moyen-Orient, les Egyptiens et les Européens sont englobés dans la catégorie des peuples évolués. En fait, si « primitif » soit-il, tout peuple possède une histoire et une civilisation qui lui sont propres.

En matière de civilisation matérielle, les prétendus primitifs sont plus proches que les peuples évolués des commencements de l'humanité ; ils se souviennent des circonstances de leur genèse et des étapes d'une évolution qui les rattache à une origine divine. Comme il est impossible de bâtir sans savoir au préalable sur quoi l'on va construire, comme le moment est proche où nous comprendrons les grandes lignes du passé humain et *par conséquent* notre responsabilité face au problème des commencements et de l'éternité, et comme les dangers qu'il nous faut affronter, au cours de notre existence, sont de plus en plus grands, nous devons essayer de remonter le sentier obscur qui mène au seuil de l'humanité primordiale. Mais, pour y parvenir, encore faut-il se débarrasser, chose malaisée pour un Européen, d'une fâcheuse habitude, celle qui consiste à considérer invariablement les civilisations des peuples primitifs à la lueur de nos critères.

La civilisation, en effet, résulte de réflexions, d'expériences, d'inventions, de réalisations et d'œuvres humaines innombrables ; les mœurs font partie de la civilisation au même titre que le comportement quotidien. La civilisation est l'art de vivre en harmonie avec la nature, avec le milieu ambiant et avec ses semblables... En 1951, Cornelius Osgood a donné cette définition : « Elle est faite d'impulsions intellectuelles résultant d'expériences directes, transmises aux sens et devenues conscientes, de l'ensemble des œuvres, du comportement et des idées communes à l'ensemble de l'espèce humaine. »

A condition de perdre l'habitude de ne tenir compte que des réalisations matérielles, la vérité fondamentale éclatera : ce ne sont pas les pays possédant les engins les plus rapides ni les agglomérations les plus populeuses, les musées les mieux chauffés ni les rues les plus propres qui sont les plus civilisés et il n'existe, somme toute, aucune différence essentielle entre les primitifs et les peuples évolués.

CHAPITRE III

L'homme, il y a six cent mille ans

« Dans l'Afrique du Sud, nous possédons des séries de fossiles dont l'importance n'a rien à envier à celle du gisement de Chou-Kou-Tien. Les deux cents dents d'Australopithécidés en notre possession sont au moins aussi essentielles que les reliques du Sinanthrope. Nous détenons également cinq parties de crânes bien conservés et huit qui le sont moins ; les squelettes découverts ici présentent un intérêt beaucoup plus considérable que les découvertes effectuées jusqu'ici en Chine. Ce n'est pas, certes, avant plusieurs années que ce matériel pourra être étudié et exploité et, sans cesse, de nouveaux éléments complètent la connaissance que nous avons des formes fossiles de l'Afrique australe. Des milliers de grottes et de gisements troglodytiques n'ont encore jamais été fouillés ! »

ROBERT BROOM et J. T. ROBINSON : « Further Evidence of the Structure of the Sterkfontein Ape-Man-Plesianthropus » *Transvaal Museum,* n° 4, Johannesburg, 1950.

TROIS MILLIARDS ET DEMI : tel est l'âge de la terre déterminé en fonction de la densité de répartition des éléments radioactifs ! Les moyens actuels permettent de fixer le laps de temps qui s'est écoulé depuis la formation des minéraux les plus anciens ; pour connaître l'âge des roches dont la constitution est plus ancienne encore, il suffit d'ajouter aux données obtenues une période déterminée. Des éléments tels que l'uranium, l'actinium et le thorium se sont formés, par exemple, il y a deux à trois milliards d'années ; s'ils étaient plus anciens, ils auraient déjà disparu. L'âge de la terre ne peut donc guère être inférieur à trois milliards et demi d'années du fait qu'un certain nombre de roches ont, au minimum, deux milliards deux cents millions d'années. A. Holmes, qui consacra son existence à l'étude de ce problème, attribue à la planète trois milliards trois cents millions d'années.

De même que les huit autres planètes, la terre tourne autour du soleil ainsi que plusieurs milliers de planétoïdes, d'astéroïdes et de comètes à orbite elliptique.

Avec une centaine de millions d'astres analogues, le soleil fait partie du système galactique dont la forme est celle d'un ellipsoïde très aplati, d'une « galette » pour reprendre la définition qu'en donnait Herschel. La galaxie — son diamètre à l'équateur atteint 100 000 années de lumière et son diamètre aux pôles 150 000 années de lumière — tourne lentement autour de son axe. A une distance de 30 000 années de lumière du centre de la galaxie, le soleil effectue, à raison de 300 kilomètres à la seconde, vitesse dix fois supérieure à celle de la rotation de la terre autour du soleil, une rotation dont la durée atteint 250 millions d'années.

Mais la galaxie dont font partie les planètes du système solaire n'est qu'une galaxie parmi des millions d'autres que les télescopes permettent de distinguer.

Grâce à l'emploi de lentilles géantes, la photographie céleste a apporté la preuve de l'existence d'une multitude de systèmes galactiques analogues au nôtre ; de forme lenticulaire, ils tournent autour de leur axe. Ces systèmes stellaires indépendants et autonomes ne peuvent être mesurés qu'en années de lumière. La nébuleuse d'Andromède, par exemple, se trouve « seulement » à un million d'annés de lumière de la terre et trois millions d'années de lumière séparent la terre de la constellation du Grand Chien. A de plus grandes distances et dans les galaxies les plus éloignées on n'aperçoit que des amas d'étoiles et, aussi puissants soient-ils, les radiotélescopes s'avèrent insuffisants. Pour l'instant, les formations galactiques les plus éloignées (500 millions d'années de lumière) qui ont été décelées par l'astronome Baade grâce au télescope de cent pouces de l'observatoire du mont Palomar sont celles de la constellation dite Chevelure de Bérénice, mais il est certain que, du vivant de notre génération, des formations situées à des distances de l'ordre du milliard d'années de lumière pourront être identifiées.

Cela n'implique pas que nous ayons réussi à entrouvrir les portes du cosmos et, aussi vertigineux soient-ils, les chiffres recueillis ne concernent qu'une minuscule fraction des espaces sidéraux. D'autre part, les observations astronomiques sont très imprécises. On ne sait même pas pourquoi les planètes, toutes issues de la masse solaire, sont si éloignées du soleil, pourquoi le maximum de matière est encore concentré dans la masse solaire et pourquoi le mouvement de rotation du soleil s'est communiqué à tous les corps célestes qui gravitent autour de lui. Ce qu'on sait représente, en fait, très peu de chose et, vu l'immensité du cosmos, nos connaissances sont infimes et, de surcroît, partielles et incomplètes.

Pendant trois milliards et demi d'années, c'est-à-dire pratiquement depuis qu'elle existe, la terre tourna donc autour du soleil avant l'apparition de la créature humaine. L'homme est un « phénomène » tellement récent que la durée d'existence terrestre comparée à celle de la terre est insignifiante, car il y a 600 000 ans, au grand maximum que le bipède appartenant à la catégorie des hominidés et à l'espèce « homo » se manifesta sur la terre, minuscule grain de sable perdu dans l'espace sidéral.

Pendant cette « courte » période, l'homme a survécu à des variations climatiques d'une ampleur considérable. Quatre grandes glaciations se sont succédé ; chaque fois, les glaces recouvrirent l'Europe, l'Amérique et l'Asie septentrionales et la température moyenne s'abaissa. Descendus des pôles et des chaînes montagneuses, les glaciers poussèrent devant eux des masses de roches et de sable qui constituèrent les amas morainiques. Trois périodes chaudes séparèrent les quatre glaciations. Recourant à l'analyse spectrale, Milancovich a dressé la chronologie des périodes glaciaires et interglaclaires et, en 1924, Köppen compléta les résultats obtenus. Chaque glaciation dura de 50 000 à 100 000 ans et l'on suppose que l'homme fut contemporain de la première période glaciaire, dite de Günz, qui se situe entre 600 000 et 540 000. La dernière, dite période de Würm, se poursuivit de 118 000 à 10 000 ans avant l'ère chrétienne. Nous sommes actuellement dans une période postglaciaire qui se maintient depuis 12 000 ans environ et il est probable qu'une nouvelle glaciation se produira dans 50 à 60 000 ans. Un certain nombre de grands glaciers alpins et une partie de ceux qui sont situés en deçà du cercle polaire remontent à la dernière période glaciaire.

L'apparition de l'homme sur la terre fut aussi tardive que soudaine. Jusqu'ici, en dépit de fouilles et de recherches menées avec obstination, la science n'a découvert aucun indice qui permette d'affirmer que l'espèce « homo » est issue d'une créature animale ni qu'elle s'est détachée d'un rameau du règne animal. La brusque apparition de l'homme, il y a six cent mille ans, s'explique d'autant moins qu'il y a 250 millions d'années les marécages et les forêts du Carbonifère étaient déjà peuplés de reptiles, de vertébrés à respiration pulmonée et de reptiles dotés d'immenses ailes rigides, ancêtres des oiseaux. C'est leur descendance qui, au Mésozoïque, il y a 180 millions d'années environ, donna naissance aux premiers mammifères dont les plus anciens fossiles — ils datent du Jurassique — ont été découverts en Allemagne, en Angleterre et en Afrique du Sud. L'extinction des sauriens, au Sénonien, remonte à 80 millions d'années ; au début du Tertiaire, il y a 58 millions d'années, les mammifères éclipsèrent définitivement les reptiles et se répandirent sur tous les continents. L'origine de la plupart des espèces actuelles de mammifères se situe donc il y a sept ou huit millions d'années.

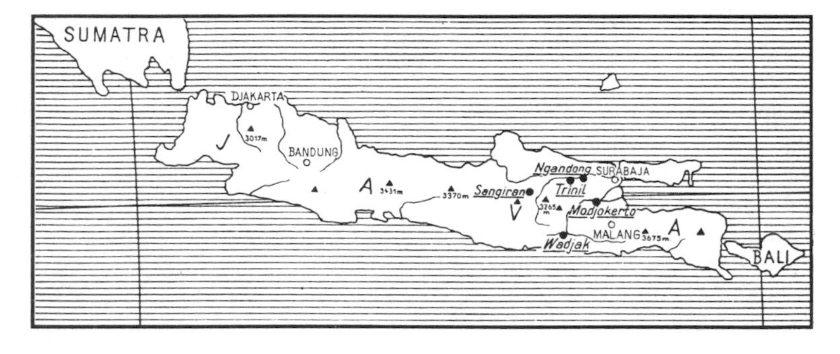

Principaux sites de Java où ont été découverts des vestiges de Pithécanthropes.

Et l'homme ? Jusqu'ici, aucun fossile authentiquement humain antérieur à 600 000 ans n'a été retrouvé.

En 1903, le paléontologue Schlosser acheta, dans une pharmacie chinoise, des os qui, conformément à la pharmacopée extrême-orientale, étaient sur le point d'être pulvérisés et vendus comme remède. Parmi eux, figurait une dent dont la forme insolite retint l'attention de Schlosser qui se demanda si elle avait appartenu à un singe d'espèce encore inconnue ou à un homme très archaïque. En 1926, Zdabsky, qui effectuait des fouilles dans les environs de Pékin, trouva deux nouvelles dents ayant appartenu à une créature humaine. Un an plus tard, Bohlin en découvrit une autre ; étudiée par D. Black, elle fit l'objet d'un rapport intitulé : « Sinanthropus pekinensis, tertiary man in Asia », publié dans une revue scientifique. Quarante kilomètres seulement séparent Pékin de la colline de Chou-Kou-Tien dont les grottes sont creusées dans un calcaire datant du Paléozoïque ancien ; en 1928, l'anthropologue chinois W.C. Pei trouva, dans une des grottes, un pariétal, un fragment d'os frontal et plusieurs dents et, le 2 décembre 1929, une calotte crânienne. La découverte d'outils en pierre taillée eut pour corollaire celle d'une seconde calotte crânienne relativement bien conservée. En 1940, le gisement de Chou-Kou-Tien avait livré des ossements fossiles ayant appartenu à 45 individus aux caractéristiques humaines évidentes ; les os crâniens étaient en majorité. Le préhistorien français Boule proposa de donner au type d'individu dont les restes avaient été exhumés à Chou-Kou-Tien le nom de Pithecanthropus pekinensis.

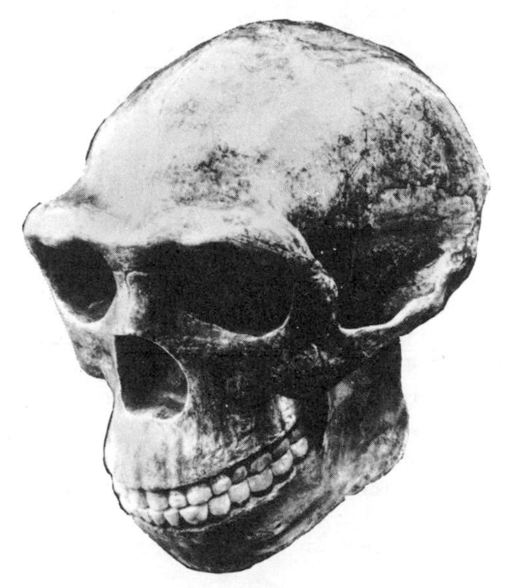

Crâne reconstitué du Pithecanthropus pekinensis ou homme de Pékin. (Musée de l'Homme)

Les successeurs de Darwin s'imaginaient que ces restes étaient ceux d'un anthropoïde contemporain du Pléistocène moyen, que ce préhominien, moitié homme, moitié bête, était incapable de penser et de s'affranchir des contingences du milieu. Or, la science moderne est parvenue à des conclusions essentiellement différentes, et il est maintenant quasi certain que les vestiges fossiles trouvés à Chou-Kou-

Tien sont ceux d'hommes véritables. La denture notamment n'a rien de simiesque et, à en croire Joseph Kaelin, les canines inférieures, dont la forme rappelle celle des incisives, sont nettement plus humaines que les incisives des hommes actuels. Chez un Européen contemporain, la capacité crânienne est, en moyenne, de 1 350 à 1 500 centimètres cubes et, bien que le volume cervical ne soit pas un critère d'intelligence, il n'y a guère de différence entre l'homme de Pékin et l'homme du XXe siècle. Pour l'Italien Alberto Carlo Blanc, le développement du lobe frontal inférieur prouverait même que le Sinanthrope possédait un langage articulé.

Il avait, en tout cas, un rudiment de civilisation ; son outillage se composait de racloirs, lames, pointes, burins, poinçons en quartz ou en quartzite, matériaux peu résistants. Deux mille ont été retrouvés, sur un espace de dix mètres sur trois mètres cinquante, dans la grotte de Chou-Kou-Tien. C'est avec des outils de ce genre que l'homme de Pékin tailla les os d'animaux dont un grand nombre gisaient mêlés à ses propres ossements. Des morceaux d'andouillers et des cornes de gazelles préparés et taillés lui servaient probablement aussi d'outils. En 1932, visitant la grotte de Chou-Kou-Tien, l'abbé Breuil constata que les bois de cerf avaient été préalablement exposés au feu puis sciés avec des lames de quartz aux endroits partiellement calcinés : « Je suis convaincu que ce n'est pas là l'œuvre des hyènes, par exemple. »

Les restes d'une centaine de vertébrés dont plus de quatre-vingts de mammifères fournirent aux spécialistes de tous les pays matière à de multiples hypothèses. Faut-il imaginer, comme le suppose Otto Tschumi, que les crânes entassés dans la grotte de Chou-Kou-Tien par l'homme de Pékin jouaient un rôle cultuel ? D'autre part, étant donné ce que l'on sait des civilisations paléolithiques et des préoccupations métaphysiques des primitifs, il n'est pas impossible que le Sinanthrope ait cru en un Etre Suprême auquel il sacrifiait. En effet, comme l'a prouvé P. Wilhelm Schmidt dans l'ouvrage monumental qu'il a consacré à l'origine du concept divin, les premiers hommes ignoraient le polythéisme.

Des amas de cendres révèlent, par ailleurs, que l'homme de Pékin savait utiliser le feu ; l'abbé Breuil a recueilli des os partiellement ou totalement calcinés, des pierres évidées contenant du noir de fumée et même un fragment de branche carbonisé. Mêlés à des débris de calcaire, à des pierres et à de l'argile ocre, les restes de foyers formaient une couche de sept mètres d'épaisseur et constituaient sans doute, du vivant des Sinanthropes, un véritable amas. L'abbé Breuil en conclut qu'à cet endroit le feu, soigneusement entretenu, brûla pendant de longues périodes et que les flammes jouaient un rôle essentiel dans le psychisme du Sinanthrope.

Mais un autre détail attirait l'attention : le trou occipital de tous les crânes retrouvés dans la grotte avait été agrandi. Weinert, Weigall et von Kœnigswald en ont conclu que l'homme de Pékin était cannibale. Or, l'ethnologie moderne enseigne que l'anthropophagie et, surtout, le cannibalisme sacré ne se rencontrent pas chez les primitifs chasseurs et récolteurs. A moins que, par nécessité et pour assurer sa survie, l'homme ne tue son semblable pour le manger — les seuls cas connus ont été signalés chez certaines tribus esquimaudes totalement dénuées de ressources alimentaires — le cannibalisme a toujours eu un caractère sacré. Aussi étrange que cela puisse paraître, il est spécifique des civilisations déjà évoluées. Des cas d'anthropophagie rituelle ont été aussi constatés chez des tribus déjà parvenues au stade de l'agriculture, plus « récentes », par conséquent, sur le plan de l'évolution que les chasseurs et les récolteurs primitifs dont faisait partie l'homme de Pékin.

Il n'est pas exclu que la grotte de Chou-Kou-Tien ait été utilisée pendant très longtemps comme nécropole. Ou alors il faut supposer qu'une race d'hommes plus évoluée traqua les Sinanthropes à l'égal du gibier, abandonnant sur place les restes des victimes mêlées aux ossements animaux. Cette hypothèse semble néanmoins peu plausible car, dans ce cas, la grotte aurait dû également contenir des fragments de crânes ayant appartenu aux représentants de la race « supérieure ». Or, les couches archéologiques renferment exclusivement des ossements de Sinanthropes. Précisons à ce propos que le gisement connu sous le nom de « Grotte supérieure » est chronologiquement distinct ; bien qu'il fasse partie du site appelé « Localité I », on y retrouve les restes d'un homme fossile postérieur du type Homo sapiens. Rien n'empêche de penser que le Sinanthrope vouait un culte aux défunts et qu'il emportait lors de ses pérégrinations les crânes de ses parents et des membres de sa tribu ; pour une raison que nous ignorons il aura dû abandonner la grotte ainsi que les crânes qu'elle contenait. Andamans, Négritos et Tasmaniens, populations extrêmement archaïques, rendent encore un culte similaire aux ancêtres divinisés.

Les aptitudes techniques et la maîtrise du feu dont témoigne le Sinanthrope révèlent sans doute possible qu'il eut des précurseurs. Qu'en subsiste-t-il ? Par suite de quel phénomène les vestiges des hommes de Pékin ont-ils été découverts à une telle distance de ceux laissés par les autres espèces d'hommes primitifs ?

Des aptitudes psychiques telles que l'usage du feu, la fabrication d'outillage, d'armes et la chasse au gros gibier ne cadrent pas avec des dénominations comme celles d'anthropopithèque ou de préhominien. En effet, les premiers indices d'activité culturelle et civilisatrice ont, sur le plan humain, une importance égale à celle des découvertes révolutionnaires telles que l'invention de la machine à vapeur ou la libération de l'énergie enfermée dans l'atome. Dans un cas comme dans l'autre, il s'agit d'une extériorisation du même « fait » humain dont l'universalité de la prise de conscience morale commune à l'ensemble des représentants de la race humaine est une autre caractéristique. Or, les hommes contemporains des époques archaïques avaient déjà franchi ce pas.

Le volume crânien moyen du Pithécanthrope (1 075 cm^3) est inférieur au volume crânien moyen de l'homme contemporain (1 300 à 1 500 cm^3) ; son front est fuyant et aplati et les os du crâne sont épais et massifs, mais il n'en est pas moins vrai qu'il s'agit d'un homme véritable, au psychisme déjà perfectionné. L'ancienneté du Sinanthrope est l'objet de discussions. Alberto Carlo Blanc le fait remonter à 520-500 000 ans, avant notre ère ; tout récemment, on l'a daté du Pléistocène moyen période géologique considérable qui va de 435000 à 187000 av. J.-C. En prenant une moyenne, ont peut dire que le Sinanthrope vécut il y a 300 000 ans environ. Pour sa part, Frederick E. Zeuner estime que le Pithécanthrope et son outillage remontent à un demi-million d'années.

Or, le Sinanthrope n'était pas l'unique habitant de la terre et il eut des émules sur d'autres points du globe. En 1891-1892, le médecin militaire hollandais Dubois trouva, à Trinil, village javanais situé sur la rivière Solo, une calotte crânienne, un fémur et une molaire et il en déduisit que ces ossements étaient ceux d'un homme : le Pithecanthropus erectus. La capacité crânienne de l'homme de Java ne dépassait pas 1 000 cm^3 ; elle était donc très inférieur à celle de l'homme contemporain. Depuis 1936, G. H. R. von Kœnigswald, géologue et anthropologue allemand mondialement connu, a effectué de nouvelles découvertes de vestiges de Pithécanthrope, à Sangiran et à Modjokerto, également à Java.

En 1939, Kohl-Larsen mit au jour, sur la rive orientale du lac Eyasi (ou Njarasa), à soixante-quinze kilomètres au sud d'Oldoway, dans le nord du Tanganyika, des fragments de calotte crânienne ; eux aussi étaient ceux d'un Pithécanthrope vieux de 500 000 ans auquel Weinert donna le nom d'Africanthrope.

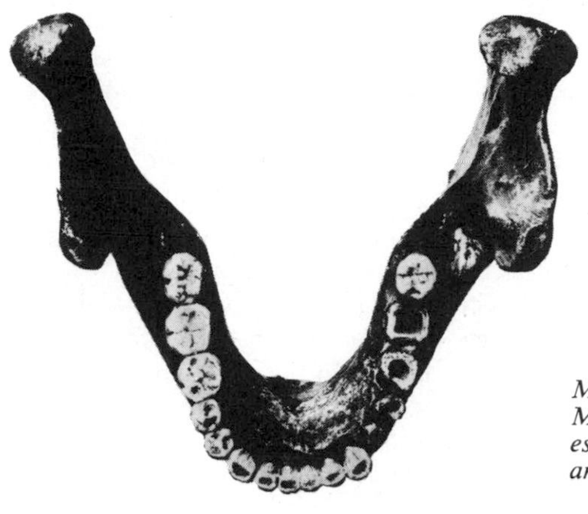

Mâchoire de l'homme de Mauer. Son ancienneté est estimée de 300 000 à 500 000 ans. (Musée de l'homme)

Brusquement, on se souvint de la découverte faite, en 1907, par l'instituteur Schœtensack, dans une carrière de sable de Mauer, village des environs de Heidelberg ; il en avait extrait une mâchoire très massive au menton fuyant dont la denture évoque celle de l'homme moderne. L'homme de Heidelberg auquel elle appartient fut d'abord considéré comme intermédiaire entre l'homme et le singe mais, depuis, les spécialistes l'ont rattaché au type Pithécanthrope. « Tout indique, écrit Joseph Kaelin, que nous avons affaire au représentant europoïde du groupe Pithecanthropus. » En fait, l'homme de Heidelberg est probablement antérieur au Sinanthrope et au Pithecanthrope erectus de Java.

La conclusion stupéfiante que l'on retire de cet ensemble de découvertes est que le même être dont le psychisme était déjà assez développé pour qu'il pût concevoir les choses autrement que sous forme concrète, dont la morphologie était incontestablement humaine, qui savait fabriquer des outils et tirer la leçon de l'expérience, vécut, il y a un demi-million d'années, en Chine, à Java, en Afrique orientale et en Europe. Le premier homme dont on savait avec certitude qu'il savait se servir du feu était une créature à l'esprit éveillé qui organisait sa vie à sa guise et qui n'avait rien de commun avec les pongidés : chimpanzé, gorille et orang-outan. Tout indique, au contraire, que la souche initiale dont sont issus l'homme et les anthropoïdes s'est ramifiée de très bonne heure car, de même que la terre s'est détachée du soleil, pondigés et hominidés possèdent une origine commune. Pourquoi les deux rameaux divergèrent-ils ? C'est encore un mystère. Comme l'a écrit l'anthropologue viennois Wilhelm Ehgartner, « le problème de l'origine physique de l'homme n'est pas résolu en dépit de toutes les théories et des nombreuses et précieuses découvertes que les fouilleurs et les chercheurs ont faites au cours des dernières décennies ». D'où il résulte que le maillon entre l'homme et l'animal, le fameux « missing link », reste encore à trouver.

Cette remarque s'applique également à la découverte la plus sensationnelle du XXe siècle, celle de l'Australopithecus africanus, terme dont le sens est « singe austral africain ». Là encore, on ignore s'il s'agit d'un singe très évolué ou d'un homme au premier stade de l'hominisation.

En 1924, se place la mise au jour, à Taungs, dans le Bechuanaland, d'une calotte crânienne, d'un maxillaire inférieur et de l'empreinte intacte d'un crâne ayant appartenu à un anthropomorphe en bas âge· dont la morphologie associe caractéristiques simiesques et humaines. R.A. Dart, professeur d'anatomie à l'université de Johannesburg, étudia les ossements fossiles, publia le résultat de ses observations et donna à la créature inconnue le nom d'Australopithèque.

Lorsque les restes sont ceux d'un individu en bas âge, c'est-à-dire incomplètement formé, il est extrêmement difficile de lui assigner une place dans la généalogie de l'espèce. Un heureux hasard voulut qu'en 1936, près de Sterkfontein (Transvaal), à soixante-quinze kilomètres de Johannesburg, R. Broom, médecin et paléontologue, trouvât dans une grotte creusée dans le calcaire le crâne fossilisé d'un adulte (Plesianthrope). Au mois de juin 1938, guidé par un écolier, Broom découvrit, à Kromdraai, dans une carrière abandonnée située à trois kilomètres de Sterkfontein, un autre crâne fossile (Paranthropus robustus). Enfin, en 1939, les anthropologues Gregory et Hellmann donnèrent aux individus auxquels appartenaient calottes et ossements le nom d'Australopithécidés, terme générique.

A 1947 remonte la découverte, à Makapansgat, à seize kilo-

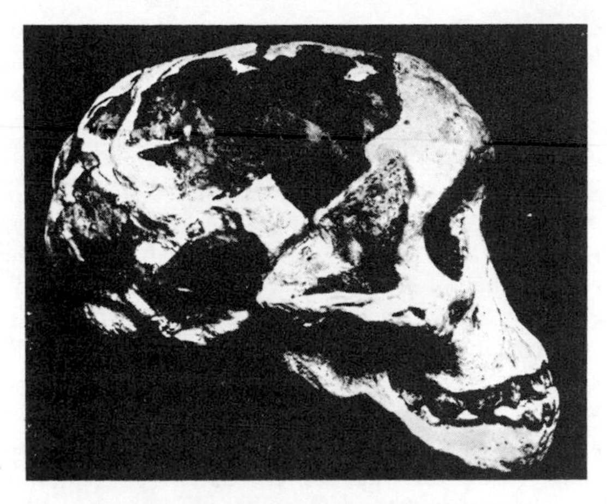

Crâne d'australopithèque, l'homme le plus ancien dont on ait connaissance. (Musée de l'homme)

mètres au nord-est de Potgietersrust (Transvaal), de la calotte crânienne intacte d'un autre Australopithécidé. On l'appela Australopithecus prometheus, car l'analyse chimique de la brèche dans laquelle la calotte était insérée avait révélé la présence de particules de charbon de bois dont la présence impliquait une exposition au feu. Mais cela ne signifie nullement que l'Australopithecus prometheus ait domestiqué le feu !

Découvertes, à Sterkfontein (Transvaal), du paléontologue R. Broom. (Musée de l'homme)

La découverte d'ossements d'ongulés sur les sites où furent identifiés les restes d'Australopithécidés a justifié une autre hypothèse : celle de l'utilisation des os comme armes de chasse. Cette éventualité est soutenue par J. Kaelin qui se fonde sur les traces de cassures et d'usure relevées sur les articulations. D'autre part, de nombreux crânes de cynocéphales trouvés sur les gisements près des restes d'Australopithécidés témoignent de fractures et d'ouvertures dont la forme et les contours confirment apparemment l'emploi, comme massues, d'os d'animaux. En 1949, Dart s'est efforcé de prouver que quatre-vingts pour cent des blessures et des fractures constatées sur les crânes de cynocéphales provenaient de coups assenés avec préméditation. Cependant, même si la chose était prouvée, le caractère humain des Australopithèques ne serait pas prouvé pour autant et, comme l'écrit J. Kaelin : « L'utilisation instrumentale d'objets en vue d'atteindre un but conditionné par une situation donnée ne dépasse pas le cadre des aptitudes psychiques des animaux, fussent-ils invertébrés. De plus, les restes d'Australopithécidés ont été déposés par les eaux, dans des dolines et dans les anfractuosités d'un terrain calcaire à caractère dolomitique ; l'eau y a également déposé les ossements d'innombrables mammifères contemporains dont une fossilisation progressive provoqua la pétrification. » Or, Dart se fonde précisément sur l'abondance des ossements de mammifères mêlés aux restes d'Australopithécidés pour prétendre que les hominoïdes de l'Afrique australe chassaient le gros gibier.

Des fouilles furent effectuées sur une vaste échelle : 600 tonnes de roches furent remuées dont dix, transportées à Johannesburg, furent passées au crible. Une quantité croissante de fossiles fut ainsi recueillie. Finalement, en 1949 et en 1950, Broom et Robinson découvrirent des fragments de calottes crâniennes, un os iliaque et un maxillaire inférieur. On possédait dès lors une centaine de spécimens fossiles dont l'ancienneté fut fixée au Pléistocène ancien par le quatrième symposium d'anthropologie physique qui siégea à New York. Les Australopithécidés peuplèrent plus exactement le sud de l'Afrique entre le Pliocène récent et le Pléistocène moyen, c'est-à-dire il y a 550 000 ou 600 000 ans. Si la preuve pouvait être fournie qu'ils savaient utiliser le feu, leur caractère spécifiquement humain serait automatiquement attesté ; or, les indices sont douteux. On croit, en revanche, qu'ils étaient capables « de se tenir debout et de marcher sensiblement comme des hommes » et qu'ils

« possédaient une morphologie fondamentalement humaine dont certains éléments essentiels accusent, il est vrai, des traces très nettes d'ascendance simiesque ». Eickstedt, Le Gros Clark et d'autres anthropologues rangent les Australopithécidés parmi les hominoïdes. Les travaux auxquels s'est livré J.T. Robinson indiquent qu'ils mesuraient 1,20 m en moyenne ; en pareil cas, la capacité crânienne réduite n'implique pas nécessairement une appartenance au groupe des anthropoïdes et Wilhelm Ehgartner précise, pour sa part, que les ossements d'Australopithécidés sont, en dépit de différences sensibles, plus proches du type humain que du type simiesque.

Broom et Robinson sont parvenus à la conclusion que les hominiens, c'est-à-dire les hommes véritables, descendent en droite ligne des « anthropoïdes de l'Afrique australe », autrement dit des Australopithèques. Ils écrivent à ce propos : « Le crâne d'enfant de l'Australopithèque, le crâne d'adulte et le maxillaire d'enfant du Paranthrope et les calottes et parties de squelettes du Plésianthrope démontrent l'existence d'un type de primates presque humains et d'un autre type si proche de l'homme qu'il est pratiquement impossible de nier que l'homme véritable descende soit des Australopithèques soit d'un groupe étroitement apparenté. » Or, cette hypothèse est invraisemblable pour la simple raison qu'à Swartkrans un maxillaire présentant des caractéristiques « très humaines » a été retrouvé à côté d'ossements d'Australopithécidés. On peut tout au plus en conclure à la contemporanéité des Australopithèques et des hominiens. Cependant, il n'est pas exclu que l'Australopithèque ne représente un rameau aberrant de la lignée dont l'aboutissement est l'homme véritable, c'est-à-dire une créature dotée des possibilités physiques préliminaires à l'hominisation, mais qui s'éteignit avant d'avoir franchi le seuil séparant l'homme de la bête, à force d'être traquée et, peut-être même, massacrée par d'autres êtres plus évolués.

Les découvertes effectuées, entre 1868 et 1958, en Toscane, dans la mine de charbon de Monte Bamboli (province de Grosseto) au nord-ouest de Massa Marittima, ont donné lieu aux hypothèses les plus folles ; les nombreux fossiles furent examinés, pour la première fois, par Gervais en 1872 et l'être inconnu auquel ils avaient appartenu fut baptisé : « Oreopithecus bambolii Gervais. » Dès 1876, Ruetimeyer émit l'opinion qu'il s'agissait d'un singe apparenté aux gibbons. En revanche, en 1958, l'anthropologue bâlois Johannes Hürzeler décrivit l'Oréopithèque comme un préhominien : « J'en arrivai à la conclusion que l'Oréopithèque est un hominoïde typique. » Selon Hürzeler, ce préhomme aurait vécu entre six et douze millions d'années avant notre ère. Or, l'existence, à cette époque, de préhominiens est, *a priori,* exclue et, en 1959, Remane, professeur à l'université de Kiel, qui avait étudié les ossements à Bâle, déclara qu'à son avis l'Oréopithèque était une créature indubitablement simiesque. Ce faisant il détruisait une légende, celle en vertu de laquelle, contrairement à ce que l'on avait cru, l'âge de l'humanité — 600 000 ans — devait être multiplié par dix ou par vingt.

Le Quaternaire, qui dura, à lui seul, un million d'années, est la seule ère géologique contemporaine de l'homme. La durée du Tertiaire, qui la précéda, est, elle, estimée à soixante millions d'années Or, aucun fossile tertiaire n'a été découvert dont on puisse affirmer sans risque d'erreur qu'il appartient à un ascendant de l'homme. « Tout lien authentique fait défaut ; telle est, en fait, la situation inconfortable et presque désespérée dans laquelle se trouve la science en ce qui concerne les antécédents de l'espèce humaine. Le seuil du Pléistocène semble infranchissable et, comme le constate Le Gros Clark, aucun fossile en notre possession n'est antérieur aux restes des Australopithèques et des Pithécanthropes. » (OVERHAGE, 1959).

Henri Vallois a longuement étudié le problème ; il consiste à savoir si, à l'origine de l'humanité, il y eut plusieurs rameaux ou, au contraire, une souche unique. Vogt croyait encore que l'homme descendait en droite ligne des trois anthropoïdes : chimpanzé, gorille et orang-outan. En 1887, Hovelacque, Hervé, Broca et plusieurs autres se rallièrent à cette opinion en y apportant néanmoins des retouches personnelles. Dans l'étude qu'il publia en 1929, Vallois constate qu'aucun type humain, quelle que soit sa race, n'accuse de caractéristiques révélant une parenté directe avec les anthropoïdes ; les traits spécifiques de ces derniers font totalement défaut aux représentants de l'espèce humaine. En dépit des différences raciales, tous les hommes se ressemblent et sont, en tout cas, beaucoup plus proches les uns des autres que de n'importe quel anthropoïde. La place manque pour reproduire ici l'argumentation sur laquelle se fonde Henri Vallois, professeur d'anthropologie et d'anatomie; sa conclusion est que l'anatomie comparée fournit, elle aussi, la preuve de la diversité fondamentale des singes supérieurs et des hommes. Ce sont deux groupes essentiellement distincts qui possèdent peut-être une commune origine mais qui, depuis que leurs routes ont commencé à diverger, ne se sont

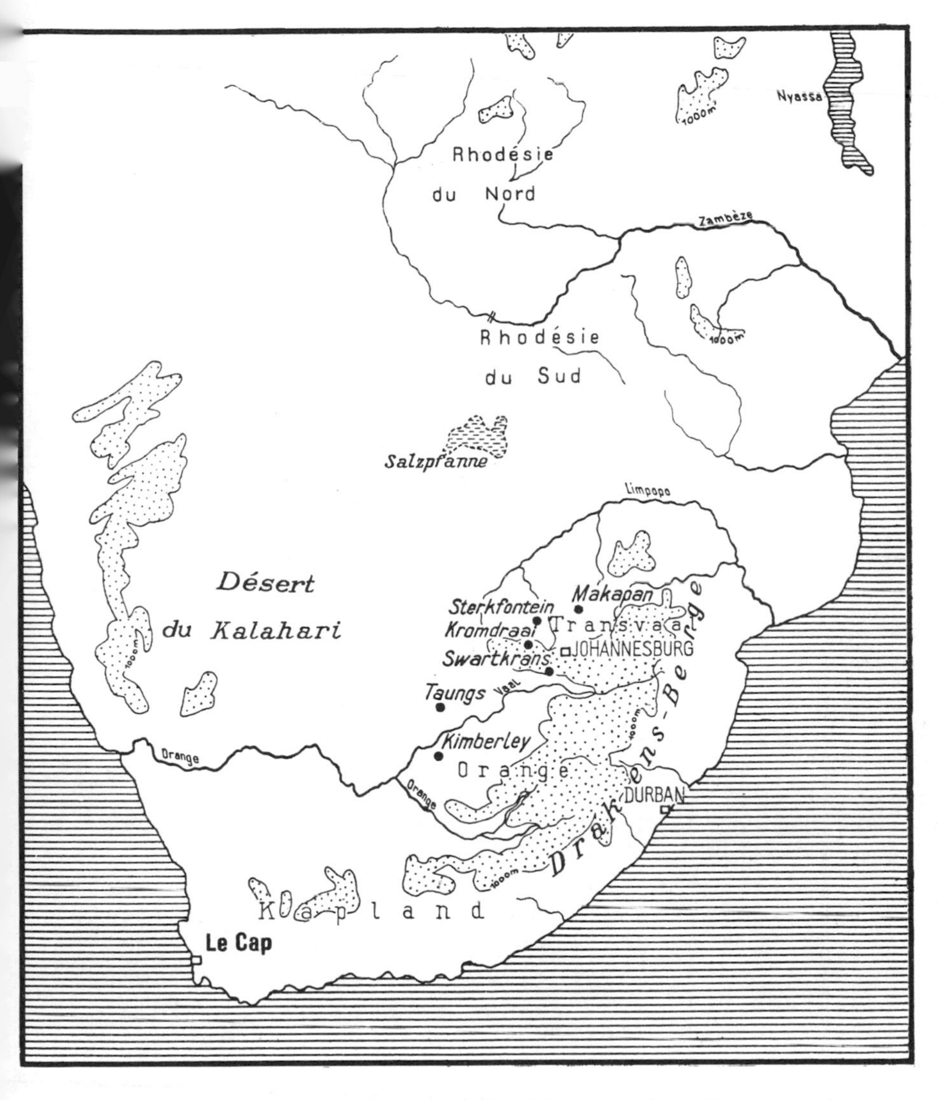

Principaux gisements paléonthologiques de l'Afrique du Sud ; découvertes de vestiges d'Australopithèques.

ni retrouvés ni croisés. L'anatomie prouve, par ailleurs, l'origine monophylétique de l'homme ; autrement dit, il procède d'une souche commune à l'homme et, vraisemblablement, aux anthropoïdes.

Mais la différence entre les singes et l'homme n'est pas que physiologique ; elle réside, avant tout, dans le psychisme. C'est parce qu'il pense et qu'il raisonne que l'homme a pu se soustraire aux contingences du milieu et à la tyrannie de l'instinct. En aspirant à rejoindre Dieu, il s'est haussé au-dessus de lui-même. Or, cette libération ne se conçoit pas sans une impulsion extérieure et sans l'intervention d'une puissance supérieure ; c'est elle qui détermina l'éveil à la conscience de la créature humaine, à l'exclusion de toutes les autres créatures. Car si pareille évolution avait été voulue et orientée par la nature seule, d'autres êtres auraient probablement atteint, eux aussi, le seuil qui sépare l'animalité de la condition humaine.

Mais l'union d'un corps et d'une intelligence ne suffit pas pour faire un homme. Un troisième facteur : l'âme, s'avère indispensable. En effet, si le corps et le cerveau humains sont perfectibles et s'ils résultent d'une évolution, rien ne s'oppose à ce qu'ils se soient perfectionnés à partir d'éléments préexistants d'origine et d'essence animales, ce qui expliquerait qu'à toutes les époques ils aient été l'objet de transformations et de perfectionnements. L'âme, en revanche, est le « produit d'une création, spontanée et sans équivalent, imputable à une puissance supérieure ». Ainsi débuta le processus d'humanisation, produit de la symbiose du corps, de l'intelligence et de l'âme, facteurs indivisibles. C'est là une évidence que nul ne songe à nier. Car ce qui fait de l'homme une créature unique n'est pas que, vertébré et mammifère soumis aux mêmes lois physiques que les autres vertébrés, il leur est supérieur par l'intelligence ni qu'il ait franchi le seuil de l'évolution que ses aptitudes ne lui permettaient pas, à elles seules, de franchir, mais que sa ressemblance avec Dieu soit « localisée » dans son âme et que cette âme, immuable, soit, par conséquent, immortelle.

Tôt ou tard, les sciences naturelles seront contraintes d'admettre l'existence de l'âme, « partie » intégrante de l'être humain, immatérielle et malgré tout réelle.

CHAPITRE IV

Ils n'étaient pas plus primitifs que nous

« S'il est possible d'identifier des faits essentiellement humains, nous avons néanmoins affaire à un phénomène initial d'autant plus capital que l'homme est, à la fois, homme et œuvre humaine, pierre et sculpteur, outil, objet et atelier. Si on la compare aux époques postérieures qui n'ont fait qu'utiliser et orner le corps humain, celle où la merveille que représente le corps humain se réalisa fut autrement décisive! »

GEORG KRAFT : *Der Urmensch als Schöpfer, Tübingen, 1948.*

IL Y A six cent mille ans, au début du Pléistocène et des grandes glaciations, l'homme savait déjà se servir du feu. Ce ne furent pas des « anthropoïdes accoutumés à la chaleur » qui imaginèrent de faire jaillir le feu et, au contraire de ce que suppose Hans Weinert, ce n'était pas non plus « des êtres que nous voudrions ranger dans la catégorie des anthropoïdes qui, assis autour d'un foyer allumé intentionnellement, appréciaient, satisfaits, la chaleur qu'il dégageait et la protection qu'il fournissait contre des fauves justement redoutés ». Weinert imagine des hommes-singes occupés à faire rôtir la proie qu'ils ont apportée et prenant plaisir au goût, nouveau pour eux, de la viande grillée.

Cette opinion est fausse et le feu a été domestiqué par une tout autre créature. Aucun animal ou semi-animal n'aurait été capable de concevoir le processus compliqué dont le terme est le jaillissement, artificiellement provoqué, d'une flamme. Seul l'homme affranchi de l'instinct et des contingences naturelles put imaginer une sucession de gestes conscients et coordonnés. L'homme, capable d'apprécier et de réfléchir sans se soucier des contingences matérielles, pouvait seul franchir l'abîme qui sépare le besoin de chaleur et d'éclairage artificiel de l'acte consistant à provoquer l'étincelle, puis à la recueillir et à l'utiliser dans un but pratique. A l'utilisation du feu était associée la notion, ignorée de l'homme contemporain, de sortilège et de magie. Or, il y a 500 000 ans, le pithécanthrope était conscient de la réalité des liens magiques. S'il veut vraiment comprendre le processus psychique préalable que requiert le fait d'allumer et d'entretenir une flamme, l'homme contemporain devra s'efforcer de reproduire les gestes effectués par l'inventeur du feu !

Le grand mystère de l'hominisation c'est précisément qu'en vertu d'un miracle les hommes échappèrent à une spécialisation physique étroitement restrictive et exclusivement orientée vers la satisfaction d'exigences matérielles ; ils développèrent, au contraire, une multitude d'aptitudes subordonnées aux directives les plus subtiles émanant du cerveau. A l'inverse de celle des singes et des lémuriens, la main de l'homme est un instrument très diversifié, aux possiblités d'utilisation multiples, qui sert à appréhender les objets en fonction des impulsions émises par le cerveau, organe d'une perfection extrême. Ni les mâchoires ni l'appareil masticatoire ne sont les parties essentielles du faciès humain, mais bien la partie supérieure du visage que prolonge le front. Chez l'homme, le cerveau se développe jusqu'à la septième année, alors que la croissance du visage est beaucoup plus lente. Du fait de l'insignifiance relative de l'appareil masticatoire, l'homme, à l'inverse des singes, a un menton de forme triangulaire. De même, au contraire des bras et des pattes des pongidés, adaptés au mode de vie arboricole, la structure des pieds, la disposition des orteils, la verticalité de la colonne vertébrale, la forme en U et non pas forme de fer à cheval des maxillaires supérieur et inférieur et les pommettes attestent chez une créature destinée à dominer le monde une nette orientation psychique.

Cela suffit à expliquer que les terribles bouleversements climatiques qui se succédèrent pendant 600 000 ans ne soient pas venus à bout de l'espèce humaine. Puisqu'il était physiquement incapable de s'adapter aux conditions du milieu et qu'il ne possédait ni la robustesse ni l'endurance d'un grand nombre de mammifères, l'homme se vit contraint, pour survivre, d'exercer son esprit. Il pouvait, certes, se soustraire à l'inclémence du climat glaciaire et descendre vers l'Equateur, mais s'il n'avait déjà eu la faculté de raisonner et de penser d'une manière constructive, il eût été irrémédiablement perdu. Notre être, notre existence et, surtout, notre survie dépendent d'aptitudes intellectuelles que nos ancêtres possédaient déjà et, en grande partie, il y a un demi-million d'années. Les hommes dont les ossements fossiles ont été découverts étaient dotés, aussi loin qu'on puisse remonter dans le temps, d'un intellect, caractéristique des individus appartenant au type « homo ».

Au début, puis à mesure que se prolongeaient les glaciations, un certain nombre d'animaux durent eux aussi s'adapter pour résister aux rigueurs du climat. L'adaptation et non pas l'activité psychique qui aboutit à l'invention du feu était seule susceptible de garantir la survie des animaux. Il suffit, pour s'en persuader, de se représenter l'épaisse toison du mammouth dont l'extinction fut contemporaine de la période Würmienne de la dernière glaciation, il y a quinze mille ans ; ses restes ont été découverts, congelés, sur les rivages de l'océan Arctique et en Sibérie, en Europe, en Amérique et même sur les bords du golfe du Mexique. Les espèces animales qui ne surent pas s'adapter s'éteignirent pendant l'une ou l'autre des grandes périodes glaciaires. Ce fut le cas, pendant la période de Mindel, pour l'Elephas meridionalis, le rhinocéros de Merck, le tigre machairodus, l'Anthracotherium magnum et, pendant la période Würmienne, dernière période glaciaire, pour le lion, l'ours, la panthère des cavernes et le rhinocéros laineux. Lors de la récession des glaciers, ne subsistait plus qu'un petit nombre d'espèces animales dont les représentants avaient appris à s'adapter aux rigueurs du climat ou, au contraire, les avaient fuies en gagnant des régions plus clémentes. Ce retrait vers le sud fut possible à toutes les époques, car l'Europe méridionale et l'Afrique restèrent épargnées par les glaces. Le froid n'était cependant pas l'unique phénomène naturel qui s'opposait à la survie des espèces animales et le fait est que la disparition de certaines est l'une des énigmes capitales de l'histoire du monde vivant, car il en est qui s'éteignirent aussi pendant les périodes de réchauffement et toutes les hypothèses échafaudées autour de cette disparition inexplicable — on a même eu recours à la philosophie — sont peu satisfaisantes.

L'homme, par contre, avait survécu...

Chasseur et récolteur, il avait bravé les quatre glaciations dont la durée de chacune avait varié entre 50 000 et 100 000 ans ; la calotte glaciaire qui recouvrait la totalité du relief avait atteint, notamment dans le nord de la Suède, 2 500 à 3 000 mètres d'épaisseur. Dans l'Europe septentrionale, le climat ressemblait à celui que connaissent les côtes nord de la Russie et l'homme endura des températures de cinquante degrés au-dessous de zéro ! Il réussit à fuir l'avance menaçante des glaciers en contournant les étendues recouvertes et figées par la glace. La toundra, qui s'étendait, devant le front de la calotte glaciaire, sans arbres et sans beaucoup de végétation, était très peu peuplée, sinon inhabitée. L'homme errait dans les steppes herbeuses et broussailleuses qui occupaient d'immenses espaces au nord des Pyrénées, au pied des Alpes et des Carpathes, et dans celles de l'Asie médiane parsemées de taillis. D'autres, à la végétation plus fournie, semblaient des parcs créés par l'Eternel. Des hommes s'étaient également établis plus au sud, dans des régions chaudes où les précipitations étaient abondantes et où chasseurs et récolteurs trouvaient une provende abondante et variée. Les découvertes effectuées à Lehringen, près de Verden an der Aller (Allemagne), prouvent qu'il y a 130 000 ans les contemporains de la dernière période interglaciaire traquaient déjà le gros gibier ; celles de Chou-Kou-Tien, qui remontent à une époque beaucoup plus ancienne, le démontrent également. Soixante-dix pour cent des ossements animaux retrouvés dans la grotte des environs de Pékin appartenaient à des cervidés, mais l'homme ne dédaignait ni la gazelle ni les équidés, ancêtres ou cousins du cheval, et consommait les fruits à noyaux d'un arbre ressemblant au cerisier. Quelles méthodes étaient celles des chasseurs de la préhistoire ? Creusaient-ils des fosses ? Poursuivaient-ils le gibier ? Mettaient-ils le feu aux herbes et aux broussailles pour diriger les animaux vers des pièges et des nasses ? Il semble, en tout cas, peu probable que les hominiens archaïques aient déjà utilisé des trappes, des pièges, des collets et autres systèmes analogues pour capturer le gibier. Il n'est pas sûr non plus que l'homme de Pékin était un cannibale « avec un goût prononcé pour la chair humaine » ; ce sont là des conclusions que la présence de restes incomplets n'autorise pas.

Les outils, produits de l'industrie humaine, sont beaucoup plus anciens que les ossements et les squelettes mis au jour. Jadis, la tendance était de repousser les débuts de l'humanité de plus en plus loin dans le temps. Rien, en principe, ne s'opposait à ce que l'homme eût vécu il y a 20 ou 30 millions d'années et à ce qu'il eût été contemporain des mammifères du Tertiaire. Arguant de la découverte de certaines pierres qui semblaient avoir été façonnées, des spécialistes s'efforcèrent d'accréditer cette hypothèse ; le fait est qu'on découvrit ultérieurement de grandes quantités de pierres qui auraient pu servir d'outils. On leur donne le nom d'éolithes (d'*eôs,* aurore, et de *lithos,* pierre).

En admettant qu'il y ait eu, dès le Tertiaire, une civilisation éolithique et que les éolithes soient effectivement le produit d'une activité humaine, leurs formes devraient être extrêmement frustes et grossières. Or, non seulement ce n'est pas le cas, mais, en outre, les éolithes sont, en partie, mieux « finies » que ne le sont les outils fabriqués par le Sinanthrope. En fait, les éolithes sont des transformations naturelles, résultats des pressions, clivages, glissements, mouvements de terrain et phénomènes géologiques divers. Si tentante qu'apparaisse la perspective de posséder les témoignages de l'industrie des premiers êtres humains, semblable hypothèse est purement chimérique.

Les Anglais ont été, de tout temps, de grands découvreurs, car leur principal mobile est la passion sportive qui les pousse à se consacrer avec enthousiasme et acharnement à la recherche de ce qui est, en fait, à la limite de l'incertain et du vraisemblable. Individualistes brillants et taciturnes, ils aiment être les témoins de la réalisation des chimères ; aussi est-il malaisé de les empêcher de se lancer à corps perdu dans des entreprises hardies et essentiellement pratiques. La société étant, par définition, sceptique et portée à la réserve, l'existence d'originaux qui refusent les sentiers battus est un mal nécessaire. Car la société n'a que trop tendance à décourager quiconque témoigne d'initiative ; cela s'explique par le désir inné et, somme toute, compréhensible de chaque individu de se conformer aux normes habituelles.

Que, très tôt, des témoignages de l'activité humaine préhistorique aient été découverts en Angleterre et, plus particulièrement, dans le comté de Norfolk qui forme saillie sur la mer du Nord, à l'est de la Grande-Bretagne, s'explique de cette manière. L'auteur de ces découvertes, J. Reid Moir, chercheur infatigable, s'efforça, avec une opiniâtreté méritoire, de démontrer que les pierres susceptibles d'avoir été utilisées comme outils avaient été façonnées par des hommes. Les silex taillés mis au jour par Moir proviennent d'Ipwich, de Norwich, de Cromer, de Shelly et de Foxhall et, si la thèse de Moir affirmant qu'il s'agit d'outils taillés avait été scientifiquement confirmée, c'eût été la preuve que l'*homo faber* vivait déjà entre 600 et 800 000 ans, c'est-à-dire avant la première glaciation. Cette thèse est abandonnée du simple fait que les objets exhumés en Angleterre ne sont pas antérieurs aux découvertes effectuées en Afrique du Sud.

Mais qui prouve que nous sommes sur la bonne route ? Nos connaissances en matière de préhistoire ne sont-elles pas enfouies sous les pierres au point que nous sommes devenus incapables d'entrevoir des possibilités antérieures ? N'y a-t-il pas eu, antérieurement, des civilisations caractérisées par un outillage de pierres brutes ? N'a-t-il pas existé de civilisation du bois dont, par la force des choses, rien ou presque ne subsiste ?

Près de Spicheren, en Lorraine, R. Forrer a mis au jour un campement de chasseurs datant de la diluviale Mindel-Riss. Les occupants disposaient d'un outillage en bois, à l'exclusion, probablement, de toute autre matière. Les débris retrouvés provenaient de pins, de sapins et d'épicéas. On a même reconnu les traces d'un auvent, premier abri dont l'homme se soit servi avant l'invention du toit. Près des vestiges, gisaient des ossements ayant appartenu à un seul animal : le rhinocéros de Merck, ce qui laisse supposer que les chasseurs consommèrent la viande à l'endroit où leur proie avait été tuée. Au Clactonien, stade le plus ancien de la culture de la pierre taillée (du nom de Clacton, dans le comté d'Essex), remonte une « pointe de lance » habilement taillée dans le bois ; longue de trente-huit centimètres, son diamètre maximum atteint 3 cm 7. Cette pointe est d'ailleurs si épaisse que le paléontologue allemand Karl J. Narr conteste, à bon droit, qu'elle ait terminé une lance.

Plus importante encore est une découverte effectuée à Dalainor (Mongolie extérieure), à proximité de la frontière mandchoue ; à treize mètres cinquante sous la surface, gisaient des ossements, des vestiges d'outils en bois et un objet tressé qui fut peut-être une nasse. Aucun outil en pierre n'a été retrouvé sur ce gisement et certains en ont conclu que cet ensemble remonte au début de l'ère quaternaire (800 000 ans avant l'ère chrétienne) : en fait, l'ancienneté de ces restes est très controversée, car la terminologie appliquée à l'Europe orientale et à l'Asie se fonde sur une chronologie glaciaire qui fait paraître les trouvailles effectuées en Orient comme plus anciennes qu'elles ne le sont. En résumé, il est logique de supposer que le bois fut utilisé avant la pierre, mais l'existence d'outils en bois antérieurs à l'industrie lithique n'est nulle part attestée.

Ceux qui ont été découverts à Spicheren, la « pointe de lance » de Clacton et les objets exhumés à Dalainor, ne suffisent pas à démontrer la réalité d'une civilisation préhistorique du bois.

D'un autre côté, comment expliquer l'absence de traces d'outillage dans des couches diluviales extrêmement anciennes ? Elles correspondent pourtant — la découverte de cendres de foyers le prouve — à des niveaux de civilisation. Or, les hommes contemporains de ces civilisations possédaient forcément des outils et, si aucun n'a été retrouvé, c'est probablement parce que ces outils, en bois, se sont désagrégés depuis longtemps.

Il n'est pas, non plus, exclu *a priori* que ces cendres et les vestiges de carbonisation aient une origine naturelle. Il est vrai qu'à Krœlpa, en Thuringe, du charbon de bois, des cendres et des ossements ont été retrouvés et que l'intervention humaine est indéniable, bien qu'aucun outil en pierre ne les eût accompagnés ; cela prouve, par ailleurs, que l'homme contemporain utilisait des outils en bois. Le bois, d'autre part, est la « matière première » idéale pour inventer le feu. Que l'homme ait su de très bonne heure allumer du feu et s'en servir, qu'on ait retrouvé, dans la grotte de Chou-Kou-Tien, des traces de foyers remontant à 300, 400 ou 500 000 ans et que l'on en ait découvert sur des gisements ne comportant ni outils ni ustensiles laisse supposer que l'invention du feu précéda largement celle de l'outillage.

Dans quelles circonstances l'homme inventa-t-il le feu ? On a prétendu qu'il s'était borné à conserver et à entretenir celui que la nature lui fournissait. Cette explication apparaît peu satisfaisante, car un feu est à la merci d'une pluie un peu violente, d'une absence ou, simplement, de l'inattention de l'individu chargé de l'entretenir. C'est ce qui ressort de l'expérience de la vie en plein air et quiconque, démuni de tente ou d'abri, a dû se contenter d'un feu, sait qu'il faut bien peu de chose pour qu'une flamme s'éteigne. Victime d'une telle éventualité, l'homme se trouvait placé devant le problème : comment le rallumer ?

Il est probable que, dès le début, l'utilisation et la création du feu furent associées dans un même mystère. Or, il existe plusieurs procédés pour faire jaillir la flamme. Certains prétendent que, frappés l'un contre l'autre, deux silex furent les premiers instruments dont se servirent les « inventeurs » du feu. Or, s'il est facile de faire jaillir une étincelle du heurt de deux silex, il est extrêmement difficile de s'en emparer et de la retenir prisonnière et cela explique

que le procédé qui consiste à battre le silex pour faire du feu soit le moins répandu. Une autre méthode, beaucoup plus simple, se rencontre plus fréquemment chez les peuples primitifs : j'ai constaté moi-même que ce procédé, couramment utilisé par les autochtones australiens du Queensland, donnait entière satisfaction.

Un bâton est posé sur le sol ; dans l'évidement qu'il comporte s'adapte un bâtonnet placé verticalement. La pièce de bois placée sur le sol étant maintenue avec les pieds, la tige verticale est animée d'un mouvement de rotation ; à la longue, la chaleur dégagée par le frottement est telle que le bois prend feu. Une autre technique consiste à frotter un bâtonnet sur un morceau de bois dur présentant une rainure longitudinale. D'autres primitifs utilisent une liane qu'ils frottent sur l'arête d'une pièce de bois jusqu'à ce que l'échauffement provoque un début de combustion. La première méthode — la plus commode — indique que les hommes qui apprirent à domestiquer le feu possédaient déjà une civilisation du bois et le simple fait que des restes de foyers soient parmi les premières manifestations de l'activité humaine laisse également supposer que, pour la fabrication des outils et des armes, le bois fut utilisé, tout au moins au début, concurremment avec la pierre. Selon Oswald Menghin, le bois, l'os et la pierre auraient été les premiers matériaux et le bois plus encore du fait que, très répandu, il est facile de s'en procurer.

Les peuples de la terre savent tous faire naître du feu et s'en servir ; les seules exceptions sont les Pygmées Bamboutis et les Andamans qui habitent un archipel du golfe du Bengale. Ignorant comment faire du feu, ils se bornent à l'entretenir.

Vers 300 000 avant notre ère, les ténèbres dans lesquelles plonge le passé de la créature humaine commencent à se dissiper. Les deux premières glaciations sont achevées et l'on s'aperçoit tout à coup que l'Ancien Monde, autrement dit l'Asie, l'Afrique et l'Europe, est peuplé. Peuplé ne sous-entend pas que les représentants de l'espèce humaine labouraient et cultivaient la terre mais que, chasseurs et récolteurs, ils vivaient en harmonie avec la nature, ce qui n'a rien à voir avec le mode de vie arboricole des singes !

L'abondance des témoignages matériels datant de cette époque est une des énigmes associées aux commencements de l'humanité.

Deux techniques se développèrent pour faciliter le travail de la pierre : l'industrie des bifaces et celle des éclats qui correspondent à une civilisation des bifaces et à une civilisation de la pierre taillée.

Faut-il en déduire qu'on a affaire à des hommes appartenant à deux races qui fabriquaient des outils en appliquant des techniques fondamentalement différentes ? Il est probable qu'il n'en est rien et que les deux civilisations sont complémentaires. La civilisation des éclats ne s'extériorise, en effet, qu'à la périphérie des régions dont la population s'adonnait à la fabrication des bifaces et des galets retouchés et elle est, dans l'ensemble, plus récente.

Qu'entend-on par biface ? Cete dénomination universellement admise est, en fait, assez vague. En frappant un nucleus suivant un certain angle, on obtenait un outil de forme oblongue susceptible d'être saisi et solidement maintenu. Les bifaces ensevelis sous la pierraille et les sables du Sahara suffiraient, à eux seuls, à remplir les cales de dizaines de navires. L'Afrique fut, très probablement, le centre de la civilisation des bifaces ; elle se répandit dans tout le Moyen-Orient à la faveur des périodes interglaciaires, puis gagna la France et la partie de l'Allemagne comprise entre le Rhin et l'Elbe, par l'intermédiaire de l'Italie et de l'Espagne. Un des principaux gisements allemands de bifaces est celui de Dœhren, près de Hanovre.

Le plus ancien niveau de civilisation africain est contemporain de la civilisation des galets que les Anglo-Saxons appellent « pebble culture »; il remonte à 600 000 ans, c'est-à-dire au début du Pléistocène, si ce n'est plus. Près de Nsongesi, sur les bords de la rivière Kageran, des galets roulés et peut-être retouchés (outillage de la civilisation kafuane ; la rivière Kafu coule dans l'Oufanda) ont été mis au jour. Sont-ce là les premiers outils véritablement façonnés par l'homme ? C'est probable, mais ce n'est pas certain, car rien ne permet d'affirmer que ces galets furent l'objet d'une opération de taille.

Si l'on tient compte des données scientifiques les plus récentes, la gorge d'Oldoway, dans le Tanganyika, recélerait les plus anciens témoignages d'une industrie humaine. On y a découvert un grand nombre d'outils dont on peut affirmer sans risque d'erreur qu'ils ont été retouchés. L.S.B. Leakey, auteur de cette découverte, donna à cette civilisation le nom du défilé où elle se produisit. Il mit au jour, en 1931, un nombre important de galets d'où des éclats avaient été détachés par percussion ; la civilisation d'Oldoway a pour caractéristique des galets à taillant dentelé. Le fait que taillants et facettes fassent défaut aux plus anciens galets de la civilisation kafuane peut être interprété comme la preuve d'une origine purement naturelle et, s'il en est ainsi, l'outillage d'Oldoway serait le plus ancien témoignage connu d'une industrie lithique. Dans une communication qu'il fit, le 7 octobre 1959, devant l'Académie britannique, le docteur Leakey déclarait : « Cette civilisation dont l'aire de diffusion s'étend du Portugal à l'Afrique australe et englobe l'ensemble du continent africain, est considérée comme la plus ancienne civilisation lithique connue, dès lors que la civilisation kafuane, douteuse, a cessé d'être considérée comme telle. »

En 1959, Leakey et sa femme Mary entreprirent de fouiller à nouveau le niveau I de la gorge d'Oldoway et ils eurent la chance de dégager un crâne presque intact. Cette découverte présente d'autant plus d'intérêt qu'elle fut faite dans la couche contenant l'outillage le plus ancien ; c'était la preuve que ce niveau était contemporain des premiers « artisans ». Le fait que, près du crâne, gisaient des ossements fossiles d'autruches, de girafes, de suidés, de bouquetins, de bœufs sauvages et d'hippopotames appartenant à des espèces géantes et que ces ossements étaient en majorité brisés fut interprété par Leakey comme l'indice de l'existence, à cet endroit, d'un campement. D'autre part, le crâne n'était pas celui d'un homme victime d'une bête fauve ou d'un autre homme appartenant à une autre race que les occupants du campement. Leakey baptisa « Zinjanthropus boisei » l'être inconnu dont le crâne évoque les crânes d'Australopithécidés, mais présente déjà des similitudes morphologiques avec les calottes crâniennes du type « homo ». Leakey déclare à ce propos : « L'importance de la découverte réside dans le fait que nous possédons un crâne dont l'ancienneté géologique et les particularités morphologiques accusent un lien direct avec le type « homo ». J'étais persuadé qu'en poursuivant la fouille le sol vierge nous livrerait le reste du squelette. Parmi les fossiles découverts au cours des derniers jours de la campagne et juste avant l'épuisement des fonds, figurait un tibia. J'ai de bonnes raisons de croire qu'il appartenait au Zinjanthrope. »

L'abondance des outils datant de la période d'Oldoway — qui, selon Leakey, se situerait il y a 500 000 ans — tend à accréditer l'hypothèse d'un peuplement relativement dense, mais, en dépit des diverses théories qui ont été échafaudées, nul ne sait quelle était l'utilisation du biface. Il pouvait servir indifféremment de massue, de perceur, de pointe, de tamis ; soigneusement apointés, des éclats ont probablement servi de perforeurs, mais il n'est pas exclu qu'ils aient été aussi utilisés comme pics.

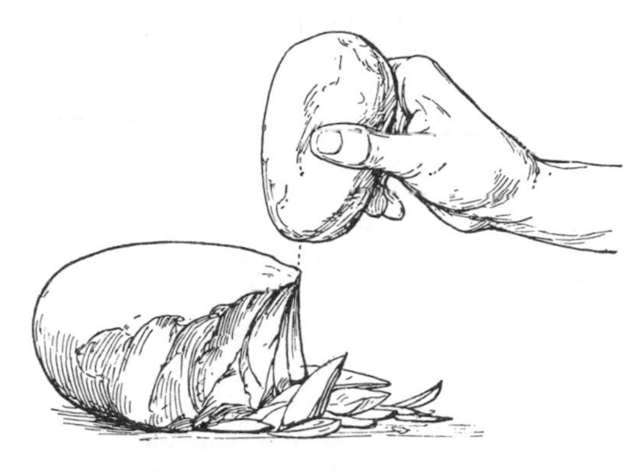

Technique de la taille des rognons de silex pour l'obtention d'éclats.

G. de Mortiellet donna à la civilisation du biface le nom de Chelléen, à la suite des découvertes effectuées dans une carrière, à Chelles, dans la banlieue est de Paris. Le stade qui précéda cette civilisation, relativement récente, fut, lui, appelé Abbevillien. Près d'Abbeville se situent, en effet, les ballastières de la Porte du Bois ; l'une d'elles livra, en 1847, un outillage lithique et des ossements de mammifères disparus. Cette découverte est due à Boucher de Perthes, qui, longtemps tenu pour un illuminé, fut la risée de ses contemporains. La mise au jour, à trente-huit kilomètres en amont d'Abbeville, près du village de Saint-Acheul, sur la Somme, d'un certain nombre de bifaces, contribua à le réhabiliter. C'est alors qu'on s'aperçut que la facture des outils, grossiers et frustes au début, témoignait d'une technique de plus en plus raffinée. On découvrit même des pierres décorées de motifs géométriques réguliers, preuve de l'éveil d'une sensibilité esthétique.

Près des bifaces se trouvaient fréquemment des éclats tranchants détachés de rognons de silex ; c'étaient les lames et les couteaux de l'ère lithique. Ce procédé de la taille par éclatement dirigé fut peut-être introduit par des hommes qui, pour cette raison entre autres, relevaient d'une autre aire de civilisation.

En Europe, la civilisation des bifaces et celle des éclats se propagèrent simultanément et se maintinrent pendant longtemps ; les deux techniques se retrouvent parfois, dans des niveaux superposés, sur le littoral de l'Afrique du Nord, en Espagne, en Italie, en France, dans l'Allemagne du Nord-Ouest, sur les rivages syrien et turc. Elles avaient probablement toujours cohabité, car les gisements les plus anciens de galets taillés renferment déjà des éclats en grand nombre. En revanche, les bifaces l'emportent dans les territoires de l'ancienne A.-O.-F. et dans le centre du continent africain ; il est vrai que le Sahara n'était pas encore un désert et que d'épaisses forêts vierges couvraient le centre de l'Afrique. Les fabricants de bifaces chassaient probablement de la même manière en Abyssinie, en Somalie et dans les jungles indiennes. Selon Menghin, la civilisation du biface serait caractéristique du milieu sylvestre ; il suppose, en conséquence, que son foyer de dispersion, situé dans une région à climat tropical et à boisement dense, se trouvait dans l'Asie du Sud-Est, au centre du continent africain.

Toutefois, la possession du seul biface ne permettait guère à l'homme de subsister au sein de la forêt vierge ; ayant besoin d'outils coupants, il eut l'idée de ramasser des éclats et de les tailler pour les transformer en lames et en poinçons. Par ailleurs, le bois était si abondant qu'il fournit certainement une partie de l'outillage, car ce n'est pas parce que le bois se conserve mal que l'existence d'ustensiles et d'outils en bois doit être rejetée. Facile à travailler, le bambou fournit sans doute les manches qui permirent de brandir les pierres taillées utilisées comme massues et comme haches. On ignore cependant comment l'homme s'y prenait pour abattre des arbres et pour tuer le gros gibier avec un outillage aussi rudimentaire. C'est pourtant dans les régions tropicales que la majorité des bifaces a été découverte ; on peut donc considérer la forêt vierge comme le berceau de l'industrie du silex taillé.

Dans l'aire de la civilisation des éclats, les premières armes furent probablement le poignard et la lance, particulièrement bien adaptés à la chasse dans la steppe. Certains savants en ont déduit que cette civilisation eut pour point de départ le centre de l'Asie et, en particulier, la région de l'Ordos ; ils se fondent sur le fait que des éclats, sans aucun biface, ont été retrouvés sur les rivages de la mer Caspienne et, au-delà de l'Oural, dans la Russie méridionale et en Mongolie, limite extrême atteinte en Orient. On trouve également, dans le nord de la France et en Angleterre (Clacton), des régions à éclats qui laissent supposer l'existence d'une civilisation totalement indépendante de la première.

Peu à peu, les deux civilisations s'amalgamèrent à mesure que fabricants de bifaces et d'éclats apprenaient à mieux se connaître ; après avoir exercé l'une sur l'autre une influence réciproque, les deux industries se confondirent. Elles avaient cohabité pendant des centaines de milliers d'années dans les mêmes régions, sans se confondre ou presque, et leur fusion n'est guère antérieure à 130000 av. J.-C.

A la même époque ou, peut-être, après 130000 avant notre ère, une troisième civilisation, celle de l'os, se développa sur la terre. Venue du Nord-Est, elle se répandit en Europe centrale et s'implanta solidement dans les régions alpines. L'idée d'utiliser l'os comme matière première pour la fabrication des outils et des armes de chasse germa probablement dans le cerveau d'individus soumis aux terribles écarts entre températures estivales et hivernales et contraints de couvrir des distances considérables. Les migrations fréquentes leur interdisaient d'emporter des outils en pierre, trop encombrants et trop pesants, car leur survie était fonction de leur mobilité.

Précisons sans plus tarder qu'il est extrêmement difficile de découper une préhistoire de plusieurs centaines de milliers d'années en « tranches » de civilisation et que l'existence d'une civilisation de l'os totalement autonome est actuellement purement hypothétique. On sait seulement que les hommes qui se servaient d'outils et d'armes en os étaient des chasseurs d'ours et qu'en conséquence leur aire d'habitation devait se circonscrire à la Sibérie septentrionale, à la région située à l'est de l'Oural et au nord des barrières montagneuses de l'Asie centrale. Peut-être les individus qui développèrent l'outillage en os apportèrent-ils leurs connaissances en Suisse où ils chassèrent l'ours qu'ils traquaient dans les grottes ?

Mais nous voilà déjà sur le seuil d'une nouvelle civilisation, celle du Moustérien (du nom de la localité du Moustier) ; elle prospéra entre 130000 et 800000 av. J.-C. et se survécut jusqu'en 50000, mais sous une forme abâtardie. Durant cette période, se situe l'apparition d'un nouvel homme, le né-andertalien.

Du fait que les civilisations du biface et des éclats se succédèrent entre 540000 et 130000 avant notre ère, ce qui implique l'utilisation du même outillage lithique primitif pendant 410 000 ans, *un problème se pose qui n'a pu encore être élucidé : celui de la lenteur, à la fois confondante et somme toute consolante, du progrès technique.*

Comment expliquer en effet que, durant une telle période, l'homme n'ait pas rompu le cadre d'une technique attardée, que l'outillage n'ait bénéficié que d'améliorations négligeables en dépit du fait qu'il a essaimé un peu partout, emportant avec lui bifaces ou éclats, de Gibraltar en Inde et au désert de l'Ordos, et de la Weser à l'extrémité de l'Afrique australe ? On a même découvert des galets taillés et des bifaces à Gongenyama, dans les environs de Tokyo !

Que le nombre, la densité de la population et la durée de vie des hommes du Paléolithique ancien aient été bien moindres qu'ils ne le sont actuellement — K.J. Narr l'a fort justement fait remarquer — implique des difficultés dans la transmission des expériences acquises et des traditions techniques. Car, si l'on admet que l'âge moyen de l'homme préhistorique ne dépassait pas 25 à 35 ans, la durée de vie de l'adulte ne devait pas excéder une quinzaine d'années : à titre de comparaison, elle est de quarante ans pour l'homme contemporain. Pendant ces quarante ans, il accumule les expériences ; c'est là une base sur laquelle il est beaucoup plus facile de construire en prévision de l'avenir que lorsque les aptitudes et les facultés n'ont qu'une dizaine d'années pour s'épanouir. Et, comme l'écrit K.J. Narr : « Une culture évoluée peut se vivifier elle-même et se développer en puisant dans le sol fécond de l'esprit créateur. »

Semblable à une bille roulant sur un plan incliné, le développement technique s'accélère de plus en plus et augmente son taux de progression. Cette progression s'effectue néanmoins du haut vers le bas, d'où un réel danger pour la valeur intrinsèque d'une civilisation, car le progrès technique est une arme à deux tranchants : après avoir servi les desseins de l'homme, il risque, à force de perfectionnement, de l'anéantir.

Néanmoins, les préoccupations morales et la connaissance du bien et du mal sont inséparables du phénomène humain, ce qui explique qu'en dépit de la pente, la bille de la civilisation soit freinée par la force créatrice et qu'elle roule depuis six cent mille ans...

En définitive, l'explication du lent développement des techniques réside dans la notion chronologique, c'est-à-dire dans la façon qu'a l'homme d'envisager le passé, le présent et le futur. On sait, entre autres, que, pour les primitifs, le temps ne signifie pas la même chose que pour les habitants des vallées, foyers de civilisation. Autrement dit, à l'homme pour qui le temps et la durée étaient de totales abstractions, il fallut des centaines de milliers d'années d'expérience pour acquérir une notion concrète de ce qu'ils représentaient.

La connaissance, la perception et la prescience sont incontestablement liées à la notion de temps sous une forme instinctive et non réfléchie, car la juste appréciation du temps implique, au préalable, la connaissance du passé, la perception du présent et la prescience de l'avenir. Pourtant, cette notion est encore très éloignée de l'authentique notion chronologique inséparable de l'angoisse que la fuite du temps inspire à l'individu. Là encore, les primitifs sont là pour nous rappeler que la fuite du temps n'a rien d'effrayant ni de douloureux, que le temps peut attendre, qu'il n'est pas besoin, pour le meubler, d'agitation vaine et factice et que le présent peut être une source de satisfactions.

Dans la mesure où l'homme se hausse au-dessus de lui-même, le présent l'oblige à choisir, car quiconque s'interroge sur la genèse et sur l'origine des choses se réfère nécessairement aux notions de passé et d'avenir. Ce n'est que la connaissance du passé et de l'avenir qui pousse l'individu à jouir pleinement de l'instant présent, à s'accomplir, à s'efforcer d'atteindre un idéal qui concrétise l'idée de progrès propre à l'être humain, à travailler, à chercher, à réfléchir et à s'abandonner à la spéculation philosophique.

Les contemporains du Paléolithique ancien étaient probablement plus proches de Dieu que nous ne le sommes ; de même, il est probable qu'ils savaient mieux que nous profiter du présent. Peut-être ne s'étaient-ils pas encore élevés suffisamment au-dessus d'eux-mêmes pour être obsédés par la notion de passé et par les perspectives du futur. Ils n'étaient pas, en fait, plus « primitifs » que nous ne le sommes ; ils étaient seulement anachroniques en ce sens que, pour eux, le respect des principes moraux était le critère de la civilisation et non le niveau du développement matériel. Fidèles aux traditions ancestrales, ils se servaient des objets qu'ils connaissaient et faisaient montre d'une extrême prudence en matière d'invention. Quant à la fuite du temps, ils ne la ressentaient pas douloureusement, au contraire de nous, et rien ne les incitait à lutter de vitesse avec lui. Cette manière de penser et d'agir leur permit de braver les millénaires et d'échapper aux cataclysmes et aux bouleversements qui se succédèrent pendant des centaines de milliers d'années.

CHAPITRE V

L'Amérique est peuplée depuis 100 000 ans

« Le 27 avril 1931, j'adressai une lettre à l'honorable C.M. Babcock, secrétaire d'Etat aux Voies de communication, pour lui proposer que ses services collaborent avec l'université du Minnesota pendant l'exécution du vaste programme routier prévu et pour lui demander de signaler sans délai toute découverte éventuelle de fossiles humains ou animaux. Le 16 juin 1931 fut signalée l'exhumation, dans le Minnesota, d'un squelette dont on sait, maintenant, qu'il appartint à un Américain contemporain de l'ère glaciaire. »

ALBERT ERNEST JENKS : *Pleistocene Man in Minnesota,* Minneapolis, 1936.

« Nous sommes habilités à considérer comme possible et, pratiquement, comme une certitude, l'existence d'une période protolithique américaine caractérisée par une civilisation de l'os qui remonte, au minimum, à la dernière interglaciaire. »

OSWALD F.A. MENGHIN : *Acta Praehistorica,* I, Buenos Aires, 1957.

DEPUIS LA DÉCOUVERTE, en 1856, des restes de l'homme de Neandertal, on savait que l'homme avait vécu, en Europe, au Pléistocène ; depuis celle de l'homme de Pékin, qui remonte à 1929, on connaît l'existence d'un contemporain des grandes glaciations en Extrême-Orient. Enfin, il y a quelques années, le voile du passé s'est levé pour révéler l'existence d'un Paléo-Américain beaucoup plus ancien qu'on ne l'avait imaginé.

Pendant plusieurs décennies, les Américains crurent que le Nouveau Continent avait été peuplé à une période récente ; les principaux américanologues fixaient à 8 000 ans avant l'ère chrétienne, c'est-à-dire après la dernière glaciation, l'époque où l'homme avait, pour la première fois, foulé le sol de l'Amérique. Les arrivants étaient, disait-on alors, de race mongoloïde ; ils avaient apporté leur civilisation, intermédiaire entre les civilisations du Paléolithique récent et du Néolithique ancien, puis, au cours de plusieurs milliers d'années, ils s'étaient éparpillés en une multitude de peuples et de tribus connus sous le nom générique d'Indiens.

On croyait également que tout ce qui s'était ultérieurement développé sur le continent américain : vie sédentaire, agriculture, élevage, céramique, tissage, métallurgie et, finalement, les civilisations évoluées caractérisées par leurs constructions monumentales, s'était perfectionné sur place comme produit d'une évolution autonome. Quiconque contestait l'autochtonie des civilisations amérindiennes passait pour un illuminé et était mis au ban de la science américaine. L'idée que, comme les marchandises, les valeurs culturelles puissent se transmettre à travers les continents et même les océans et que les inventions se propagent était rejetée *a priori* en ce qui concernait l'Amérique ; les concordances et les similitudes dûment constatées entre civilisations asiatiques et américaines qui dépassaient le niveau culturel des civilisations primitives subarctiques de la Sibérie et de l'Alaska étaient considérées comme la conséquence d'évolutions indépendantes et parallèles. Le principe était le suivant : étant donné ses « aptitudes fondamentales » et, par conséquent, ses « raisonnements élémentaires », l'homme ne pouvait, dans des conditions strictement déterminées, agir que d'une seule manière et inventer un seul type d'industrie. L'autre théorie, le diffusionnisme, se fonde sur la probabilité que les mêmes formes et les mêmes idées directives proviennent de la même aire de dispersion ; les partisans de cette théorie ont pratiquement gagné la partie sur les tenants de l'autochtone.

Il y a quelques dizaines d'années, quiconque osait parler des nombreuses analogies existant entre civilisations de l'Ancien Monde et civilisations amérindiennes était prié de réfléchir à la thèse des concordances et des idées élémentaires. Les concordances s'expliqueraient par une propension généralisée à l'invention et seraient simplement l'effet du hasard ; telle serait, en fait, la solution inattendue et imprévisible apportée, dans l'Ancien et dans le Nouveau Monde, aux problèmes posés à l'homme placé dans les mêmes conditions. Or, s'il est vrai que, dans des régions distinctes, coïncidences et idées élémentaires donnent, parfois, naissance à des phénomènes identiques, le fait est beaucoup plus rare que lorsque les concordances culturelles sont dues à des contacts et à des relations entre peuples différents. Pour croire à la simultanéité des inventions et au hasard il faut être aveugle, ne pas tenir compte de l'évolution historique, nier la réalité des migrations et des contacts humains pendant des centaines de milliers d'années, la dispersion et les échanges des valeurs et des biens culturels. Compte tenu de ce qui précède, la thèse de l'autochtonie des civilisations américaines apparaît totalement dépassée.

La situation, en effet, se présente sous un tout autre jour. Bien avant 8000 avant notre ère, des hommes venus d'Asie gagnèrent l'Amérique du Nord à la période, dite du Wisconsin, qui correspond à la dernière phase du Pléistocène européen ; il n'est d'ailleurs pas impossible que les premiers immigrants soient arrivés par vagues successives durant la dernière interglaciaire.

A quoi bon nier, *a priori,* que, bien avant les Vikings et Christophe Colomb, des hommes venus d'Europe aient traversé l'Atlantique et abordé en Amérique ? Certains auteurs, qui furent surtout des écrivains plus fantaisistes que spécialistes, ont imaginé des migrations transocéaniques qui se seraient produites avant l'avènement de la période historique. Il s'agit, en fait, de vues de l'esprit, et l'Atlantide à laquelle presque tous se réfèrent n'a jamais été un continent, entre l'Europe et l'Amérique, qui disparut dans un gigantesque cataclysme. En admettant même que l'Atlantide de Platon ait existé, il s'agissait probablement d'une ville située à l'ouest du détroit de Gibraltar, à l'emplacement de l'antique Tartessos, fondée en 1150 avant notre ère. Selon le préhistorien et archéologue Adolf Schulten, Tartessos était proche de l'embouchure du Guadalquivir. De même, les fameuses dix tribus perdues d'Israël n'ont rien à voir avec le peuplement de l'Amérique ; c'est en Asie, et non de l'autre côté du Pacifique, qu'elles disparurent sans laisser de traces. Les Pélasges, les Phéniciens, les Basques et les Celtes, tous peuples *historiques,* n'ont jamais atteint les rivages du Nouveau Monde ; rien, en tout cas, ne permet de supposer qu'ils aient traversé l'Atlantique. Rien non plus n'indique que des immigrants soient passés d'Australie en Amérique par l'Antarctique et, si des théories de ce genre ont été échafaudées, le moins qu'on puisse en dire est qu'elles sont dénuées de fondement. Les indices de nature géologique prouvent, au contraire, que l'Amérique fut inféodée, sur le double plan de la géographie et de la civilisation, à l'Asie, jusqu'au jour où les conquêtes espagnole, puis française et anglaise, implantèrent au Nouveau Monde la civilisation et la culture européennes.

Le Nouveau Monde subit, au Pléistocène, quatre glaciations dont la chronologie cadre, à peu de chose près, avec les périodes froides que connut l'Eurasie ; les Nord-Américains ont donné à ces périodes le nom de quatre Etats des Etats-Unis : Nebraska — la plus ancienne —, Kansas, Illinois, Wisconsin. Les périodes de réchauffement : Afton, Yarmouth et Sangamon, correspondent aux interglaciaires. La quatrième période de glaciation, celle du Wisconsin, comprend quatre sous-périodes séparées par des périodes de réchauffement intermédiaires. Le début de la période Holocène ou Néo-Thermale, dans laquelle nous nous trouvons encore, se situe il y a 8 000 ans environ.

Les glaciations provoquèrent des régressions marines ; congelée, l'eau des océans s'accumula sur les rivages et sur les continents et le niveau des mers s'abaissa d'une centaine de mètres. Or, dans le détroit de Béring, un abaissement de trente-six mètres suffit à faire émerger une langue de terre et à créer un pont entre l'Asie et l'Amérique. Pendant la dernière glaciation, cette langue de terre eut sans doute la forme d'un socle large de plusieurs centaines de kilomètres que les animaux et les hommes utilisèrent pour passer d'un continent à l'autre. Les nouveaux arrivants trouvaient un continent vide. A cette circonstance est dû, probablement, le fait que, sur les rivages méridionaux de l'Alaska, le climat était plus doux que pendant les précédentes interglaciaires ; dès lors que les communications étaient interrompues entre l'océan Arctique et le Pacifique, les courants chauds du Pacifique faisaient sentir leur influence sur le littoral oriental de l'Asie et occidental de l'Amérique.

Quelle raison poussa les hommes, à la période du Wisconsin, à émigrer d'Asie en Amérique ? La terre était à peine peuplée ; ce n'est donc pas le manque d'espace qui les poussa à s'expatrier et moins encore — à plus forte raison dans ces régions boréales — la pression démographique.

Or, quiconque s'est aventuré dans des régions mal explorées sait que les voies de pénétration les plus commodes sont les pistes suivies par les animaux ; il en est encore ainsi en Sibérie. On peut donc en conclure que l'homme préhistorique, récolteur et surtout chasseur, se risqua à la suite de troupeaux de mammifères en quête de pâtures et changea ainsi de continent. Loren C.

Eiseley utilise dans ce contexte l'expression : « pont d'herbe ». « Le franchissement du détroit s'effectua problablement grâce à un tel « pont d'herbe » ; la richesse des pâturages et l'abondance des graminées qui poussaient sur la terre américaine surprirent agréablement les chasseurs préhistoriques auxquels les troupeaux de bisons des steppes froides, les mammouths laineux, les bœufs musqués des toundras et les camélidés, qui ressemblent aux actuels lamas, fournissaient nourriture et vêtement. Des outils ayant appartenu aux premiers immigrants ont été retrouvés mêlés aux ossements de ces animaux. » Les Paléo-Amérindiens tiraient leurs moyens d'existence de la chasse et c'est à cause du gros gibier qu'ils s'enfoncèrent toujours plus avant dans les vastes plaines où les animaux qui les précédaient ouvraient de larges trouées en piétinant les herbes.

Au cours de cette migration, ils remontèrent le cours du Yukon, puis suivirent la vallée du fleuve Mackenzie qui, même pendant les interglaciaires, avait été relativement épargnée par les glaces. En règle générale, le carbone 14 attribue aux vestiges les plus répandus laissés par les premiers habitants du Nouveau Monde une ancienneté de 10 000 à 12 000 ans. Or, à la fin de la dernière glaciation, les Paléo-Amérindiens étaient déjà fixés dans le sud de la Patagonie. Les représentants des civilisations paléo-indiennes appartenaient au type *Homo sapiens*. On possède un certain nombre de squelettes datant de la fin du Pléistocène américain mais, en revanche, ceux qui ont été mis au jour dans l'Amérique septentrionale et centrale sont peu nombreux.

Celui du prétendu « homme du Minnesota » découvert en 1931 par des ouvriers travaillant sur un chantier routier, près de Pelican Rapids — il a été décrit par Albert Ernest Jenks — date de la fin de la dernière glaciation. La dénomination « homme du Minnesota » est, d'ailleurs, fausse en ce sens qu'il s'agit d'une jeune fille. Le crâne, brisé, est en excellent état de conservation ; le front est haut, le bas du visage saillant (prognathie), les dents sont solidement implantées. Certains paléontologues croient pouvoir en conclure que le sujet présentait des traits mongoloïdes ; d'autres, au contraire, lui trouvent une ressemblance avec les Aïnous.

La découverte de ce squelette presque complet dans les dépôts sédimentaires d'un lac du Pléistocène permet peut-être d'en déduire que la jeune fille — elle avait une quinzaine d'années — mourut noyée ; la découverte d'objets à côté des ossements confirmerait cette hypothèse, car il apparaît qu'elle les portait sur elle. Ce sont, entre autres, des débris de coquilles de moules d'eau douce (Lampsilis siliquoides) et d'un mollusque marin (Busycon perversa), vraisemblablement utilisées comme parure. Sur la coquille du busycon, on distingue deux trous qui sont peut-être d'origine naturelle, mais que ce mollusque vive dans les eaux du golfe du Mexique présente un intérêt capital, car sa présence atteste l'existence de contacts et de relations commerciales entre les Paléo-Amérindiens du Minnesota et les populations littorales du golfe. Soixante fragments d'une carapace de tortue longue d'une vingtaine de centimètres semblent indiquer que cette carapace servait de récipient. On a découvert également, à proximité immédiate, un os (long de 71 mm) de plongeon, oiseau qui nidifie encore dans le nord de l'Etat du Minnesota et qu'on rencontre fréquemment dans les toundras canadiennes. Chaque année, le plongeon descend vers le sud, mais jamais plus bas que le Minnesota septentrional. Douze osselets de pattes d'oiseaux et une incisive de loup ont été, par ailleurs, trouvés dans le voisinage du squelette.

Toutefois, l'objet essentiel exhumé sur ce gisement est un poignard taillé dans un andouiller de cerf wapiti ; sa longueur, qui n'est plus que de 19 mm 6, était, à l'origine, quand le poignard était encore intact, de 243 millimètres. Le manche est percé d'un orifice, réunion de deux trous creusés d'une manière assez malhabile, car les deux trous ne sont pas exactement dans le même axe. La position du poignard laisse supposer que la jeune fille le portait suspendu à son cou. Ces objets évoquent les amulettes que les primitifs emportent, encore aujourd'hui, partout où ils vont. Oiseau, carapace de tortue, dent de loup, parure de coquillages, ramure de cerf sont autant de détails qui suggèrent une ressemblance étroite avec les civilisations paléo-sibériennes.

En 1933, les restes d'un homme inhumé dans un banc de graviers furent mis au jour près de Brown's Valley, également dans l'Etat du Minnesota ; la tombe, cernée d'un trait de poussière d'ocre, renfermait, à titre d'offrandes funéraires, un certain nombre de pointes en pierre. L'homme devait avoir, quand il mourut, entre ving-cinq et quarante ans. De forme allongée, le crâne ressemble beaucoup à celui des Indiens actuels. Jenks, qui a étudié et décrit cette découverte en 1937, date l'inhumation de 12 000 ans environ.

Exhumé en 1949 par Helmut de Terra, dans la vallée de Mexico, l'homme de Tepexpan a vraisemblablement vécu il y a 11 000 à

12 000 ans ; de la tourbe provenant du niveau qui renfermait les ossements a été datée à 11 003 ans av. J.-C. par le carbone 14. De Terra pense que cet homme mourut accidentellement alors qu'il poursuivait un mammouth, car des outils et des os de mammouth ont été exhumés à un mille au sud du premier gisement. Inclus dans la même structure géologique que le squelette, ils constituent la preuve que l'homme et le mammouth furent contemporains dans cette partie de l'Amérique centrale.

Les découvertes effectuées sur plusieurs sites de la pampa argentine sont celles de vestiges remontant à la fin du Pléistocène. En 1881, Santiago Roth mit au jour, près de Fontezuelas (province de Buenos-Aires), sur les bords de la rivière Arrecifes, un crâne protégé par une carapace de glyptodon, tatou géant dont l'espèce est depuis longtemps éteinte. Or, le contexte archéologique et le contexte géologique ne laissaient aucun doute : l'homme et le glyptodon avaient vécu à la fin de la dernière glaciation.

Si la classification raciale des fossiles humains nord-américains est un problème non encore résolu, de l'avis de tous les anthropologues le crâne de Fontezuelas a appartenu à un individu du type Lagoa Santa (dolicocéphale et à ossature fine), type dont certains pensent qu'il était apparenté à la race mélanésienne. Avant de parler du gisement de Lagoa Santa et des auteurs de cette découverte, signalons que les individus appartenant à ce type humain ont joué un rôle important dans la constitution des ethnies indiennes. Toutefois, qualifier cette race de paléo-américaine serait d'autant plus faux que, dans l'Amérique contemporaine de l'ère lithique, les formes paléo-européennes sont abondamment représentées.

Outre les squelettes, un grand nombre de campements datant du Pléistocène récent ont été identifiés. En 1926, un cow-boy de race noire aperçut, près de Folson (Nouveau-Mexique), des ossements qui avaient appartenu à un bison d'une espèce éteinte. Des paléontologues du musée des Sciences Naturelles de Denver fouillèrent le site et trouvèrent, à côté d'ossements animaux, des pierres curieusement appointées. Dès lors, les paléontologues américains commencèrent à se demander si l'homme américain n'était pas plus ancien qu'ils ne l'avaient cru. Ces pointes qui portent le nom anglais de « fluted points » sont lancéolées et leur longueur moyenne n'excède pas cinq centimètres.

Elles équipaient les javelots que les chasseurs projetaient sur le gibier ; les rainures qu'on remarque d'un côté ou des deux côtés peuvent s'expliquer de diverses manières, mais la version selon laquelle la rainure aurait été creusée pour alléger la pointe apparaît hautement fantaisiste. Car, si tant est que les pointes de Folson aient été exclusivement des pointes de javelots, une diminution de poids aussi minime ne présentait aucun avantage. Or, à l'époque, arc et flèches n'étaient pas encore inventés et, d'autre part, l'hypothèse selon laquelle les pointes auraient été des projectiles autonomes ne mérite pas qu'on s'y arrête. La thèse, chère à certains spécialistes, des pointes taillées en forme de baïonnette en vue de provoquer des plaies difficiles à cicatriser semble, elle aussi, fantaisiste et, à plus forte raison, celle qui prétend expliquer les rainures par des considérations esthétiques ! Les rainures furent vraisemblablement creusées pour faciliter la fixation des pointes enfoncées de force dans le manche du javelot.

Des armes de ce type ont été découvertes en de nombreux endroits, dans les grandes plaines de l'Amérique du Nord ; des pointes identiques à celles de Folson ont été ainsi mises au jour, entre 1924 et 1934, à l'emplacement d'un campement, dans le nord-ouest du Colorado, à vingt-huit miles au nord de Fort Collins. La plupart gisaient à la surface du sol. Le propriétaire du terrain, William Lindenmaier, autorisa l'exécution de fouilles plus importantes par le Muséum d'Histoire Naturelle du Colorado ; elles furent dirigées par Figgins et John L. Cotter. Les restes de neuf bisons (Bison taylori) furent également exhumés ; les bêtes avaient appartenu à la même race de bisons que les ossements recueillis à Folson. Le bout d'une pointe en pierre fiché dans une vertèbre prouve sans aucun doute possible la contemporanéité de ces bisons et des fabricants de pointes taillées. D'autres pointes furent trouvées ultérieurement et en divers endroits dans l'aire comprise entre les Montagnes Rocheuses et l'Atlantique, le Canada et le golfe du Mexique.

On connaît plusieurs variétés de « fluted points » ; la forme la plus fine, identifiée notamment à Folson, est la plus récente ; la plus ancienne, plus longue, de facture plus fruste et dotée d'une rainure assez courte, est connue sous le nom de pointe Clovis. D'autres, lancéolées en majorité, dont certaines possèdent une languette de fixation, remontent à la fin de la période glaciaire. De toute manière, en Amérique, pointes de lances et de javelots ont des formes beaucoup plus variées que celles qui ont été découvertes en Europe et elles constituent, à elles seules, la majeure partie du legs des civilisations paléo-amérindiennes de l'Amérique du Nord. D'autres pointes, en pierre, ont aussi été exhumées dans l'Amérique australe et centrale.

Pendant une quinzaine de milliers d'années, sinon pendant plus longtemps, le javelot à pointe de pierre fut l'arme principale des Paléo-Américains. Pour donner aux javelots de taille réduite une puissance et une force de pénétration accrues, ils inventèrent un propulseur connu des archéologues sous son nom mexicain d' « atlat ». Les manches en bois sont depuis longtemps tombés en poussière, mais certains manches peints et des pointes lancéolées ont été retrouvés dans la Gypsum Cave (Nevada) ; l'abri Leonard (Nevada) a livré un javelot orné et la grotte de Fort Roch, dans l'Oregon méridional, les restes d'un propulseur en bois et un grand nombre de sandales en écorce qui datent du début de la période postglaciaire.

On trouve également en Amérique des industries lithiques du Paléolithique récent ; ignorant la pointe de javelot, elles sont caractérisées par des bifaces de différentes formes. Menghin en conclut qu'il doit exister une relation quelconque entre les civilisations du biface américaine et eurasienne, bien qu'on ne soit pas encore parvenu à retracer l'itinéraire suivi par leurs représentants qui, venus de l'Asie du Sud-Est, se fixèrent en Amérique. Il est intéressant de signaler, dans ce contexte, la récente mise au jour, au Japon, d'une civilisation du biface contemporaine du Pléistocène ; elle rapproche d'une manière sensible l'Asie du Nouveau Monde.

Sur le site de Lindenmaier, les chasseurs de l'ère glaciaire abandonnèrent les reliefs d'un repas ; après avoir dépecé leurs proies, ils avaient consommé la viande sur place. Beaucoup d'ossements sont calcinés et un certain nombre de pointes en pierre portent des traces d'exposition au feu. A cet endroit, quelques os de camélidés (camelops) et d'autres mammifères et un morceau de défense de mammouth ont été exhumés. Ils ont été longuement étudiés par Frank H.H. Roberts Jr., éminent spécialiste en matière de paléontologie amérindienne. Ce gisement a également livré six cents outils de formes différentes, des fragments d'os à dessin incisé et des vestiges d'outils en os. Semblable abondance de fossiles laisse supposer que les contemporains de la civilisation de Folson fréquentèrent ce campement pendant une très longue période.

Kirk Bryan et Louis L. Ray, de l'université Harvard, se sont efforcés de délimiter l'époque à laquelle les hommes de l'aire de la civilisation de Folson utilisèrent le campement de Lindenmaier. L'ère du Wisconsin était terminée, mais le Pléistocène se poursuivait ; le climat subarctique continuait à sévir et les montagnes étaient encore recouvertes d'une carapace de glace. L'analyse du carbone radioactif donne, pour le gisement de Lindenmaier, 9 à 10 000 ans d'ancienneté. Celle du site de Lubbock, dans le Texas, atteindrait 9 883 ans, avec une marge d'incertitude de 350 ans en plus ou en moins.

Les sites où des pointes Clovis ont été retrouvées sont nettement plus anciens ; ceux de Clovis et de Portales (Nouveau-Mexique), explorés depuis 1932, sont caractérisés par des pointes de javelots et par deux fragments d'os, portant la marque d'un travail humain, découverts par la suite. Les gisements sont proches de la limite entre les Etats du Texas et du Nouveau-Mexique. En 1936 et 1937, John Lambert Cotter trouva, près de Clovis, deux pointes rainurées ; l'une gisait à 2 cm 5 sous une côte de mammouth et l'autre entre les tibias de l'animal. Le géologue George Antevs estime à 10 000 ou 13 000 ans l'âge de ces vestiges. Longues de 12 centimètres, les pointes de javelots, particulièrement résistantes, servaient pour la chasse au mammouth.

Toutefois, les objets mis au jour près de Greenbush Creek, à un mile à l'ouest de Naco (Arizona), indiquent que les Paléo-Amérindiens n'utilisaient pas que le javelot : huit pointes lancéolées taillées dans le quartz et le feldspath trouvées, en 1952, près d'un squelette de mammouth (Parelephas) abattu alors qu'il était relativement jeune (entre 25 et 60 ans) en sont la preuve tangible. Les pointes de Naco se rattachent au type « fluted points » de Clovis et leur longueur varie de 5 cm à 11 cm 6. Aucune pointe n'était fichée dans les os de l'animal, mais le contexte révélait que la mort du mammouth avait été provoquée par une arme effilée. D'après Antevs, les vestiges de Naco datent de 10 000 à 11 000 ans.

En revanche, l'ancienneté des découvertes effectuées près de Lewisville, dans le comté de Denton, est très controversée. Dix-neuf foyers et des ossements d'une espèce disparue de bison, d'éléphants, de chevaux, de camélidés et d'animaux de petite taille y ont été dégagés. Auprès du foyer le plus important, se trouvaient une pointe Clovis et un morceau de bois calciné. L'ancienneté de ce morceau devait correspondre à celle de la pointe incluse dans le même niveau archéologique. Le laboratoire de la Humble Oil Company fut chargé de déterminer sa teneur en carbone radioactif, mais l'analyse révéla un âge très supérieur à celui que l'appareillage permettait de délimiter. Elle indiquait, en effet, 37 000 ans ! On crut à une erreur, mais l'examen d'un morceau de charbon provenant d'un autre gisement proche de Lewisville fournit un chiffre plus important encore. Pour l'instant, le problème reste insoluble car les indices archéologiques infirment une pareille ancienneté des vestiges découverts à Lewisville.

Un autre gisement, celui de la grotte de Sandia, près d'Albuquerque (Nouveau-Mexique), a fait, depuis 1936, l'objet de fouilles systématiques ; Frank Hibben en a publié le résultat en 1941. Une couche renfermant des pointes taillées du type Folson en recouvrait une autre, stérile, et une troisième contenant des silex grossièrement taillés, aux surfaces retouchées et à rainure latérale, ainsi que des ossements d'éléphant, de cheval, de bison, de loup, de paresseux, de chameau et de mammouth. Dans l'ordre géologique, la civilisation de Sandia devait être nettement plus ancienne que la civilisation de Folson ; Hibben la fait remonter à 19000 avant l'ère chrétienne. Plusieurs fragments d'ivoire provenant de la seconde couche à fossiles de Sandia, soumis à l'analyse du carbone 14 ont, par ailleurs, indiqué un âge supérieur à 20 000 ans. (H.R. CRANE, 1955.)

Mais il existe, en Amérique, d'autres gisements plus anciens encore. Les grottes Shasta (Californie) ont livré un outillage en os datant, au maximum, de la dernière interglaciaire ; des outils en pierre contemporains ont été mis au jour dans les dépôts alluvionnaires de San Diego. Ceux, très primitifs, identifiés à Thule Springs (Nevada) à côté de restes de foyers leur sont probablement encore antérieurs. Willard F. Libby, qui analysa, en 1955, des fragments de charbon provenant de ce site, obtint un âge de 28 000 ans, ce qui implique l'existence, en Amérique, d'un contemporain du Paléolithique ancien et du Néandertalien européen.

D'où venaient les fabricants des « fluted points » ? D'où venaient les hommes qui retouchèrent les silex trouvés dans la grotte de Sandia ? D'où venaient ceux qui ont laissé des traces de leur passage à Thule Springs, à Shasta et à San Diego ?

L'hypothèse selon laquelle il y a 20 000, 40 000 ou 60 000 ans des chasseurs auraient traversé l'étendue du Pacifique est insoutenable, car les embarcations étaient encore bien trop primitives. L'unique voie de passage est le détroit de Béring, alors asséché, qu'empruntèrent les vagues d'immigrants en provenance du continent asiatique. Le fait qu'aucune des civilisations paléolithiques sibériennes ne ressemble aux civilisations de Folson et de Sandia est néanmoins surprenant et les hypothèses ne manquent pas. Mais il ne faut pas oublier, d'une part, que les civilisations sibériennes sont à peine connues et, d'autre part, que les civilisations amérindiennes actuellement connues sont très probablement le résultat d'évolutions locales et autonomes dont on ignore tout.

La preuve de la présence d'hommes de Folson en Alaska et, plus particulièrement, dans la région qui fait face au continent asiatique, de l'autre côté du détroit de Béring, existe néanmoins. A hauteur du 70e degré de latitude, Edward G. Sable a découvert, sur les bords de la rivière Utukok, une pointe du type Folson ; cette région est soumise aux influences climatiques de l'océan Arctique. Frank H.H. Roberts Jr. l'identifia comme le produit d'une industrie paléo-indienne. Près de Cape Denbigh, sur le Norton Sund, J. Louis Giddings Jr. dégagea une couche renfermant des silex taillés, parmi lesquels burins et débris de pointes de type Folson étaient en majorité. Or, le burin est un outil spécifique de l'Eurasie et on ne le trouve que dans l'extrême nord du Nouveau Continent. De là à supposer que ces objets et d'autres, similaires, trouvés en Alaska et au Canada, jalonnent la route qu'empruntèrent les immigrants venus d'Asie à la période postglaciaire, il n'y a qu'un pas. Ces immigrants longèrent d'abord le Yukon. Comme l'Asie du Nord-Est, l'Alaska fut, à l'exception des sommets, épargné par les glaces, même à l'époque de la plus grande extension glaciaire, c'est-à-dire à la fin du Pléistocène. A partir du Yukon et en direction de l'Est, les immigrants débouchèrent dans la large vallée du fleuve Mackenzie d'où ils gagnèrent le piedmont des Montagnes Rocheuses et les vastes plaines du Missouri et du Mississippi.

La période en question correspond à la phase récente du Paléolithique et les récentes recherches auxquelles se sont livrés les préhistoriens font apparaître de plus en plus vraisemblable une ancienneté beaucoup plus grande de l'homme américain. L'absence, dans le Nouveau Monde, de fossiles appartenant aux types Pithécanthrope et Néandertalien n'infirme pas l'existence d'êtres humains en Amérique, au Paléolithique ancien, car l'on connaît maintenant l'existence d'hommes appartenant au type pré-sapiens qui ressemblaient plus à l'homme moderne qu'au Néandertalien. Le fait que de nombreuses découvertes paléo-anthropologiques effectuées dans le Nouveau Monde n'ont jamais fait l'objet d'études sérieuses complique singulièrement les choses ; elles ont été perdues ou bien elles n'ont jamais été portées à la connaissance des spécialistes.

Il y a un peu plus d'un siècle, le zoologue danois P.W. Lund trouva, dans une grotte des environs de Lagoa Santa, dans l'Etat de

Minas-Gerais (Brésil), un grand nombre d'ossements d'animaux et des parties de squelettes ayant appartenu à une trentaine d'individus de tout âge : 30 maxillaires inférieurs, 15 crânes plus ou moins bien conservés et de nombreux os de mains et de pieds. Il est dommage que Lund n'ait laissé aucune relation directe de cette découverte ; ceux qui rédigèrent ultérieurement le compte rendu des fouilles durent se borner à extraire de sa correspondance les indications qu'elle renfermait. Les fossiles exhumés à Lagoa Santa se trouvent au Musée Zoologique de l'université de Copenhague. En 1938, l'anthropologue autrichienne Hella Pœch procéda à une étude approfondie, ce qui permit certaines constatations. Parmi les fragments de crânes, deux présentaient des traces de pétrification beaucoup plus marquées et se signalaient par plusieurs caractéristiques : front bas et anormalement fuyant, nez écrasé à la base, dos du nez très proéminent. Dans sa correspondance, Lund parle effectivement de crânes qui se distinguent par leur primitivité, mais les spécialistes chargés de la rédaction du compte rendu n'y firent pas attention. Ayant retrouvé ces indications, Hella Pœch établit des rapprochements et formula l'hypothèse selon laquelle les deux calottes seraient contemporaines d'un niveau géologique plus ancien que les autres restes appartenant à des individus du type Lagoa Santa (race lagide). Il semble, par ailleurs, que Lund ait exhumé des crânes entiers d'hommes de ce type; transportés à Copenhague, c'est là qu'ils furent perdus.

Il est vrai qu'au siècle dernier les instituts scientifiques n'ont pas toujours été des « conservatoires » idéaux et, encore aujourd'hui, les « fouilles » effectuées parmi les monceaux de caisses emmagasinées dans les réserves des musées sont souvent plus fructueuses que les fouilles « sur le terrain ». Le fait que les deux calottes provenant de la grotte de Lagoa Santa ne comportent pas de bourrelets sus-orbitaires est, pour Hella Pœch, l'indice d'une extrême primitivité. On ignorait alors l'existence d'un type pré-sapiens ; sinon l'anthropologue eût fait un rapprochement entre cet individu et les fossiles de Lagoa Santa. Elle insiste sur les analogies que ces crânes présentent avec ceux des Indiens Botocudos. Menghin se demande, pour sa part, si la race fuégienne, « reconstituée » par Imbelloni et représentée par les Yahgans et les Alakaloufs de la Terre de Feu, les Botocudos du Brésil oriental et certaines peuplades qui vivent en Bolivie, dont la civilisation est extrêmement primitive, ne constitue pas l'ultime rameau, très abâtardi, de la race paléo-amérindienne. Signalons à ce propos que H. Gross, glaciologue éminent, attribue à des individus du type sapiens contemporains de la dernière interglaciaire les crânes découverts à Melbourne et à Vero, sur le littoral oriental de la Floride, dont l'identification a provoqué nombre de controverses. Il se fonde sur le fait que le glyptodon, le loup et le tapir, dont les ossements ont été retrouvés dans la même couche archéologique, sont considérés comme des représentants spécifiques de la faune interglaciaire.

En fonction de ces indices, il paraît plus que vraisemblable que la plus ancienne population amérindienne fut contemporaine de la dernière interglaciaire, ce qui signifierait que l'Amérique est peuplée depuis une centaine de milliers d'années. Que les survivants des populations les plus anciennes se rencontrent précisément à l'extrême sud de l'Amérique australe et, plus particulièrement en Patagonie, s'explique par le fait qu'au cours des millénaires elles furent refoulées par les nouvelles vagues d'immigrants venus d'Asie.

CHAPITRE VI

Il n'y a pas de passé sans histoire

« Ce n'est pas parce que la notion d'histoire universelle put, pour la première fois, germer sur le terrain de la religion judéo-chrétienne, que la science est, ipso facto, *dispensée de lui chercher une justification. Ce n'est pas non plus parce qu'elle est d'origine religieuse qu'une notion est nécessairement fausse et erronée. »*

WILHELM KOPPERS : « Das Problem der Universalgeschichte im Lichte von Ethnologie und Prähistorie », *Anthropos*, 52, 1957.

« L'historien moderne est parfaitement conscient que, s'il possédait le pouvoir de compréhension nécessaire, il serait capable d'écrire l'histoire de toute l'humanité. »

R.G. COLLINGWOOD : « Philosophie de l'histoire ».

NOTRE EXISTENCE est solidaire, de mille manières, de l'ensemble du monde créé et nous participons matériellement à l'immensité du cosmos. L'univers est un mécanisme titanesque, mais il possède aussi un aspect immatériel qui, s'il n'est pas mesurable, n'en est pas moins primordial ; quant à l'inexplorable, son importance est sans commune mesure avec la minuscule parcelle de vérité dont nous avons connaissance, et c'est pour cette raison que les grands esprits se rendent de plus en plus compte de leur ignorance et qu'ils s'inclinent avec respect devant les insondables mystères de la vie et de l'univers.

Pour un géographe cosmique qui porterait à l'homme un intérêt purement objectif, l'espèce humaine ferait l'effet d'une tumeur défigurant à une vitesse sans cesse croissante la surface de la terre. Telle est la formule qu'employa Carleton S. Coon ; O.G.S. Crawford l'a complétée en précisant que microbes et bacilles ne considèrent pas comme un mal l'affection qu'ils provoquent. Tout n'est, en somme, qu'une question de point de vue.

Nous sommes actuellement persuadés — à tort — d'avoir atteint un sommet ; or il est probable que la plus belle période de l'humanité fut contemporaine de la dernière interglaciaire et qu'elle remonte à 70 ou 80 000 ans. Plus il a vécu à une époque reculée, plus l'homme jouissait pleinement de sa liberté. L'âge d'or est lointain. Homère en conservait le souvenir et, 800 ans avant la naissance du Christ, Hésiode y faisait encore allusion. L'âge d'or continuait également à survivre dans les vieux mythes africains et les Paléo-Indiens s'en souvenaient avec nostalgie. Bref, la tradition qui a trait au paradis et à la faute originelle est, sous une forme ou sous une autre, commune à tous les peuples de la terre et, dès l'origine des temps, l'humanité a été persuadée que l'avenir ne pouvait plus être que synonyme de déclin et de décadence. La notion d'évolution est, en effet, récente et elle est sans rapport avec la pensée et la connaissance transmises par voie orale depuis des millénaires ; elle est, d'autre part, formellement contredite par les conceptions des peuples primitifs.

Après les succès remportés par l'homme dans le domaine des sciences naturelles, on pourrait être tenté de croire à son infaillibilité ; en réalité, ses connaissances sont extrêmement partielles et la notion des correspondances qui existent entre les différents domaines lui a peu à peu échappé. Appliquées aux sciences naturelles, les méthodes modernes et rationalistes ne permettent pas, à elles seules, de percer le mystère de la vie, de la genèse de l'espèce humaine et de l'histoire des commencements.

Chassé du paradis où le temps était une notion inconnue, l'homme éprouve le besoin de reconnaître et d'explorer le passé de l'espèce humaine, de dresser un bilan général partant des origines et méritant le titre d'histoire universelle.

Par « histoire », on entend la succession des événements dont le souvenir a été transmis par voie épigraphique. Mais si cette tradition écrite est incontestablement un enrichissement, elle réduit également notre vision en ce sens qu'elle donne une idée fausse de la véritable durée, infiniment plus grande, de la période qui précéda l'histoire. Menghin a parfaitement raison de dire que, pour remonter à l'origine des choses et comprendre vraiment le présent, il est indispensable d'approfondir ce que l'on sait de la préhistoire. L'histoire épigraphique n'englobe guère plus, en effet, que cinq ou six mille ans ; elle appartient, en quelque sorte, à la vie « quotidienne ». Et, comme nous vivons nous-mêmes dans le « quotidien », notre mode de pensée subit nécessairement l'influence de l'histoire écrite bien qu'en fait nous soyons le « produit » du passé anépigraphe commun à l'ensemble de la race humaine. Une étude, qui date de 1935, montre à quel point un homme comme Spengler était incapable de concevoir l'histoire universelle, c'est-à-dire l'existence « globale » de l'humanité : « Les ébauches qui vont suivre représentent dix ans de travaux préparatoires à la rédaction d'une histoire mondiale dont le début coïncide avec le moment où l'âme humaine commença à se différencier du psychisme animal, où elle se diversifia et se sensibilisa, donnant ainsi à l'existence humaine et à ses manifestations extérieures une signification profonde et originale. » A cette phrase, succèdent des considérations qui ne concernent *que les millénaires antérieurs à l'ère chrétienne !* Or, que sont deux mille ans en comparaison des 600 000 ans qui constituent le passé de la race humaine ?

Nous autres, qui possédons une histoire épigraphique vieille de 6 000 ans, sommes les descendants d'ancêtres qui vécurent il y a 600 000 ans. Eux seuls sont susceptibles de nous dire par quel miracle un bipède à station verticale et possédant une âme a bravé plusieurs centaines de milliers d'années. Pour percer l'énigme du phénomène humain, il est indispensable de suivre la trace de l'homme à travers toutes les époques. Toujours, il a laissé la marque de son activité ; jamais il n'est resté inactif. En d'autres termes, les époques « sans histoire » n'existent pas et les maillons sont venus s'ajouter aux maillons, formant ainsi une chaîne ininterrompue.

Si, au Paléolithique, psychisme et intellect n'avaient pas pris le dessus sur les capacités d'invention purement technique, l'homme en tant qu'être capable de raisonner dans l'abstrait n'aurait probablement pas survécu. De nos jours, le progrès technique a atteint un degré tel qu'il permet l'exploration des espaces sidéraux ; par contre, notre philosophie érige la désespérance en doctrine. Il apparaît donc essentiel d'esquisser, même sous une forme simplifiée, les étapes du long itinéraire suivi par l'être humain, car le stade actuel n'a pas été atteint grâce à l'invention et à l'utilisation d'outils en pierre, mais grâce à la mobilisation d'énergies impondérables, à l'action de forces d'ordre psychique et métaphysique.

Par nature, les pierres sont muettes et les témoignages arrachés à la terre sont si peu explicites qu'on a parfois tendance à sous-estimer ceux qui en furent les artisans. En réalité, bifaces et éclats sont le produit d'une activité fébrile et l'aboutissement d'innombrables raisonnements. Ils furent les témoins de millions de conversations, des cris poussés par les chasseurs, des ovations qui saluaient le retour des vainqueurs et des râles des mourants. Néanmoins, objets inertes, les pierres taillées ne fournissent guère d'indices d'ordre psychique.

Existe-t-il un moyen pour soulever le voile de la préhistoire et pour entrevoir ce qui se trouve au-delà en obligeant les pierres à parler ?

En rapprochant le mode de pensée, les activités et la civilisation des peuples primitifs survivants des manifestations et des témoignages laissés par les hommes préhistoriques, un univers nouveau auquel nous n'aurions jamais eu accès autrement se révèle. La civilisation représentant un tout, l'ethnologie et la paléontologie sont deux sciences étroitement liées. L'ethnologie a pour but l'étude des civilisations, celle des peuples existants ou disparus depuis peu ; un grand nombre d'éléments par lesquels la paléontologie s'avère incapable de fournir des explications satisfaisantes deviennent compréhensibles grâce à l'observation des mœurs et des coutumes des populations primitives et c'est grâce à eux qu'on peut remonter loin dans le passé.

« La collaboration de l'ethnologie et de la science préhistorique, écrit Wilhelm Koppers, est une nécessité et l'avenir de nos sciences est en grande partie fonction de leur évolution et de leur pratique. » L'ethnologie peut effectivement apporter nombre de précisions sur ce qu'était le mode de vie de nos ancêtres de l'âge de pierre et même sur la nature de leurs préoccupations métaphysiques ; la préhistoire apporte, pour sa part, la preuve que « l'homme le plus ancien dont la réalité est scientifiquement attestée était un homme véritable, en pleine possession de ses moyens ». Ces deux sciences complémentaires permettent de dessiner la silhouette de l'homme, créature pensante ; l'anthropologie en arrive, elle aussi, à la même conclusion, dans la mesure où elle consent à admettre qu'en plus d'un esprit et d'un corps, l'homme possède également une âme.

Nous sommes tellement imbus de l'idée de progrès que nous confondons inconsciemment ce qui est bon et ce qui est nouveau ; à l'inverse, ce qui est mauvais ne peut être que vieux et caduc. Au siècle précédent, l'Europe s'imaginait que, 1 800 ans après la mort de Jésus, l'homme avait fait siens les principes du christianisme et que, de ce fait, il était supérieur, dans la perspective historique, à tous les autres peuples. Il se croyait capable de faire la différence entre le bien et le mal et de classer ses semblables parmi les primitifs et les évolués. Compte tenu de cette échelle des valeurs, un abîme séparait le sauvage, le barbare et le non-civilisé de l'Européen éclairé.

On pensait alors que le polythéisme était la règle chez les hommes de la préhistoire et chez les sauvages et que l'Occident avait le monopole du dieu unique. Or, la croyance monothéiste existait bien avant les débuts de la tradition épigraphique et, par conséquent, avant ce qu'il est convenu d'appeler l'histoire. En se livrant à un très grand nombre de confrontations ethnologiques sur l'ensemble du globe, Wilhelm Schmidt est parvenu à reconstituer la trame et l'esprit de la religion archaïque et primordiale ; elle avait pour fondement le culte d'un dieu unique. A la suite des études entreprises par Schmidt, on sait que les croyances les plus anciennes sont centrées autour d'un Etre Suprême et qu'avec le temps, cette conception de la divinité ne s'est pas affinée mais, au contraire, dégradée et qu'elle a dégénéré en polythéisme. Schmidt démonte ce processus dans le 6e volume de son ouvrage : *Origine du concept divin.*

L'homme « sans histoire », croyait-on au siècle précédent, ne pouvait être que polygame alors que l'Européen, qui lui était nécessairement supérieur, avait franchi le seuil de la monogamie. Or, nous avons de bonnes raisons de penser que la notion de monogamie remonte aux périodes les plus lointaines de la préhistoire. Au terme d'une existence consacrée à l'étude des civilisations du Paléolithique ancien, l'abbé Breuil en arrive à cette conclusion. La nécessité qui, jour après jour, poussait l'homme de l'âge de la pierre à se défendre, à venir en aide à son prochain et à assurer la subsistance des siens, ne pouvait être satisfaite que dans le cadre de la famille. L'individu isolé était condamné à l'avance et cela est encore vrai — Wilhelm Koppers insiste sur ce point — pour la plupart des primitifs.

Ernst Heinrich Hœckel (1824-1919) tenta de démontrer que l'homme issu du singe s'était hissé au rang d'Homo sapiens en passant par deux stades intermédiaires : Pithecanthropus alalus et Homo stupidus. Sa théorie de l'évolution fut immédiatement transposée dans les domaines de la philosophie, de la morale et de la religion. Il est indéniable que les objets usuels qu'utilisèrent les premiers hommes ont été sous-estimés ; la difficulté qu'ils eurent pour les inventer a été très minimisée. On était persuadé qu'il y a plusieurs dizaines de milliers d'années nos ancêtres allaient nus tandis que l'Européen du XIXe siècle, siècle du progrès, ne découvrait que son visage. Maintenant, chacun sait que les contemporains de l'Aurignacien se vêtaient de peaux cousues et assemblées au moyen d'aiguilles et d'alènes.

Contrairement à ce que pense Edward Burnet Tylor, les premiers stades de l'évolution psychique n'impliquent pas, *a priori,* « un esprit grossier et fruste ». Tylor s'imagine que, pendant la longue durée de son existence, la préoccupation essentielle de l'espèce humaine fut « le passage de la condition sauvage à l'état civilisé ». Le terme « sauvage » a faussé la perspective ethnologique du siècle passé ; les primitifs ne sont pas des sauvages, mais seulement des primitifs. Cet adjectif prête, lui aussi, à confusion car, dans leur éthique et dans leurs conceptions, nombre de peuples font montre d'une étonnante diversité et d'une rigueur morale qui, dans bien des cas, l'emporte sur celle des Occidentaux.

Il en était de même chez les contemporains de la préhistoire. Qui pourrait dire si l'utilisateur du biface et des éclats songeait à la « civilisation » lorsqu'il s'efforçait d'améliorer son outillage, si cette considération lui était étrangère ou si, au contraire, il considérait le maintien et le perfectionnement des aptitudes morales comme une marque de progrès et d'amélioration de la nature humaine ? A l'origine de notre raisonnement, il y a le principe que l'homme est progressivement sorti de la barbarie pour se hisser au niveau de la civilisation. En réalité, ce n'est pas parce qu'un outillage est fruste, que les mœurs sont grossières, l'idiome rudimentaire et la religion réduite à l'essentiel qu'on a affaire à des barbares. Or, c'est précisément chez les ethnies les plus primitives et les plus arriérées que le concept monothéiste paraît le plus profondément enraciné. En d'autres termes, le niveau du progrès technique ne préjuge en rien du développement moral et social d'une population. Toute civilisation comporte deux aspects ; l'un exclusivement matériel, l'autre spirituel et moral ; elle est, en quelque sorte, le fidèle reflet du cosmos dont l'existence n'est concevable qu'en association avec un créateur. Or, ces deux aspects, matériel et moral, peuvent fort bien évoluer à des rythmes différents ; le degré d'évolution de l'un n'implique aucun parallélisme chez l'autre. Des outils extrêmement primitifs peuvent, par exemple, être utilisés par des populations qui, sur le plan moral, se situent à un échelon très supérieur ; en revanche, un raffinement poussé à l'extrême caractérise souvent des sociétés dont les règles morales sont fort lâches.

Il n'y a jamais eu d'homme « prélogique » ou « alogique » et

Lévy-Bruhl qui inventa ce terme vers 1910 reconnut son erreur quelques années plus tard. « L'esprit spécifiquement humain a commencé à exercer son emprise au début de la période traditionnellement étudiée par les préhistoriens et les vestiges qui subsistent le prouvent abondamment. » (K.J. NARR.) On peut donc conclure que l'homme de la préhistoire et l'homme actuel possèdent à peu de chose près la même nature ; l'esprit est un et il n'a pratiquement pas varié entre la période préhistorique et la période où l'homme, ayant inventé l'écriture, a consigné les faits dont il fut le protagoniste et le témoin. Partout où l'on a retrouvé des vestiges d'outillage, c'est la preuve qu'il est contemporain d'hommes « complets ».

Pour Hobbes, Morgan, Tylor et Spengler, l'homme est un animal qui, progressivement dompté, acquiert peu à peu un intellect. Pour eux, les exigences essentielles : besoin de chaleur, défense contre les animaux sauvages et exercice de la chasse, ont été les seuls mobiles de l'évolution due à des causes uniquement naturelles et matérielles. Collingwood a raison de faire remarquer que : « Spengler applique à l'histoire les lois qui régissent les sciences naturelles ; s'inspirant de ce qui se passe dans la nature, il énonce des règles générales comme si l'évolution s'apparentait aux mêmes lois que la croissance des végétaux. Finalement, Spengler se croit autorisé à prédire l'histoire. Cette conception naturaliste qui assimile les hommes à de simples objets et nie la création et l'existence de Dieu est excusable chez un homme comme Spengler, docteur en zoologie, en botanique, en physique, en chimie, en minéralogie et en mathématiques.

« Si l'on admet que la satisfaction des besoins sexuels et alimentaires et la recherche de la chaleur furent les seuls mobiles initiaux de l'évolution humaine les civilisations devraient être identiques. S'il en était ainsi, ce serait la preuve que les théories de Toynbee sont justes ; selon lui, sur vingt et une civilisations, six : égyptienne, sumérienne, crétoise, chinoise, maya et péruvienne, découlent « directement des conditions de vie primordiales ». En réalité, la science actuelle n'est pas encore à même de déterminer l'importance des apports et des perfectionnements ultérieurs et ce n'est donc pas sur l'ignorance qu'on peut asseoir l'hypothèse d'une évolution autonome et quasi spontanée. On oublie que la réalité historique, telle qu'elle apparaît et telle que l'historien la décèle, est invariablement un phénomène qui donne naissance à d'autres phénomènes. Avant de ranger et de classer les phénomènes historiques dans une classification rigide, il faut d'abord commencer par faire table rase de ce que l'histoire comporte de vivant. Pour Toynbee, l'histoire se subdivise en parties distinctes qui sont, en quelque sorte, dotées d'une vie autonome. Il nie la constance de l'évolution historique et l'interpénétration et la superposition des différentes parties. » (COLLINGWOOD, 1951.)

Compte tenu de l'universalité de la nature humaine et de la succession ininterrompue de faits dont l'ensemble constitue l'évolution, on peut parler d'une civilisation *homogène* plutôt que de *développements et d'évolutions parallèles.* R. Heine-Geldern en conclut que les civilisations évoluées constituaient, dès le départ, un ensemble. Koppers, pour sa part, se demande s'il n'en est pas de même de la culture proprement dite. Si l'on tient compte de ce point de vue, la perspective change et l'évolution générale de la civilisation humaine apparaît sous un jour totalement différent. En raisonnant de cette manière, il est désormais possible de remonter très loin le cours de l'histoire et même jusqu'aux origines de l'homme. Dans ce cas, comme le dit Friedrich von Schlegel, l'historien devient « un prophète tourné vers le passé ».

Mais, si l'on admet la thèse de l'unité de la nature humaine, des civilisations et des cultures, l'existence d'une histoire universelle qui, faisant appel aux notions ethnologiques et préhistoriques, englobe l'ensemble des manifestations et des activités de l'espèce humaine est du même coup admise.

Si les débuts de la civilisation matérielle paraissent extrêmement primitifs, il est indéniable que, dès le début, l'homme fut conscient de l'existence d'une morale. L'exemple des primitifs est significatif en ce sens que si, sur le plan du progrès social, ils s'apparentent aux hommes de la préhistoire, sur le plan de la rigueur morale et de la religion, ils se situent à un niveau élevé.

Au contact des actuels « primitifs », on retrouve les caractéristiques qui furent celles de l'humanité primitive ; préhistoire et ethnologie vont de pair en ce sens qu'il existe de curieux parallèles entre les Paléolithiques et les populations que les ethnologues qualifient de primitives. Un abîme subsiste néanmoins entre l'outillage lithique, le feu et la chasse et la connaissance de ce que furent les conditions de vie d'une race préhistorique. Pour rétablir le contact, il faut non pas remonter les voies obscures de la préhistoire, mais emprunter les sentiers solitaires et souvent pénibles de l'ethnologie. Il faut surtout vivre la vie des populations fixées dans les régions subarctiques, là où l'homme est contraint de s'accommoder du froid, où l'ours a joué un rôle primordial dans la métaphysique, où des civilisations entières sont fondées sur l'économie du renne et où mille détails révèlent l'existence d'un lien ininterrompu entre les hommes de l'âge de la pierre et leurs descendants. Ces régions sont habitées par les populations sibériennes, arctiques et nord-américaines.

Chez ces peuples archaïques, nous allons nous efforcer de retrouver la trace de Dieu que les millénaires ont plus ou moins effacée. Puisque le monothéisme fut la croyance initiale, si l'hominisation résulte d'une intervention divine et si la croyance dans un Etre Suprême fut le premier stade de l'évolution humaine, les théories évolutionnistes, en matière de religion, sont automatiquement controuvées. Or, la majorité des hommes croit à l'évolution des croyances religieuses. Nous autres, Occidentaux, nous considérons Dieu comme un sommet, comme un idéal suprême. Et comme, plus ou moins consciemment, nous nous imaginons être parvenus à ce stade, nous nous figurons — à tort — que tout ce qui a existé « avant » était nécessairement imparfait et primitif. Le message du Christ a mis fin à l'évolution qui avait porté les hommes du monothéisme au polythéisme mais, bien que 2 000 ans se soient écoulés depuis le Sermon sur la montagne, l'humanité continue à se prosterner devant le veau d'or, à vénérer de prétendus thaumaturges et de fausses idoles et à adorer les « images » tant redoutées des peuples primitifs. Les fausses valeurs tiennent une place de plus en plus importante dans notre existence quotidienne.

Nos contemporains considèrent notre siècle comme celui du triomphe de la raison et de la logique et, de l'avis général, une religion récente est nécessairement supérieure aux religions qui l'ont précédée. Cette optique n'est justifiée que sous l'angle de l'évolution des techniques ; chaque jour, d'ailleurs, notre psychisme est de plus en plus déterminé par l'orientation technologique.

Les enseignements techniques sont même appliqués à des domaines sans rapport avec la technique ; une évolution similaire nous conduit à la conclusion, totalement erronée, que l'humanité, délaissant le polythéisme, est enfin parvenue au stade du monothéisme. L'erreur provient de ce que la technique seule continue à évoluer et qu'elle seule est, par conséquent, évolutionniste.

Les peuples archaïques des régions circumpolaires enseignent précisément le contraire, à savoir que les aptitudes spirituelles et morales de l'individu ont à peine évolué vers la perfection, que l'âme est aussi ancienne que l'être humain et qu'à l'origine de tout il y eut l'intervention d'un dieu unique.

IL N'Y A PAS DE PASSE SANS HISTOIRE

L'étude des religions et des croyances des populations primitives et archaïques fournira peut-être, un jour, par le biais de l'ethnologie, la preuve d'une révélation divine initiale et, par conséquent, celle, historique, de l'existence de Dieu. La double constatation : les populations archaïques croient en un Etre Suprême et cette croyance est de plus en plus nette et enracinée à mesure que les traditions remontent plus avant dans la préhistoire, est d'autant plus importante que la civilisation occidentale est fondée sur la primauté de l'esprit. Dieu, « symbole » suprême du surnaturel, est la justification essentielle de l'exaltation de la spiritualité. Dieu est l'alpha et l'oméga de la civilisation occidentale qui, sans Lui, n'aurait plus de raison d'exister. Une civilisation ne peut se développer qu'à partir d'une croyance et elle ne peut naître que si une foi véritable stimule le subconscient de l'individu ; c'est là une vérité aussi vieille que le monde.

Pourquoi ne pas s'efforcer de résoudre le problème que pose l'existence de l'Etre Suprême ? Pourquoi, puisque nous nous acharnons à percer le secret de la structure de l'univers, puisque nous n'imposons aucune limite à nos ambitions scientifiques, puisque nous gaspillons tant d'argent et tant de compétences pour l'exploration des espaces sidéraux, pourquoi ne pas en consacrer au moins une partie à des recherches susceptibles de faire retrouver la trace de Dieu chez les peuples archaïques ?

Cette question qui a trait à la religion initiale nous la poserons d'abord aux anciens maîtres du continent américain, c'est-à-dire aux tribus indiennes qui subsistent. Que reste-t-il chez eux de la croyance en une divinité unique ?

CHAPITRE VII

De l'origine des Indiens d'Amérique

> *« Les migrations entre l'Ancien et le Nouveau Monde présentent une importance capitale pour les américanologues et les préhistoriens. Car nul ne doute plus que l'homme préhistorique n'ait émigré d'Eurasie en Amérique. »*
>
> RALPH S. SOLECKI : « Archaeology and Ecology of the Arctic Slope of Alaska », *Annual report of the Smithsonian Institution,* 1950.

DES RIVES de l'océan Arctique à la Terre de Feu, le continent américain est habité par des peuples et par des tribus dont le type physique est extrêmement divers. En règle générale, la chevelure est lisse, mais il existe des peuplades dont les représentants ont les cheveux ondulés, certaines dont le teint est très clair et d'autres, au contraire, dont la peau est fortement pigmentée. Dans certaines régions, les Indiens ont le nez puissamment busqué, dans d'autres le nez droit ; d'autres, enfin, ont le nez écrasé et large comme nombre de Sibériens. Tantôt les pommettes sont saillantes, tantôt elles sont à peine proéminentes ; le système pileux, en général peu abondant, diffère suivant les peuples et les tribus. Or, ce qui vaut pour les Indiens américains vaut aussi pour les autochtones sibériens. Plus on entretient de contacts avec les peuples primitifs, plus les différences sautent aux yeux et plus on est frappé par l'extrême diversité des visages nord-asiatiques. On s'aperçoit aussi qu'il existe, parmi les

Paléo-Sibériens, des types humains beaucoup plus proches des Aïnous que des Mongols.

Le fait est que les anciens habitants du continent américain n'appartenaient pas à la race mongole ; il n'y a pas de race indienne homogène et les Indiens ne sont pas un rameau de la souche mongoloïde. Dans l'ensemble, les caractéristiques europoïdes sont aussi répandues que les mongoloïdes chez les Paléo-Américains.

La diversité des populations amérindiennes est si grande qu'elle ne peut pas être consécutive à l'arrivée de l'homme dans le Nouveau Monde. Pendant plusieurs milliers d'années, d'innombrables groupes et groupuscules franchirent le détroit de Béring et chaque ancêtre des Amérindiens amena avec lui ses caractéristiques raciales. A l'époque de la découverte de l'Amérique par Colomb, un million d'Indiens environ peuplaient la partie du continent américain située au nord du Mexique ; ils se divisaient en trois cents peuplades. La population indienne actuelle des Etats-Unis, du Canada et de l'Alaska ne dépasse pas 500 000 individus, mais il est juste de signaler que, depuis 1492, certaines « nations » indiennes : Navajos, Sioux et Cherokees ont accru leurs effectifs.

Joseph B. Birdsell a échafaudé une théorie très séduisante, mais vulnérable ; pour lui, les ossements fossiles des individus de type sapiens mis au jour dans la grotte supérieure de Chou-Kou-Tien seraient ceux d'hommes issus de croisements entre individus appartenant au type amourien avec des formes mongoloïdes anciennes. Le type amourien appartient au rameau oriental de la race caucasienne. Selon Birdsell, ces Amouriens, ancêtres des actuels Aïnous, auraient été les premiers habitants du Nouveau Monde. Or, il est peu probable que les choses se soient passées ainsi, même s'il est à peu près certain que les plus anciens immigrants venus d'Asie — à l'exception des représentants des civilisations paléolithiques anciennes — appartenaient à la race europoïde caucasienne. Leurs successeurs furent, à la fin du Pléistocène, les représentants de la race de Lagoa Santa. Beaucoup plus tard, les Jaunes firent irruption dans l'espace américain et les premières invasions d'individus de type mongoloïde se produisirent, vraisemblablement vers 2 000 avant l'ère chrétienne, les unes par voie de terre et les autres, beaucoup plus importantes, à travers le Pacifique. Pour reprendre la phrase de Menghin, « un léger voile mongoloïde recouvrit toutes les populations paléo-américaines ». Cet apport tardif de sang jaune justifie le qualificatif mongoloïde appliqué aux peuples amérindiens primitifs et la classification de ces peuples dans la race mongole. En d'autres termes, pendant des dizaines de milliers d'années les premiers Américains furent les descendants des immigrants paléo-europoïdes qui avaient également peuplé l'espace sibérien ; le caractère mongoloïde des Amérindiens ne remonterait guère au-delà de 4 000 ans.

L'extrême ancienneté des Paléo-Américains est vraisemblablement la raison pour laquelle il est pratiquement impossible d'établir un rapprochement entre les langues et les idiomes indiens, d'une part, et les groupes linguistiques eurasiatiques, de l'autre. Les différences sont telles que, du seul point de vue linguistique, l'hypothèse d'un peuplement tardif et homogène du Nouveau Continent est exclue. Dès 1933, Franz Boas affirmait que l'immense majorité des langues indiennes ne dérivait pas d'une souche commune et le fait est qu'il n'est pas de continent où la mosaïque linguistique soit aussi hétéroclite que dans les deux Amériques, où il n'y a pas de caractéristiques syntaxiques ou phonétiques communes aux langues parlées par les Amérindiens. La seule possibilité consiste à répartir les idiomes apparentés en groupes ; le groupe Na-Dene englobe les idiomes Tlingit, Haida et Athapascan, le groupe Uto-Aztèque les idiomes Shoshonean, Nahuatl, Pinan, Tanoan, Kiowan, Menutian, Maya, Totonèque et, peut-être, quelques autres qui leur sont apparentés. On a ainsi déterminé 56 groupes linguistiques pour les Etats-Unis et le Canada, 29 pour le Mexique et l'Amérique centrale et 84 pour l'Amérique du Sud. Précisons toutefois qu'un grand nombre de langues indiennes disparurent avant même d'avoir pu être étudiées.

Depuis peu, les Américains ont réduit la classification des langues parlées dans l'Amérique septentrionale à sept groupes principaux : Eskimo, Athapascan, Algonquin, Sioux, Uto-Aztèque, Iroquois et Muskogee. Mais ce n'est pas parce que des populations amérindiennes possèdent des civilisations identiques qu'elles parlent la même langue ; à l'inverse, des peuples parlant des idiomes apparentés tels que les Hopis du sud-ouest des Etats-Unis et les Paiutes de la région de Great Basin peuvent posséder des civilisations essentiellement différentes. Les Hopis, par exemple, sont agriculteurs et les Paiutes chasseurs et ramasseurs.

Dans ces conditions, peut-on encore parler de similitudes entre langues asiatiques et américaines ?

S'ils diffèrent par la syntaxe, les idiomes chukchee et eskimo présentent néanmoins un certain nombre d'analogies ; ce qui diffère est moins la manière d'exprimer une pensée que le choix des mots servant à l'exprimer. Mais des similitudes analogues existent entre les idiomes des Tchoutches, des Koriaks, des Kamtchadales, des Aléoutes et des Esquimaux, si bien qu'on peut attribuer une origine commune aux langues parlées par un certain nombre de peuples circumpolaires de l'Ancien et du Nouveau Monde. Il existe, de même, comme l'a signalé Robert Shafer en 1952, quelques analogies entre l'athapascan et le sino-tibétain.

Hutte yaghan dans la baie d'Orange (Terre de Feu). (Musée de l'Homme.)

La matérialité de relations entre populations circumpolaires depuis la fin du Pléistocène (8000 avant J.-C.) est indéniable. A défaut de preuves linguistiques difficiles à obtenir, les analogies d'ordre culturel sont tellement extraordinaires et frappantes qu'elles ne peuvent pas être l'effet du hasard. C'est le cas, notamment, des peuples chasseurs et pêcheurs nord-américains : Algonquins, Athapascans, Esquimaux, et des Indiens du Nord-Ouest : Tlingit, Haida, Tsimchian, Ouakach, Selish, etc., dont la parenté culturelle avec les primitifs de l'Asie septentrionale est incontestable.

A la tente des Sibériens, faisceau de perches assemblées par le faîte, recouvertes de plaques d'écorce de bouleau, correspond le wigwam des Indiens nord-américains. Canots d'écorce et récipients faits, eux aussi, d'écorce de bouleau sont identiques de part et d'autre du détroit de Béring. Les tambours de la plupart des peuples primitifs sont oblongs, c'est-à-dire cylindriques lorsqu'ils consistent en une caisse de résonance tendue d'une seule peau ; il existe, en revanche, en Amérique et en Sibérie, des tambours cylindriques dont la forme aplatie évoque celle d'un tambourin. De même, certains rites funèbres, notamment le rite d'inhumation qui consiste à déposer les cadavres sur un bâti surélevé, paraissent avoir été importés d'Asie en Amérique. Les immigrants qui franchirent le détroit de Béring à la période postglaciaire introduisirent le chien, le traîneau, le javelot et le même propulseur en bois qu'utilisent encore les Tchoutches de la Sibérie orientale. Par contre, l'arc double et renforcé parvint probablement en Amérique longtemps après le javelot. Un certain nombre d'outils en pierre sont incontestablement de forme et de facture nord-asiatiques, ainsi que l'usage de porter des vêtements chauds faits de fourrures assemblées et cousues. En effet, le port de vêtements

Type de Fuégienne, Chili (mission du Cap Horn). (Musée de l'Homme.)

chauds dans les régions froides ne va pas obligatoirement de soi et, à plus forte raison, lorsque ces vêtements sont apprêtés et cousus ; c'est ainsi que les Fuégiens : Alacaloufs et Yaghans, se contenaient d'une simple peau de bête. Enfin, communs aux populations de l'Ancien et du Nouveau Monde, le chamanisme et ses pratiques, très voisines dans les deux cas, furent certainement importés d'Asie orientale et les conceptions qui ont trait à l'arbre universel — on les retrouve en Eurasie et, sous une forme approchante, chez les Indiens de l'Amérique du Nord — sont souvent si proches qu'on peut tenir pour certaine une commune origine. Enfin, si la religion de l'ours, très particulière, s'est développée sur les deux rives du détroit de Béring, ce n'est évidemment pas le fait du seul hasard.

Les américanologues admettent sans objections apports et influences asiatiques et seules certaines ressemblances ultérieures sont attribuées par quelques spécialistes à l'esprit inventif et à l'imagination communs aux représentants de l'espèce humaine. L'absence d'outillage, de produits alimentaires et de notions essentielles dans l'Amérique précolombienne est interprétée par d'autres comme la preuve de l'isolement dans lequel vécurent par la suite les descendants des Paléo-Américains.

En réalité et même aux époques tardives, c'est-à-dire entre 2000 et 1000 avant J.-C., les relations ne cessèrent jamais entre l'Asie et l'Amérique et les apports, sous forme de coutumes, d'usages, de procédés techniques, de styles et d'ornementation, se poursuivirent. Les vases cultuels chinois, en bronze, de la période Chang (1766-1122 avant J.-C.) portent les plus anciens pictogrammes connus, très antérieurs à l'invention de l'écriture proprement dite. Par leur forme et leur ornementation, les vases Chang concrétisent les préceptes religieux et les croyances de cette période et de celle qui la précéda. Les prêtres étaient vraisemblablement seuls capables de comprendre le sens des symboles gravés et ciselés sur les flancs des vases. Karl Hentze a démontré l'existence de concordances multiples entre la civilisation chinoise de l'époque Chang et les grandes civilisations indiennes précolombiennes ; il a notamment prouvé que l'évolution de la symbolique telle qu'elle résulte de la décoration des vases rituels chinois s'apparente à l'iconographie des civilisations méso-américaines et qu'elle accuse certaines ressemblances avec le décor des vases et avec les motifs textiles péruviens. En matière d'iconographie religieuse, vases cultuels chinois de la période archaïque et vases ornés des civilisations austro-indiennes de Chavin, de Paracas et de Nazca, au Pérou, et de l'aire de civilisation maya, sont pratiquement au même stade.

Le problème le plus ardu est celui que pose le franchissement éventuel du Pacifique entre 2000 et 1000 avant J.-C. car, si l'on admet l'existence de relations maritimes entre l'Asie et l'Amérique, comment expliquer que le maïs, plante typiquement indienne originaire du Mexique, que le haricot et le melon n'aient pas été importés en Asie ? Pourquoi des céréales comme le froment, l'orge, le seigle, le riz et des animaux domestiques spécifiquement asiatiques n'ont-ils pas, à l'exception du chien, été acclimatés sur le continent américain ? Le fait que la roue n'ait pas été utilisée en Amérique se justifie, comme l'a exposé de manière convaincante Gordon F. Eckholm, par sa diffusion relativement restreinte et limitée à certaines régions de l'Asie. En revanche, les Paléo-Indiens se servaient couramment du « travois », traîneau rudimentaire formé de deux perches dont une extrémité était fixée au collier d'un chien et dont l'autre traînait à terre. La charge était solidement fixée sur ce bâti. Ce mode de transport fut probablement introduit en Amérique en même temps que le chien. Certains peuples indiens, notamment au Mexique, avaient inventé d'autres systèmes qui rendaient la roue superflue.

L'adoption d'idées, de notions, d'ustensiles ou d'objets permet, certes, de conclure à l'existence de relations culturelles mais ce n'est pas parce que tel objet ou telle invention n'a pas été conservé par une population qu'il faut nier la réalité de contacts. Certains exemples contemporains — et Dieu sait si, à notre époque, les communications transcontinentales et transocéaniques sont aisées — le prouvent ; les difficultés qu'eut Diesel pour imposer le moteur qui porte son nom et le fait que le soja ne soit pas cultivé en Europe et que la patate douce, tubercule américain, introduite dans les archipels polynésiens durant le premier millénaire de l'ère chrétienne, soit inconnue de la plupart des Américains, sont suffisamment révélateurs.

Ce qui est certain c'est que la navigation et la construction navale se développèrent, au plus tard, dans les dix siècles précédant notre ère et que les progrès accomplis dans ces domaines sont responsables d'un certain nombre de similitudes culturelles entre l'Ancien et le Nouveau Monde. Tout, en effet, n'est pas venu par le détroit de Béring. Parce que les traversées maritimes ne laissent pas de traces, on a tendance à minimiser l'importance de la navigation dont les eaux du Pacifique furent le théâtre durant les 2 000 ans qui précédèrent notre ère ; d'autre part, on ne possède aucune relation de ces voyages et il est évident que des embarcations aussi primitives que celles employées par les navigateurs de l'époque n'ont pu résister aux atteintes du temps.

Agriculture, céramique et vie sédentaire apparaissent vers 5000 avant J.-C. en Mésopotamie, vers 4000 dans la vallée de l'Indus, vers 3000 en Chine et, vers 1400, dans les deux Amériques ; c'est l'indice d'une lente diffusion. Peu à peu, la civilisation fait tache d'huile ; elle se répand d'abord sur les continents puis elle traverse mers et océans. Eckholm se demande pourquoi l'agriculture n'a pas débuté, en Amérique, dès 5000 avant J.-C. (si tant est qu'elle y ait été inventée) et, dans ce cas, si elle ne représente pas un apport eurasiatique.

Les américanologues ont réparti les activités culturelles, en Amérique du Nord, en six aires distinctes ; on a ainsi l'impression que l'histoire indienne est faite d'une mosaïque de civilisations dont les apogées furent, à peu de chose près, contemporains. Tout ce qui appartient à la préhistoire proprement dite et qui est, par conséquent, antérieur à la sédentarisation est, en général, qualifié de « marginal ». Nul n'y prêtait grande attention. On crut d'ailleurs pendant longtemps que le peuplement de l'Amérique ne remontait guère à plus de 8 000 ans avant notre ère. En réalité, les « culture areas » ne se justifient que dans la mesure où elles correspondent à des civilisations d'agriculteurs sédentaires et, sur le plan strictement historique, l'intérêt qu'elles présentent est assez mince, car leur ancienneté ne dépasse guère le seuil de la préhistoire.

Mieux vaudrait, comme Menghin l'a d'ailleurs proposé, répartir les aires de civilisation des primitifs américains en tenant compte du mode de vie : chasseurs et ramasseurs, chasseurs de gros gibier et chasseurs des prairies, chasseurs et pêcheurs, agriculteurs dans le cadre des civilisations évoluées. Contrairement à l'Asie, l'Amérique n'a jamais connu de nomades pasteurs ou guerriers comparables aux Mongols et aux peuples de race turque. Là réside, précisément, la différence fondamentale entre le Nouveau Monde et l'Ancien.

CHAPITRE VIII

Le Dieu Suprême des Amérindiens

« Le Dieu des Pawnies est Atius Tiràwa, le « Grand Esprit » : Il est inaccessible, tout-puissant et bienveillant. Il domine l'univers dont il est le maître suprême et tout ce qui arrive dans le monde est soumis à sa seule volonté. Il apporte le bonheur ou l'affliction, le succès ou l'échec et tout procède de lui. Compte tenu d'une telle conception de la divinité, les Pawnies sont un peuple profondément religieux. Ils n'entreprennent rien avant d'avoir invoqué le Grand Esprit. »

GEORGE BIRD GRINNELL : « Pawnee Mythology », *Journal of American Folklore*, VI, 1893.

PARMI LES PEUPLES du Nouveau Continent, la croyance en un Etre Suprême est particulièrement enracinée chez ceux dont la civilisation est entachée d'archaïsme, autrement dit chez les peuples chasseurs et récolteurs restés à l'écart du progrès et de certaines évolutions. Refoulés dans les régions périphériques, ils sont restés fidèles à leurs antiques traditions. Des mythes extraordinaires qui remontent à la nuit des temps se sont ainsi conservés chez les Amérindiens. Et, même si les millénaires ont quelque peu brouillé les traces laissées par la divinité, si beaucoup d'éléments témoignant du caractère direct, de la ferveur et de la réalité des plus anciennes croyances ont disparu, quelques-uns ont néanmoins survécu.

Parmi les peuples les plus archaïques de l'Amérique septentrionale et australe, figurent les tribus Algonquines, les Indiens de la Californie et les Fuégiens détenteurs du patrimoine culturel initial. Chez eux s'est perpétuée, intacte, la croyance en une divinité suprême.

Certaines de ces populations n'existent plus depuis longtemps. De hardis ethnologues sont cependant sortis vainqueurs de la course de vitesse qui oppose la mort à la science et c'est grâce à cette circonstance que le petit peuple des Wiyot-Wishock, fixé au nord et au sud de la baie de Humboldt, sur le littoral de la Californie, a pu être étudié par A.L. Kroeber avant sa complète extinction.

L'être suprême des Wiyot portait le nom de Gudatrigakwitl qui signifie « Vieil homme supérieur ». « La caractéristique la plus frappante de leur mythologie est le rôle qu'ils attribuaient à Gudatrigakwitl, créateur et divinité supérieure. Il correspond à une notion très poussée de la création. » (A.L. KROEBER, 1905.) Pour créer l'humanité, le dieu des Wiyot n'eut besoin ni de limon, ni de sable, ni de branches, ni d'argile. Il pensa et, aussitôt, les ancêtres de la race humaine surgirent du néant. Au premier homme : Chelkowik, le dieu — toujours par la pensée — donna une épouse. Cependant, les premiers hommes étaient mauvais et ils furent promis à l'extermination mais, comme disent les Wiyot, « Dieu vit encore aujourd'hui ». Insensible aux maladies, il est immortel et durera tant que durera l'univers.

Vers 1870, St. Powers publia un rapport sur la tribu Mattole, du littoral californien ; en 1910, elle ne comptait plus que dix individus de race pure. Conformément aux traditions religieuses des Mattole, le dieu, qualifié de « Grand homme », créa la terre et un homme unique. Cet Indien errait à la surface du globe recouverte de glace au milieu d'un silence total, et ce n'est qu'après une violente tempête que l'univers fut enfin terminé. Comme nombre de peuples amérindiens, les Mattole connaissaient également le mythe du Déluge. Le dieu de la tribu Sinkyone, « le grand errant », était connu sous le nom de Nagaitso, mais ses adorateurs l'appelaient aussi Kojoi, terme qui signifie simplement « Esprit ». Il créa la terre et les hommes. Coyote, son adversaire, l'aida dans cette tâche, mais il en profita pour semer sur la terre le mal et la mort.

Les Kato, membres de la tribu la plus méridionale du groupe Dene, fixés sur le littoral de l'Amérique du Nord, ont, eux aussi, disparu, mais Pl. E. Goddard eut le temps d'enregistrer leurs légendes et leurs mythes. Chez eux, le créateur était un dieu : Tsenes ou le « Tonnant », et les mythes décrivaient avec force détails la création des choses et des êtres vivants. Tsenes avait d'abord fait surgir du néant le ciel, le firmament et l'homme, puis la pluie, le vent, le soleil, la lune, les animaux marins, les sources, les ruisseaux, les plantes et la faune terrestre. Finalement, le « Tonnant » entreprit de parcourir la terre, en compagnie du chien, l'animal domestique le plus ancien du continent américain : « Mon chien suis-moi, nous allons nous rendre compte. » Les végétaux avaient poussé, les cours d'eau s'étaient peuplés de poissons et les roches avaient, elles aussi, augmenté de volume. A l'issue de son voyage, Tsenes déclara : « Une fois encore, je vais tenter de créer l'eau ; bois aussi... la terre, je l'ai bien faite. Chien ! Fais vite et va-t'en. »

Par quelles voies mystérieuses le récit du Déluge parvint-il dans le Nouveau Monde ? En effet, quand les premiers missionnaires débarquèrent en Amérique, les mythes d'un grand nombre de populations amérindiennes conservaient le souvenir du Déluge. Faut-il en conclure qu'en Amérique une inondation catastrophique s'est produite, il y a une dizaine de milliers d'années, à la fin de la dernière glaciation ? Ou bien que le récit du Déluge a été transmis par des immigrants d'origine asiatique ?

La seule chose qu'on sache c'est qu'un grand nombre de légendes indiennes traitent du « Déluge américain ». La tradition Kato spécifie, par exemple : « Il plut, il plut chaque jour, chaque soir, chaque nuit. Il pleut trop, se disaient les hommes qui n'avaient plus de feu. Et les ruisseaux s'emplirent, l'eau monta dans les vallées et l'eau envahit tout. Les hommes s'en allèrent tous dormir et c'est alors que le ciel s'entrouvrit. Dès lors, il n'y eut plus de terre et les océans submergèrent l'ensemble du globe. Tous les ours grizzly périrent noyés et les élans, les panthères, les cerfs et les autres animaux. »

Que, dans les mythes de la création des peuples amérindiens archaïques, comme dans la Genèse, le genre humain ait été détruit parce que les hommes étaient devenus mauvais est un détail qui a son importance. Pour les Pomo, membres d'une tribu du nord de la Californie, l'Etre Suprême s'appelait Marumda ; il vivait seul, dans le Nord, et dans une maison de nuages. Ayant créé la terre, puis les cerfs, les oiseaux et les lapins, Marumda prit quatre plumes dont il fit les femmes et une poignée de ses cheveux lui servit à faire naître les hommes. Mais les premières générations étaient corrompues ; les hommes avaient acquis une trop grande puissance. Ils avaient même appris à voler ; aussi Marumda fit-il appel à l'océan pour les noyer. Quelques familles échappèrent néanmoins à la mort et Marumda leur donna l'ordre de s'amender. A l'époque, l'homme avait encore le choix entre l'hominisation et l'animalité. Or, de nouveau, les hommes désobéirent, enfreignant les lois édictées par Marumda relatives au mariage, à la chasse et à la pêche. Cette fois, le dieu, furieux, mit le feu à l'ensemble du globe. Un grand nombre d'êtres humains tentèrent de s'enfuir sur les océans, mais l'eau entra en ébullition et ils moururent ; d'autres escaladèrent la cime des arbres qui prirent feu et s'embrasèrent. Et, quand Marumda eut exterminé tous ceux qu'il considérait comme mauvais, il priva l'homme de la faculté de choisir entre la condition humaine et l'état animal.

Pour les Miwok (Moquelumnan), tribu qui, sur le plan linguistique, fait partie du groupe Pénutian, la terre fut peuplée à six reprises différentes ; la dernière création de l'espèce humaine aurait été l'œuvre de Coyote qui, dans la mythologie Miwok, s'identifie avec le dieu suprême. Les Miwok conservent, eux aussi, le souvenir d'un déluge.

L'éminent ethnologue Kroeber a démontré, preuves à l'appui, que les peuples de la Californie centrale ont tous connaissance d'un dieu, créateur des choses animées et inertes, divinité noble et bienveillante à laquelle est associée une autre divinité : « Coyote. » Tantôt, Coyote collabore avec la première, tantôt il s'oppose à elle ; il est, en outre, responsable de tous les maux et de la mort de l'être humain. Le fait que le dieu créateur ne soit pas seul est probablement la conséquence de l'altération et du déclin de la conception monothéiste originelle, déclin qui se prolongea pendant des centaines de milliers d'années. Adversaire du dieu suprême, Coyote est à l'origine de tout ce qui menace la structure et l'organisation de l'univers telles qu'elles furent fixées par le créateur. Dans d'autres traditions mythiques, le dieu suprême se confond avec Coyote qui n'ignore rien des stratagèmes et des ruses humaines. Dans la plupart des cas, les deux divinités sont nettement distinctes et fortement individualisées.

On s'est souvent demandé si la notion du dieu suprême commune à l'immense majorité des Amérindiens ne résultait pas de l'activité déployée par les missionnaires chrétiens. En prenant pour exemple les Indiens Selish dont les tribus vivent sur le cours supérieur de la rivière Frazer et de son affluent, la Thompson River, qui furent convertis de bonne heure par des missionnaires catholiques français, plusieurs ethnologues ont émis l'hypothèse que leur croyance dans l'existence d'un dieu suprême résultait d'une influence occidentale. Le fait est que les trois tribus Selish : Thompson, Lillooet et Shuswan y croient fermement. La divinité suprême est connue sous l'appellation : le « Vieux » ou le « Vieil homme » mais c'est chez les membres de la tribu Thompson que le sentiment religieux est le plus fort.

Si l'on sait, maintenant, que le « Vieil homme » est une ancienne divinité des Indiens Selish, très antérieure à l'arrivée des oblats français, c'est à James Teit qu'on le doit. Teit consacra une grande partie de son existence à l'étude des tribus Selish ; il les aida en maintes circonstances et apprit à parler couramment leurs langues. Le « Vieil homme », également appelé « le Chef » ou le « Secret » a donc toujours fait partie de la mythologie indienne. Le fait que son lieu de séjour fut la montagne la plus élevée du globe s'explique sans doute par une influence asiatique vieille de plusieurs dizaines de milliers d'années. Par la suite, les prières adressées au « Vieil homme le furent également aux cimes et aux sommets.

Puisque la religion des Indiens de la tribu Thompson longuement étudiée par James Teit ne s'est enrichie d'aucun apport chrétien, il est encore plus étonnant de découvrir chez ces mêmes Indiens la croyance dans la résurrection. Le « Vieil homme » dit, par exemple, à son compagnon Coyote : « Je vais bientôt quitter la terre et tu n'y reviendras pas avant moi. Alors tu m'escorteras ; nous changerons les choses en ce monde et nous ramènerons les défunts dans l'univers des vivants. »

L'ethnologue autrichien Josef Haeckel fait remonter à un très lointain passé la croyance en un dieu suprême des tribus d'Indiens pêcheurs : Tlingit, Haida, Tsimshian, Bella Coola et Kwakiutl du littoral nord-ouest de l'Amérique septentrionale.

Les Bella Coola lui donnent le nom d'Aelquntaen, terme dérivé d'un mot indigène qui signifie « chef », ce qui implique que le dieu est le chef de toutes les divinités. Il possède un certain nombre d'aptitudes humaines mais, premier créé, c'est lui qui mit le soleil sur son orbite, qui régla les mouvements de la lune et celui des marées. Ensuite, Aelquntaen donna l'ordre à quatre sculpteurs sur bois, auxquels il insuffla une force surhumaine, de façonner des hommes. Les sculpteurs capables de sculpter des effigies humaines et animales bénéficient chez les Indiens de la côte nord-ouest d'un prestige qui n'a d'égal que le respect dont les Giliaks de l'embouchure du fleuve Amour et les autres tribus sibériennes entourent leurs homologues. Se conformant aux désirs exprimés par le dieu suprême, les quatre artistes sculptèrent des hommes, puis des animaux, des oiseaux, des arbres, des fleurs, des poissons, des montagnes, des fleuves, bref tout ce qui existe et vit sur la terre. Mais, si puissant que soit le sculpteur capable de fabriquer des répliques d'après nature, ses dons lui viennent nécessairement d'Aelquntaen.

Les Indiens Tsimshian, voisins septentrionaux des Bella Coola, appellent « Maître de l'air », la divinité qu'ils vénèrent. Chez les Tsimshian comme chez les Haida de l'île Queen Charlotte, l'Etre Suprême est inséparable de l'air et du firmament ; les Haida qualifient leur dieu de « Force du ciel illuminé ». Celui des Tlingit, tribu qui occupe le littoral de l'Alaska méridional, ne vit pas dans le ciel ; au début des temps, il habitait l'univers des ténèbres, à proximité immédiate de la source du grand fleuve.

De ce faisceau d'indices, Haeckel conclut que la croyance dans le dieu suprême était générale chez les Indiens du littoral à l'époque où, venus de l'intérieur, les Bella Coola s'établirent sur la côte. Depuis très longtemps, les populations littorales possédaient des mythes et des notions religieuses communes qui leur avaient été probablement léguées par les ancêtres des Indiens Selish. Il en résulte que, chez les tribus du nord-ouest de l'Amérique, cette croyance remonte à une époque extrêmement lointaine et que son origine se situe dans l'une des aires de civilisations initiales qu'ethnologues et paléontologues parviendront peut-être à délimiter. Le problème capital qui se pose est, en effet, le suivant : les Paléo-Américains ont-ils développé tardivement mythes et traditions religieuses par d'éventuels emprunts aux religions européennes ? Mythes et convictions découlent-ils, au contraire, d'une tradition multiséculaire ? En d'autres termes : le dieu des Indiens était-il présent dès les commencements ou n'est-ce qu'une création ultérieure ?

L'habitat du groupe Algonquin englobe toute la moitié orientale de l'Amérique septentrionale. L'influence destructrice et la pression des populations voisines ont eu pour conséquence une détérioration du patrimoine culturel, économique et religieux des Algonquins qui descendent en droite ligne des chasseurs primitifs des régions boréales. Une partie des tribus algonquines se spécialisa, autour des Grands Lacs, dans la récolte des céréales sauvages et dans la fabrication du sucre d'érable. Plus au sud, d'autres tribus s'adonnèrent à l'agriculture.

Kitchi Manitou, le « Grand Esprit », est la divinité supérieure primordiale des Amérindiens. Là encore, on s'est demandé si cette croyance avait toujours existé chez les Algonquins et si leur conception de la divinité n'était pas un emprunt fait aux missionnaires européens. Certains ethnologues prétendaient que le terme « Manitou » désignait, à l'origine, un simple pouvoir magique et qu'il ne s'était concrétisé qu'après l'arrivée des Blancs. Chose curieuse, Edward Burnett Tylor défendit les deux théories. En 1871, dans son livre, *Primitive culture,* il écrivait que Manitou ne pouvait pas être d'origine étrangère, car sa nature n'avait rien de commun avec l'idée de la divinité que les Algonquins s'étaient formée au contact des missionnaires. Par contre, dans un autre ouvrage intitulé : *On the limits of savage religion,* il fait remonter la croyance dans le « Grand Esprit » à l'enseignement des missionnaires jésuites.

Nous savons, heureusement, grâce à Andrew Lang, qu'avant 1633 et la propagation du christianisme en Amérique, les premiers Européens qui étudièrent les mœurs et la religion des Algonquins mentionnaient déjà l'existence du « Grand Esprit ». Mathématicien émérite, Thomas Heriot parlait la langue des indigènes aussi couramment que l'anglais. Il vécut longtemps en Virginie et quitta l'Amérique le 18 juin 1586. « Ils croient, écrit-il, à l'existence d'un dieu suprême qui exista de toute éternité. »

William Strachey qui quitta l'Angleterre en 1609 à bord du *Sea Venture,* fit naufrage, aborda dans l'une des Bermudes, atteignit, en 1610, la côte de la Virginie dans une embarcation faite des débris du navire naufragé et devint premier secrétaire de lord de la Varre, gouverneur de la nouvelle colonie. Strachey parle, lui aussi, du dieu des autochtones qui domine le monde, fait luire les étoiles, qui a créé la lune et les astres et auquel la terre et ses habitants sont soumis.

Edward Winslow fut l'un des passagers du *Mayflower* qui transporta en Amérique les premiers colons ; ceux-ci mirent le pied, à Plymouth Rock, sur le rivage américain. Le 22 mars 1621, Winslow fut chargé de négocier un traité avec le chef indien Massassoit ; il partit en juillet 1621. C'était la première tentative effectuée par les Anglais pour explorer l'intérieur du pays. Comme Winslow parlait à Massassoit du dieu des chrétiens, les indigènes lui répondirent qu'eux-mêmes croyaient la même chose de leur dieu Kiehtan, dieu suprême, créateur des divinités et de toutes choses, qui habitait le ciel en direction du couchant. Il avait également créé un homme et une femme, ancêtres de la race humaine. Ils ignoraient, en revanche, comment les représentants du genre humain s'étaient dispersés à la surface du globe.

Les preuves relatives aux croyances religieuses des Algonquins du Sud-Est énumérées par Andrew Lang sont étayées par les témoignages des premiers Blancs qui traversèrent ces régions entre 1586 et 1633, c'est-à-dire avant l'arrivée des premiers missionnaires. La croyance en Manitou existait déjà alors qu'aucun contact n'avait encore été pris avec les tribus indiennes. David Zeisberger, missionnaire né à Zauchenthal (Moravie), auteur d'un grand nombre de lexiques des idiomes indigènes et de grammaires et traducteur de la Bible en langue algonquine, parlait couramment les idiomes Delaware, Onondaga, Mohican, Monsey-Delaware et Chippewa. Il écrivit en 1779 : « Ils croient et ont toujours cru depuis la nuit des temps à l'existence d'un dieu tout-puissant créateur du ciel, et de la terre, des hommes et de toutes choses. Cette croyance est héritée de leurs ancêtres. » En 1818, Heckewelder apporte un certain nombre de précisions : « Ils ont sans cesse devant leurs yeux, dans toutes les circonstances importantes de la vie, leur tout-puissant créateur. Ils sont conscients de son pouvoir et reconnaissent sa primauté. » Dès le 16 août 1683, William Penn écrivait : « Ils croient en un seul dieu et dans l'immortalité, car ils disent qu'il y eut jadis un chef qui les a créés. Ce chef habiterait un magnifique pays situé quelque part dans le Sud où, après la mort, se réfugient les âmes des bons et où elles vivent éternellement. »

Le « Grand Esprit » occupait le sommet de la hiérarchie religieuse indienne, mais il ne constituait pas sa figure centrale. Il planait au-dessus de l'univers créé par lui et se désintéressait du sort de ses créatures et des activités humaines. D'anciennes légendes indiennes font cependant allusion aux rapports que le « Grand Esprit » entretenait avec l'humanité. Il apparaissait aux hommes dans une carrière, celle du « Côteau des Prairies », haut lieu commun à nombre de tribus sioux et algonquines, où l'on voit encore les « traces » qu'y imprimèrent ses pieds. Parmi les tribus algonquines du centre des Etats-Unis, celle des Ojibwa a fourni le plus grand nombre de précisions sur la nature du grand Manitou ; ses manifestations étant polymorphes, il fut extrêmement difficile de déterminer ses caractéristiques véritables. Ce polymorphisme s'explique par le fait que le rituel différait selon que la divinité apparaissait sous une forme ou sous une autre. Les rites d'initiation dont l'observation stricte était seule susceptible d'assurer aux jeunes Ojibwa la protection du dieu, prévoyaient une période d'isolement, de macérations et de jeûnes. Au terme de la période d'initiation, Manitou apparaissait au néophyte qui jouissait désormais de sa protection. Comme, d'autre part, le Grand Esprit se manifestait aux jeunes initiés, affaiblis par le jeûne et les privations, sous les aspects les plus divers, il existait autant de conceptions et de notions différentes.

W. J. Hoffmann vécut, de 1887 à 1889, parmi les Indiens Ojibwa et se fit initier par leurs sorciers au rituel des sociétés secrètes. On lui doit un grand nombre de précisions relatives à la personnalité du « Grand Esprit » : « Les Ojibwa croient en l'existence de nombreux esprits et génies qui habitent l'espace et chaque objet visible. Ces génies sont au service de divinités supérieures bienveillantes et fastes ou, au contraire, mauvaises et néfastes. Le dieu suprême est Kitchi Manitou, c'est-à-dire « Grand Esprit », qui ressemble beaucoup à l'image que les chrétiens se font de Dieu. »

La tradition Ojibwa connaît également un héros qui rappelle dans une certaine mesure Noé et Moïse, de l'Ancien Testament, mais qui sait aussi se montrer espiègle et facétieux ; il sert d'intermédiaire entre les hommes et le « Grand Esprit ». Ce héros porte le nom de Nenebojo, de Nanibozhu, de Minabozho. Le « Grand Esprit » chargea Nenebojo de remettre aux hommes la charte des rites de la société secrète Midewiwin. Nenebojo et son frère eurent pour mère une vierge qui, malgré les avertissements maternels, fut enceinte du vent d'ouest et mit au monde deux jumeaux dont l'un fut tué par les génies des eaux. Nenebojo les ayant assassinés pour venger son frère, les autres esprits provoquèrent une inondation qui recouvrit le globe. Nenebojo se réfugia sur une montagne, construisit un radeau et prit avec lui un couple de chaque espèce animale. Plus tard, pressentant la décrue, il envoya une loutre, puis un castor ; ils plongeraient et rapporteraient un peu de terre. Finalement, un rat musqué parvint à saisir du sable dans sa gueule et dans ses griffes ; Nenebojo en fit une île qui grossit à vue d'œil. Il envoya ensuite un corbeau qui ne revînt pas, puis un épervier et un renne chargés d'explorer la terre et de renseigner Nenebojo.

Ce Nenebojo, également appelé Minabozho (« le Grand Lapin »), était extrêmement populaire parmi les Indiens. Chez une tribu, celle des Ojibwa des Plaines, dans le Manitoba, Alanson Skinner a recueilli une grande quantité de légendes et de récits dont Minabozho est la figure principale ; de son côté, Paul Radin a transcrit les mythes relatifs au « Grand Lapin » des tribus Ojibwa du sud de l'Ontario. Les exploits du héros se situent, pour la plupart, dans les parages du lac Supérieur et son tombeau se trouverait, dit-on, sur la rive septentrionale, à l'est de Thunderbay Point. Rusé, il connaissait mille moyens de tromper les hommes et de les plonger dans la stupéfaction par des tours de magie. Il semble néanmoins que ces aptitudes et ces capacités lui aient été attribuées ultérieurement et qu'à l'origine le « Grand

Lapin » ait été, pour les Indiens, un simple génie bienveillant et bien intentionné. Ils s'imaginaient que c'était à lui qu'ils étaient redevables de la vie et de tout ce qui rend l'existence agréable. Le « Grand Lapin » leur avait apporté les rites de l'initiation et jouait en quelque sorte le rôle d'intercesseur auprès du « Grand Esprit », lequel n'apparaissait jamais, même lors de la célébration des cérémonies magiques. Son nom n'était prononcé qu'avec ferveur et respect ; William Jones rapporte à ce propos : « La dénomination : Manitou a d'abord une signification religieuse. Le concept de sublime s'y rattache et, dans toutes ses acceptions, le terme Manitou exprime l'idée de recueillement et de mystère sacré. »

Pour retrouver le point de départ religieux des civilisations amérindiennes, l'étude des civilisations des Paélo-Amérindiens réduits maintenant à l'état de vestiges est une nécessité ; ces Paléo-Amérindiens sont les Fuégiens, les Patagons et les tribus du Grand Chaco. Dans les solitudes désolées de l'extrême sud de l'Amérique australe et en bordure de l'Antarctique, nombre d'éléments apportés en Amérique par les vagues successives d'immigrants asiatiques se sont conservés à travers les millénaires. Dans les îles de la Patagonie, des concepts et des notions archaïques qui ont disparu partout ailleurs sont encore vivants.

La plus ancienne vague de civilisation apporta dans la région de l'Amérique du Sud qui englobe le littoral d'Arica, le Chaco et le détroit de Magellan, des éléments et des valeurs culturelles qui se sont perpétués dans tous les territoires où vivent Araucans, Fuégiens et Patagons. En 1949, le prêtre-anthropologue John Montgomery Cooper prit prétexte de l'existence, au sud du continent américain, d'un patrimoine culturel, pour affirmer que cet ensemble était un legs des premiers immigrants d'origine asiatique. Le propulseur, la massue, le javelot, le harpon, la brosse à cheveux, le jeu de balle, le manteau de fourrure et la tunique courte figurent parmi les apports initiaux ; par contre, les indigènes ne savaient confectionner ni chaussures ni sandales et allaient pieds nus même en plein hiver. Le chien était déjà le compagnon des Paléo-Amérindiens qui utilisaient les feux de broussailles pour communiquer entre eux. La révélation de la préhistoire américaine fournira sans aucun doute de précieux renseignements sur les premières manifestations de l'homme américain ; pour cela, comme l'ont préconisé Cooper et K. Birket-Smith, il est indispensable d'effectuer des fouilles systématiques. W. Krickeberg écrivait à ce propos, en 1935 : « La plus ancienne civilisation subarctique américaine constituait le prolongement du même niveau culturel eurasiatique ; l'isolement dont il bénéficiait, à l'autre bout de l'Amérique australe, aux confins de l'Antarctique, lui a permis de se maintenir. Ses modestes vestiges contribueront efficacement à reconstituer les grandes lignes des commencements de l'espèce humaine. Tel est d'ailleurs le rôle que, dans le discours de réception qu'il prononça à Iéna, Schiller assignait à la science ethnologique. »

En 1835-1844 et en 1839, le Français A. d'Orbigny publia deux études pleines d'intérêt que complétèrent, en 1873, les observations de l'Anglais G.C. Musters. L'un et l'autre avaient parcouru la Patagonie en tous sens et leurs relations témoignent d'une acuité et d'une richesse d'observation qui n'ont plus d'équivalent aujourd'hui.

Musters raconte que les Patagons croyaient à l'existence d'un Grand Esprit favorable aux hommes et créateur de toutes choses. Le fait que cette divinité bienfaisante se soit désintéressée du sort des hommes prouve seulement que les Patagons, habitants d'une région où les nuits sont claires et constellées, avaient une conception très nette de l'univers et de son maître. Musters signale, en outre, que la religion du Grand Esprit ne s'accompagnait d'aucun culte et que, par contre, des cérémonies étaient organisées pour conjurer les mauvais esprits et apaiser les mânes des défunts.

D'Orbigny rapporte, de son côté, que les Patagons croyaient en un dieu suprême et unique auquel les hommes et toutes les créatures devaient leur existence ; il dit des Araucans, habitants des pampas argentines, qu'ils vénèrent une divinité qui leur dispense ses bienfaits et les protège du danger sans même qu'ils aient à gagner ses bonnes grâces. L'homme étant seul maître de sa destinée, les Araucans ne demandent à leur dieu que d'assurer leur subsistance. Possédant tout ce qui existe dans l'univers, le dieu leur procure, de toute manière, ce qui leur fait défaut. Les Puelches, autre tribu d'Indiens de la pampa, sont, eux aussi, persuadés que l'Etre Suprême leur donne ce qu'ils demandent sans même qu'ils l'en prient. Araucans et Puelches connaissaient également un certain nombre de mauvais génies subordonnés au dieu suprême.

En 1879, l'Argentin F.P. Moreno rapporte que le dieu des Patagons a pour nom Sesom, qui correspond, à peu de chose près, à Setebos, terme qui, au XVIe siècle, désignait, selon Pigafetta et Fletcher, le dieu des Patagons. Ce nom rappelle étrangement celui de Settaboth, divinité que Shakespeare met en scène dans « La Tempête ». En 1911, Th. Falkner précise que, chez les Puelches, la plus haute divinité s'appelle Guayavacunnee, terme qui signifie « Maître des défunts », et que le dieu des Araucans, Tequichen, est le « Maître des hommes », Soychu, dieu des Taluhets et des Diuihets, est « Celui qui règne dans le pays des boissons fortes ». Dans son « Histoire des Abipones », rédigée en latin et publiée à Vienne en 1783, M. Dobrizhoffer explique que Soychu est un être surnaturel, invisible et respecté des indigènes, et que le « pays des boissons fortes » n'est autre que l'Au-Delà où les morts vivent dans une perpétuelle euphorie. Sous l'influence chrétienne, Tequichen se transforma en Guenechen et en Fucha huentru qui signifie « Grand homme ».

Groupe de Fuégiens. (Musée de l'Homme.)

Un nombre d'Indiens beaucoup plus considérable qu'on ne l'avait imaginé croient, en Amérique du Sud, à la réalité d'un dieu suprême. Le caractère inhospitalier des forêts vierges, l'absence de textes et de matériel épigraphique et la difficulté que présente l'étude du psychisme profond des primitifs sud-américains font que, bien souvent, la croyance indienne dans l'existence d'un dieu suprême est passée inaperçue ou, du moins, qu'on n'y a pas attaché d'importance du fait que ce dieu, invisible, n'était, par conséquent, jamais représenté. Albert Métraux, spécialiste des religions et des civilisations amérindiennes, a longuement étudié les noms donnés à leurs divinités par les peuples indiens et la notion qu'ils en avaient. Il en arrive à la conclusion suivante : « Le nombre des dieux, dans l'Amérique du Sud, était certainement plus important que celui que je viens d'indiquer mais, dans la plupart des cas, nos connaissances sont incomplètes ou peu sûres. La nature et l'influence exercée par ces divinités nécessitent une étude approfondie. La tradition d'un créateur ou d'un « grand ancêtre » qui modela l'univers et le genre humain et conduisit l'homme vers la civilisation est répandue probablement dans la totalité de l'Amérique australe. Du fait du prestige que les Indiens confèrent au personnage divin et du fait que, malgré cela, le dieu n'intervient pas directement dans la religion, on a tendance à ne voir dans la divinité qu'une figure exclusivement mythique. Or, bien que le dieu créateur ou le héros civilisateur ne se mêle pas, en règle générale, aux affaires humaines, il est beaucoup plus proche de l'homme qu'on ne l'admet. Cela s'explique par le peu que nous savons de l'organisation religieuse des Indiens. » (MÉTRAUX, 1949.)

CHAPITRE IX

L'agonie des Yaghans

« C'en est fait ! Tous ont péri, victimes de l'insatiable cupidité de la race blanche et des effets mortels de l'influence qu'elle exerce. L'élément indien de la Terre de Feu a irrémédiablement disparu et seuls les flots perpétuellement mouvants du cap Horn exhalent à la gloire des Indiens une plainte funèbre qui n'aura jamais de fin. »

MARTIN GUSINDE : *Urmenschen im Feuerland,* Vienne, 1946, p. 388.

MAGELLAN détestait les conseils et il était exclu qu'on pût le faire revenir sur une décision.

Or, c'est en partie, à cause de son entêtement et de son caractère entier que la voie maritime reliant l'Atlantique au Pacifique a été découverte. Charles Quint avait chargé Magellan de vérifier s'il existait un passage permettant à un navire venant de l'Atlantique d'atteindre les îles aux Epices que convoitait la couronne espagnole. Ces îles s'identifient aux Moluques actuelles. Avec ses cinq navires, Magellan contourna l'Amérique par le sud et déboucha dans l'océan que Balboa avait aperçu, en 1513, depuis l'isthme de Panama. Magellan lui donna le nom de « Mar Pacifico ».

Le 21 octobre 1520, jour de la Sainte-Ursule, les vigies aperçurent une montagne ou, plus exactement, une langue de sable avançant dans la mer que Magellan baptisa « Cap des 11 000 vierges » en l'honneur de Sainte-Ursule et de ses compagnes. Au sud de ce cap, une baie semblait s'ouvrir.

La *Trinidad,* navire de 110 tonneaux, et la *Victoria* jetèrent l'ancre à l'entrée du bras de mer ; la *Concepción* et le *San Antonio* cinglèrent vers l'est. Magellan voulait s'assurer que la baie constituait un golfe, à moins qu'elle ne fût l'entrée d'un canal dont l'autre extrémité débouchait dans l'océan inconnu. Quand il sut ce qu'il en était, Magellan donna sans hésiter l'ordre à tous les navires de la flottille de mettre le cap à l'ouest, empruntant cette route alors totalement inconnue et qui porte aujourd'hui encore son nom.

Sur le littoral de cette région froide et inhospitalière, les navigateurs virent des tombes, une baleine morte et des ossements de balénoptères. Dans la nuit, Magellan aperçut des feux qui brûlaient au sud du détroit ; telle est l'origine du nom de « Terre de Feu ». Le détroit qu'empruntèrent les navires de Magellan mesure 600 kilomètres de long ; sa largeur varie entre 4 et 33 kilomètres. Pourtant, pendant la traversée — elle dura vingt jours — les Portugais n'avaient vu aucun indigène ; les feux de camp et les signaux que Magellan et ses compagnons avaient aperçus étaient les premiers indices prouvant l'existence de la plus ancienne des populations amérindiennes. Quatre peuples : les Chonos, depuis longtemps disparus, les Yaghans (ou Yamana), dans l'extrême sud, les Alacaloufs, leurs voisins, dans le sud-ouest, et les Selknams (Onas) de l'île principale vivaient sur ce que Magellan avait appelé la Terre de Feu.

Les premiers navigateurs qui abordèrent sur les plages furent frappés par la petite taille des Yaghans et des Alacaloufs ; chez les Yaghans, la moyenne est de 1 m 56 pour les hommes et de 1 m 45 pour les femmes ; chez les Alacaloufs, elle ne dépasse pas 1 m 45 pour les hommes et 1 m 42 pour les femmes. Nomades de la mer, ces pygmoïdes passent une grande partie de leur existence sur leurs canots ; ils vont d'une île à l'autre en empruntant les canaux et les bras de mer qui sillonnent un archipel extrêmement morcelé.

Les Selknams du nord-ouest, plus grands et plus élancés, sont des terriens ; ils ne savent utiliser ni le canot ni le cheval, ce qui explique que certains ethnologues les aient qualifiés « d'Indiens des Pampas ». Ils appartiennent à la sous-race des Indiens patagons et leur idiome s'apparente au groupe linguistique « Tchon » parlé par les Patagons. En revanche, les Yaghans et les Alacaloufs n'ont aucune parenté, raciale ou linguistique, avec les autres populations sud-américaines et leurs idiomes sont, par ailleurs, essentiellement différents.

Pendant des siècles, ces populations restèrent pratiquement ignorées et plusieurs voyageurs rapportèrent à leur sujet des renseignements fantaisistes et contradictoires.

H.M.S. Beagle était le nom d'un brick de 235 tonneaux ; de 1828 à 1830, sous le commandement du capitaine Robert Fitzroy, de la marine de guerre anglaise, le *Beagle* fut chargé d'explorer le littoral de la Patagonie, de la Terre de Feu, du Chili et du Pérou. Le *Beagle* découvrit de cette façon le détroit dit canal de Fitzroy, qui porte, sur les cartes, le nom de canal de Beagle, et de canal d'Otway. De 1831 à 1836, Fitzroy prit de nouveau le commandement du *Beagle* pour un voyage circumterrestre ; à cette occasion, on jeta l'ancre devant la côte de la Terre de Feu. Charles Darwin, naturaliste de vingt-deux ans, participait à l'expédition et les observations qu'il fit au cours de ce voyage eurent une influence décisive sur ses futurs travaux.

Malheureusement, les erreurs de jugement de Darwin eurent de déplorables conséquences. Au sujet des Indiens de la « Terre de Feu », il écrivit, par exemple : « Qu'une telle différence puisse exister entre les sauvages et les civilisés est à peine croyable ; elle est plus grande qu'entre un animal sauvage et un animal domestique, car l'homme possède un pouvoir plus grand de perfectionnement. La langue de ce peuple mérite à peine qu'on la qualifie d'articulée. Le capitaine Cook l'a comparée à une série de grognements mais il est certain qu'aucun Européen n'a pareillement grogné en émettant autant de sons enroués, gutturaux et heurtés. » (DARWIN, 1845.) L'erreur commise par Darwin compromet la justesse de ses constatations. Le fait est qu'à l'époque, les primitifs ne pouvaient être que des « sauvages » et, de là à commettre d'énormes bévues en matière d'anthropologie, il n'y avait qu'un pas.

A l'issue de l'expédition de 1828, le capitaine Fitzroy avait emmené à Londres deux hommes, un jeune garçon et une petite fille appartenant au peuple des Yaghans. Fitzroy avait changé le garçon contre un bouton de nacre ; d'où le surnom : Jimmy Button qu'on lui donna par la suite. Parlant de ses protégés qui, bien traités, étaient, de sa part, l'objet d'une observation attentive, Fitzroy écrivait : « Nous devrions nous garder de les considérer comme des sauvages. Cette remarque s'applique déjà à la première période de leur séjour parmi une population civilisée. »

Un des hommes mourut de la variole, juste après son arrivée en Angleterre. Les trois autres Yaghans furent ramenés, en 1831, dans la Terre de Feu ; à Londres, on les avait soumis à une série de tests psychologiques, entrepris avec les moyens dont ont disposait alors. Or le compte rendu rédigé au terme de la période d'observation spécifie qu'aucune trace de « sauvagerie » n'a été relevée chez les Yaghans.

Fuegia Basket, la jeune Indienne — elle avait, à l'époque, une dizaine d'années — témoignait d'une grande sensibilité et d'une grande vivacité lorsqu'il lui arrivait de se mettre en colère et faisait montre d'un grand discernement. Foncièrement droite et honnête, elle avait une mémoire excellente, un don très net pour les langues et un sens très profond du devoir religieux. Le passage suivant du rapport semble se référer plus à un criminel qu'à la représentante d'une civilisation étrange mais d'une haute élévation morale : « Il paraît assez facile de transformer rapidement cette jeune fille en membre utile de la société, car elle apprend sans difficulté. » Darwin, pour sa part, tenait la jeune Indienne en haute estime : « Fuegia Basket est une jeune fille sage, modeste et réservée dont la mine aimable est parfois pleine de défi. Elle assimilait très vite et était très douée pour les langues. Elle le prouva en apprenant plusieurs expressions portugaises et espagnoles pendant le court séjour qu'elle fit à Rio de Janeiro et à Montevideo et par les progrès qu'elle fit dans la connaissance de la langue anglaise. » (DARWIN, 1845.)

En 1855, des missionnaires anglicans partirent évangéliser les indigènes de la Terre de Feu, mais aucun ne s'intéressa à la religion des Fuégiens.

Le futur révérend Thomas Bridges arriva à treize ans dans l'île méridionale de la Patagonie, entreprit l'étude de la langue yaghane. En 1861, chargé d'assurer la liaison entre les autorités et les autochtones, il commença la rédaction d'un dictionnaire ; en 1863, celui-ci comprenait déjà 7 000 mots. En 1868-1869, le siège de la mission fut transféré de l'île de Keppel où elle se trouvait à Ushuaia, principal centre de peuplement yaghan. Infatigable, Bridges poursuivit la rédaction du glossaire qui, en 1879, comprenait 23 000 vocables, chiffre considérable.

Ce dictionnaire eut un énorme retentissement en Europe où l'on refusait de croire qu'un peuple archaïque et primitif pût posséder un vocabulaire aussi riche. On comprenait encore moins que ces peuples ne fussent pas des « sauvages » et que, dans un lointain passé, ils eussent introduit dans la partie méridionale de l'Amérique du Sud une culture et une civilisation très riches, après avoir couvert une distance équivalant à la moitié de la circonférence terrestre. En 1886, Bridges écrivait : « Mon dictionnaire de la langue yaghane comprend maintenant 1081 pages, soit à raison de trente mots par page, un total de 32 430 vocables. » Bridges avait exagéré, mais le résultat n'en était pas moins magistral, car son glossaire constitue un instrument de travail incomparable. Pourtant, bien des années passèrent avant que Martin Gusinde ne parvienne à faire imprimer cet extraordinaire manuscrit. A propos de la langue yaghane, J. Alden Mason écrit en 1950 : « La langue était très sonore, douce, mélodieuse, agréable et le vocabulaire très abondant. »

Bridges avait eu une formation assez élémentaire et manquait un peu d'envergure. Le caractère unique de la civilisation des Yaghans lui échappait totalement et il eut le tort d'appliquer aux faits et aux choses dont il était le témoin des critères européens. Or, à l'époque, tout ce qui semblait insolite et exotique devait être extirpé ou modifié dans toute la mesure du possible.

Bridges, qui avait résidé pendant vingt-cinq ans dans les territoires habités par les Yaghans, rédigea également une grammaire et passa les dix dernières années de sa vie dans l'exploitation qu'il avait créée à Puerto Haberton. Le 28 avril 1898, mourut cet extraordinaire pionnier, chercheur et travailleur infatigable, qui n'avait cependant noué aucune amitié véritable avec les Yaghans dont le déclin était déjà devenu inéluctable.

Le révérend John Lawrence, successeur de Bridges, exerça son ministère pendant soixante ans à la mission de Punta Remolino, sur le canal de Beagle. Lorsqu'il mourut, en octobre 1932, la mission était depuis longtemps fermée. Le compte rendu de P. W. Schmidt est révélateur de la tragique destinée d'une population en voie d'extinction. « Pour la Noël 1912, trente-six Yaghans adultes se rassemblèrent une dernière fois à Punta Remolino où un service fut célébré à leur intention ; cinq enfants furent baptisés à cette occasion. Telle fut la dernière manifestation de la mission dont la suppression devint effective en 1916. »

Le séjour prolongé de missionnaires européens dans la Terre de Feu prouve, d'un côté, qu'ils n'avaient rien à craindre de la part des indigènes et, d'un autre côté, que les Blancs étaient capables de résister victorieusement aux rigueurs du climat. Ceux qui couraient un danger étaient non pas les Blancs, mais les autochtones que les missionnaires s'efforçaient de détourner de leur coutumes ancestrales en les incitant à renier le legs du passé et en les européanisant. A l'époque, les serviteurs de Dieu ignoraient encore qu'un pareil bouleversement de la civilisation fuégienne porterait un coup fatal aux Indiens de la Patagonie. « Tous les maux, séquelles funestes de l'irruption des Européens, fondirent sur eux et sonnèrent le glas de leur patrimoine ethnique et culturel et condamnèrent les autochtones, jadis nombreux, à disparaître rapidement. » (GUSINDE, 1937.)

La cause première de l'erreur commise par les Européens est le fait qu'on ignorait et qu'on ignore encore que les peuples archaïques croyaient tous à l'existence d'une divinité suprême et qu'il était, par conséquent, utile de les obliger à croire à notre Dieu, sous prétexte qu'il porte un autre nom que celui sous lequel le connaissent les peuples les plus anciens du globe. Extirper la « superstition », imposer à des populations étrangères le fardeau de notre civilisation qui présente autant de défauts et d'inconvénients que n'importe quelle autre était donc superflu.

Thomas Bridges, qui avait recueilli 23 000 vocables yaghans et qui parlait couramment la langue, n'a jamais compris que les populations de la Terre de Feu avaient de Dieu une idée extrêmement précise ; bien avant l'arrivée des missionnaires dans l'île de Keppel ou à Ushuaia, la divinité était pour eux une réalité concrète. Avant d'évangéliser une population, mieux vaudrait étudier d'abord les ressources spirituelles millénaires ou plurimillénaires du peuple que l'on se propose de convertir. C'est d'ailleurs ce que fit saint Paul, avec sa perspicacité coutumière ; en 51-52, après J.-C., il effectua la visite détaillée des sanctuaires d'Athènes. Ensuite seulement, il adressa la parole aux Grecs réputés pour leur intelligence et leur vivacité d'esprit. Saint Luc, son compagnon, a parfaitement décrit en quelques mots le caractère des habitants d'Athènes : « Or, tous les Athéniens et les étrangers demeurant à Athènes ne passaient leur temps qu'à dire ou à écouter des nouvelles. » (*Actes des Apôtres, 17, 21.*) Sur l'Aréopage siégeaient les juges dont les sentences faisaient autorité dans tout le monde ancien ; c'est précisément l'endroit que Paul de Tarse choisit pour prononcer les paroles qui mirent finalement un terme à l'hégémonie des dieux de l'Olympe : « Car en parcourant votre ville et en considérant les objets de votre dévotion, j'ai même découvert un autel avec cette inscription : A un dieu inconnu ! Ce que vous révérez sans le connaître, c'est ce que je vous annonce. » (*Actes des Apôtres*, 17, 23.)

La croyance en un dieu inconnu existait donc à Athènes quand saint Paul arriva en Grèce. Peut-être ce dieu évoquait-il le souvenir du dieu suprême, bien plus ancien que Zeus et Apollon, mais encore suffisamment proche pour que les Grecs lui élèvent un autel ? Par une géniale intuition, Paul de Tarse vit dans cette circonstance l'occasion d'effectuer un rapprochement entre l'homme et le Créateur.

Enfants fuégiens. (Misssion du Cap Horn, 1882-1883.)
(Musée de l'Homme.)

Quand les premiers navigateurs européens abordèrent sur la Terre de Feu, il y avait encore 3 000 Yaghans, 5 500 Alacaloufs et 4 000 Selknams. En 1924, les Yaghans étaient réduits à 70, les Alacaloufs à 250 et les Selkmans à 260 individus. Entre-temps, les rares colons blancs s'étaient emparés par la force de leurs territoires, massacrant sans pitié les « sauvages indésirables ». Les navigateurs, dont l'unique but consistait à faire rapidement fortune, décimèrent particulièrement les Alacaloufs qu'ils initièrent à la consommation de l'alcool et auxquels ils apportèrent les maladies vénériennes... D'autres maladies telles que la tuberculose pulmonaire, la grippe et la rougeole, inconnues dans cette partie de l'Amérique du Sud, furent introduites par les marins, et les Yaghans échappèrent de justesse à l'extinction totale. Cooper signale qu'en 1933 ils n'étaient plus que 40 ; Mason estime qu'en 1948 leur nombre ne dépassait pas la vingtaine.

En 1919, Martin Gusinde se rendit auprès des derniers Yaghans et Selknams ; il revint en 1920. Puis, en 1922, il effectua un deuxième voyage avec Wilhelm Koppers. De nouveau, en 1923-1924, il parcourut l'archipel de la Terre de Feu. Cette fois, les derniers Paléo-Indiens de l'Amérique australe avaient été, enfin, l'objet d'une étude détaillée. Mais il était grand temps et, si Gusinde n'avait pas sauvé *in extremis* l'héritage matériel et culturel des derniers Fuégiens, ils eussent disparu et nous ne saurions rien de l'essentiel de leur civilisation.

Déjà les Chonos, habitants des îles les plus méridionales de l'archipel chilien, s'étaient éteints ; à bord de leurs canots, ils allaient d'île en île, empruntant les fjords et les bras de mer. En 1875, le capitaine E. Simpson rencontra une famille dans le canal Puquitin ; depuis lors, nul n'a plus entendu parler des Chonos, population dont on ignore tout, même la langue, à l'exception de trois mots désignant des oiseaux qui n'ont pas pu être identifiés. John M. Cooper a scrupuleusement recueilli les informations concernant les Chonos, dans les relations et les comptes rendus rédigés, au XVIIIe siècle, par les missionnaires espagnols et par les membres de l'équipage du *Wager* qui s'échoua, en 1741, sur la côte des îles Guaitecas. En définitive, cela est bien peu de chose !

Le même sort menace maintenant les Yaghans et les Alacaloufs dont les survivants constituent la population la plus méridionale du globe ; eux-mêmes sont conscients que leurs ancêtres furent les premiers habitants du labyrinthe d'îles et d'îlots qui forme l'extrémité de l'Amérique australe. Les ethnologues voient dans ces Paléo-Indiens les descendants des premiers immigrants originaires d'Asie. Ils traversèrent le continent américain sous la pression de nouvelles vagues d'arrivants qui les repoussèrent toujours plus vers le sud. Au cours de milliers d'années, les ancêtres des Yaghans et des Alacaloufs parcoururent des régions désertes avant d'atteindre, entre 1 300 et 2 600 ans avant l'ère chrétienne, les archipels au climat froid et pluvieux et toujours battus par les vents où ils se fixèrent. L'étude des débris de cuisine retrouvés sur les bords du canal de Beagle a fourni à K.S. Lothrop des éléments sûrs de datation. Junius Bird, pour sa part, fait remonter à 1 800 ans l'arrivée des Yaghans dans les régions qu'ils occupaient encore il y a quelques dizaines d'années. Mais ce n'est guère que depuis un millier d'années environ que les Yaghans ont adopté la hutte conique des Selknams, peuple correspondant à une vague d'immigration ultérieure.

Parmi les caractéristiques propres aux Yaghans et au Alacaloufs, plusieurs démontrent leur appartenance à la race dite de Lagoa Santa. Il est probable quc la même race d'hommes descendit avec une extrême lenteur et en se mêlant, au passage, à d'autres populations depuis l'Asie septentrionale jusqu'à la Patagonie. Le fait est que les Fuégiens ont toujours été considérés comme les premiers « autochtones » du continent américain.

La classification en groupes sanguins a permis d'utiles constatations. Dans la partie centrale de l'Asie, c'est-à-dire au Tibet, dans le Turkestan et dans le Sin-Kiang, le groupe B est dominant ; en revanche, le groupe O l'emporte dans le nord-est de l'Asie, habitat de populations mongoloïdes. Or, Yaghans et Alacaloufs font, en grande majorité, partie du groupe B qui ne se rencontre pas chez les Indiens de l'Amérique du Nord. Les Selknams, par contre, appartiennent presque tous au groupe O. Ashley Montague insiste sur le fait que les Toungouses et les Eskimos sont, eux aussi, du groupe O et que le groupe B, initialement localisé dans l'Asie centrale, se retrouve à l'autre extrémité du continent américain. Il conclut en ces termes : « On peut considérer comme pratiquement acquis que les Yaghans représentent soit la population la plus ancienne de l'Amérique, soit l'une des plus anciennes populations amérindiennes, et qu'ils descendent très probablement des immigrants qui, venus d'Asie, franchirent le détroit de Béring. »

Montant des canots d'écorce, les Yaghans se déplaçaient en permanence, se nourrissaient de moules, de crabes, de coquillages, de poissons et d'œufs d'oiseaux. Leurs femmes plongeaient — les hommes affirmaient qu'elles supportaient mieux l'eau froide — à la recherche de poissons et de mollusques vivant sous la surface. Les Yaghans allumaient, la nuit, des feux sur les rochers pour attirer les cormorans qu'ils assommaient à coups de massue. Phoques, morses et baleines étaient tués au harpon ou à la lance. Riche en huile, cet ordinaire permettait aux Yaghans de résister victorieusement au froid. Ignorant la cuisson et la poterie, les Yaghans se bornaient à faire griller ou sécher la viande et la chair de leurs proies ; œufs et poissons étaient cuits sommairement sous la cendre.

Quand une famille avait abordé dans un endroit qui lui convenait, son premier soin était d'édifier une hutte de branchages qu'on recouvrait de peaux de phoques. A l'intérieur, le feu brûlait sans interruption ; des peaux de lions de mer et de loutres tenaient lieu de vêtement et assuraient une protection sommaire contre le froid, la pluie et le vent. A l'intérieur de la hutte ou lorsqu'ils se livraient à de durs travaux, les Yaghans se débarrassaient des peaux qui leur servaient de vêtements et ils dormaient, à même le sol, serrés les uns contre les autres.

Ce mode de vie, plus aquatique que terrestre, développait les muscles des bras et du buste au détriment de la musculature des membres inférieurs ; aussi, chez les Yaghans, les jambes sont-elles grêles et peu musclées. La poitrine est large, la taille à peine marquée, mais les bras sont puissants, la tête est massive, les faciès aplati et large. Si les Yaghans furent qualifiés de « peuple particulièrement répugnant » par les premiers navigateurs et voyageurs européens qui fréquentèrent la Terre de Feu, c'est à leur aspect qu'ils le doivent. L'exagération est cependant patente, car toute population primitive possède un attrait particulier dans son environnement naturel et tant qu'on ne l'oblige pas à se vêtir à l'européenne. Or, ce sont, précisément, l'alcool, les maladies, le parquage des indigènes dans des réserves, l'obligation de porter des vêtements et, enfin la lutte inégale de la balle contre la flèche qui causèrent le rapide déclin des Yaghans.

Thomas Bridges, qui fut parmi les premiers missionnaires de la Terre de Feu et qui parlait couramment l'idiome des Yaghans, avait une curieuse conception de l'ethnographie, à en juger par ce passage : « La plupart de leurs superstitions sont tellement puériles qu'elles ne méritent même pas qu'on s'y arrête. »

Les travaux complets et systématiques auxquels se livrèrent Gusinde et Koppers ont, pour la première (et pour la dernière fois) fourni une idée précise des préoccupations spirituelles des Yaghans. Gusinde et Koppers furent admis dans le sein de la tribu après s'être soumis volontairement aux rites de l'initiation ; ils purent même assister aux cérémonies secrètes auxquelles les hommes seuls participaient, à l'exclusion des femmes et des étrangers.

L'initiation des jeunes gens représentait le sommet de l'existence religieuse ; jeunes gens et jeunes filles pubères étaient initiés aux pratiques et aux rites et on leur apprenait comment se comporter, suivant les circonstances, en membres conscients d'une communauté sociale. Ils devaient respecter les vieillards, aider leur prochain, vivre en paix avec lui, travailler assidûment et ne pas médire d'autrui. D'origine, extrêmement ancienne, la fête de l'initiation était censée se dérouler en présence de l'Etre Suprême. C'est en quelque sorte la confirmation des temps préhistoriques. Avec des troncs de jeunes arbres, de la mousse et de l'herbe, on édifiait une grande hutte ovale ; là avait lieu la fête à laquelle les Yaghans donnaient le nom de « Ciexaus ». Pendant plusieurs jours, jeunes gens et jeunes filles s'y préparaient par le jeûne ; ils réduisaient leur temps de sommeil, s'adonnaient à de durs travaux et se baignaient quotidiennement dans l'eau glaciale de la mer. Pour boire, ils devaient obligatoirement se servir d'un os creux d'oiseau. Les garçons étaient tatoués en prévision de la fête, mais ce tatouage n'était que provisoire. Cette pratique est vieille comme le monde ; des personnages tatoués ont été, par exemple, peints et gravés sur les parois des grottes du sud-est de la France et de la Cantabrie, mais le mot « tatouage », très récent, dérive de « tatau » vocable polynésien. Cook s'en servit, pour la première fois, dans son Journal et la Polynésie fut, par la suite, assimilée à la « patrie » des peintures corporelles.

Les hommes seuls assistaient aux cérémonies, à l'exclusion des femmes et, à plus forte raison, des étrangers. La fête appelée « Kina » était placée sous le patronage d'un sorcier et elle commémorait un très vieux mythe. A une certaine époque, les femmes avaient asservi les représentants du sexe fort ; contraints d'effectuer des travaux féminins, les hommes obéissaient aux femmes détentrices de l'autorité et du pouvoir. Un beau jour, les hommes se révoltèrent et massacrèrent un grand nombre de femmes. D'autres furent transformées en animaux et seules furent épargnées les filles de moins de dix-huit mois. Jusqu'à la rébellion, les femmes en imposaient aux hommes parce qu'elles se peignaient le corps et que, masquées, elle se faisaient passer pour des génies et des esprits. Mais les hommes ayant surpris par hasard leur secret, ils eurent tôt fait d'utiliser le stratagème à leur profit et d'asservir les femmes. Depuis lors, les hommes se peignent à l'occasion de la cérémonie du Kina, portent des masques coniques faits d'écorce ou de peau de phoque qui ressemblent à des pains de sucre et simulent les génies. Travestis, ils chantent, dansent et menacent les femmes qui refuseraient de se soumettre. La religion des Yaghans est infiniment plus complexe et variée. Depuis l'époque où ils traversèrent l'Amérique du nord au sud, ils croient à l'existence d'une divinité suprême et cette croyance n'a pu être apportée que par leurs ancêtres originaires de l'Asie centrale. Elle n'est en tout cas pas le résultat de l'activité missionnaire. C'est d'ailleurs ce que précise John Cooper qui écrit : « Etant donné ces conceptions archaïques et primordiales de la divinité (Dieu est le « maître » et « propriétaire » et non le « créateur » ni le « concepteur ») et compte tenu de l'absence de notions d'inspiration européennne et chrétienne, il est incontestable que la religion initiale des Yaghans est un théisme et qu'il n'a pas subi d'influences extérieures. C'est aussi ce que prouvent nettement les déclarations des autochtones qui affirment avoir hérité leurs connaissances de leurs ancêtres et dont les traditions ont une origine très antérieure à l'arrivée des missionnaires. » (COOPER, 1946.)

Le fait est qu'on peut chercher en vain dans les prières ou dans les rites des Yaghans la moindre référence à la religion chrétienne. Des caractéristiques archaïques révèlent, au contraire, la très haute antiquité de leurs croyances et John Lawrence lui-même, missionnaire à Punta Remolino et successeur du révérend Bridges, dut se rallier, sur ce point, aux arguments de Gusinde et de Koppers qui soutenaient que la croyance des Yaghans dans un dieu suprême faisait partie intégrante du patrimoine spirituel de ce peuple. La religion yaghane ignore les notions de châtiment et de rédemption. Quand ils parlent de leur dieu, les Yaghans le nomment Watauinewa, nom qui signifie « le grand esprit d'en haut ». Ils étaient persuadés de son ubiquité, de son inaccessibilité et de la faiblesse de la créature humaine. Cette divinité était également connue sous le nom de « Hitabuan », association de deux mots : tabuan = père, et hi = mon, mien.

Le missionnaire anglican John Lawrence, qui vécut soixante ans sur les bords du canal de Beagle, avait un fils Fred ; le jeune Lawrence voulut épouser une jeune Yaghane. Mais celle-ci dut attendre quinze ans, cantonnée dans les communs de la ferme appartenant au missionnaire, que celui-ci consente à l'union projetée. Koppers rapporte qu'elle fut une épouse exemplaire et qu'elle savait fort bien donner des ordres et diriger les domestiques blancs. C'est elle qui fournit à Gusinde et à Koppers un grand nombre de détails et de précisions concernant les usages et le patrimoine culturel des Yaghans. Un jour qu'elle avait dit à Koppers : « Nous avons notre Hitabuan et il nous suffit ». Koppers rétorqua : « On ne peut décidément pas vous qualifier de chrétienne ! »

Le nom yaghan de l'épouse de Fred Lwarence était « Wiyina makalikipa » ; sachant à quel point elle tenait à sa foi ancestrale, son mari ne fit rien pour l'en détourner. Son beau-père, en revanche, resta toujours pour elle un inconnu et lui-même ne fit rien pour se mettre à sa portée. Ses proches l'appelaient Nelly ; ayant entendu dire que le capitaine d'un navire chilien s'était plaint du temps, elle expliqua que cela n'arrivait jamais chez ses compatriotes et que le fait d'incriminer le temps était une innovation européenne. Les Européens se plaignaient toujours qu'il pleuvait trop, ou qu'il y avait trop de vent, trop de neige ou pas assez de soleil ; il était préférable d'accepter le temps tel qu'il se présentait, et se mettre en colère ne pouvait qu'aggraver les choses car, tôt ou tard, Watauinewa s'en apercevrait.

Gusinde rapporte que les indigènes lui affirmèrent tous que les missionnaires ne leur avaient jamais demandé s'ils croyaient en l'existence d'un esprit suprême : « Comment aurions-nous pu parler de Watauinewa, alors que nul ne nous en a priés ? » Mais, lorsque les Anglais invoquaient « Our Lord », les indigènes devinaient qu'il s'agissait là d'un dieu qui était, pour les Blancs, l'équivalent de Watauinewa pour les Yaghans. Dieu existait avant l'arrivée des Européens et sa connaissance n'avait donc pas été propagée par les missionnaires dont la tâche initiale consiste, dans la plupart des cas, à rappeler aux infidèles qu'il y eut, jadis, un dieu unique, créateur de toutes choses.

Le mythe du Déluge des Yaghans constitue peut-être l'explication de la catastrophe qui ravagea la terre il y a 8 ou 10 000 ans. A l'issue d'une période de froid intense, la neige tomba en quantités énormes et l'eau se transforma en glace. Un grand nombre d'êtres humains moururent de faim et de soif puis, au bout d'un très long temps, le soleil se mit à luire avec force et fit fondre la neige et la glace. Un grand nombre de glaciers, précisent les Yaghans, se sont formés à cette époque. Ce n'est que beaucoup plus tard que les hommes sortirent des grottes et des huttes où ils avaient fui les frimas et les intempéries.

Il existe une seconde version, différente, du mythe diluvial. Les hommes meurent, non pas à cause du froid, mais noyés par suite de la hausse du niveau des mers provoquée par la fonte des glaces. Les hommes gagnent le sommet des montagnes, mais la plupart périssent, car cinq sommets seulement dépassent la surface des eaux. Pendant la période qui précéda cette glaciation, les hommes mirent un terme définitif à la domination des femmes.

A la fin de la dernière glaciation qui se termina 8 ou 10 000 ans avant l'ère chrétienne, se produisit effectivement une élévation du niveau des mers et l'eau recouvrit une grande partie des terres jusqu'alors émergées, mais il n'est nullement exclu que des catastrophes similaires se soient produites auparavant, par exemple durant les phases interglaciaires. Le mythe diluvial dont un grand nombre de peuples conservent le souvenir a eu pour origine des bouleversements d'une échelle gigantesque et l'imagination des hommes n'y est pour rien.

On constate de troublantes concordances entre le patrimoine culturel des Yaghans et celui des primitifs sibériens et ce parallélisme s'explique lorsqu'on sait que les Fuégiens et, plus particulièrement les Yaghans, comptent parmi les plus anciens habitants du continent américain. N'est-ce pas, en effet, à la pointe méridionale de l'Amérique australe que les descendants des premiers immigrants venus de Sibérie par le détroit de Béring furent progressivement refoulés par les vagues de nouveaux immigrants ? Comme les primitifs sibériens, les Yaghans qualifient de « kos-pix » un esprit immatériel qui est l'équivalent de ce que nous appelons l'âme. Pendant le sommeil, l'esprit vagabonde et dans la conception des peuples sibériens et américains, il peut, le cas échéant, parvenir jusqu'au pays des morts. En Amérique, comme en Asie, le sorcier ou le chamane délègue parfois son âme qu'il charge d'exécuter des tâches déterminées et souvent difficiles ; aussi est-il dangereux de réveiller un dormeur dont l'âme vagabonde. Cette âme habite la respiration et le souffle et, quand un homme meurt, on dit qu'il « exhale son esprit ». De telles conceptions sont aussi vieilles que l'humanité et leur origine se perd dans la nuit des temps ; en revanche, il est facile de deviner qu'elles prirent naissance dans la région habitée, à l'époque préhistorique, par les peuples circumpolaires.

CHAPITRE X

Les Alacaloufs, premiers Américains

> « *Avant qu'il ne disparaisse à jamais, ce peuple, dont le passé se confond avec la préhistoire d'un continent entier et dont l'avenir sera fait de silence, mérite, sans aucun doute, qu'on lui témoigne une extrême attention.* »
>
> W.S. BARCLAY : « The land of Magellanes », *Geographical Journal*, 23, 1904.

PAR LEUR MODE DE VIE, les Alacaloufs sont les proches cousins des Yaghans ; comme eux, ce sont des nomades de la mer ; comme eux, dans des canots d'écorce, ils sillonnaient les chenaux et les bras de mer de la Terre de Feu. Lorsqu'il leur arrivait de passer la nuit à terre, leur premier soin était d'allumer du feu dans des huttes hâtivement et sommairement construites. Comme les Yaghans, les Alacaloufs ne buvaient que de l'eau et ne tentèrent jamais d'améliorer leurs conditions, extrêmement précaires, d'existence. Ce refus du progrès se justifie ; c'est un réflexe de conservation et d'autodéfense. Autrement dit, l'homme ne s'efforce de sauvegarder sa civilisation matérielle que dans la mesure où les forces naturelles ne détruisent pas le système complexe qu'il a imaginé et qu'il considère comme une règle de vie. L'arrivée des Européens dans la Terre de Feu désorienta les primitifs qui y vivaient ; l'amélioration des conditions de vie les priva, en même temps, de leur capacité de résistance dans un milieu où la protection d'une civilisation d'emprunt leur était brusquement retirée.

L'habitat des Alacaloufs s'étendait jadis du golfe de Peñao au canal de Beagle ; le dédale d'îles et d'îlots qui borde cette partie du littoral chilien était leur territoire de chasse. De nos jours, on ne les trouve plus qu'aux alentours de la baie Eden, sur l'île Wellington, où la marine chilienne entretient une station météorologique, et sur l'île San Pedro, près d'un phare. En 1953, J. Emperaire compta 61 individus, ultimes survivants du peuple alacalouf ; hormis deux familles qui continuaient à s'adonner à la pêche et à la chasse et à vagabonder en canot, les autres avaient renoncé au nomadisme. Quelles sont les causes d'un tel déclin au cours des dernières années ? Il s'explique d'autant moins que la politique d'extermination naguère pratiquée par les Blancs à l'encontre des autochtones avait cessé.

Les Alacaloufs se fixèrent, pour une part, dans les villes les plus proches de leur territoire ancestral : Punta Arenas, Puerto Natales et Puerto Montt. Ceux-là étaient perdus pour leurs compatriotes : pervertis par la vie citadine, ils étaient condamnés à une déchéance rapide, car les conséquences d'un changement d'existence aussi brutal sont la maladie, la mort et l'inévitable métissage. Emperaire rapporte qu'une autre partie du peuple alacalouf : 41, sur un total de 396, périt noyée, mort somme toute naturelle pour des hommes qui passent la majeure partie de leur existence sur de frêles embarcations et qui, de tout temps, payèrent un lourd tribut aux tempêtes et aux éléments. D'autres encore furent tués par leurs compatriotes au cours de rixes et d'incidents divers. De plus, chez les Alacaloufs, la mortalité infantile était extrêmement forte. Mais, surtout, la déchéance fut accélérée par les ravages provoqués par les maladies vénériennes, par le désespoir et par la mélancolie qui mina les Alacaloufs qui avaient renoncé au nomadisme. Enfin, l'obligation faite aux autochtones de la Terre de Feu de se vêtir à l'européenne eut aussi de néfastes effets.

Jadis, les Alacaloufs, très robustes étaient très résistants au froid et aux intempéries. Junius Bird, de l'Américain Museum of Natural History, rapporte à ce propos : « On a vu des enfants qui se tenaient à peine debout chercher des moules dans les rochers, juste devant les huttes. Tenant un mollusque dans chaque main, ils regagnent la hutte, font eux-mêmes rôtir les moules sur le feu, puis ils les mangent. Les enfants de quatre ans savent préparer les aiglefins et commencent même à se servir du harpon. » (BIRD, 1946.)

« Dans un pays où il pleut 280 jours par an et où le vent souffle presque toujours en tempête, une épaisse couche de graisse et des peaux de bêtes sont préférables à des vêtements humides ou même mouillés en permanence. » (EMPERAIRE, 1955.) A quel point le port de vêtements peut être préjudiciable aux populations primitives, je l'ai moi-même constaté chez des populations telles que les Goldes, les Udehes et les Daures de l'Extrême-Orient soumis à de fortes influences chinoises.

Type Alacalouf et habitat. (Archipels Magellanniques, Chili.) (Musée de l'Homme.)

Lorsqu'un peuple primitif s'est persuadé que les modes et les usages étrangers sont supérieurs à ses usages et à ses habitudes propres, la décadence devient inévitable. A partir du moment où les Fuégiens comprirent qu'il était plus rapide et moins pénible de se déplacer dans des embarcations à voile ou à moteur, que les cabanes en bois et les maisons offraient une meilleure protection, dans leurs îles battues par les vents, que les écrans, les huttes de branchages et de peaux, qu'il était plus simple d'allumer du feu avec des allumettes qu'en heurtant deux silex et que la balle de plomb atteignait plus sûrement le but que la pointe de flèche en os, en silex ou en feldspath, ils se prirent à douter de la valeur de leur civilisation ancestrale. Demander l'aumône de quelques objets matériels aux marins des navires de passage était moins aléatoire que s'obstiner à fabriquer objets et ustensiles suivant la technique de leurs ancêtres.

Mais il est une chose qu'ils ne comprirent pas, c'est que le changement de civilisation et l'élévation du niveau de vie sont fatals à la sauvegarde des biens spirituels. Pas plus qu'eux, nous ne comprenons que l'habitant d'une maison solidement construite ne brave pas mieux les millénaires que le primitif auquel un écran coupe-vent tient lieu d'habitation. La responsabilité n'en incombe nullement aux primitifs et le progrès technique et sa tendance à se répandre ne sont un avantage que pour un petit nombre de peuples. Même des civilisations évoluées peuvent être les victimes du progrès industriel et, à partir du moment où le médecin remplace le sorcier, la résistance physique et organique décroît chez les populations de la taïga sibérienne, des déserts du Turkestan et de la Terre de Feu.

Le tragique dans lequel se débattent les peuples primitifs réside dans le fait qu'ayant renoncé à leurs croyances, ils sont incapables d'assimiler entièrement les nôtres. Car, dans tous les pays du monde, Dieu est indivisible, une entité surnaturelle. Fitzroy signalait déjà que les Alacaloufs de l'archipel chilien situé à l'extrême sud de l'Amérique australe levaient, dans certaines occasions solennelles, les yeux vers le ciel et il en concluait que ce geste de piété et de ferveur s'adressait à une divinité. Le capitaine Low rapportait, lui aussi, que les Alacaloufs croyaient à l'existence d'un esprit bienveillant auquel ils adressaient des prières avant de manger et après les périodes de disette.

Récemment, Martin Gusinde, Junius Bird et J. Emperaire ont étudié systématiquement les différentes populations de la Terre de Feu ; on sait, grâce à eux, que les Alacaloufs révéraient un Etre Suprême qu'ils appelaient « Xolas » ou « Kolas ». Or, dans leur langue, le mot « Xolas » signifie « étoile » et, comme on peut considérer que, dans une perspective mythique, les étoiles sont les yeux de la divinité, cette assimilation peut probablement s'expliquer ainsi. L'Etre Suprême des Alacaloufs, pur esprit, existait alors que le monde, les végétaux, les animaux et les hommes n'avaient pas été créés. Divinité unique, il était éternel et bienveillant, car il ne dispensait aux hommes que l'utile et l'agréable ; il était, par conséquent, inutile de lui adresser des prières. Mais, si bon qu'il fût, il punissait aussi quiconque contrevenait aux lois qu'il avait édictées : en pareil cas, il était aussi superflu de le prier et d'implorer sa clémence et mieux valait subir patiemment le châtiment qu'il avait infligé, auquel, de toute manière, il était impossible d'échapper.

L'homme possède un corps et une âme ; la première fois qu'il respire, le nouveau-né inhale l'âme descendue du ciel ; avec son dernier souffle, il la libère. Dans la conception religieuse des Alacaloufs, comme dans celle des Paléo-Sibériens, la mort implique séparation de l'âme et du corps.

Héraclite, qui vécut vers 500 av. J.-C., écrivait : « Quelle que soit la route que tu empruntes, tu n'atteindras jamais, en marchant, les limites de l'âme, tant est profonde sa signification. »

Le chirurgien August Bier croyait que l'âme était le principe vital de l'organisme humain et qu'aussitôt la mort elle se désintégrait. Cette définition est conforme à l'idée que se faisaient des relations entre l'âme et le corps les populations archaïques circumpolaires et les Fuégiens. Bier n'envisageaient malheureusement l'âme que sous la seule perspective biologique et il s'imaginait que tous les organismes, animaux et végétaux, en avaient une. C'est méconnaître la caractéristique principale de l'être humain qui, outre un corps et une intelligence, possède aussi une âme. Les peuples les plus archaïques avaient donc déjà conscience que l'âme humaine, don de l'esprit créateur, constituait un principe vital, une sorte d'entité distincte et individuelle. C'est là une vérité que les anthropologues ne contestent plus.

De même, l'immense majorité des ethnologues admettent que les Fuégiens, notamment les Alacaloufs, sont les descendants de peuples d'origine nordique d'une extrême primitivité. S'il en est ainsi, c'est admettre que le monothéisme était le fondement de la religion primitive et que la croyance dans les esprits et les génies qui habitent les choses et qui se meuvent, invisibles, parmi les hommes, ne s'est développée que beaucoup plus tard. Pour les Alacaloufs, les âmes des défunts vont rejoindre Xolas, esprit et divinité immatérielle qui se tient dans le ciel au-delà des étoiles. Jamais ils ne reviennent sur terre et l'homme n'a rien à redouter d'eux.

Parmi les peuples vivant à proximité du cercle polaire, la crainte des esprits et des mânes des défunts est partout répandue. Les Alacaloufs ont conservé le souvenir d'une étape initiale de la religion primitive, celui d'une époque où les âmes ne quittaient ni le ciel ni le voisinage de l'Etre Suprême. On a ainsi l'impression qu'à mesure que les croyances et le souvenir du dieu unique et omniprésent conservés par l'homme depuis sa création s'affaiblissaient, ce dieu s'est, en quelque sorte, scindé en une multitude de divinités et d'esprits de remplacement. Progressive, cette évolution aboutit aux systèmes astrologiques des civilisations évoluées du Proche-Orient et à l'horoscopie des civilisations méditerranéennes et occidentales.

CHAPITRE XI

Temaukl, Dieu des Selknams

> *« Les Onas croyaient fermement à un Etre Suprême qu'ils nommaient Temaukl. Il vivait au-dessus des étoiles, loin de la terre, et se désintéressait pratiquement des choses terrestres. Le gros ouvrage de Gusinde : « Les Selknams », renferme en fait tout ce que l'on sait de la civilisation des Onas. »*
>
> JOHN M. COOPER : « The Ona », *Handbook, of South American Indians,* Washington, 1946, vol. 1.

DES trois peuples de la Terre de Feu, les Selknams (Onas) sont les derniers venus. Eux-mêmes se nommaient Selknams, mais les Yaghans les appelaient Onas, ce qui signifie « Gens du Nord ». Vivant sur l'Isla Grande, la plus septentrionale de l'archipel fuégien, ils sont beaucoup plus proches, sur le triple plan linguistique, ethnologique et anthropologique, des Patagons que des deux autres populations fuégiennes. Chasseurs nomades, armés d'arcs et de flèches, ils pourchassaient le guanaco et le lièvre de Patagonie ; cet animal, classé dans l'ordre des rongeurs, ressemble davantage à une petite antilope qu'à un rongeur ; son pelage est gris-noir en hiver et gris-brun en été. Le guanaco qu'on rencontre surtout dans la partie nord de l'Isla Grande, porte le nom zoologique de « Lama huanachus » ; il est le seul camélidé sud-américain qui ait atteint l'extrême sud du double continent. Au cours de ses errances à la recherche de nouvelles pâtures, le guanaco franchit des bras de mer à la nage ; cela explique qu'on le rencontre même sur l'île Navarino, la plus méridionale de l'archipel fuégien.

TEMAUKL, DIEU DES SELKNAMS

Lorsqu'ils n'étaient pas encore sur le point de disparaître, les Selknams se distinguaient par leurs qualités et par leur degré de civilisation. Cooper en énumère quelques-unes : « Chez eux, l'hospitalité va de soi. Quand un étranger arrive dans une hutte, il se tait, sans même regarder autour de lui, par souci de curiosité puis, au bout d'un certain temps, il expose l'objet de sa requête. Manger gloutonnement ou avec précipitation est un signe de mauvaise éducation et, à plus forte raison, s'il s'agit d'un visiteur. De même, mentionner le nom de voisins et de défunts en présence de leurs parents est une atteinte aux bonnes manières. Les chasseurs appartenant à d'autres familles ou provenant d'autres territoires étaient accueillis comme des hôtes ; on les autorisait, avec le consentement des membres de la famille, à prendre part aux parties de chasse. Un hôte qui manquait de provisions ou d'autre chose n'avait qu'à demander pour obtenir satisfaction ; les refus étaient extrêmement rares. Chez les Onas, le vol, rarissime, était sévèrement châtié et nul ne se souciait d'amasser des biens, car être riche ne passait pas pour un avantage. »

Les familles onas changeaient perpétuellement de campement et sillonnaient en tous sens leur territoire : d'où le surnom « d'Indiens à pied » dont on les gratifia. Un autre détail distingue également les Selknams des Yaghans et des Alacaloufs : leur taille anormalement grande et leurs proportions harmonieuses. Ils forment, en fait, un rameau de la race patagone aventuré loin vers le sud et la langue ona, se rattache aux idiomes patagons du groupe Tchon.

D'après Gusinde et Cooper, les Selknams sont des monothéistes purs. Les anciens qui évitaient tout contact avec les envahisseurs blancs parlaient avec respect et vénération d'un dieu qu'ils appelaient « Temaukl » ; Gusinde renonça à découvrir l'origine de ce nom extrêmement ancien. On le nommait également « Habitant du ciel » ou « Celui dans le ciel », mais toujours avec la plus grande déférence. Temaukl n'avait ni épouse ni enfant ; pur esprit, il ne buvait ni ne mangeait et il n'avait pas plus besoin de repos que l'âme après la mort. Temaulk vit dans le firmament au-delà des étoiles et bien qu'il ne descende jamais sur la terre. rien de ce qui s'y passe ne lui échappe. Mais, s'il a créé la terre et l'espace, le mérite d'avoir créé les formes revient à K'énos, le premier homme.

Temaukl avait donné aux Selknams, par l'intermédiaire de K'énos, les lois et les préceptes qu'ils étaient tenus d'observer. Mais, si le dieu est bienveillant et s'il aime l'espèce humaine, il peut aussi, s'il le veut, punir les hommes en les accablant de maux. Après la mort, l'âme gagne le ciel où elle se tient auprès de la divinité et de K'énos, le premier homme. Jamais les âmes ne reviennent sur la terre, à l'exception de l'âme du sorcier qui erre jusqu'à ce qu'un chamane la fasse de nouveau prisonnière.

Bien qu'ils sachent qu'il n'en a nul besoin, les Selknams offrent parfois un lambeau de viande à la divinité avant de commencer leur repas du soir ; chaque fois, le matin suivant, l'offrande a disparu. De même, en plein hiver, lorsque font rage les tempêtes de neige, les femmes jettent hors des huttes un morceau de bois enflammé en offrande à Temaukl pour lui demander de ramener le beau temps.

La mythologie des Selkmans révèle que les règles sociales, matrimoniales, les préceptes éducatifs et la langue furent donnés par Temaukl à K'énos avec mission, pour ce dernier, de les diffuser parmi ses descendants. Tout ce que savent et connaissent les Selknams leur est donc parvenu par son intermédiaire.

Yaghans et Alacaloufs, aux caractéristiques pygmoïdes, constituent la population primitive de cette partie de l'Amérique du Sud vers laquelle ils furent refoulés longtemps avant que les Selknams ne connaissent le même sort. Toutefois, chez les Yaghans et chez les Alacaloufs, la croyance religieuse est strictement monothéiste, alors que la religion des Selknams connaît un médiateur entre la divinité et l'homme.

Pour les Yaghans, le dieu suprême ne se confond pas avec le créateur ; chez les Selknams, l'Etre Suprême n'a créé que le ciel et la terre, le créateur des hommes étant K'énos, le premier d'entre eux. Seuls les Alacaloufs, descendants des premiers immigrants, considèrent l'Etre Suprême comme le principe de tout ce qui existe dans l'univers.

A l'heure où ces lignes sont écrites, les plus anciens témoins du monothéisme, en Amérique, sont en train de disparaître à jamais ! Dans quelques mois ou dans quelques années, les deux ou trois dernières familles alacaloufs auront emporté leur secret dans la tombe. Nous sommes, certes, capables de lancer des fusées en direction de la lune, mais incapables de prendre conscience que le dernier acte d'une tragédie est en train de se jouer sous nos yeux.

CHAPITRE XII

Paléo-Asiates et Toungouses

> *« La civilisation de tous ces peuples paléo-sibériens est extrêmement archaïque. Ils vivaient encore à l'âge de la pierre lors de l'arrivée des Russes. »*
>
> ROMAN JAKOBSON : « The Paleosiberian Languages », *American Anthropologist,* vol. 44, 1942.

Si c'est dans l'extrême sud du continent américain que l'on rencontre les représentants des plus anciennes populations paléo-indiennes, c'est aussi dans les régions les plus écartées et les plus difficilement accessibles que vivent les peuples les plus anciens de l'Asie.

Dans l'ouest de l'Europe, densément peuplé, les mélanges de races et les mouvements de population ont été si nombreux et si fréquents que les peuples initiaux n'ont pu se conserver intacts que dans des aires extrêmement limitées, en conservant leur langue, leurs coutumes et, dans une certaine mesure, leurs caractères morphologiques. De tels peuples ont survécu dans le Caucase, les Basques de part et d'autre des Pyrénées, les Celtes de parler cymrique en Bretagne et dans le pays de Galles, les Celtes de parler gaélique dans l'ouest de l'Irlande, dans l'île de Man et en Ecosse. Les Lapons, dont l'habitat s'étendait jadis beaucoup plus loin vers le sud, furent refoulés vers le nord de la Suède et de la Finlande, tandis que les Samoyèdes l'étaient par les Scandinaves et les Russes vers le littoral septentrional de la Sibérie.

*Samoyède, gravure du XVIII*e *siècle. (B. N. Est.)*

Dans le nord-ouest de l'Asie, le refoulement, les migrations et l'isolement des peuples paléo-sibériens sont plus explicites encore. Les survivants sont confinés sur la marge septentrionale de l'Eurasie, sur la côte de l'océan Arctique, sur celle de la Sibérie du Nord-Est, sur des presqu'îles comme celle des Tchoutches ou comme le Kamtchatka, ou même sur des îles comme les Giliaks et les Aïnous de Sakhaline. Il convient d'insister, à ce propos, sur le fait que les langues se maintiennent plus longtemps que les caractères morphologiques. En dépit du métissage, en dépit de l'alignement des coutumes, du mode de vie, des mœurs et des conceptions, les peuples restent longtemps fidèles à leurs idiomes, tandis que les mariages avec des représentants d'autres peuples altèrent progressivement le type physique. C'est ainsi qu'il est maintenant très difficile de distinguer un Giliak d'un Olcha et un profane est incapable de faire la différence entre la morphologie d'un Coréen et celle d'un Aïnou. Or, tous parlent des langues essentiellement différentes. On sait, d'autre part, qu'un Européen a beaucoup de mal à différencier un Chinois d'un Japonais et que le même Européen, s'il a vécu quelque temps en Extrême-Orient, sait immédiatement faire la différence.

En matière de morphologie, les affinités entre Paléo-Sibériens sont grandes et, sur le plan de la linguistique, on peut les qualifier de Nord-Asiatiques isolés à habitat marginal. C'est le cas des Giliaks, des Aïnous, des Kamtchadales, des Koriaks, des Tchoutches, des Youkagires et des Tchouvances. Les Aléoutes et les Esquimaux, indigènes de l'Amérique septentrionale, appartiennent à la catégorie des Paléo-Asiatiques chassés de leur habitat initial et également à celle des peuples marginaux. On pourrait croire, à première vue, que cette qualification se s'applique pas à des peuples tels que les Ostiaks, de l'Ienisseï, qui vivent au cœur de la Sibérie ; or, ces Ostiaks se trouvent, eux aussi, sur la frange de régions géographiquement délimitées, et marginal n'a jamais été synonyme de littoral.

Sous la pression de tribus plus évoluées, plus dynamiques et conquérantes. des populations archaïques furent contraintes de s'enfuir à l'extrémité du continent qu'elles habitaient, comme les Tasmaniens, par exemple, à la limite de l'Antarctique ou, comme les Fuégiens, à l'extrême pointe de l'Amérique australe. Le confinement, l'isolement linguistique, l'effectif peu important et en voie de diminution sont autant d'indices ; c'est la preuve que les peuples marginaux sont les « résidus » de peuples jadis nombreux, ramifiés et occupant de vastes zones et ceux d'ethnies vouées à une mort lente. Le terme « Paléo-Asiate », inventé par l'ethnologue Leopold von Schrenck, désigne les populations archaïques de l'Asic septentrionale.

C'est parce que les Paléo-Asiates furent, à plusieurs reprises, submergés par des vagues de Mongols auxquels ils se mêlèrent au cours des millénaires, que leur morphologie, la forme de leur crâne et leur anatomie possèdent des caractéristiques mongoloïdes. La plupart, en revanche, parlent des langues qui ne sont pas apparentées aux idiomes mongols. L'apport mongol est, en effet, d'origine récente et n'a guère plus de 1 000 ou 2 000 ans d'existence. C'est ce qui explique que des populations refoulées sur des îles et des archipels, comme les Aïnous par exemple, aient bien sauvegardé leurs particularités ; leur assimilation par les Nippons n'a commencé qu'à une date récente et elle est encore loin d'être achevée.

Les Esquimaux furent vraisemblablement chassés de l'Asie. Telle est la théorie exposée, dès 1840, par Veniaminov. Le terme Esquimau résulte de la francisation d'un terme algonquin qui signifiait à l'origine, « mangeur de viande crue ». Les Esquimaux se qualifient eux-mêmes d' « Innuit », ce qui veut tout simplement dire « hommes ». Par le détroit de Béring, ils se répandirent dans les vastes espaces de l'Amérique du Nord et de l'Alaska et leurs mythes perpétuent le souvenir de cette migration d'ouest en est. La tradition esquimaude précise que les ancêtres de la race vivaient dans un pays situé beaucoup plus à l'ouest et où le climat était tempéré ; ils durent le quitter et céder la place à des peuples plus puissants. Rompus à la navigation et en contact permanent avec l'élément liquide, ils franchirent sans difficulté le bras de mer qui isole l'Asie de l'Amérique. Refoulés vers l'est comme les Esquimaux, les Giliaks, les Aïnous, les Kamtchadales, les Koriaks et les Tchoutches poussèrent devant eux les Aléoutes qui prirent pied sur le chapelet d'îles auxquelles ils donnèrent leur nom, et les Esquimaux qui, eux, franchirent le détroit de Béring. C'est précisément parce que les Esquimaux et les Aléoutes sont des peuples archaïques, descendants des populations qui habitaient, au Pléistocène, l'Europe occidentale et le sud-ouest de la France, que les ethnologues les classent parmi les Paléo-Asiates. Comparant des crânes sibériens contemporains du Pléistocène avec des crânes d'Esquimaux, l'anthropologue danois Jörgen Balslev Jörgensen en arriva, en 1953, à la conclusion suivante : « C'est en Asie qu'il faut chercher l'habitat initial des Esquimaux. On vient justement de s'apercevoir que les crânes de Sibériens préhistoriques ressemblent curieusement aux crânes des Esquimaux. A en juger par les découvertes archéologiques, les Esquimaux sont probablement originaires de l'Asie et, plus exactement, des bassins des grands fleuves sibériens. C'est de là qu'ils partirent, dans les derniers millénaires avant l'ère chrétienne, pour gagner progressivement l'Amérique.

Outre les Paléo-Asiates, un autre groupe de primitifs est formé par les peuples de race toungouse. Ils sont disséminés sur d'immenses espaces, en Sibérie et dans la Mandchourie du Nord, mais c'est seulement dans cette dernière région, et plus précisément dans le coude que forment l'Argoun et l'Amour qu'ils se sont conservés purs de tout métissage. La taïga nord-mandchourienne fournit à leurs mythes, à leurs traditions, à leurs croyances et à leur civilisation une sorte de « conservatoire » ; car, comme les derniers Fuégiens, les derniers Toungouses sont promis à une disparition prochaine. Avant que l'âme de l'ultime représentant de cette ethnie n'aille rejoindre le « Maître des montagnes et des forêts », étudier les usages de ce peuple, les méthodes de chasse, les perpétuelles migrations, la façon de dresser les tentes, les rites matrimoniaux et ceux qui accompagnaient la naissance des Toungouses est riche d'enseignements.

CHAPITRE XIII

La taïga

« L'homme ne parviendra jamais sans doute à pénétrer au plus profond de la taïga; son immensité s'y oppose. »

VLADIMIR K. ARSENIEV : « *Dans la nature vierge de la Sibérie orientale*. »

J'ENTENDS encore le murmure des forêts sans fin, le hurlement des loups et le grondement des eaux que roulent des fleuves immenses, le galop des rennes et le crépitement des feux de camp. Et je me souviens d'un bûcheron qui, vivant seul au cœur de la forêt, me demandait : « Monsieur, est-ce de nouveau la guerre ? Ils ont, paraît-il, d'énormes oiseaux d'acier, des oiseaux de mort sur lesquels il montent et s'envolent jusqu'à la lune. Est-ce une fable ? Est-ce vrai ? »

Ce bûcheron vit toujours, mais il continue à ignorer qu'il y a par le monde des transatlantiques, des autoroutes, des gratte-ciel, des cinémas, la télévision et... des gens harcelés par le temps.

La taïga n'est autre que la forêt sibérienne. Pourtant, c'est plus encore, car, outre la forêt, la taïga englobe des clairières que n'ont jamais violées le soc des charrues, des marécages et des tertres dénudés. Ce que le paysan russe entend par taïga commence au-delà de la limite de son champ.

Ce vocable, emprunté par les géographes russes à des langues archaïques sibériennes, a pour sens « territoire boisé ». Or, la taïga n'est comparable ni à la jungle indienne ou birmane ni à la forêt vierge amazonienne ou africaine. Les forêts du Nord luttent perpétuellement contre le froid, la neige, le gel, contre une nature qui, privée du stimulant de la chaleur humaine, impose à la végétation des conditions très dures. La taïga est un chaos de troncs et d'arbres, les uns rabougris et rampant à la surface du sol, les autres brisés, gelés jusqu'à l'aubier, étouffés et noyés dans la fange des marais.

La taïga, c'est une interminable succession de forêts de bouleaux, de pins, de sapins, de trembles et de mélèzes, quelques-uns gigantesques, les autres de taille moyenne, dont le long hiver et le court été, les tempêtes de neige, la terre éternellement gelée, le climat d'une extrême rudesse, alternance d'étés torrides et d'hivers glaciaux, entravent la croissance. Pendant la belle saison, la taïga est débordante de vie ; les chants d'oiseaux le disputent aux senteurs végétales, mais le gel et la période glaciaire n'ont jamais totalement renoncé à leurs droits. Cette forêt gigantesque n'est en rien comparable aux forêts de l'Europe occidentale qui, elles, sont à la mesure humaine.

La taïga est synonyme d'angoisse, de mort, de déchéance. Les marécages sont infestés de moustiques et de taons. Le sol lisse, couvert d'aiguilles de sapins et de pins, est l'exception et, la plupart du temps, il ressemble à un champ de bataille où les arbres s'étouffent et s'évincent, où leur diamètre n'atteint jamais les dimensions normales, où les racines, incapables de s'accrocher au sol gelé, se tordent et s'enfoncent du mieux qu'elles peuvent dans la couche superficielle. Là où cesse la forêt, commence la toundra, immenses étendues où l'eau affleure, parsemées de myriades de monticules recouverts d'herbe où le pied trouve à peine à se poser.

La taïga, c'est une mer de pins, de sapins, de bouleaux, de mélèzes dont les troncs se dressent, drus, serrés les uns contre les autres ; seules les cimes sont vertes. On jurerait que le Créateur s'est amusé à planter côte à côte des poteaux télégraphiques en s'ingéniant à réduire l'espace entre les troncs ; à l'étage inférieur, le taillis est rare et comme calciné. De ce paysage se dégage une infinie tristesse, une mélancolie sans fin et, nulle part, on ne perçoit la trace d'une intervention humaine. Mettre de l'ordre dans un pareil chaos végétal exigerait des milliers d'années d'un travail acharné de la part de tous les forestiers du monde ! La zone la plus large qu'occupe la taïga s'étend dans l'est et dans l'ouest de la Sibérie — sa largeur diminue à mesure qu'elle se rapproche de l'Oural et de l'Europe — et les forêts et les marécages de la Carélie constituent son avance extrême. Le centre proprement dit de cette immense région forestière est compris entre la Lena et l'Ienisseï ; à l'est, il va de la région de l'Alda à l'Ienisseï et à l'Ob, entre les 58e et 64e degrés de latitude. A travers cette immensité exclusivement peuplée de résineux, de sapins, de pins, de mélèzes, auxquels se mêlent quelques tilleuls, la Toungouska se fraie un chemin. Magnifique spectacle que celui d'un fleuve qui serpente paresseusement au milieu d'une sylve dense, inconnue et inhabitée où, sur des milliers de kilomètres, on ne rencontre âme qui vive.

Des arbres à l'infini... Image de la taïga sibérienne. (Photo Nans von Schiller.)

Entre Verchni Imbatsk et Nichni Imbatsk et le confluent de la Toungouska et de l'Ienisseï, le rideau végétal s'étire de part et d'autre du grand fleuve et les hameaux des colons russes édifiés dans des clairières sont comme perdus dans une marée verte qui les enserre de toutes parts. Ces îlots de civilisation, isbas en troncs grossièrement équarris groupées autour d'une église centrale, sont généralement situés sur le bord des cours d'eau et les sentiers rudimentaires ouverts dans la forêt environnante ne mènent pas toujours au village le plus proche. Les forêts les plus denses sont proches des sources du Tass, à l'ouest de l'Ienisseï, et des centaines de rivières, petites et grandes, se glissent en tentant de se frayer une voie à travers les troncs et les racines ligués pour les étouffer, décrivant parfois des méandres en forme de six ou de huit. Çà et là, l'eau stagne dans les bras morts aux formes bizarres, mais, toujours, la taïga débouche sur le marécage après s'être morcelée en espaces boisés. Plus on remonte vers le nord, plus la végétation se raréfie.

Tel est le paysage, dans la majeure partie, de la Sibérie septentrionale et centrale, entre le Tass et l'Ob, puis, plus à l'ouest, jusqu'à l'Oural : alternance de forêts et de marécages, de lacs d'eau dormante, d'étangs à la surface vert sombre d'où émergent des millions de touffes d'herbe qui se succèdent sur des centaines et des centaines de kilomètres. Le bassin de l'Ob n'est en fait qu'une succession d'étangs, de cuvettes et de tourbières qui, en été, forment une barrière rigoureusement infranchissable.

Au sud-est du cours supérieur de la Léna, c'est-à-dire au nord de la Mandchourie, les forêts de mélèzes escaladent tertres et croupes que dominent les sommets dénudés des monts Iablonoï, sommets rocheux où pousse une végétation rare d'arbustes subalpins. La partie sud de l'Extrême-Orient russe qui borde le Pacifique possède de vastes pâturages qui alternent avec des forêts, des taillis et des marécages étirés à l'est du fleuve Amour.

A l'ouest de l'Amour, la taïga mandchoue reste pratiquement inexplorée.

C'est elle que j'ai appris à connaître, comme j'ai connu la majeure partie de l'Asie. Mais j'ignorais alors que le verbe connaître ne devait être employé qu'avec circonspection. Une fois en Mandchourie, j'ai appris qu'il n'y avait pas qu'une muraille de Chine, mais des milliers : mur de la méfiance, mur du scrupule, mur de l'administration, mur des zones interdites, absence de voies de communication, dangers de toutes sortes, privations...

La Mandchourie est bordée par la Chine, la Corée, la Sibérie et les steppes mongoles. Depuis la disparition presque totale des autochtones mandchous, la Mandchourie est entièrement colonisée par les Chinois. Moho représente le point le plus extrême de la progression chinoise en direction du nord.

DIEU ETAIT DEJA LA

Avant la dernière guerre, les Japonais occupaient la Mandchourie et nul n'était autorisé à se rendre dans la partie limitée par la grande boucle du fleuve Amour. Nul ne devait savoir ce qui s'y passait et, d'ailleurs, nul étranger n'éprouvait le besoin de satisfaire sa curiosité. « De toute manière, il est rigoureusement impossible de s'y rendre », répliquaient, tout sourire, les Japonais qui s'en tiraient par une courbette.

Impossible ! Et pourquoi ?...

Simplement parce que, dans cette contrée, il n'y a ni route ni chemin de fer, parce que d'immenses marécages s'opposent à la pénétration, parce que la région est inconnue et qu'il n'existe aucune carte, même sommaire, du pays. La seule chose qui me restait à faire était de longer la frontière en remontant l'Amour jusqu'au village de Moho, le plus septentrional de la Mandchourie. Mais cela comportait des risques, car les Russes ont la fâcheuse habitude de se saisir de quiconque erre dans ces parages et de l'entraîner vers la Sibérie ; personne n'entend plus parler de lui et le fameux adage sibérien qui dit : « Une fois un égale zéro », s'applique dès lors au disparu. Le problème était le suivant : en admettant que l'on puisse remonter l'Amour, il devait être possible, à partir du village le plus septentrional du territoire mandchou, de pénétrer dans les dernières zones inconnues.

Je consacrai un an à la recherche des papiers et autorisations nécessaires puis, ayant franchi l'un après l'autre les obstacles, je remontai l'Amour, gagnai Moho, village situé à l'extrême nord du territoire mandchou et, là, je pris contact avec la taïga et avec les primitifs qui l'habitent.

J'ai ainsi parcouru, pendant plusieurs années, les forêts et les marécages du nord de la Mandchourie, mais ce n'est que beaucoup plus tard que l'idée m'est venue de comparer ce que j'avais vu et entendu avec les résultats des fouilles entreprises par les paléontologues. Les ethnologues et les anthropologues de plusieurs pays m'ont grandement aidé dans cette tâche.

C'est là qu'on m'a initié à certaines pratiques magiques, au chamanisme et aux croyances religieuses des peuples circumpolaires. Cette source de connaissance est désormais tarie, car l'accès de la région est, d'une part, interdit et, d'autre part, les populations primitives qui subsistent sont à la veille de disparaître.

Ce que je cherchais surtout à élucider c'était un problème, essentiel et primordial, à savoir : l'homme dont le cerveau s'est mis brusquement à fonctionner et à faire preuve d'intelligence était-il seul à l'origine ou bien l'impulsion initiale eut-elle pour auteur une puissance surnaturelle ? S'est-il passé ce que l'archéologue W.F. Albright a décrit en ces termes : « L'homme n'a pas pu s'élever de lui-même à la seule force de ses poignets. » ? Or, à l'époque où nous sommes, les anthropologues eux-mêmes demandent que l'existence de l'âme soit scientifiquement reconnue et admise.

Dans les forêts du nord de la Mandchourie, j'ai trouvé la clé de l'énigme, c'est-à-dire que j'ai compris que les Toungouses, les Giliaks, les Aïnous et les êtres humains avec lesquels je suis entré en contact ne sont ni des menteurs ni des affabulateurs et qu'ils ont toujours eu conscience de l'existence de Dieu. Car l'histoire de l'humanité connut un « moment » qui se situe il y a un million d'années où l'homme n'avait pas encore franchi le seuil de l'hominisation.

Mais Dieu était là.

CHAPITRE XIV

La mer en mouvement

« Quand, en juillet, les vents de la mousson, apportent la pluie, l'Amour s'enfle démesurément sous l'effet des eaux qui convergent vers lui. Des milliers d'îlots normalement recouverts de broussailles sont submergés ou entraînés. Par endroits, le fleuve est large de trois, quatre et même six kilomètres... Quand le vent souffle avec violence et s'oppose au courant, des vagues se forment, plus puissantes et plus hautes que celles que l'on peut voir à l'embouchure du Saint-Laurent. »

PRINCE P. KRAPOTKINE : *Mémoires.*

De tous les fleuves de la terre, c'est l'Amour le plus enchanteur, celui qui traverse les forêts les plus solitaires, celui dont l'eau est la plus limpide ; son bassin fut le berceau du chamanisme, là se situe le domaine des esprits de l'Asie du Nord-Est. Toujours aux aguets, « le fleuve du dragon noir » — c'est ainsi que les Chinois le nomment — entraîne du limon et des terres arrachés à ses rives, qu'il déverse dédaigneusement dans la mer.

De la source de l'Onon à son embouchure, l'Amour, qui mesure 4 400 kilomètres, est trois fois plus long que le Rhin ; à l'échelle de l'Atlantique, il joindrait l'Angleterre à Terre-Neuve. Le débit de la Soungari, son principal affluent, atteint, en été, 3 050 m^3/s et 4 300 m^3/s en période de crue. C'est pourtant bien peu en comparaison des énormes masses d'eau que charrie l'Amour : 61 000 m^3/s à Khaborovsk après la fonte des neiges ! Gigantesque éponge, la taïga déverse son trop plein dans l'Amour et dans tous les cours d'eau qui confluent vers lui. Dans l'ordre d'importance, l'Amour occupe le hutième rang des fleuves de la terre ; il vient après le Missouri-Mississippi, le Nil, l'Amazone, l'Ob, le Yang-tsé-kiang, le Congo et la Lena. Même à l'échelle de l'Asie, son bassin est colossal : deux millions de km². Le Yang-tsé-kiang ne draîne qu'un million huit cent mille km² et la Volga un million quarante-six mille km² seulement.

Les forêts et les marécages de la ceinture des taïgas du nord-est de l'Asie alimentent l'Amour et ses affluents et cet immense territoire fait en quelque sorte fonction de filtre. Les eaux de l'Amour ont la clarté du cristal, contrairement à celles des fleuves et des rivières qui traversent les steppes mongoles et les plaines de lœss de la Chine centrale. Si les Chinois le surnommèrent « Le fleuve Noir », c'était pour le distinguer du Yang-tsé-kiang, du Hoang-Ho et du Si-kiang aux eaux jaunes et chargées de limon. En langue toungouse, l'Amour se nomme Hara-Muren d'où, par contraction, Amour en russe. Et les Chinois le connaissent aussi sous le nom de Dragon Noir : Hai-Lun-kiang.

A l'exception de l'Amour, les grands fleuves de la Sibérie coulent tous en direction de l'Océan Arctique : Angara, Lena, leurs affluents supérieurs : Amga et Addan, Indigirka et autres rivières de moindre importance. L'Amour, en revanche, draîne un territoire situé au sud des monts Iablonoï et Stanovoï qui forment ligne de partage des eaux. Sur 960 km et à partir de Khabarovsk, il coule néanmoins vers le nord et ce changement d'orientation est, géographiquement parlant, une tragédie car, si 373 km, à vol d'oiseau, séparent Khabarovsk de la mer, le brusque coude qu'il effectue oblige l'Amour à se déverser dans la mer d'Okhotsk et, plus précisément, dans le détroit de Tartarie, fermé à l'est par l'île Sakhaline ; le manque de profondeur du détroit fait que la mer y gèle plus tôt qu'ailleurs. C'est pour cela que l'Amour, tributaire du continent asiatique et, plus particulièrement, de la taïga du nord-est asiatique, n'est pas une voie de pénétration comparable au Yang-tsé-kiang. Bien qu'en amont de Khabarovsk, l'Amour soit navigable sur plusieurs milliers de kilomètres, Khobarovsk n'est pas devenu le Han-Kéou du Nord ni Nikolaïevsk le Changhaï de l'Extrême-Orient russe. Désertes et bloquées par les glaces pendant la majeure partie de l'année, les îles Chantar n'atteindront jamais à la prospérité d'un Hong-Kong ou d'un Singapour. Le fait est qu'en hiver, une barrière de glace ferme les portes d'accès à la Sibérie. L'Amour et tous ses tributaires sont gelés pour des mois. Le fleuve du Dragon Noir n'est libre de glaces que pendant 185 jours par an ce qui confirme son caractère spécifiquement arctique et fait de lui l'égal de la Dvina qui n'est libre de glaces que pendant 163 à 190 jours.

Traversant le Pacifique du sud vers le nord, le Kouro-Shivo, courant chaud, remonte vers l'Alaska et longe l'archipel des Aléoutiennes ; mais il ne réchauffe pas les eaux de la mer d'Okhotsk qui fait l'effet d'une véritable chambre froide dont le rayonnement se fait sentir dans toute l'Asie du Sud-Est. C'est la raison pour laquelle, dans la taïga mandchourienne, ne poussent ni céréales, ni pommes de terre, ni légumes. Il gèle chaque nuit et le sol ne dégèle jamais ; pour pouvoir résister aux rigueurs du climat, l'ours, le loup et le léopard des neiges se sont dotés d'une épaisse fourrure et, dans ces régions, c'est à peine si l'homme est toléré.

La Lena, le plus grand fleuve de la Sibérie orientale, à 200 km de son embouchure. (Photo Nans von Schiller.)

Cette partie de l'Asie est restée ignorée des géographes antiques ; ainsi s'explique qu'elle soit restée tellement étrangère à l'esprit européen. Alexandre alla jusqu'à l'Indus et les navires de Justinien poussèrent jusqu'à la rivière des Perles et jusqu'à Canton. En revanche, Lenisseï, Lena et Amour paraissaient appartenir à une autre planète. Rien n'a vraiment changé depuis. Même pour l'Asiatique, l'extrémité nord-orientale de l'Eurasie fait figure d'Ultima Thulé et, dans l'esprit des Chinois, l'Amour isole deux mondes, le connu et l'inconnu. Cet univers est trop proche du Pôle et trop éloigné de Byzance, de Delhi, de Pékin, de Kyoto et de l'archipel nippon. Rares sont les navires qui s'aventurent dans ces parages inhospitaliers. Pour l'Asie également, le bassin de l'Amour est synonyme d'exil, de zone limitrophe entre la Chine et la Russie, de fossé qu'aucun pont n'enjambe. Dans l'esprit des Mandchous, l'Amour forme la frontière du monde civilisé ; de son côté, le Russe couvre la rive opposée de réseaux de barbelés et l'Amour reste seul, perdu au milieu des forêts qui le bordent.

Ce que je cherchais, ce que tant d'autres souhaitaient découvrir, c'était la possibilité de regarder au-delà de l'horizon visible, de retrouver des périodes révolues pendant lesquelles l'homme vivait comme vivent encore les derniers Toungouses, les Giliaks et autres « primitifs » dans les dernières régions inexplorées de ce qui fut jadis leur territoire exclusif. Ce que je voulais, c'était entrer en contact avec eux et m'éloigner quelque peu d'une civilisation qui, après avoir conquis l'Europe, s'étendit vers l'ouest et fit le bonheur et le malheur des peuples de l'univers occidental. Je tenais à m'éloigner d'une civilisation qui évoque dans notre esprit un univers de cathédrales, de châteaux et de forteresses, un univers d'humanisme que dominent les grandes figures de Socrate, de Kant, de Newton, de Rembrandt et de Shakespeare, un monde de sentiments où les œuvres des grands musiciens sont autant de jalons.

Franchir la ligne de partage entre l'hier et l'aujourd'hui, percevoir un rythme de vie autre que celui que scande la trépidation des machines, percevoir l'écho d'un monde qui possède en lui ses motifs de joie et ses raisons de crainte, qui se grise de lui-même, qui s'enivre de sa béatitude et tire sa substance de l'immensité, du vide et de la nature vierge, telles étaient mes ambitions secrètes. Il y a plusieurs centaines de milliers d'années, quand l'homme ne savait ni construire des huttes, ni allumer du feu et que, doté de ses seules forces, il défiait déjà les éléments, la question qui se posait était la suivante :

l'espèce humaine allait-elle disparaître ou, au contraire, se perpétuer par le jeu des générations ?

Soucieux de m'initier aux conditions de vie de l'âge de la pierre, j'avais déjà en grande partie rompu les liens qui m'attachaient à l'Europe et au mode de vie occidental. Je me trouvais désormais loin de l'agitation fébrile des grandes métropoles européennes et américaines, loin du sort commun à ceux qui ignorent ce que fut leur passé et qui se désintéressent de leur préhistoire, loin des tentations et du luxe de l'Occident et de ses villes tentaculaires.

A Moho, la ville la plus septentrionale de la Mandchourie, j'ai déjà remonté l'Amour sur 600 km. Moho n'est qu'un simple nom sur la carte. Que sait le monde de Moho ? Et Moho, que sait-il de ce qui se passe dans le monde ?

En ce qui me concerne, Moho est la porte qui, une fois entrouverte, doit livrer accès à l'univers fermé et hermétique qui est celui des Orotchons, des Manegas et des Giliaks.

Au sud de Moho, s'étend l'impénétrable taïga mandchoue ; elle occupe la totalité de la province de Heiho, couvre la chaîne des monts Khingan, l'un des plus vieux socles montagneux de l'Asie orientale, et se prolonge jusqu'à la bourgade de Mergen, dans la province de Khingan. Cela représente une superficie, totalement inexplorée, de 1 200 000 km^2, soit la presque totalité de la courbe décrite par l'Amour. Et cette zone boisée n'est que la continuation de la taïga sibérienne, inconnue, impraticable et pratiquement déserte.

CHAPITRE XV

Hymne à la solitude

« Dans leurs mystérieuses profondeurs, les forêts de la Mandchourie orientale cachent un univers d'une extrême primitivité ; elles évoquent les périodes lointaines où, au prix d'une lutte constante, l'homme était dans l'obligation de sauvegarder sa vie et sa place au soleil. Ces forêts s'étendent sur des milliers de kilomètres ; cette verte marée submerge chaînes de montagnes, vallées et hauts plateaux. Univers à part qui n'a rien de commun avec celui dans lequel nous vivons. »

NICOLAS BAIKOV : *Mes chasses dans la taïga de Mandchourie.*

S'IL était en Europe, l'Albasiha connaîtrait la célébrité du Rhin ; c'est, en tout cas, l'un des plus beaux affluents de l'Amour, une rivière aux méandres multiples dont le cours n'a pratiquement jamais été exploré.

J'ai longé ses rives ; à deux reprises je l'ai franchi et j'ai été le témoin d'un grandiose spectacle. Son lit est barré par un amoncellement de millions de troncs et de branchages arrachés et entassés par le courant au-dessus desquels le fleuve bondit en cataractes. Carpes et truites effectuent des bonds prodigieux pour franchir l'obstacle et l'eau, d'un vert sombre, se rue en grondant vers l'aval.

Dans cette région, la taïga n'a pas été exploitée ; sur la rive opposée et si loin que porte le regard, ce ne sont qu'arbres touffus et denses qui, à l'automne, se colorent de rouge, de jaune et de roux. Les grandes masses forestières formées de mélèzes se trouvent plus loin encore ; elles fournissent un bois qui, à l'inverse du sapin, brûle sans projeter d'étincelles.

Le soir venu, le froid surprend et s'abat tout à coup ; dès septembre, la température tombe à deux ou trois degrés en dessous de zéro et, à trente pieds de la surface, le sol est pétrifié par le gel, souvenir de la dernière glaciation.

Conformément à l'usage sibérien, je dors en plein air, près d'un feu, car il ferait trop froid sous la tente. Même dans une tente toungouse dont le sommet ouvert permet l'évacuation de la fumée, il serait exclu de faire un feu capable de réchauffer longuement l'air glacé

Construction de tentes orotchones, recouvertes d'écorces de bouleau maintenues par des perches. (Photo Museum für Välkerkunde, Berlin.)

Avant de pouvoir allumer un feu, deux heures de dur labeur sont nécessaires et il y faut aussi une grande expérience. On doit savoir, entre autres, que la température est toujours plus élevée au faîte qu'à la base d'une colline et que, quelle que soit la configuration du terrain, le camp doit être établi du côté où le vent balaie la pente de haut en bas. Les Toungouses sont des maîtres incontestés dans l'art de choisir le site de leurs campements et les voyageurs étrangers s'interrogent toujours sur les raisons qui ont conduit un indigène à préférer un emplacement à un autre. Trois règles essentielles doivent être respectées : l'eau doit être proche, le bois facile à brûler et abondant et, enfin, il faut que le vent souffle dans la bonne direction. Lorsqu'un Toungouse déclare qu'il ne veut pas d'un endroit sous prétexte qu'il est hanté par les mauvais esprits, c'est que le lieu présente des inconvénients naturels : ou le sol est trop humide, ou les arbres risquent de ne pouvoir résister aux vents de tempête, ou bien encore il doit tenir compte du bien-être de ses rennes.

Avant de se coucher, il faut avoir soin de s'assurer de la direction du vent, de manière que celui-ci frôle la tête puis les pieds, et s'installer à trois mètres du feu, les semelles tournées vers le foyer. Faire autrement c'est s'exposer à recevoir les escarbilles et la fumée rabattues par le vent.

On commence par abattre deux arbres, puis à les scier en cinq ou six billots ; deux d'entre eux, placés parallèlement, servent en quelque sorte de « chenets » ; c'est eux qui supporteront les bûches. Trois autres billots dressés verticalement font office de plaque de foyer. Autrement, par temps sec, le feu risquerait de s'étendre à la forêt proche ; par temps de pluie, il serait étouffé et noyé et, par grand vent, il brûlerait sans dégager de chaleur. Le foyer établi, il reste à trouver des arbres morts qui fourniront le bois sec. Quand il n'a pas plu depuis un certain temps, les troncs qui gisent à terre font l'affaire, sous réserve de n'être pas pourris mais, par temps de pluie, le choix se porte nécessairement sur des arbres morts encore debout ou sur ceux dont le tronc des voisins a arrêté la chute. Les arbres morts débités et fendus sont placés au-dessus des billots de manière à se rejoindre par une extrémité, tels des fusils disposés en faisceau. Sous le centre du tas, on met alors le feu à des morceaux d'écorce de bouleau, à des copeaux et à de la mousse séchée. Quiconque a quelque peu vécu dans la taïga, pense, à l'approche du soir, au feu qu'il allumera dans quelques heures et fait, tout en marchant, provision d'écorces sèches.

Les Orotchons n'élèvent jamais de grands bûchers, sauf en été pour écarter de leurs rennes les moustiques et les taons. En général, leurs feux de camp sont même tellement modestes qu'on se demande s'ils ne répugnent pas à mettre, plus qu'il n'est nécessaire, l'esprit du feu à contribution. Avant de quitter un campement, ils ont grand soin d'éteindre et d'étouffer les braises. Pour eux, l'indifférence des Russes et des Chinois, qui ne prennent aucune précaution, est folle et criminelle ; de toute manière, tant que l'esprit du feu se manifeste, il est interdit de l'abandonner à son sort. Les Toungouses témoignent d'ailleurs d'un profond mépris pour ceux qui ignorent que le feu a une âme.

Quand le bûcher brûle, il reste à se lever, une fois par heure, pour repousser les bois vers le centre du foyer et pour remplacer ceux qui sont calcinés. Pas besoin de réveille-matin ! Le froid se charge, malgré les épaisseurs de fourrure, de rappeler au dormeur que la chaleur diminue. Mieux vaut, dans ces conditions, faire ample provision de bois avant la tombée du jour car, la nuit, dans la taïga, distinguer un arbre mort d'un autre qui ne l'est pas est pratiquement impossible. Quand la provision de bois est suffisante, inutile de se réveiller tout à fait ; on repousse simplement les bûches, on en remet d'autres sur le feu et l'on se recouche en poursuivant des rêves à peine interrompus.

Ne serait-ce qu'à cause des loups, le feu ne doit jamais s'éteindre ; ils rôdent aux alentours, de même que le léopard et l'ours attirés par les provisions ; d'autre part, le feu doit continuer à brûler, car c'est juste avant l'aube que le froid est le plus cruel. Rien n'est plus déprimant que d'avoir à rallumer un feu pour faire chauffer le thé du matin. Si tout est fait dans les règles, les loups restent à distance respectueuse, laissent hommes et chevaux en paix et se bornent à hurler à la lune.

Couché sur le dos, on embrasse du regard toute l'étendue du ciel et, si le sommeil tarde à venir, on tue le temps en comptant les étoiles. Dans un coin du ciel, on identifie sans peine la Grande Ourse. D'où vient cette dénomination qui n'a rien de céleste ? Sans doute est-elle due à un chasseur qui vivait à l'époque où la terre portait encore d'épaisses forêts. Combien de peuples de l'hémisphère septentrional et pendant combien de millénaires ont cherché dans le ciel la Grande Ourse, constellation dont la position varie sans cesse et qui, cependant, ne disparaît jamais sous la ligne d'horizon. Un grand nombre de Sibériens voient dans la Grande Ourse un cerf ; les quatre étoiles formant carré suggèrent la silhouette et les trois étoiles fixes et brillantes s'identifient à trois chasseurs : un Toungouse, un Iénisséien et un Russe.

Pour les Turco-Tartares, la voie lactée est la route que suivent dans leurs migrations les oies et les canards sauvages ; pour les Toungouses, c'est un fleuve qui traverse le ciel ou les traces laissées dans la neige par les hommes des forêts ; pour les Yakoutes, ces traces sont simplement celles de Dieu et remontent à l'époque où, ayant créé l'univers, il traversa le ciel.

Un peu plus loin, luit la constellation des Pléiades, les « artisans du temps » à en croire les Toungouses. D'après eux, les étoiles qui la composent sont autant de trous dans la voûte du ciel ; c'est par là que, venu des espaces stellaires, le froid pénètre et se répand à la surface de la terre. Cette conception bizarre s'explique du fait que, dans le Grand Nord, l'arrivée de la saison froide coïncide avec l'apparition des Pléiades en haut du firmament ; au contraire, lorsqu'elles s'abaissent sur l'horizon, c'est l'annonce de l'approche de la belle saison. Les Yakoutes, les Koriaks et les Vogouls, qui nomadisent dans l'extrême nord de la Sibérie, identifient les Pléiades à un nid d'oiseau ou de canard sauvage.

Ici, dans la taïga, les étoiles sont aussi brillantes qu'elles le sont dans le ciel de la Mongolie et dans celui du Pacifique Sud.

Le matin, un soleil éclatant se mire à la surface de l'Albasiha ; la nuit glaciale ne permettait pas d'espérer une telle surprise. Il fait si chaud qu'on aimerait se plonger dans l'eau de la rivière dont la température ne dépasse pas quelques degrés au-dessus de zéro ; mais l'air est tellement pur et limpide que le rayonnement est intense.

La période étant celle des hautes eaux, l'Albasiha ressemble plus à un torrent qu'à un fleuve ; le courant, rapide, vient buter sur les coudes des rives, et des remous se forment où tourbillonnent troncs d'arbres et branchages ; l'eau est brune tant elle est chargée de sable et de limon.

Tout à coup, au détour d'un méandre, apparaît un canot monté par un homme.

Un homme seul dans la taïga est aussi rare que l'apparition simultanée de trois ours de Sibérie ; un homme dans la taïga, c'est une note sensible dans une nature cruelle et impitoyable. Cet inconnu qui propulse son minuscule canot peut revendiquer l'honneur d'incarner, à lui seul, toute la navigation sur la rivière Albasiha.

Car, dans la taïga, il n'y a pas de choix : on assomme l'inconnu ou on l'aide sans restriction. L'homme est un Toungouse Orotchon, un chasseur solitaire, et la coque du canot est faite de tôles découpées dans de vieux bidons qu'il a échangés contre des fourrures, quelque part à la lisière de la taïga. Le canot n'a ni quille ni gouvernail ; sa forme est celle d'un cigare allongé. Les Toungouses lui donnent le nom d'amarotchka ; la carcasse est en bois courbé au feu. Elle recevait, jadis, un revêtement d'écorce de bouleau préalablement traitée et tannée avec de la graisse, de l'argile et une sorte de colle. Une embarcation de ce genre est d'une telle légèreté que deux hommes la portent aisément sur l'épaule et c'est d'ailleurs ainsi que les Toungouses contournent les rapides et les chutes. Depuis une vingtaine d'années, les Toungouses abandonnent de plus en plus l'écorce au profit du fer galvanisé.

Dans son canot, le chasseur s'approche sans bruit du gibier qui se tient sans méfiance sur la rive et, notamment, du cerf ; d'un coup de fusil tiré depuis l'embarcation il l'abat. Mais pour y parvenir, il faut une grande habitude, car l'équilibre du canot est fonction des mouvements du rameur dont les bras manient la pagaie.

J'examine l'arme de l'inconnu, un vieux fusil, marque Berdan, qui date de 1904 ; l'homme porte un sac contenant les dépouilles de deux gelinottes et d'un coq de bruyère. Sur son visage, les centaines de nuits qu'il a passées dans la taïga, les dangers qu'il a affrontés et les mille péripéties d'une vie éternellement errante ont laissé de profondes rides. Il porte une houppelande en peau tannée, des bottes à tige et un chapeau de trappeur, mais il ne possède pas de tente. Dans cette région densément boisée qui occupe la boucle formée par l'Amour, il arrive qu'on rencontre des coureurs des bois qui vivent en solitaires après avoir rompu tout lien avec les tribus Orotchon et Manega auxquelles ils appartiennent. En rencontrer, suppose une chance incroyable. Le don que je lui fait d'un paquet de thé arrache à l'Orotchon un sourire et quelques mots de remerciement. Les Toungouses rient rarement, surtout lorsqu'ils chassent ; loyaux, honnêtes, ils sont volontiers taciturnes et parler d'animaux qu'ils traquent leur semble non seulement inutile mais contraire au but qu'ils poursuivent. Cela risquerait, croient-ils, de diminuer leurs chances du fait que l'âme de l'animal pourrait percer à jour leurs intentions. L'homme, qui sait un peu de russe, me raconte que les Orotchons chassent, à raison de trois ou quatre familles, sur un territoire délimité qui fait en quelque sorte figure de réserve ; en revanche, les rivières appartiennent à tous, de même que les animaux nuisibles. L'ours, le léopard des neiges et le loup peuvent être poursuivis même sur les territoires d'autrui. Pour l'instant, les proies les plus recherchées sont l'écureuil, le lièvre, la zibeline, le renard, le chevreuil, le cerf, l'ours, le loup et, bien entendu, le canard sauvage, la gelinotte et le coq de bruyère. Pendant l'absence des chasseurs, les femmes se chargent des travaux du campement ; elles montent et démontent les tentes après être convenues avec leurs époux d'un rendez-vous à un endroit précis, quelque part dans la taïga. Quand le gibier est abondant et qu'il y en plus qu'il n'en faut pour la consommation familiale, la viande découpée en longues lanières est mise à sécher au soleil, ou bien on la fume en suspendant les lanières sous l'ouverture de la tente qui sert à l'évacuation de la fumée. Celle de certains bois dégage une odeur fort appréciée ; elle imprègne et parfume la viande boucanée. Selon qu'on utilise du bouleau, du peuplier ou du pin arole, le poisson et la viande ont un goût différent. L'Orotchon me raconte également que, sur les rives de l'Amour comme celles de l'Argoun, il est désormais possible de se procurer facilement de la farine et du thé chinois, mais que le thé indien et le sucre sont des denrées précieuses. Quant au reste, son fusil se charge de le lui procurer ; un peu plus tard, en plein hiver, il tendra des collets et posera des pièges.

Les croquis qu'il dessine pour représenter les cours de l'Albasiha et de ses affluents et montrer l'emplacement des forêts et des marécages qui parsèment la taïga sont d'une ahurissante précision. La mémoire qu'ont les Orotchons du terrain, du relief, des dimensions, de la longueur des cours d'eau, le souvenir exact qu'ils gardent de tel tertre, de telle source, de telle surface incendiée par la foudre et même d'un arbre isolé dépassent l'imagination. Le fait est qu'un homme qui ne posséderait pas un sens inné de la topographie n'aurait guère de chances de survivre. La facilité avec laquelle les Toungouses lisent nos cartes géographiques, bien qu'ils soient incapables de déchiffrer les légendes, tient du prodige ; la moindre erreur dans le tracé d'un cours d'eau leur saute aux yeux et leur sens de l'orientation n'est jamais pris en défaut. Cette connaissance du terrain est non seulement innée, mais atavique ; elle repose sur une longue expérience, sur des siècles de rapprochements, de comparaisons et, aussi, sur une véritable prescience de la géographie que les enfants possèdent et les femmes également. Aussi n'est-il pas rare qu'en l'absence de leurs maris, des femmes conduisent leurs enfants à travers 300 km de taïga où elle ne sont jamais venues et qu'elles rejoignent par le chemin le plus court le point qu'elles se sont fixé pour but. La raison d'être du Toungouse est la chasse, et celle-ci exige une science de l'interprétation des accidents du terrain. Le chasseur sait à l'avance la direction que prendra telle bête, la particularité de telle rivière, de tel ruisseau, de telle clairière ; rien n'échappe à son œil exercé, ni la hauteur d'un arbre, ni la profondeur d'un cours d'eau, ni le profil d'une colline. Et cela sur des milliers de kilomètres carrés ! Un Orotchon qui avait conduit en sûreté des Russes perdus dans la taïga du nord de la Mandchourie estimait que l'incapacité des Occidentaux à s'orienter était une marque de dégénérescence ; il l'expliquait par une éducation défectueuse et par l'absence d'un sens profond de la nature. Voilà une preuve de plus que les avis, en matière de « primitivité », diffèrent selon qu'on considère les peuples primitifs avec des yeux d'Occidentaux ou les Occidentaux avec les yeux des primitifs !

A ma question : « La solitude ne vous pèse donc pas quand vous descendez seul les rivières et les fleuves ? » l'inconnu resta un temps sans répondre ; la surprise le rendait muet. Je lui avais donné du tabac et il tirait sur une pipe chinoise à long tuyau et à petit foyer. Puis il me dit : « Il y a beaucoup à observer. Il faut trouver de nouvelles pistes en prévision de la belle saison. Alors je reviendrai et ma chasse sera fructueuse. Bientôt, le temps va devenir mauvais et il faut que je me dépêche ! »

Peu après, nous nous séparâmes. Je le vois marchant rapidement, d'une démarche saccadée, posant avec précaution ses pieds sur le sol déclive de la rive au bas de laquelle était amarré son canot. Poussée par le courant, l'embarcation s'éloigna vers l'aval, emportant l'homme vers une destinée inconnue.

Où vas-tu, inconnu ? Je te revois comme si c'était hier. Comme toi, les coureurs de la taïga sont taciturnes et muets. Ils apparaissent tout à coup puis, brusquement surgis du néant, ils y retournent, seuls, en amoureux de la nature vierge.

CHAPITRE XVI

Face à l'éternité

« L'homme, né de la femme ! Sa vie est courte, sans cesse agitée. »

Livre de Job, XIV, 1.

« Mes jours sont plus rapides qu'un coursier ; ils fuient sans avoir vu le bonheur. Ils passent comme les navires de jonc, comme l'aigle qui fond sur sa proie. »

Livre de Job, IX, 25-26.

LA TERRE est une curieuse planète en ce sens que, d'un côté, les hommes sont obsédés par la guerre et par la politique, qu'une heure de retard prise sur la marche des événements, en Europe et, plus encore aux Etats-Unis, est une heure irrémédiablement perdue, alors qu'ici, dans la taïga, on a l'impression de vivre dans un monde différent où la politique ne compte pas, où il n'y a ni journaux, ni télégrammes, ni ordres, ni règlements à respecter. La Belgique, par exemple, compte 213 êtres humains au kilomètre carré mais, ici, on dispose, pour soi seul, de plus de kilomètres carrés qu'on ne peut en souhaiter. Nul ne risque qu'un quidam lui fournisse des explications ou des solutions toutes faites, ni que quelqu'un vienne le détourner de ses pensées. Ce qu'on projette, c'est uniquement pour soi ; ce qu'on construit importe peu pourvu que la construction puisse résister au froid terrible, aux pluies interminables et aux vents furieux, car la nature s'acharne et se déchaîne contre les œuvres humaines, et celles-ci ne résistent qu'aussi longtemps que ceux qui les ont édifiées opposent une résistance opiniâtre et efficace. Aussi loin que porte le regard, tout, ici, appartient à l'individu qui peut marcher jusqu'à la limite de ses forces et qui, pourtant, n'atteindra jamais la fin de l'immense forêt. Libre à chacun de construire sa hutte là où bon lui semble, de s'installer dans un creux de vallée où un fleuve déroule paresseusement ses méandres, dans une gorge où grondent cascades et cataractes, au milieu de collines tapissées de noirs sapins ou, au contraire, au centre d'étendues où s'étalent des marais et des lacs. L'individu est seul juge du sort d'un arbre géant vieux de trois siècles et nul ne lui demandera des comptes. Ce paysage était déjà ce qu'il est avant même que Dieu n'ait créé l'homme ; aucune barrière ne sépare l'être humain de l'éternité qu'on sent partout présente.

Chacun est libre de compter les heures et les jours mais, en fait, dans la taïga, le mot temps n'a pas de sens ; on peut, si on le veut, travailler dix heures comme un forcené, brûler stupidement des forêts entières ou, au contraire, paresser, rêvasser, dormir à longueur de jour. Il n'y a personne pour vous le reprocher. Dans un milieu comme celui-là, les notions occidentales de progrès et de rendement sont dénuées de fondement.

Les grandes métropoles accablent celui qui les habite sous une avalanche de ce qu'il est convenu d'appeler des « biens culturels » ; elles l'emprisonnent dans le carcan de la mode et de la publicité ; elles lui dictent son comportement quotidien ; le milieu urbain lui dit où il doit aller, ce qu'il doit acheter, penser et, une fois qu'il tient l'individu, il ne desserre jamais plus son étreinte. Mais qui sait, en Europe, ce qu'une simple cigarette peut représenter pour un homme vivant dans la taïga ? Qui soupçonne la valeur d'une vulgaire allumette ? Qui sait ce que signifie le fait de manquer de feu ? Comment comprendre ce qu'éprouve l'homme des bois lorsqu'il tente d'allumer le foyer qui réchauffera ses membres transis ? Là encore, dans la hiérarchie des valeurs, chaque chose retrouve sa place et c'est alors que l'on mesure ce que signifie d'en être dépourvu. Le rythme naturel reprend ses droits, celui de l'alternance des jours et des nuits, celui des commencements du monde et, soudain, l'on conçoit que l'humanité ait perdu le sens des problèmes inhérents à la nature humaine.

Ce qui vaut pour l'homme vaut également pour l'animal. Dans la taïga, le cheval n'est plus la monture passive ou rétive du cavalier du dimanche. Dans la Chine du Nord, le Chinois se moque bien que son cheval soit ou non aveugle ; il préfère même qu'il le soit car, n'y voyant pas, il se laisse guider passivement et rien ne risque de l'effaroucher. Ici, par contre, dans la taïga, la bonne vue du cheval est la sauvegarde du cavalier.

Quelles que soient les œuvres, bonnes ou mauvaises, de l'individu, la taïga se tait ; on comprend d'autant mieux ce que signifie la vie et, conscient qu'à tout instant la mort peut vous faucher, on se sent plus proche de Dieu, de la nature et du ciel. Si le Christ et Mahomet ne s'étaient pas retirés dans le désert, ils n'auraient probablement jamais eu l'exacte vision des choses.

La taïga laisse chacun libre d'agir à sa guise, mais elle lui impose aussi ses normes et celles-ci sont inhumaines, dans le double sens du terme, car elles sont à la fois plus douces et plus cruelles que les jugements d'un Salomon. Elles ne tolèrent, en revanche, aucune contradiction, aucun délai, elles n'accordent ni pardon ni dispense. La taïga ne respecte ni les limites ni les frontières et les autorisations et les permis y sont totalement superflus.

L'un d'entre nous a-t-il déjà construit une hutte avec l'aide de ses seules mains et de son intelligence ? Rares sont nos contemporains qui, le cas échéant, seraient capables d'édifier une hutte, l'habitation primitive par excellence, première étape d'une évolution dont la précédente avait été la grotte. Il faut d'abord abattre de gros troncs d'arbres, puis les scier afin de les transformer en poteaux ; plantés en carré, ils formeront la charpente. C'est alors qu'on regrette l'absence d'un compagnon dont l'aide serait tellement utile pour débiter les troncs. Puis, quand les troncs destinés à servir de traverses auront été dégrossis, il restera à les hisser et à les mettre en place après les avoir portés ou roulés. A ce moment aussi, l'absence du premier compagnon se fait durement sentir, et même celle d'un second qui irait chercher l'eau, tuerait et préparerait le gibier. Car, en plus de son travail, l'individu isolé devra aussi s'occuper d'alimenter le feu et surveiller les chevaux, sans parler des multiples soucis qui l'assaillent de toutes parts.

L'homme s'est enfoncé dans la taïga pour y chercher de l'or ; en fait d'or, c'est lui-même qu'il découvre. Et un jour vient où il comprend toute l'importance de l'étape décisive de l'histoire de l'humanité, celle qui transforma le chasseur nomade en bâtisseur de villes. Un demi-million d'années s'écoulèrent avant que l'homme oubliât ses habitudes de nomade chasseur et apprît à se grouper, avec ses semblables, dans des villages. En comparaison de ce demi-million d'années, tout ce qu'il a appris depuis donne l'impression de dater d'avant-hier. Il y a 5 000 ans seulement qu'il connaît l'écriture ; les magnifiques réalisations de l'art grec ne remontent qu'à 2 500 ans, le christianisme n'a été révélé qu'il y a 2 000 ans à peine, l'invention de l'imprimerie remonte à quatre et celle de la machine à vapeur à deux siècles seulement.

Vivre au contact permanent de la nature apprend à l'individu à distinguer entre les choses dont il peut se passer et celles qui font partie du bagage culturel de l'humanité. Que fait donc l'homme qui baigne dans une ambiance civilisée, celle qu'il a créée dans les villes et dans les pays dont il a totalement remodelé le visage ? Il continue à construire et à créer mais, en même temps, il saccage, détruit et bouleverse stupidement l'équilibre naturel. Il abat et brûle les forêts, assèche les fleuves et les rivières, stérilise les sols, détruit l'humus et la végétation sans restituer grand-chose à la terre nourricière. A mesure que la civilisation matérielle progresse, la planète devient de plus en plus inhabitable.

Comment expliquer ce besoin de nature vierge et d'authenticité que chaque civilisé éprouve au plus profond de son être ? N'est-ce pas par la peur, par tout ce qui menace la survie de l'espèce humaine, par la crainte qu'inspire à un nombre croissant d'individus la civilisation de masse et le moment où, lasse d'être brutalisée et violentée par l'homme, la terre, couverte d'agglomérations et vidée de sa substance, refusera de nourrir la fourmilière humaine ?

CHAPITRE XVII

Le loup a le cœur fragile

« La ligne de démarcation que nous traçons entre l'humanité et les animaux inférieurs n'existe pas pour le primitif. Pour celui-ci, les animaux sont des créatures qui sont ou ses égales ou même ses supérieures en matière de force physique et, également, en matière d'intelligence. »

J. G. FRAZER : *The Golden Bough*, vol. 11.

L'UGIGHA, affluent de l'Albasiha, coule dans une vallée aux pentes couvertes de forêts denses de sapins et de mélèzes. Ici, le bouleau au tronc clair pousse mal ; par contre, le hêtre pourpre prospère ; çà et là, près du fleuve, s'étendent des pâturages piquetés de groupes de chênes. Cette vallée est un paradis pour les sangliers ; en automne, quand la terre est détrempée, ils viennent s'y vautrer dans la boue. Les bêtes se roulent dans leurs bauges, s'abandonnent aux charmes de l'existence et labourent la terre de leurs défenses à l'extrémité aplatie en forme de palette ; ils les aiguisent en les frottant contre les troncs des pins et des mélèzes et grognent de satisfaction. Peu après, débute la période du rut qui se prolonge de novembre à janvier ; la gestation dure dix-huit semaines. En avril ou en mai, les laies recherchent les fourrés impénétrables, rassemblent des feuilles mortes, de l'herbe sèche, des branchages, de l'écorce et des brindilles dont elles font un tas dans l'épaisseur duquel elles creusent une sorte de terrier ; c'est là qu'elles mettent bas des portées de six à douze marcassins.

Dans la taïga, hormis le Toungouse, le sanglier n'a pas d'ennemi ; dans les marécages où les bêtes se tiennent, l'Orotchon s'aventure rarement pendant l'été. La chasse au sanglier n'a lieu pratiquement que pendant la saison froide ; grâce aux raquettes qu'il chausse, l'homme dispose d'un net avantage. Sitôt que les animaux flairent l'approche du chasseur — et, pour cela, leur flair est infaillible — ils s'éloignent d'abord au trot, puis au galop. Le Toungouse poursuit la horde avec acharnement et quand, traqués sans merci, les sangliers s'arrêtent, ils font face. Malheur au chasseur maladroit, car les défenses sont des armes terribles.

Même s'il possède un fusil, le Toungouse préfère l'épieu pour chasser le sanglier car, dans la taïga, les cartouches sont précieuses ! Mais les animaux sont malins, d'une prudence extrême, d'une force extraordinaire et d'un courage sans égal. C'est ainsi que, dans un combat opposant un sanglier et un tigre de Sibérie, le plus gros et le plus fort des félins, le premier l'emporte presque toujours.

Lorsqu'un Toungouse a blessé un vieux solitaire qui a derrière lui dix ans d'expérience des mystères de la taïga, l'animal commence par battre en retraite. Le silence se fait ; on n'entend plus le frottement des défenses sur les branches et sur les troncs. Tapi dans le feuillage, l'animal lève la tête et attend, immobile. Cette fois c'est au tour de Toungouse de devenir gibier. Soudain, le sanglier se redresse, prend le galop et fonce furieusement sur son ennemi mortel. Or, il est rare que les défenses ne touchent pas le but et les Toungouses, qui sont les meilleurs chasseurs du Grand Nord, sont bien placés pour le savoir. Plusieurs m'ont montré les cicatrices des blessures qui leur furent infligées par des sangliers décidés à vendre chèrement leur peau.

La chasse au sanglier se pratique depuis des temps immémoriaux. Pendant la période interglaciaire du Protolithique, l'animal peuplait les forêts de l'Europe centrale ; au Pléistocène, il reflua vers le sud et gagna les étendues boisées de la péninsule ibérique. Dans son livre : *Chasses préhistoriques,* W. Soelgel explique que le chasseur paléo et néolithique ne s'attaquait pas aux sangliers dont il craignait les attaques brusquées. Lorsqu'on sait à quel point une laie peut être dangereuse, cette crainte semble justifier cette opinion. Mais elle ne l'est plus à la lumière des découvertes récemment effectuées à Taubach, près de Weimar ; un niveau calcaire a livré une grande quantité d'ossements animaux parmi lesquels ceux de plusieurs sangliers. Ces fossiles datent du Moustérien, c'est-à-dire de 70 à 80 000 ans avant notre ère. Que les ossements aient tous été fendus dans le sens longitudinal prouve que cette opération a été réalisée en vue d'en extraire la moelle. Le niveau a livré des outils en silex et en bois, ce qui laisse supposer que les chasseurs dépouillaient et mangeaient leurs proies sur place. Enfin, sur les parois de la Cueva del Charco del Agua Amarga, un contemporain du Mésolithique a commémoré une chasse au sanglier : une gravure rehaussée de couleur représente un sanglier poursuivi par un chasseur qui, tout en courant, lance son javelot. La bête semble même avoir été touchée ; on en a conclu qu'à l'époque le sanglier était le gibier principal.

Pour les Toungouses de la Mandchourie septentrionale, le sanglier est un animal rusé et intelligent ; il a droit à une certaine considération parce qu'il est fort, impétueux, rapide dans l'attaque et, enfin, parce qu'il est le seul qui ose tenir tête au tigre. Lorsqu'ils débusquent un sanglier dans la taïga, ils l'observent longuement avant de s'en approcher, car ils n'ont qu'une confiance limitée dans la balle de fusil et, moins encore, dans leur épieu qu'un solitaire peut casser net d'un seul coup de défense.

Chaque soir retentissent dans la taïga les bramements des cerfs qui ont pris l'habitude de s'y réfugier depuis des temps immémoriaux. Les ossements fossiles de cervidés remontent à l'Eocène, c'est-à-dire à 50 millions d'années environ. Toutefois, le cerf mégacéros du Pléistocène a disparu, mais l'activité des chasseurs de l'ère lithique ne suffit pas à expliquer son extinction car, parmi les ossements fossiles, ceux des cerfs mégacéros sont toujours peu nombreux. Et, d'ailleurs, dans une station de chasseurs, les ossements de cervidés ne représentent guère que deux pour cent du matériel fossile. Kurt Lindner en prend prétexte pour expliquer que la disparition du cerf mégacéros eut pour cause non pas son extermination par l'homme, mais la disproportion entre les dimensions du corps et l'envergure des andouillers. Ceux-ci étaient véritablement gigantesques et constituaient un handicap tel qu'à la longue l'extinction de l'espèce était inévitable.

En revanche, le cerf élaphe, l'un des gibiers préférés des chasseurs de l'âge de la pierre, servit maintes fois de modèle aux graveurs et aux peintres du Levant espagnol ; dans cette région, alors couverte d'épaisses forêts, l'animal vivait en paix et trouvait des conditions de vie idéales. Les représentations rupestres de la Cueva de los Caballos, de la Cueva de la Vieja, d'Alpera et de Cogul sont la preuve tangible qu'on chassait le cerf à l'arc et à la flèche. Il est également probable qu'on creusait des fosses camouflées avec des branchages et qu'on installait des pièges pour le capturer. On ignore si, pour s'en emparer, les chasseurs du Néolithique utilisaient aussi filets et nœuds coulants bien qu'une peinture rupestre de la grotte de la Pasiéga représente un cerf au-dessus duquel est peint une sorte de filet. Il est, en revanche, vraisemblable que de grandes battues étaient organisées dans les plaines du littoral oriental de l'Espagne.

Le cerf qui vit dans la taïga nord-mandchourienne est plus grand et plus fort que le cerf du Canada ; en été, son pelage est roux ; en hiver, il tire sur le jaune rouge. Mais ce « roi » des cervidés est malheureusement sans défense et d'innombrables ennemis, dont le plus dangereux est l'incendie de forêt, menacent son existence. Quiconque voit, pour la première fois, un cerf de cette espèce surgir des taillis, sursaute malgré lui, car ce spectacle dépasse en majesté tout ce qu'il est possible d'imaginer. Cette apparition est d'une beauté insigne tant se dégage de l'animal une impression de noblesse et de force. Ces cerfs que les Russes appellent « Isjubr » mènent une existence étrange et encore mal connue. Leurs sens sont extraordinairement développés et leur vue perçante fait qu'il est très difficile de les approcher. Le moindre bruit insolite qui trouble le murmure des feuilles, le moindre craquement de brindilles qui rompt le silence à des centaines de mètres de distance, la moindre odeur inquiétante dans un rayon de 300 mètres sont immédiatement perçus ; le cerf flaire chaque trace laissée par un autre animal et devine tout changement insolite. Le « roi » de la taïga a les sens toujours en éveil et il est pratiquement impossible de le prendre en défaut. Méfiant et craintif, il se tient, l'été, sur les hauteurs d'où il a une vue plongeante sur le terrain avoisinant mais, redoutant le plein soleil, il se dissimule dans les fourrés et dans la pénombre des taillis. Ce qu'il aime pardessus tout, ce sont les clairières herbeuses qu'il connaît bien, où poussent arbustes, graminées, mousses, champignons, pommes de pin et de cèdre dont il se nourrit. Il existe ainsi, dans la taïga, un réseau de pistes et de traînées qu'empruntent les cerfs et qui permettent de franchir les fourrés les plus impénétrables.

Le bramement du cerf de Sibérie est une sorte de plainte longue et étirée, en basse sonore ; elle se termine par un « a-ou-ou-ha » décroissant qui fait vibrer toute la taïga. A cet appel qui équivaut à un cri de triomphe, succède un autre empreint d'une profonde mélancolie. En septembre, les biches se rassemblent en hardes de six à douze qui fuient devant les mâles, mais un moment vient où le plus fort les retrouve et leur impose sa loi.

Dès lors, les biches le suivent et malheur à celle qui témoignerait de velléités d'indépendance ! Les femelles boivent à la rivière, mais seulement quand le mâle a bu et, lorsqu'il rentre dans la forêt, elles lui emboîtent aussitôt le pas. Conscient de son autorité, il les tyrannise et, le cas échéant, se sert de sa ramure pour imposer sa loi aux récalcitrantes. Dans la colère, il est même capable de tuer.

Moins heureux, les autres cerfs suivent la harde mais à distance car, pour parvenir à leurs fins, il faut ou attendre ou se battre. Au bramement vainqueur de l'ancien répondent, de loin, des bramements moins sourds et plus sonores. Et, lorsqu'il lui arrive de croiser la piste d'un rival en puissance, le vieux cerf provoque son cadet et l'accule au combat. Ramures baissées, les deux bêtes luttent et s'affrontent sans pitié. Si l'un des adversaires se découvre, l'autre en profite pour, d'un coup d'andouillers, lui labourer la poitrine ou le flanc. Les biches apeurées assistent au combat ; elles suivront le vainqueur, mais il arrive aussi que, profitant de ce que les deux autres se livrent un duel à mort, un troisième larron s'approprie les femelles. Car les biches ne sont fidèles que tant que le mâle est capable de faire respecter sa supériorité. Cette lutte acharnée, le heurt des ramures, le piétinement des taillis, les blessures que s'infligent les rivaux et la fuite des biches à la recherche d'un maître se renouvellent à diverses reprises. Après deux ou trois semaines consacrées aux jeux amoureux, le cerf part et s'enfonce seul dans la taïga. tandis que les biches se rassemblent. Après une gestation de deux cent cinquante jours, la femelle gravide s'écarte et met bas un ou deux faons.

Le cerf de Sibérie est connu des Chinois sous le nom de Malu (l'élan porte celui de To-lu ou de Kan-ta-ham), mais c'est surtout le cerf qu'ils apprécient à cause de sa ramure.

Chaque année, en hiver, les bois tombent puis repoussent au début du printemps ; en mai, la longueur définitive est pratiquement atteinte. Cependant, les andouillers sont encore constitués d'un tissu mou et cartilagineux et parcouru de vaisseaux sanguins ; l'ossification s'achèvera pendant l'été. Ces bois non encore formés — les Chinois les appellent « panty » — sont un précieux ingrédient de la pharmacopée chinoise ; ils valent, par conséquent, très cher.

Si les peuples archaïques qui vivent aux alentours du cercle polaire se sont toujours soumis avec humilité aux lois qui règlent la vie dans la nature, avec son alternance de vie et de mort, les civilisations extrême-orientales se sont, elles, efforcées de découvrir l'élixir de vie, c'est-à-dire le moyen de prolonger de quelques décennies la durée de l'existence. Le fait est que le jeune bois de cerf passe pour un régénérateur, pour un facteur de jouvence ; très recherché par les anciens empereurs de Chine, il valait plusieurs milliers de yuans. Le bois, réduit en poudre, est un des ingrédients de base de la pharmacopée chinoise que la médecine occidentale s'obstine à ignorer. Un vieil homme, assurent les Toungouses, rajeunit en prenant, matin et soir, deux doses de dix grammes de bois de cerf pulvérisé ; le sang circule, plus vif, dans ses veines et dans ses artères, son teint se colore ; il reprend des forces et retrouve sa virilité. Intrigué, je questionnai un indigène : « Et que se passe-t-il si un homme jeune en prend ? » J'obtins cette réponse : « Non, le bois de cerf ne rend service qu'aux vieillards ; les jeunes risqueraient de devenir aveugles et muets. Car, même à un bois de dix-cors il faut, chaque année, cinquante jours pour atteindre son complet développement. Ces cinquante jours sont précisément ceux pendant lesquels le cerf possède son maximum de force, celle qui suffit pour rendre gravides une harde de biches. Voilà pourquoi les andouillers de cerf sont des facteurs de vie. »

Nous avions pénétré dans la taïga et dans la direction d'où provenaient les bramements. La nuit tombait ; à mesure que les hurlements des loups augmentaient d'intensité, les cerfs se taisaient. Suivis de leurs femelles, les mâles se hâtaient de gagner les premiers contreforts du Baïkalasan où ils se sentaient en sûreté ; aux alentours de minuit et, ensuite, à trois reprises, le bramement se fit entendre.

Dans l'esprit des Toungouses et des autres primitifs sibériens, l'animal qui se laisse approcher par le chasseur et dont la chair est succulente passe pour avoir un « bon cœur ». C'est le cas pour le cerf, l'un des gibiers les plus recherchés ; les Toungouses parlent de lui avec respect et on ne doit jamais porter atteinte à l'âme de l'animal.

Par contre, ennemi héréditaire de tous les primitifs du Grand Nord le loup possède un « mauvais cœur ». On ne peut pas le domestiquer comme le chien et il en fait voir de dures aux chasseurs ; de plus, il est lâche et les autochtones ne sont guère renseignés sur son « âme ». Le Toungouse engage pourtant le dialogue avec le loup ; lorsqu'il l'entend hurler dans le lointain, il l'invoque et, après l'avoir empoisonné, il lui parle doucement, comme pour se faire pardonner. Mais le fait est que le Toungouse se sent encore plus mauvaise conscience lorsqu'il a tué un cerf, ce qui laisse supposer qu'il craint moins la vengeance de l'âme du loup que celle de l'âme du cerf.

En vertu d'une croyance répandue parmi tous les peuples de la région circumpolaire, un être vivant ne peut renaître que si ses ossements restent ensemble et au complet ; il est également interdit de s'opposer à sa résurrection ; de nombreuses populations de la taïga et de la toundra recueillent les os des cerfs, des élans et des autres bêtes qu'ils ont tuées et dépecées et les disposent sur des tertres ou les suspendent aux branches d'un arbre. Des Toungouses m'ont dit que même les ossements du loup sont parfois accrochés aux arbres ; Mrs Harva rapporte le même fait chez les Yakoutes. Cette croyance se fonde sur le raisonnement en vertu duquel les animaux possèdent aussi une intelligence, que l'homme comme l'animal possède une âme immortelle et que corps, esprit et âme ne peuvent se retrouver que si le squelette est conservé.

A la question : « Qu'est-ce qui distingue le loup du chien ? », nul, à l'exception des Toungouses, ne peut fournir de réponse satisfaisante. Pour les Toungouses, le problème est clair : le loup sait rire alors que le chien ne rit pas. Le loup a une gueule largement fendue, il est plus malin que le chien et plus rusé que le renard. Tout ce qu'il fait est mûrement pesé et réfléchi, surtout lorsqu'il est sur la piste d'une proie. En été, inutile d'essayer de l'attirer avec un appât. Si le renard se rue sur la boulette contenant de la strychnine et s'il l'avale toute ronde, le loup, en revanche, l'ouvre d'un coup de dents ; la trouvant amère, il la recrache aussitôt. Il ne touchera jamais plus une boulette de sa vie... En hiver seulement, il s'y laissera peut-être prendre à condition que la boulette ait été enrobée d'une épaisse couche de graisse. De même, il ne faut jamais toucher à un appât avec la main, car le loup, extrêmement circonspect, a comme une sorte de prescience et flaire de loin la fosse recouverte de branchages. S'il lui arrive de tomber dans un piège, il se débat tellement et fait de tels efforts pour se libérer que, la plupart du temps, l'animal, épuisé, y laisse toutes ses dents.

Les loups, éternels errants, mènent une existence vagabonde ; les chiens aussi dans une bien moindre mesure. Mais la queue du chien est dressée ou recourbée, alors que le loup laisse la sienne pendre derrière lui ; il a les yeux petits, fendus en amande, et sa vue est perçante. C'est pourquoi, lorsqu'il est en chasse, le loup trottine de préférence sur les hauteurs et suit la crête des collines, excellent observatoire qui permet la détection des proies.

Le loup est également un gourmet, en été, lorsqu'il fait chaud et que la taïga où il chasse est giboyeuse. Lorsqu'il est affamé, il est beaucoup moins difficile ; il ne dédaigne alors ni les mulots, ni les lézards, ni les poissons et, quand sévit le terrible hiver sibérien, il lui arrive de gratter la neige pour s'emplir l'estomac d'herbe de terre et même de crottin de cheval ou de bouse de vache. Le carnassier affamé est tapi, aux aguets, à la lisière de la forêt, prêt à sauter sur le cheval attelé au traîneau ou à la troïka. Il lui saute à la gorge et d'un coup de dents lui sectionne l'artère. Ou bien, à la faveur de la nuit ou du brouillard, le loup se glisse dans un village et s'attaque au bétail et même aux jeunes enfants. Réduit par la faim à la dernière extrémité, il ronge les os gelés. Leurs dents usées, les loups les perdent et un jour vient où la bête, squelettique, est incapable de chasser ; elle se traîne, puis meurt quelque part, d'inanition et de froid.

Les loups chassent en meute à une allure extrêmement rapide, au trot et à la file indienne ; chaque bête a soin de mettre ses pattes dans les traces laissées dans la neige par l'animal qui le précède. Mais les faiseurs de traces se fatiguent vite et se relaient fréquemment et ceux qui les suivent font preuve d'une telle adresse qu'il est difficile de faire la différence entre les marques laissées par une bête isolée et celles que laisse une meute.

Après avoir parcouru des dizaines de kilomètres à la recherche d'une proie, les loups se rassemblent sur une hauteur et se reposent, formés en cercle, chacun tournant la tête dans une direction différente. Cette disposition les met à l'abri des surprises. Ils ne chassent guère que la nuit ; flairant leur gibier à une grande distance, ils le rabattent et aboient pour prévenir leurs compagnons. En règle générale, un seul loup poursuit le lièvre, le renard ou le chevreuil mais, si la bête traquée fait un brusque crochet, elle trouvera un autre loup devant elle, car les autres membres de la meute trottent en flanc-garde. Les loups, maîtres en matière de ruse, semblent toujours surgir du néant et savent si bien couper la route à leurs victimes que leur victoire résulte, en grande partie, de l'effet de surprise.

Les meutes obéissent à un chef en vertu d'une stricte hiérarchie qui se fonde sur l'exercice de la force. Le plus fort mène la horde, les plus faibles s'inclinent et se soumettent ; ils rampent et poussent des cris plaintifs devant leur maître qui les accepte comme une marque de déférence.

LE LOUP A LE CŒUR FRAGILE

Quand un loup est malade ou blessé, il s'écarte de son plein gré, car il sait que, le jour où la faim le tenaillera, ses congénères profiteront de sa faiblesse, se jetteront sur lui et le mettront en pièces.

La période du rut dure une quinzaine de jours ; elle se situe entre la mi-décembre et la mi-janvier. Pendant la gestation qui se prolonge pendant cent jours, la louve gagne la taïga et choisit, de préférence, un îlot couvert d'herbes folles qui émerge des marécages ; elle sait qu'à cette époque de l'année, c'est-à-dire au printemps, les tourbières sont impraticables à l'homme, seul ennemi du loup, et que son approche peut être facilement décelée. Dans une tanière creusée dans le sol ou dans un terrier rudimentaire, la femelle met bas de quatre à dix louveteaux qu'elle allaite pendant cinq à six semaines. Après, le père se charge de la nourriture des petits ; à mesure que ceux-ci grandissent, le père et la mère se livrent à un véritable brigandage, attaquant les fermes et les villages et tuant indifféremment moutons, chèvres, porcs, oiseaux, volailles, etc. Avant que le loup adulte ne dépose sa proie dans la cache des louveteaux, il pousse un hurlement et c'est seulement quand les jeunes lui répondent qu'il se risque à les rejoindre. Bientôt, les jeunes chasseront, eux aussi, rassemblés en meute. Alors débutera la grande et périlleuse aventure, le jeu de cache-cache avec la faim et avec la mort, loi commune à toutes les créatures vivant dans la taïga.

Les loups sont de remarquables chasseurs ; ils en remontreraient à l'homme. Suivant le cas, ils battent le terrain, formant une chaîne ou un grand demi-cercle et ils excellent dans les manœuvres d'encerclement. Ils s'y prennent ainsi pour traquer l'élan qu'ils harcèlent et poursuivent de telle manière que, cerné, l'élan se trouve acculé sur le rebord d'une pente abrupte et surplombant un fleuve gelé. L'élan n'a pas d'autre issue ni le moyen de rompre l'encerclement ; le cercle peu à peu se resserre, les loups attaquent et l'élan, affolé, se précipite au bas de la pente. A peine a-t-il repris contact, en tremblant, avec la glace, que d'autres loups disposés en ligne lui barrent le passage. C'est alors que la curée commence...

CHAPITRE XVIII

Les derniers trois cents Manegas

> « *Jamais un Manega ne révèle le nom d'un de ses congénères adultes. Et, si quelqu'un l'interroge, il répondra : « Celui à propos duquel tu viens de me questionner est le fils (ou le père, le frère...) de tel autre. » Il est absolument impossible de lui arracher d'autres précisions.* »
>
> R. MAAK : *Puteschestwre na Amure,* Saint-Pétersbourg, 1859.

LE VENT souffle au-dessus de la taïga et fait osciller les cimes de millions et de millions d'arbres ; il arrache aux aiguilles des mélèzes un murmure incessant et aux branches un grondement atténué, analogue à celui du ressac sur les grèves, qui se mue en frôlement quand il caresse taillis et buissons qui poussent sous les ramures. Et les arbres se content mille histoires inlassablement répétées et reprises depuis des millénaires.

Sur la route que je suivais pour gagner la taïga et qui borde l'Amour, je rencontrai un Manega et sa famille avec qui j'eus la chance de pouvoir m'entretenir. Gundo, chef de tous les Manegas de la Mandchourie, a le corps trapu, les épaules larges, un crâne rond de Toungouse, les pommettes saillantes, les cheveux noirs et raides, le nez large et écrasé et un regard perçant qui filtre entre des paupières rapprochées. Il parle assez bien le russe, mais avec un très fort accent. Aujourd'hui, Gundo est mort, victime d'une balle tirée par un bandit, car Gundo s'était juré de régler leur compte à tous les bandits chinois de la vallée de l'Amour.

Sa réputation de tireur s'étendait jusqu'aux rives de l'Argoun ; son fils était, comme lui, un tireur émérite et un homme d'un courage à toute épreuve. Gundo était assez taciturne mais, lorsqu'on était parvenu à vaincre son mutisme, on en oubliait tout, la taïga, l'Amour et le sommeil.

Il y a trois siècles, les Manegas habitaient les versants nord et sud des monts Stanovoï. Refoulés, ils descendirent le cours de l'Ourkan et de l'Olgoja, arrivèrent sur le cours supérieur de l'Amour et s'établirent sur la rive méridionale du fleuve et de son affluent, la Kumara. A l'époque où eut lieu ma rencontre avec Gundo, la presque totalité des Manegas survivants était concentrée dans le nord de la Mandchourie. Mais c'est bien avant leurs migrations successives que les Manegas abandonnèrent l'élevage du renne pour celui du cheval. Comme je demandais à Gundo combien de Manegas vivaient en Mandchourie et sur la rive russe de l'Amour, il me donna les précisions suivantes : « A Tcherniaieva, sur l'Amour, ils sont soixante-treize hommes, soixante-quatre à Ouschakova, trente-sept à Koumartchen, trente et un à Panga, trente-six à Huma près d'Ouschakova, une trentaine à Sandaka et une quarantaine à Heho. » Tels sont les endroits où les Manegas se rendent de temps à autre pour échanger ou pour vendre peaux, chevaux et poissons séchés. Dans sa réponse, Gundo ne fit aucune allusion aux femmes et aux enfants, ce qui donne, pour l'ensemble de la population manega et pour l'année 1945 un effectif approximatif de six cents individus ; ce chiffre s'oppose aux estimations qui sont toutes très vagues. Gundo connaît personnellement la plupart de ses compatriotes ; il rapporte qu'au cours des dernières années près de la moitié des Manegas sont morts et, plus particulièrement, les femmes, victimes de la fièvre puerpérale. Gundo, « nojan » (chef) de la tribu des Manegas, est né à Yermakova, sur la rive russe de l'Amour ; jadis, son territoire de chasse comprenait la partie de la taïga que draîne la Seja, « le fleuve d'or », affluent de l'Amour. Par la suite, changeant de rive, Gundo se fixa dans la vallée de la Panga, autre tributaire du fleuve, Les dernières années de son existence, Gundo les a consacrées à la lutte contre les bandits chinois qui infestent le cours moyen de l'Amour.

Gundo s'ouvrit a moi des soucis que lui causait le sort de ses compatriotes ; la fermeture hermétique de la frontière entre la Mandchourie et la Sibérie les isole de leurs frères qui vivent

Coureur de taïga manega. (Photo Museum für Välkerkunde, Berlin.)

encore de l'autre côté du fleuve. Il me raconta que, dès maintenant, les Manegas ne se marient plus qu'entre eux et que les hommes sont en surnombre ; aussi les jeunes gens recherchent-ils pour épouses des Orotchones qui savent admirablement tirer parti de la situation. Pour les obtenir, il faut fournir au père des marchandises dont la valeur approche du millier de roubles ; pour un jeune Manega désireux de fonder un foyer, c'est une somme énorme qui équivaut, en fait, à 150 dollars environ.

Gundo se plaint aussi du manque de munitions qui limite les possibilités de chasse de ses administrés : « A la génération précédente, nous avons renoncé à nous servir de l'arc et des flèches sans apprendre pour autant à fabriquer fusils, cartouches et chevrotines. Nous sommes donc plus pauvres qu'auparavant, car des gens contraints de mendier des armes ne sont plus des chasseurs. » Il me raconte enfin qu'à la suite de ses initiatives les Houg-houses (brigands chinois) préfèrent éviter le territoire qu'habitent les Manegas. Son fils qui se tient près de lui sourit fièrement. Gundo était alors bien loin de se douter que, quelques semaines plus tard, une balle tirée par un de ceux dont il avait juré la perte aurait raison de lui.

Cette rencontre fut pour moi d'autant plus révélatrice que Gundo avait su s'élever au-dessus des préoccupations quotidiennes ; représentant de son peuple, il était parfaitement conscient que la survie des Manegas était gravement compromise.

Il y a, ou, plus exactement, il y avait deux catégories de Manegas, distinctes par la morphologie. Les uns ont le visage large et le nez écrasé de Gundo, les autres le visage oblong, les pommettes moins saillantes et le nez droit, sinon busqué. Ce dernier type physique est le plus curieux, car il est impossible qu'il résulte d'un métissage avec les Chinois. La constatation que Maak fit, en 1859, selon laquelle les Manegas ignoraient la jalousie et honoraient, chaque année, les fonctionnaires mandchous en visite dans leurs villages en leur prêtant leurs femmes, n'explique pas non plus les nez busqués. L'ovale des visages évoque tout au plus celui des Japonais de haut rang et, plus encore, celui de certains Indiens de l'Amérique du Nord.

Quiconque a parcouru les grandes forêts du Canada et de l'Asie du Nord-Est sait le rôle que joue le bouleau dans l'existence des primitifs circumpolaires ; ce rôle, il l'assume également dans l'économie domestique des Manegas. Avec des plaques d'écorce de bouleau, ils couvrent leurs cabanes et le bordage de leurs embarcations. Avec l'écorce du bouleau, ils confectionnent des seaux, des corbeilles, des tasses et des cuillers ainsi que certaines de leurs idoles et de leurs amulettes. Pour obtenir des plaques de grande surface, ils plongent les billots dans de l'eau bouillante et les y laissent macérer jusqu'à ce que l'écorce soit suffisamment souple pour pouvoir être travaillée sans se rompre. Les femmes cousent les morceaux à l'aide de tendons et les imprègnent, le cas échéant, avec de l'huile de baleine.

Pendant la belle saison, les Manegas s'adonnent à la pêche dans les eaux de l'Amour et de la Kumara ; l'hiver venu, ils s'enfoncent dans la taïga et chassent le gros gibier. Pour se protéger de la réverbération de la neige, ils portent des « saraptchi », sorte de lunettes dont les verres sont remplacés par une trame de crins très fins. Ce système possède l'avantage de protéger les yeux sans nuire à la vision.

Après la débâcle printanière, les Manegas pêchent l'esturgeon ; ils se servent généralement de filets et, aussi, de lances et de harpons. Jadis, quand la pêche sur l'Amour était libre et que le fleuve n'était pas encore devenu une frontière hermétique, les Manegas édifiaient sur les bancs de sable des plates-formes d'où ils pouvaient surveiller commodément les bras et les rapides. Un pêcheur armé d'un harpon se tenait dans un canot, prêt à intervenir ; dès que, du haut de sa plate-forme, le guetteur apercevait la forme sombre d'un esturgeon se détachant sur le fond clair, il avertissait son compagnon en lui désignant l'endroit où se tenait le poisson.

Dans les vallées de l'Albasiha et de la Kumara, les Manegas avaient pour habitude d'attirer les poissons en allumant de grands feux sur la rive ; entrant dans l'eau, ils les harponnaient et les tiraient à l'aide de crocs. En automne, ces feux attiraient aussi les saumons, les fameux « keta » des Russes ; l'hiver, les Manegas barraient le cours des rivières avec des claies munies de nasse.

Jusqu'en 1850, les Manegas chassaient à l'arc et j'ai moi-même vu, à l'index de la main droite de certains vieillards, un large anneau en corne ou en métal. Jadis utilisé pour tendre la corde, il n'avait plus qu'une valeur de talisman. Les Manegas trempaient la pointe de leurs flèches dans de la graisse à laquelle ils mêlaient des restes de viande avariée ; les blessures étaient toujours mortelles. La chair des bêtes ainsi empoisonnées ne semble pas, en tout cas, avoir compromis la santé des consommateurs ; de toute manière, la résistance aux toxiques est beaucoup plus grande chez les peuples primitifs que chez les représentants des races occidentales. Les derniers Manegas chassent désormais au fusil l'élan, le chevreuil, le sanglier et la zibeline, mais ils ne dédaignent pas, le cas échéant, la chair du blaireau, du renard ou du loup.

A partir de sa vingtième année et jusqu'à sa quarante-cinquième année, tout Manega était jadis tenu de fournir, chaque année, au gouvernement chinois une peau de zibeline. Dans le commerce de troc auquel se livraient les Russes, les Chinois et les Daures, les Manegas étaient toujours désavantagés ; les Daures, notamment, profitaient des « vaches maigres », c'est-à-dire des périodes où la pêche et la chasse étaient peu productives pour fournir à crédit aux Manegas des marchandises de mauvaise qualité qu'ils se faisaient rembourser en fourrures et à un taux trois ou quatre fois plus élevé. Ils leur vendaient du sel, du tabac, du thé, de la vodka et de l'orge et leur achetaient d'importantes quantités de peaux d'animaux rares. Maak insiste sur le fait que, chez tous les peuples sibériens archaïques, il a observé que le contact avec les Russes et les Chinois a toujours été préjudiciable à la pureté du type et à l'intégrité des mœurs. Les Manegas que j'ai connus ont toujours été d'une parfaite honnêteté et aucun ne s'est rendu coupable d'un larcin. Au cours de leurs longues absences, ils ont coutume de déposer dans la forêt leurs biens les plus précieux sur des sortes d'échafaudages couverts de plaques d'écorce et ils se fient à l'honnêteté de leurs congénères.

Il est indéniable que les échanges « culturels » avec la Russie et la Chine ont, dans une certaine mesure, porté préjudice aux qualités foncières des Manegas. Dans le monde entier, le heurt des peuples archaïques avec les civilisations évoluées a toujours provoqué le déclin et la décadence des premiers ; l'éthique des peuples que l'on s'obstine à qualifier de « peuples sans histoire », bien que tous en possèdent une, est d'autant plus développée que ce passé remonte à une époque lointaine. Les sociologues aimeraient faire croire que l'humanité s'est élevée et améliorée au cours des millénaires ; les ethnologues constatent exactement l'inverse.

Lorsqu'un Manega projette de se marier, il choisit une épouse et, comme chez la plupart des peuples sibériens, il « achète » la jeune fille au père. Les Manegas étant spécialisés dans l'élevage, cette dot consiste en rennes ou, parfois, en peaux et en ustensiles servant pour la chasse. Les jeunes filles, même impubères, peuvent néanmoins être épousées ; elles vaquent aux travaux domestiques dans la tente de leur mari et portent un ruban, emblème de la virginité.

Bons et mauvais, les esprits peuplent l'univers des Manegas, mais les derniers sont en majorité et les chamanes ont fort à faire pour les tenir à distance et les empêcher de nuire. Ils peuvent les invoquer, les obliger à modifier leurs caractéristiques et les chasser. Comme chez la plupart des peuples de la Sibérie, le chamane manega se double d'un médecin pour qui la thérapeutique à base de simples et de fougères n'a plus de secret. Parmi les Manegas, notamment chez les vieillards, les maladies nerveuses et les manifestations épileptiques sont relativement fréquentes ; pour les prévenir, le chamane remet au malade un cœur taillé dans le cuir ou le bois ; cette amulette censée éloigner les esprits mauvais doit être portée en permanence. Le fait est que la confiance dans l'efficacité de l'amulette capable de retenir et de catalyser la maladie a souvent pour conséquence la guérison du patient. Nul ne peut nier, d'autre part, que des remèdes, empiriques certes, mais qui agissent sur le psychisme, donnent de meilleurs résultats que les prétendus traitements auxquels les malades mentaux sont soumis dans bien des hôpitaux.

Le fait de représenter un visage ou même la silhouette d'un individu risque d'attirer sur lui les pires calamités et même de provoquer sa mort, si un ennemi s'en empare et s'il la détruit avec la volonté de nuire ; les Manegas croient également que prononcer le nom d'une personne suffit à recréer son « moi » et qu'alors elle est sans défense. Pour cette raison, le Manega éprouve la plus grande répugnance à révéler son nom ; si on l'y contraint, il donnera le nom d'un adversaire. Gundo fait exception, mais c'est un représentant particulièrement éclairé et évolué de la tribu des Manegas. Qu'il ait été tué, peu après notre rencontre, par une balle chinoise, a sans aucun doute été interprété par ses congénères comme un châtiment pour les révélations qu'il m'a faites.

La langue des Manegas rappelle l'idiome des Toungouses orotchons et, comme cela se produit souvent lorsqu'il est question de peuples primitifs, la richesse de leur vocabulaire a été longtemps sous-estimée. Les expressions et les termes qui se réfèrent aux phénomènes et aux manifestations naturelles sont très variés et imagés. Je proteste, en tout cas, contre l'opinion de certains spécialistes qui prétendent que la langue manega manque de termes capables d'exprimer des conceptions et des notions abstraites. Cette opinion, qui est celle de R. Maak et que reproduit le Dictionnaire encyclopédique publié, en 1896, à Saint-Pétersbourg, s'explique peut-être du fait que les Manegas refusent de fournir des précisions relatives à leurs croyances religieuses.

Pour eux, nommer quelqu'un ou évoquer un individu c'est faire appel à des forces invisibles et puissantes qui se rattachent à l'univers de la magie et au domaine de l'Etre Suprême dont l'habitat se situe aux alentours du pôle. Les civilisations occidentales et, surtout, la civilisation russe, la plus orientale de toutes, ont tendance à attribuer une plus grande importance aux choses matérielles qu'aux valeurs spirituelles et intellectuelles. Or, malgré les contacts et les emprunts qu'ils ont faits à la civilisation occidentale, les considérations matérialistes et rationnelles n'ont pas réussi à détourner les Toungouses ni les autres peuples de l'Asie du Nord-Est de leurs conceptions ancestrales.

CHAPITRE XIX

Les derniers Orotchons

> *« Plus j'ai été en contact avec les Orotchons et plus j'ai apprécié leur ingénuité, leur franchise et leur droiture ; j'en suis arrivé à la conclusion qu'un contact avec la civilisation moderne ne peut avoir pour eux que des conséquences désastreuses. »*
>
> Comte ALFRED KEYSERLING.

On compte, en Mandchourie, environ deux cents Orotchons, Toungouses éleveurs de rennes, dont le type physique est très proche de celui des Manegas. Un détail frappe néanmoins : la maigreur des Orotchons et, plus encore, celle de leurs jambes. De tous les peuples de la terre, ce sont eux les meilleurs marcheurs, les meilleurs coureurs des bois ; accoutumés depuis des siècles à parcourir les marécages et les terrains d'accès difficile, ils ont acquis une démarche élastique d'une extrême souplesse qui paraît copiée sur celle du renne. Intermédiaire entre la marche et le trot, cette allure permet de parcourir sept kilomètres à l'heure.

Tels des ombres, les Orotchons se déplacent rapidement et à l'aise à travers la taïga, dans les terrains détrempés et marécageux, là où le pied trouve difficilement une assise. L'Orotchon, de petite taille, est extraordinairement robuste. Le crâne est rond, la peau brune, les pommettes sont plus ou moins saillantes, les yeux, petits, noirs ou noisette sont à demi cachés par des paupières tombantes. Les sourcils font généralement défaut, le front est bas, le nez petit et aplati, la pilosité réduite et le regard perçant. Les

Couple de vieillards orotchons déjà occidentalisés. (Photo Museum für Välkerkunde, Berlin.)

rides du front et la partie supérieure du visage révèlent que les yeux, exercés à une observation constante, savent regarder au loin. La vue d'un Orotchon inspire immédiatement confiance et c'est sans appréhension qu'on s'enfoncerait seul dans la taïga avec l'un d'eux pour guide.

Leur visage exprime une bonté foncière, surtout quand l'Orotchon fume sa petite pipe taillée dans une racine, et le visage des

Femmes orotchones fumant devant leur tente. (Photo Museum für Välkerkunde, Berlin.)

femmes se signale par une certaine expression de timidité. Les Orotchons ont sauvegardé nombre de leurs qualités et caractéristiques originelles : sincérité, franchise, loyauté, ouverture d'esprit et serviabilité. Ce sont celles que possédaient jadis les premiers hommes qui vivaient en contact étroit avec la nature. Les Orotchons pratiquent l'entraide sans restriction aucune ; cela va si loin qu'ils donnent des rennes à leurs compatriotes qui ont perdu les leurs.

Chez les Toungouses éleveurs de rennes de la Mandchourie, les jeunes filles sont nubiles à partir de dix-sept ans. La conclusion des fiançailles est une cérémonie d'autant plus importante que les femmes orotchones sont rares et que chaque famille a pour préoccupation majeure celle de doter d'une épouse chacun de ses rejetons mâles. Les intermédiaires chargés de mener à bien les tractations portent le nom de « Kudo » ; quand aucun refus des parents de la jeune fille n'est prévisible, deux « kudos », hommes mariés appartenant au clan du jeune homme ou même à un autre clan, mais qui ne sont jamais des proches parents, se rendent en délégation auprès du père de la future. Ils s'entretiennent longuement de questions sans rapport avec l'objet de leur démarche, puis tirent finalement de dessous leurs vêtements une bouteille d'alcool chinois ou de vodka et l'offrent au père de la jeune fille ; la mère et les autres parents assistent généralement à l'entretien, car l'accord de la mère est extrêmement important.

La jeune fille est présente, elle aussi, mais les usages exigent qu'elle feigne d'ignorer de quoi il s'agit. Nul, d'ailleurs, ne la consulte, car le véritable objet des débats est le montant de la dot qui, contrairement à ce qui se passe en Occident, est versée par le père du jeune homme. Il ne s'agit pas, comme l'ont cru quelques ethnologues, d'un « achat » ; le « tori » ou « turi », nom de la dot en toungouse, est, en fait, un cadeau. Lorsque la fiancée est encore une enfant, le montant est modeste ; il augmente si la jeune fille est nubile et s'accroît dans la mesure où l'intéressée fait preuve de qualités domestiques, si elle est jolie, si ses parents occupent un rang élevé dans la hiérarchie tribale. Si, en plus, la future est une fine couturière, si elle sait monter et démonter rapidement une tente, traire les rennes et qu'en plus il la trouve à son goût, le fiancé ne lésine pas. Enfin, si la future épousée est la mère d'un enfant qui sera automatiquement admis dans le clan du mari, le « tori » sera particulièrement magnifique, car l'enfant est la preuve concrète que la jeune fille n'est pas stérile. Si, par contre, les parents de la jeune fille font des difficultés, les choses traînent en longueur ; auquel cas les palabres risquent de se prolonger plusieurs années.

La dot consiste généralement en rennes et en vodka ; les chevaux remplacent les rennes chez les Toungouses, de l'argent, des porcs et de l'alcool chinois chez les Goldis. De même qu'en Chine, en Inde, en Mongolie et au Japon, les conversations qui précèdent la conclusion d'un mariage ont souvent lieu alors que les « promis » n'ont pas encore atteint l'âge de la puberté.

Les modalités du mariage sont fixées longtemps à l'avance ; la veille de la cérémonie, le jeune homme vient saluer ses futurs beaux-parents ; il leur remet des cadeaux et passe la nuit avec sa fiancée. Mais la coutume exige qu'on feigne de l'ignorer. Même si le montant de la dot n'avait pas été déterminé et que le mariage fût retardé, nul ne s'oppose à ce que les fiancés vivent maritalement. Le jour des noces, a lieu la remise solennelle de la dot convenue. Vêtue d'habits de fête, la jeune fille, qui monte un renne, est conduite par les membres de son clan jusqu'à la tente du promis. En chemin, divers simulacres tendent à faire croire que la fiancée s'est perdue, qu'on la recherche et qu'on l'a retrouvée ; ces rites rappellent l'époque où les jeunes mariées étaient effectivement enlevées. Dans la tente et devant les invités, se déroulent divers rites sous la présidence du chamane. Puis un banquet réunit parents et invités ; à la viande de renne succèdent des sucreries et des pâtisseries arrosées de thé et d'alcool. Hommes et femmes sont strictement séparés ; les premiers sont tournés vers le nord-ouest, les autres vers le sud-est. Un ancien prononce un discours et d'autres lui répondent ; puis, le repas terminé, tout le monde prend part à une ronde analogue à celle que les Orotchons exécutent au printemps. Jeunes et vieux, femmes et enfants y participent à l'exception des jeunes mariés. La danse s'accompagne de chants. Puis, au moment où la fête bat son plein, au signal d'un ancien debout au milieu de la ronde, les jeunes filles s'enfuient.

Auparavant, chaque jeune homme a choisi la sienne et court à sa poursuite : s'il réussit à l'attraper, elle n'a rien à lui refuser. Mais les jeunes Orotchones courent vite et on ne les rattrape pas si facilement. En outre, si une jeune fille ne veut pas de son poursuivant pour amant, elle regagne en courant l'aire de danse où elle se sait en sûreté.

En règle générale, les unions sont heureuses et les divorces

A gauche : *jeune Orotchone de 17 ans, fille-mère, elle a droit à une dot particulièrement importante.* A droite : *nomade orotchon tenant dans sa main gauche la lance qui servait autrefois à tuer les ours. (Photo Museum für Välkerkunde, Berlin.)*

rarissimes, car les conditions de vie extrêmement dures font que l'homme et la femme sont étroitement solidaires dans toutes les circonstances de l'existence. D'autre part, soucieux d'assurer sa survie, le clan veille à la cohésion des ménages. Continuellement enceintes, les femmes vieillissent vite, mais, chez les hommes de quarante à cinquante ans, on constate également un vieillissement précoce. Les déplacements incessants, l'ampleur des variations thermiques entre le jour et la nuit et la rigueur inhumaine des hivers ont tôt fait d'user leurs forces.

Lorsqu'une naissance est attendue, on édifie une tente à l'écart des autres tentes. La parturiente passait jadis pour « impure » et cette notion n'est pas encore totalement abolie ; il y a quelques dizaines d'années, la femme sur le point d'accoucher recevait sa nourriture dans un seau en écorce de bouleau fixé au bout d'une longue perche afin d'éviter tout contact impur à celui ou à celle qui la lui apportait. La malheureuse devait accoucher seule. Même actuellement, la tente réservée aux parturientes ne comporte pas de chauffage et les jeunes Orotchons viennent au monde par trente à quarante degrés au-dessous de zéro ; la mère les frotte avec de la neige pour activer la circulation du sang. A l'intérieur de la tente, la « table de travail » se présente sous la forme d'un tronc posé, à soixante-dix centimètres du sol, sur deux poteaux enfoncés en terre, au-dessus duquel la femme se couche sur le ventre. L'enfant tombe sur le sol, se met à respirer, puis à crier. Le nouveau-né est alors soumis à une cérémonie très simple de purification, puis la mère et l'enfant regagnent la tente familiale.

Dès les premiers jours, on habitue le nourrisson au froid ; afin de les endurcir, les jeunes Orotchons sont chassés de la proximité du foyer et même de la tente et il n'est pas rare de voir des jeunes d'un ou de deux ans se traîner nus, dans la neige glacée, par quarante degrés au-dessous de zéro ! A douze ans, les garçons reçoivent une carabine et commencent à chasser ; à seize, ce sont de vrais chasseurs. Les filles, pendant ce temps, apprennent à coudre, à mettre de l'ordre dans la tente et à s'occuper des enfants et des rennes.

Quand une communauté d'Orotchons décide de faire halte, tous mettent la main à la pâte ; en commun, on aplanit et on défriche l'emplacement réservé au montage des tentes, on coupe de jeunes arbres qui serviront de perches et d'armature, on ramasse du bois mort, on va chercher de l'eau et on dételle les rennes. Dans leurs berceaux suspendus aux perches des tentes en construction, les nouveau-nés braillent, mais nul ne s'en soucie.

Finalement, les tentes sont montées. Des ouvertures supérieures s'échappent des volutes de fumée bleue ; à l'inverse des chasseurs russes qui, pour édifier des foyers, entassent des troncs d'arbres morts, les Orotchons préfèrent les foyers plus petits et se servent de branches sèches de l'épaisseur du bras. Pour manger la viande, on procède de la manière suivante : on mord dans un morceau, puis on le coupe, au couteau, au ras des lèvres. Ce procédé favorise la mastication et permet de ne rien perdre du jus. La nuit venue, tout le monde s'enroule, nu, dans les peaux ; on dort ainsi, dos contre dos, chacun réchauffant l'autre.

CHAPITRE XX

L'Orotchon et le renne

« Entre le renne et son maître, l'entente est toujours parfaite. C'est là l'une des grandes surprises qui attendent le voyageur aventuré dans la taïga. »

LORSQUE je l'ai connue, la Mandchourie septentrionale était encore une région où les Toungouses menaient une vie libre. Les forêts et les marécages y sont si vastes et impraticables qu'aucun contrôle n'était possible de la part des Japonais, des Chinois ou des Russes et toute cette partie de la Mandchourie échappait à l'emprise de la bureaucratie.

Dans la langue des Orotchons, « Oro » signifie « renne » et « tchon » « homme » ; le paradis est justement l'endroit où l'homme et le renne vivent en parfaite harmonie.

Montant son renne. Emematu, un Orotchon, emprunte les sentiers étroits qui escaladent les pentes entre les sapins rabougris et débouche dans une clairière qui le conduit jusqu'à un vaste marécage. A une allure incroyablement légère et avec une sûreté inégalable, l'animal avance avec rapidité. La taïga est son domaine et il n'est pas d'obstacle : pierres éclatées et coupantes, buissons épineux, arbres morts qui obstruent le chemin, racines enchevêtrées, marais sans fond, torrents bondissants qu'il ne franchisse comme en se jouant.

Emematu chante et se laisse bercer par sa monture : « Petit arbre vert, tu as encore des feuilles. Bientôt, l'hiver sera là et tes branches pendront tristement. » L'Orotchon lève les yeux, puis poursuit sa chanson : « D'ici, on jurerait un nuage doux et vert, mais le diable se cache de l'autre côté. Je te connais... » Puis son regard rencontre les andouillers du renne et il continue : « Mot moddu, marche encore, mot moddu, en avant. Fais vite ! Car, bientôt, tu auras du fourrage et un lieu de repos. Pour l'instant, cours ! »

Rares sont les Européens qui ont chevauché un renne. Son échine est extrêmement mobile et le cavalier est assis directement sur les omoplates. Pas de guides, mais une simple cordelette passée autour du museau ; l'animal se dirige avec les jambes et non pas à l'aide d'un mors. Il faut posséder un sens inné de l'équilibre et il suffit d'un rien pour le perdre et faire glisser la selle. D'autre part, un homme normal représente une lourde charge pour un renne et le cheval est à la fois plus fort et moins souple. Les rennes, en revanche, ne restent jamais sur place. Lorsqu'on demande à Emematu depuis combien de temps rennes et hommes cohabitent, il répond : « Depuis que les arbres ont des feuilles, depuis que le ciel porte des étoiles, depuis qu'Evenki parcourt les forêts. » Ce qui veut dire : de toute éternité. Cela correspond d'ailleurs à la réalité, car le renne est domestiqué depuis des générations et accoutumé à vivre en compagnie de l'homme. La civilisation des Orotchons est tout entière centrée autour de l'élevage du renne ; tout dérive de lui et tout s'y rapporte, y compris les innombrables expressions qui mêlent inextricablement l'univers humain et celui du renne.

Les rennes d'élevage ont le poil blanc, gris fumée ou noir ; rares sont les bêtes dont la toison est brune. L'échine et les cuisses sont généralement de couleur sombre, le ventre et le bas des pattes plus clairs. Le poids des andouillers atteint fréquemment une quinzaine de kilos ; dès le premier automne ils ont une vingtaine de centimètres de hauteur, mais ce n'est qu'au cinquième automne que les bois possèdent leur complet développement. Ensuite et chaque année, leur taille diminue. L'animal perd ses bois dans la première moitié du mois d'avril, mais ils repoussent peu après et se couvrent d'une sorte de peau cornée qui tombe au début de septembre, soit naturellement, soit parce que les animaux frottent leurs andouillers contre le tronc des arbres. Cette peau est irriguée par un réseau de veinules et cela explique qu'on rencontre parfois des rennes dont le front ruisselle de sang. Ces rennes sont l'exception car, dès le début du mois de septembre, les Orotchons procèdent eux-mêmes à l'ablation des andouillers ; la base est solidement garrottée, puis le bois est scié avec une lame fixée à un manche en os. En cas d'hémorragie, les éleveurs ont recours au fer rouge pour arrêter le sang. Cette opération est d'ailleurs indolore et les rennes se laissent faire ; elle a, d'autre part, l'avantage d'éviter que les andouillers ne se brisent, ce qui, inévitablement, mutilerait l'animal. Les rennes femelles ont les bois beaucoup moins développés et c'est seulement lorsqu'elles sont stériles que les andouillers augmentent de volume et atteignent la taille de ceux des mâles.

De longs poils blancs pendent sur la poitrine et les Toungouses croient fermement que couper ces poils équivaut à vouer le renne à une mort prochaine. Ces poils n'en servent pas moins à orner outres et sacs en peau, mais les femmes Orotchons les arrachent au lieu de les couper. La toison, très rase, est extrêmement fournie ; au printemps, elle tombe par touffes et les plaques ressemblent à des plaques de pelade mais, dès le début de l'automne, le renne a retrouvé sa fourrure d'hiver.

Les Orotchons nomment « Sachoi » les rennes sauvages qui n'existent plus que près du cours supérieur de la Vitimkan et de la Muja et qui paraissent également fréquenter le territoire des Yakoutes. Parmi les rennes sauvages, les animaux au pelage blanc ou noir sont inconnus.

Les rennes se nourrissent surtout de lichens que les Orotchons connaissent sous le nom de laucta et les Yakoutes sous celui de labykta, de champignons, de baies et de jeunes pousses. Si les lichens viennent à manquer, le renne dépérit ; aussi est-ce presque uniquement dans la taïga et, en partie dans la toundra qu'on le rencontre, entre le cours de l'Iénisseï et le détroit de Béring. Dans la Transbaïkalie, les plateaux qui s'étendent le long du Vitim et du cours supérieur de la Seja et de la Bureja se prêtent admirablement à l'élevage du renne. En Mandchourie, il n'y en a que dans la partie de la taïga qu'arrosent les rivières Bystraïa, Albasiha et la Koumara et ils sont d'ailleurs originaires de la Sibérie.

Vert pâle, les lichens dont se nourrit le renne donnent aux clairières qu'ils tapissent une teinte d'un vert soutenu, très agréable à l'œil, et qui, à l'ombre, possède des reflets gris argent ; ils poussent également sur les racines, sur les pierres, la caillasse et, surtout, sur les troncs des arbres dont ils couvrent l'écorce. Ce détail a son importance car, en hiver, la neige atteint une épaisseur telle qu'incapable de creuser à une profondeur suffisante, les rennes broutent les lichens à la surface des troncs. Il arrive également que les

Orotchons abattent de petits arbres pour procurer à leurs bêtes les lichens qu'elles ne pourraient atteindre autrement.

Les rennes sont extrêmement gourmands de sel ; aussi les femmes orotchones sont-elles toujours munies d'un petit sac, le « Davasuruk » (de davasun = sel) et de claquettes formées de sabots de rennes qui leur servent à appeler et à rameuter les animaux épars dans la forêt.

Un renne porte, en général, une charge inerte qui n'excède pas 32,76 kilos ; elle est, certes, très inférieure à celle que porte le cheval, mais ce dernier est incapable de se mouvoir sur les sols marécageux de l'intérieur de la taïga où le renne transporte allègrement celui qui le chevauche et son bagage. Il est vrai que les Orotchons ont une ossature très fine et les femmes pèsent rarement plus de 45 kilos. En outre, le renne possède une particularité dont le cheval est dénué : il « sent » sa charge et « éprouve » le besoin d'atteindre le but quels que soient les obstacles, alors que le cheval déteste les poids morts. Avec une trentaine de kilos, un renne parcourt aisément de trente à cinquante kilomètres en terrain difficile et, en hiver, un traîneau attelé de deux rennes couvre couramment soixante-quinze kilomètres par jour. Mais les Orotchons de la Mandchourie n'utilisent pas de traîneaux.

Les rennes, confiés à la garde des femmes, sont traits par elles, mais le lait de renne, épais et douceâtre, est pauvre en matières grasses. Pendant la traite, le renne reste immobile et la femme tient le licol entre ses dents. En cours de route, chaque bête est attachée à la selle de l'animal qui la précède ; le premier est chevauché par la femme qui fait office de chef de file. Les jeunes rennes suivent librement le gros de la troupe, mais leurs écarts continuels sont un souci permanent pour ceux qui ont la responsabilité de la caravane.

Certains ethnologues prétendent que l'abattage et le dépeçage sont l'œuvre des femmes orotchones ; c'est là un point que je ne puis ni confirmer ni infirmer. Mais ce que je sais, c'est que l'Orotchon ne tue ses rennes que si la famine ou une maladie l'y contraint ou encore pour satisfaire à un rite sacrificiel. La bête est assommée d'un coup de massue, puis, une fois à terre, on l'achève en lui plantant un couteau dans la nuque ; le couteau est immédiatement remplacé par un coin en bois pour empêcher le sang de couler.

Tout ce que le Toungouse porte sur lui : vêtements, chaussures,

Le renne fournit aux Orotchons la totalité de leur habillement, les poils de l'animal tiennent lieu de fil. Les tuniques en peau sont richement ornées. (Photo Museum für Välkerkunde, Berlin.)

coiffure est en cuir de renne et les gants également, sauf s'ils sont taillés dans des peaux d'écureuils bleus.

En règle générale, les Orotchons se déplacent par trois ou quatre familles ; leurs rennes, rassemblés en un troupeau unique, cherchent eux-mêmes leur pâture et le point d'eau où ils s'abreuveront. A chaque halte, les rennes s'écartent du campement et se mettent en quête de clairières herbeuses qui sont souvent situées à plusieurs kilomètres du campement. Parfois, ils rentrent à la tombée de la nuit, mais parfois aussi, il leur arrive de rester plusieurs jours absents. Pourtant, il existe une « force » qui, quelles que soient les circonstances, pousse le renne à rechercher la compagnie de l'homme ; cette « force » n'est autre que le loup, ennemi mortel du renne, qui devient un fléau permanent pendant les grands froids de l'hiver. Il n'est pas rare que la moitié de l'effectif d'un troupeau périsse victime d'une harde de loups. Les vieux rennes connaissent d'expérience les méthodes d'attaque et les procédés d'encerclement des loups et ils se tiennent constamment sur leurs gardes ; toujours en éveil, ils savent quand il faut prendre la fuite avant qu'il ne soit trop tard. Les jeunes bêtes, en revanche, sont une proie rêvée pour les carnassiers. Cette lutte incessante, alternance de fuites, de poursuites, de chasses éperdues au plus profond de la taïga, ramène, la nuit, aux alentours du campement, les rennes haletants. Plusieurs portent des blessures, car le loup s'attaque d'abord aux jambes, puis bondit au museau du renne ; si la bête est fatiguée par une journée de portage, son sort sera bientôt scellé.

Aussi, la nuit, l'Orotchon veille-t-il devant sa tente, attentif aux aboiements des chiens qui, s'ils signalent la présence du loup, n'ont pas le courage de l'attaquer. De loin, il entend les hurlements de la meute affamée, le bruit sec que font les branches qui cassent, le martèlement des sabots des rennes affolés. Saisissant son fusil, il tire un coup en l'air ; quelques minutes plus tard, les rennes, haletants et demi-morts de peur, sont groupés autour des tentes. Il ne reste plus à espérer que la crainte que l'homme inspire au loup soit plus forte que la faim qui le tenaille, car, autrement, avec ses congénères, il n'hésiterait pas à attaquer en force le campement.

L'Orotchon songe à la vengeance mais, comme tous les habitants de la taïga, ce n'est pas le fusil à la main qu'il affronte le loup ; il cherche à l'attirer dans un piège avec un appât empoisonné, avec la strychnine qu'il a achetée sur les bords de l'Argoun. Dans quatre-vingt-dix pour cent des cas, le loup flaire l'appât, et, méfiant, il évente la ruse et s'éloigne, la langue pendante. A le voir ainsi, la gueule ouverte, on a l'impression qu'il ricane. Quand, à l'aube, l'Orotchon vient visiter son piège, la strychnine qui a épargné le loup a tué un ou deux chiens qui ont dévoré la viande ; les facilités de vie qui résultent, pour le chien, de sa cohabitation avec l'homme et les modifications intervenues dans son mode d'existence ont, en effet, considérablement émoussé son flair ; sur ce point, son infériorité par rapport au loup est manifeste. Les traces laissées par le carnassier prouvent qu'il a rôdé autour du piège mais qu'il a éventé la ruse et qu'il est allé poursuivre ailleurs ses méfaits.

A l'époque du rut, les rennes mâles s'efforcent d'attirer quelques femelles dans la taïga mais, en pareil cas, le risque est grand que les femelles soient la proie des loups. Aussi, à titre préventif, les Orotchons construisent-ils un enclos, le « kure », dans lequel ils enferment les rennes femelles. Hommes et femmes travaillent ensemble à le construire ; à l'intérieur, les mères allaitent leurs petits tandis qu'à l'extérieur les mâles font le tour des barrières et s'affrontent. Ils ne mangent que la quantité de lichen nécessaire pour les maintenir en vie ; leur nuque et leur poitrine s'élargissent, la peau du front durcit, les yeux injectés de sang ont une expression menaçante. De leurs sabots, les bêtes martèlent le sol, elles se heurtent et se bousculent avec leurs bois tronqués, se dressent sur leurs pattes postérieures et s'efforcent de porter un coup à leur rival avec les sabots de devant. Si leurs andouillers n'avaient pas été sciés à titre préventif, les animaux s'infligeraient des blessures mortelles. Aux mâles les plus nerveux et les plus agressifs, on met une sorte de joug en bois qui limite leur liberté de mouvement. L'époque du rut se prolonge jusque vers la mi-octobre, puis les rennes des deux sexes recommencent à vivre paisiblement ensemble.

Un troupeau de rennes comprend deux ou trois mâles, vingt-cinq bêtes castrées, dix à quinze femelles en âge de mettre bas, c'est-à-dire âgées de plus de deux ans et une trentaine de jeunes bêtes ; la moitié mourra, victime des épizooties et, plus particulièrement, de la pleurésie, avant d'avoir atteint la maturité. Lehtisalo rapporte qu'en 1848, vingt mille rennes moururent de pleurésie. En été, les taons et les moustiques sont un véritable fléau ; quand le temps est très chaud, une espèce de taon a la fâcheuse habitude de déposer ses larves dans les naseaux du renne. La bête souffle, renâcle, mais rien n'y fait et les larves envahissent l'arrière-nez et la gorge : si le renne est robuste, il parviendra, à la longue, à expulser les parasites mais, s'il est faible, il mourra lentement, asphyxié par la prolifération des larves qui envahissent peu à peu l'appareil respiratoire.

Le nombre des rennes vivant dans la taïga de la Mandchourie du Nord se monte à quelques centaines, mais la Sibérie en compte deux millions qui jouent un rôle important dans l'économie sibérienne en tant que bêtes de trait et, plus particulièrement, dans les régions voisines du cercle polaire. Grâce aux rennes et aux traîneaux, il est possible d'atteindre les lieux les moins accessibles de l'Arctique, notamment ceux où les difficultés de ravitaillement excluent l'utilisation des chiens. Il faut emporter la nourriture des chiens alors que le renne cherche lui-même sa pitance. Il n'en est pas moins vrai qu'en 1926 on comptait 27 102 850 chiens pour une superficie de 10 201 210 km², soit, comme l'a calculé Wassiliev, 2,06 chiens par km².

Le Glavsevmorput, administration de l'Arctique soviétique, qui englobe toute la partie de la Sibérie située au nord du 60e degré qui se confond approximativement avec celui d'Irkoutsk a créé des stations de vétérinaires et d'élevage en vue d'accroître l'effectif des troupeaux de rennes sibériens. Des centres de vulgarisation itinérants doivent extirper l'analphabétisme qui sévit encore chez les pasteurs de rennes. A Obdorsk, sur le cours inférieur de l'Ob, à Igarka, sur l'Iénisseï et à Yakoutks, sur la Lena, des instituts ont été fondés pour initier les habitants aux conditions spéciales de l'agriculture et de l'élevage dans les régions circumpolaires ; à Leningrad, enfin, fonctionne un institut de recherches pour les industries du renne. Cet ensemble de mesures a pour objectifs la fixation des nomades de l'Arctique qui relèvent de soixante nationalités différentes, et leur intégration administrative. Arraché à son milieu ancestral, le nomade se familiarise de cette façon avec les modes d'existence que sa physiologie même lui interdit. Il en est résulté, dans certaines régions, la propagation extrêmement rapide de la tuberculose, car aucun institut doté du chauffage central et des derniers perfectionnements techniques ne remplacera le savoir des Toungouses, fruit d'une expérience plurimillénaire.

Le Chinois n'est pas un bon éleveur de bétail ; il ne traite bien ni sa vache ni son cheval. Le Toungouse, en revanche, leur porte une réelle affection ; il ne les considère ni comme des outils de travail ni comme un matériel destiné à l'exploitation. L'Orotchon n'utilise jamais le bâton ni le fouet pour faire avancer ses rennes ; sa voix seule suffit pour qu'ils obéissent. Chaque renne d'ailleurs a son nom qu'il connaît et auquel il répond : Onyikan, Ogdikan, Buyudikan, Nuktukan, pour n'en citer que quelques-uns.

Entre le renne et l'Orotchon règne une entente subtile et c'est là une des plus étranges découvertes que l'étranger fait lorsqu'il vit avec les habitants de la taïga. Un Toungouse qui chevauche à travers la forêt pense à la monture qui le porte ; en elle, il voit une amie et il s'en sent tout aussi dépendant que le citadin l'est des artifices de la technique moderne.

Un enterrement dans la Tondra. (Photo W. Jochelson : The Jukaghir the Jesup North Pacific Expédition.)

CHAPITRE XXI

L'agonie des Toungouses

> *« Après quatre siècles d'influence européenne s'exerçant sur tous les peuples non européens, il n'y aura bientôt plus de peuple, de groupe ethnique ou de race qui ne soit européanisé. »*
>
> ANDREAS LOMMEL :
> « Le culte-cargo en Mélanésie »,
> *Journal d'Ethnologie,* 78, 1953.

COMBIEN de temps encore ?

L'Asie du Nord-Est n'a-t-elle pas jadis appartenu tout entière aux Toungouses ?

Des eaux tristes et mélancoliques de l'Iénisseï à celles du détroit de Béring et de la péninsule du Kamtchatka, de l'océan Arctique jusqu'à la Mandchourie et aux frontières de la Corée, erraient les nomades toungouses. Il en était ainsi depuis la nuit des temps, depuis un passé qui plonge ses racines dans une obscurité aussi profonde que peut l'être la grande forêt sibérienne. Car ce territoire est incommensurable ; sa variété est inimaginable, par ses climats, par sa faune, par sa végétation.

Il faut commencer par s'affranchir de la notion qui veut que les nomades soient des « sauvages », des « arriérés » et des « primitifs ». De même, le nomadisme ne représente pas une étape intermédiaire entre le stade de la cueillette et celui de l'agriculture. L'existence nomade est, au contraire, un mode de vie hautement spécialisé qui nécessite une perception très nette des distances et de la topographie et un sens très développé de la nature et de l'orientation. Ce qu'on entend par nomadisme n'est autre qu'une incessante et lente migration vers des territoires plus giboyeux, plus riches en ressources alimentaires, la recherche des pâturages les plus plantureux au printemps et en été et celle des endroits qui permettent d'hiverner dans les conditions les meilleures. Le nomadisme exige des connaissances approfondies de la psychologie animale, des possibilités d'adaptation et des habitudes du bétail. Les nomades ont toujours su résoudre brillamment le problème des transports dans les régions les moins accessibles. Le nomade doit se tenir prêt à répondre à une attaque brusquée et à affronter le danger d'où qu'il vienne. Des dizaines de milliers d'années se sont écoulées avant que l'homme sût subsister dans la steppe et dans la forêt et c'est une civilisation extrêmement évoluée qu'il a conservée intacte depuis des temps immémoriaux. Les éleveurs toungouses qui voient également dans le renne un « reproducteur » de lait possèdent un extraordinaire bagage de connaissances ataviques et un patrimoine de valeurs culturelles et de biens matériels dont on a peine à imaginer la richesse. Comme l'a dit d'une manière si juste Ellis H. Minns, la vie du nomade exige beaucoup d'habileté, du courage et de l'endurance. Le nomade n'a pas à se pencher sur un sillon, sous le soleil, dans la chaleur, dans la poussière baignée de sueur. Il vit au rythme de la nature ambiante et ses pensées sont à l'échelle de l'immensité de l'horizon. Et, surtout, il vit libre, sans maître et sans entraves, une vie que le paysan ne connaîtra jamais.

Le citadin et l'agriculteur n'ont aucune idée de la culture atavique du Toungouse, du sixième sens qui lui fait découvrir le sentier permettant de franchir l'infranchissable, d'interpréter les signes qu'il lit dans la rosée et dans la forme des nuages, de sa connaissance de la construction des tentes, de l'élevage du renne, du travail des peaux, du code d'honneur de la taïga, des cérémonies qui sanctionnent et avalisent chaque mariage. Ils ne savent rien de la liberté dont jouissent les nomades ; elle se termine là où commence le champ, le village, la ville. Pour eux, un nomade ne peut pas ne pas être un sauvage.

Il est vrai que, partout, où le nomade l'emporte, il laisse les villes en cendres et anéantit une civilisation urbaine dont l'utilité lui échappe. Toujours le même spectacle se renouvelle. Un jour, le nomade arrive, brandissant une épée nouvellement forgée, et anéantit Babylone ; ce n'est que deux mille ans plus tard que des archéologues à lunettes parviendront à regrouper tant bien que mal ses vestiges. Pour commencer, le libre habitant des steppes interdit au commerçant le passage qui mène au-delà des déserts ou de la taïga ; ensuite, plein de hargne et décidé à frapper, il suit la route qu'il emprunta mille fois, sujet humble et soumis, conduisant à la ville. Mais il est une chose qui lui est interdite : faire du sédentaire un nomade. Les guerres, les famines, les inondations sont, certes, susceptibles d'arracher le paysan à sa glèbe mais, ramassant le peu qui lui reste, il s'installe ailleurs et recommence à tracer des sillons. Telle fut l'histoire des vallées et des grands fleuves, celle du Nil, de l'Euphrate du Hoang-ho et du Yang-tsé-kiang ; une fois fixé, l'homme qui cultive la terre ne l'abandonne plus. Il est perdu pour le nomadisme. Le citadin peut, lui, mettre le nomade sous tutelle en lui laissant le choix entre l'adaptation et la disparition. Ainsi s'explique qu'au cours des siècles des continents entiers aient été soustraits à l'empire des nomades : l'Amérique du Nord aux Indiens, l'Australie aux Australoïdes et d'immenses étendues de l'Asie centrale aux Scythes.

Tentes Toungouses. (Musée de l'homme, cliché Toumanof, 1882.)

Là où cesse la taïga et où le paysan chinois a tracé ses sillons, il s'efforce de fixer le Toungouse. La volonté d'imposer à autrui son propre mode de vie est un trait commun à tous les hommes ! D'ailleurs, l'Occidental n'agit pas autrement. La manière dont il vit lui apparaît la seule rationnelle et c'est sur cette certitude qu'il fonde sa civilisation ; car, à dater du moment où il douterait de sa supériorité et de son bon droit, l'avenir du Blanc serait aussitôt compromis. Néanmoins, même si une civilisarion ne peut se concevoir qu'en fonction des critères et des normes qui lui sont propres, il est curieux que nous ne puissions pas, en matière d'ethnologie, faire abstraction de notre manière de voir. Disposant de méthodes scientifiques rationnelles et modernes, nous commettons malgré cela l'erreur de ne considérer, chez les peuples « primitifs », comme des produits de l'évolution et du progrès, que ce qui supporte la comparaison avec ce que nous possédons nous-mêmes.

A ce manque d'objectivité, défaut humain fruste et élémentaire, les Russes n'échappent pas plus que les autres et ceux qui s'en rendent coupables sont précisément ceux qui travaillent obstinément à civiliser et à guider sur la voie du progrès les populations sibériennes. Le Toungouse qui ne partage pas les idées des dirigeants soviétiques passe pour un arriéré, bien que la civilisation toungouse soit plusieurs fois millénaire.

« A la Révolution d'octobre, écrit l'ethnologue soviétique A.F. Anisimov, de nombreux peuples de l'ancienne Russie tsariste, notamment les autochtones des régions septentrionales de l'Union soviétique, possédaient un niveau extrêmement bas de civilisation. » Il est donc, selon lui, indispensable d'intégrer à la culture socialiste des hommes dont l'évolution s'est arrêtée là où elle était il y a un millénaire. Pour montrer à quel point les peuples circumpolaires sont rétrogrades au triple point de vue économique, culturel et politique, Anisimov insiste sur leur technique apparentée à celle du Néolithique ; parlant de l'économie nomade des Toungouses, il la qualifie de « semi-naturelle » et de « retardataire ». Il admet néanmoins que l'intégration des nomades sibériens présente un réel danger et il précise que les mesures à prendre devront tenir compte des formes collectives de l'ancienne existence nomade, ce qui avait d'ailleurs été fait jusqu'en 1936. Dans son ouvrage : « Le ruisseau d'or », l'écrivain soviétique N. Iakoutski brosse le portrait idéal du Toungouse moderne, tel du moins que les Russes se plaisent à l'imaginer : « Le matin, quand le soleil illumine de ses rayons les forêts enneigées et les collines bleutées, la sirène de la centrale électrique du cercle éveille les habitants du village de Tchagda. Dans toutes les agglomérations jadis habitées par les nomades, des fumées bleues s'échappent des cheminées de maisons de bois solidement construites. Désormais, il n'y a plus de nomades à Utchur ; les familles des chasseurs vivent dans des maisons propres et confortables chauffées par des poêles en briques ; contrairement à jadis, ils ne dorment plus à côté du foyer, leurs enfants serrés contre eux, mais dans des lits et ils s'habillent avec décence. Il est très rare que quelqu'un ne sache ni lire ni écrire ; tous les enfants vont à l'école et, ces dernières années, les Evenki (Toungouses) ont fourni un grand nombre de spécialistes : instituteurs, médecins, ingénieurs, ingénieurs des mines, géologues, experts en fourrures et chasseurs hautement spécialisés. La jeunesse évenki ne connaît plus que par oui-dire l'effroyable passé. »

Ce passé était donc si terrible ?

C'était l'époque où les Toungouses pouvaient encore se livrer au nomadisme, où ils chassaient à leur guise, où ils se déplaçaient comme ils l'entendaient à travers toundra et taïga, bref l'époque où ils étaient eux-mêmes. Ceux qui habitent des maisons confortables et qui dorment dans des lits ne méritent plus le qualificatif de Toungouses ; on leur a enlevé ce qui constituait leur patrimoine culturel et ils ont perdu leur caractère original. A l'exception de la grande boucle de l'Amour, les Toungouses ont perdu la Mandchourie et ils sont en train de perdre la Sibérie ; de même, petit à petit, la Mongolie intérieure et la Mongolie extérieure échappent aux Mongols.

Existe-t-il un lien de parenté entre Toungouses, Mongols et peuples turcs ? Les ethnologues classent dans la catégorie des peuples altaïques les populations finnoises, turques, mongoles, les habitants de langue mongole de l'Asie centrale, les Toungouses de l'Asie septentrionale et les Samoyèdes de l'Europe du Nord. Pour simplifier, les peuples turcs, les Mongols et les Toungouses font partie de la race altaïque. Toutefois, ce classement est d'ordre linguistique plutôt que d'ordre culturel et l'on peut aussi bien parler de peuples de langues turco-tartare, mongole et toungouse présentant un certain nombre de similitudes et un nombre tout aussi important de différences. Johannes Benzing a fait remarquer avec juste raison que la parenté des peuples de race et de langue altaïques est beaucoup plus difficile à discuter que celles des langues indo-européennes ou sémitiques qui se distinguent des autres idiomes et les unes des autres par leur type et leur vocabulaire. On peut à la rigueur supposer qu'il existe un lien entre le turc et le mongol, mais rien n'est moins prouvé. S. M. Chirokogoro estime, pour sa part, qu'on ne possède pas, pour l'instant, un nombre suffisant d'indices pour affirmer que les langues turque, mongole et toungouse ont une racine commune et qu'il est, par conséquent, hasardeux de parler de parenté linguistique en arguant de la nature des emprunts. Il est néanmoins douteux qu'on puisse un jour rattacher le coréen et le japonais à la catégorie des langues altaïques mais, là encore, nos connaissances ne suffisent pas pour formuler de jugement définitif.

L'expression « peuples altaïques » se réfère au massif de l'Altaï mais, en fait, le foyer de dispersion initial des peuples dits altaïques se situe beaucoup plus à l'est. Ce massif montagneux constitue, si l'on veut, le pivot du continent asiatique ; il débute au sud de Novosibirsk et de Barnaoul et se prolonge, à travers la Mandchourie, jusqu'au désert de Gobi. De même, les Toungouses ne forment pas « un » mais « des » peuples qui se répartissent en deux groupes principaux : Toungouses du nord et Toungouses méridionaux. Les idiomes évenki, orotchon, managire (langue parlée par les Manegas), soloni, negidali et lamoute appartiennent au groupe septentrional et le mandchou, le goldi, l'oltcha, l'oroki et le samagiri au groupe méridional.

Sur le plan géographique, le territoire que parcourent les Toungouses nomades englobe la taïga, la toundra et la steppe ; leur habitat actuel est limité à la rive orientale de l'Iénisseï moyen, au bassin des deux Toungouskas, au cours supérieur de l'Angara, à la Mandchourie, à la région russe de Primorje, aux plateaux déserts et aux montagnes riveraines de la mer d'Okhotsk, entre le cours de l'Amour et la péninsule du Kamtchatka.

Mais si, sur les cartes géographiques, le terme « Toungouses » s'écrit en capitales, les Toungouses sont, en réalité, une population en voie de disparition. On en comptait 62 028 de race pure en 1897 ; le recensement soviétique de 1926 n'en dénombre plus que 37 546. Hans Findeisen, l'un de ceux qui ont étudié de plus près les populations sibériennes, estime entre 20 000 et 30 000 le nombre des survivants. Il en résulte que la disparition des Toungouses est inéluctable.

Telle est d'ailleurs la raison qui m'incita à me rendre dans la

Du sang toungouse coule dans les veines de cette vielle youkagire. (Photo W. Jokelson, The Jukaghir.)

région comprise dans la boucle de l'Amour, dans le nord du territoire mandchou ; on y rencontre encore des Toungouses qui conservent en grande partie leur civilisation ancestrale fondée sur la chasse et l'élevage du renne. Il est impossible de déterminer depuis quand ils s'adonnent à l'élevage ; s'il faut en croire Lévine et Vassilievitch, cette date se situerait à la fin du premier millénaire de l'ère chrétienne. Les Toungouses seraient entrés en contact avec des tribus mongoles de la Transbaïkalie qui les auraient initiés à l'élevage du cheval ; ils utilisèrent par la suite les connaissances acquises en les appliquant à l'élevage du renne. Pour Lévine et Vassilievitch, le fait que les Toungouses aient emprunté un certain nombre d'expressions mongoles ayant trait aux soins à donner aux chevaux, au harnachement et à l'attelage vient à l'appui de cette hypothèse.

Les échanges de biens culturels entre populations de la Sibérie et de l'Asie centrale ont toujours existé, et l'emprunt de mots à un idiome étranger ne permet pas de conclure à l'adoption systématique des objets qu'ils désignent. En outre, la « cohabitation » de l'homme et du renne remonte approximativement à 8 000 ans av. J.-C. ; or, de la « cohabitation » à la domestication et à l'élevage, il n'y a qu'un pas et il est pratiquement impossible, dans ces conditions, de fixer dans le temps le moment où les Toungouses entreprirent l'élevage du cheval et quand ils décidèrent d'appliquer à celui du renne les connaissances acquises. L'histoire connaît beaucoup d'exemples d'emprunts de biens matériels et d'usages effectués par un peuple aux ethnies voisines ; par contre, les cas d'imitation pur et simple sont extrêmement rares. W.G. Bogoras affirme que c'est des Blancs que les Indiens nord-américains apprirent à élever chevaux, bovins et ovins, mais il oublie que jamais un Indien n'eut l'idée d'utiliser les méthodes chères aux cow-boys pour compter et élever les bisons et les tapirs, principaux représentants de la faune autochtone.

Bogoras est également persuadé que l'élevage du renne par les peuples de l'Arctique fut entrepris à une période postérieure à la dernière glaciation, celle où, suivis par les chasseurs, les animaux remontèrent vers le nord à mesure de la fonte des glaces ; la domestication de l'animal serait la conséquence de ces migrations. Les Toungouses habituèrent le renne à leur servir de monture pour la chasse et, à un stade ultérieur, ils pratiquèrent l'élevage proprement dit. Ce n'est pas sans raison que les Tchoutches et les Koriaks qualifient les Toungouses « d'hommes du renne ». Franz Hançar fixe à la période comprise entre 5 000 et 3 000 ans celle de l'apogée de l'économie chasseresse, la domestication du renne et le début de l'élevage entre 3000 et 2000 av. J.-C. Il est néanmoins probable que le renne fut directement domestiqué par l'homme, sans étapes intermédiaires, ce qui ferait du renne le premier des animaux domestiques.

Que les Indiens nord-américains ne l'aient jamais domestiqué est sans rapport avec l'ancienneté de l'élevage du renne par des populations au mode de vie nomade. C'est là-dessus qu'insiste Waldemar Jochelson lorsqu'il dit que, si l'on considère l'absence d'élevage du renne chez les Amérindiens comme la preuve que cet élevage est de date récente sur le continent asiatique, on peut tout aussi bien en tirer des conclusions diamétralement opposées. Si une partie des autochtones sibériens possèdent des troupeaux de rennes, il en est d'autres, les Kamtchadales par exemple, qui, sachant que le renne peut être élevé comme du bétail, n'ont jamais été tentés de le faire pour leur compte. Cette « carence » des Kamtchadales ne s'explique ni par l'absence ni par l'apparition tardive de la civilisation du renne, mais par d'autres raisons bien différentes. Les Kamtchadales, les Tchoutches et les Koriaks trouvaient dans les fleuves et dans les rivières une nourriture abondante et variée ; pour assurer leur subsistance, ils n'avaient nul besoin de s'adonner à l'élevage.

C'est seulement entre 1915 et 1920 que les Esquimaux de la péninsule des Tchoutches se consacrèrent à l'élevage du renne après que les déprédations imputables aux baleiniers européens eurent provoqué la raréfaction des poissons et des phoques. Pour les mêmes raisons, les autorités américaines ont acclimaté le renne sibérien en Alaska ; les chasseurs avaient dévasté les forêts et les pêcheurs les fleuves et les torrents et l'afflux des chercheurs d'or, des mineurs et des aventuriers mettait en péril non seulement l'économie alaskane mais la vie même de milliers d'Esquimaux. Pour améliorer le niveau de vie des autochtones et pour leur redonner une base d'existence, les Américains acclimatèrent des rennes originaires de Sibérie sur l'autre rive du détroit de Béring. Grâce à ces mesures, les Esquimaux purent mener une nouvelle existence, comme celle, à base de nomadisme, qu'avaient menée leurs ancêtres.

Les Toungouses pêchent à la nasse en barrant les cours d'eau avec des branchages. (Photo W. Jockelson : The Jukaghir...)

Car, à partir du moment où les nomades renoncent à la vie errante, c'en est fait de leur liberté ; le renne, en outre, ne s'accommode pas d'un mode de vie sédentaire.

La colonisation et la mise en valeur de la Sibérie par les Russes amena les Toungouses au bord de la catastrophe ; ils s'opposèrent aux envahisseurs, les armes à la main, et les guerres incessantes eurent pour conséquence la disparition de tribus entières. Puis, constatant que l'insurrection armée n'était d'aucun secours, les Toungouses changèrent de méthode, firent leur soumission aux autorités et servirent de guides aux Russes. Ils avaient encore beaucoup à apprendre et durent d'abord s'opposer à l'avidité des marchands de peaux, grands et petits, à l'injustice et à l'ivrognerie des fonctionnaires et à la brutalité des forçats. Ils apprirent aussi l'art de pratiquer le chantage, de se soustraire aux pressions qu'exerçaient les commerçants et d'obtenir d'eux les marchandises : fusils, poudre, plomb à balles, farine, vodka qu'ils convoitaient. Ils réussirent finalement à s'assurer la protection des gouverneurs russes. En fait, les Toungouses n'avaient rien gagné, car le progrès tel que l'entendent les Européens : agriculture intensive, alimentation à base de viande et de légumes cuits et bouillis, appartenance au parti, lutte des classes et culte des héros qui leur sont étrangers, implique, pour les populations nomades, une déchéance, la fin d'une tradition, d'une originalité et d'un style de vie admirablement adapté aux circonstances et au milieu.

Après le triomphe de la révolution russe, la partie de la Sibérie à population toungouse fut divisée en districts et en territoires autonomes ; cinq cents écoles furent créées pour inculquer aux Toungouses des choses dont ils n'auraient bien entendu jamais besoin. Il est non moins évident que des enfants auxquels on a appris à chasser, à dresser une tente et à soigner des rennes perdront inévitablement ces capacités et ces aptitudes sur les bancs de l'école... Tant que des « primitifs » s'obstinent à rester fidèles au nomadisme, le seul moyen d'éduquer leurs enfants consiste à les enfermer dans des internats, mais cette éducation qu'on leur impose est fatale à celle, atavique, qui est le fruit de milliers d'années d'expérience et d'adaptation. On sait, par exemple, que les enfants esquimaux du Grand Nord canadien, qui ont passé plusieurs années dans des écoles et des institutions, sont un « boulet » pour leurs parents restés chasseurs et pêcheurs. En Sibérie, les Toungouses sont invités à se rendre aux urnes, ils sont dotés de tribunaux et doivent se soumettre aux directives des fonctionnaires du parti. Ce qui compte, c'est transformer les hommes de la taïga en « membres utiles » de la société et les amener à renoncer à la vie nomade qui fut celle de multiples générations de Toungouses. L'avenir montrera si les Toungouses sibériens sont encore assez forts pour résister à ce funeste enchaînement.

Les Toungouses de Mandchourie ont pratiquement disparu ; les Yourches, les véritables autochtones mandchous, végètent, entassés dans des huttes crasseuses et croulantes de quelques rares agglomérations ; quant aux Orotchons et aux Manegas des forêts des vallées de l'Argoun et du coude de l'Amour, ils ne sont qu'une poignée. Les autres Toungouses de la Mandchourie, au nombre de quelques milliers, sont sédentaires ou sur le point de le devenir et, comme les Yourches, au dernier stade de la déchéance. Ce sont les Solonis, les Daures et les Goldis.

CHAPITRE XXII

Le pays d'origine des Toungouses

> *« Quiconque a couvert, en hiver, de grandes distances à travers la taïga, quiconque sait quels obstacles représentent, en automne, le sol détrempé et les marécages, celui-là sait aussi que seul un habillement léger qui facilite la progression est supportable. »*

QUELLE est l'origine des Toungouses et quel fut leur berceau ? Chirokogoro identifiait les Toungouses aux descendants des premiers habitants de la Chine qui, par suite de mouvements de populations venant de l'ouest de l'Asie, furent peu à peu contraints de remonter vers le nord. Cette migration les mena des vallées du fleuve Jaune et du Yang-tsé-kiang où ils avaient vécu jusqu'alors, dans la vallée de l'Amour, en Transbaïkalie et dans les régions côtières de la Sibérie orientale. Ils s'y heurtèrent à des populations paléo-asiatiques qui y vivaient depuis les temps protohistoriques, auxquelles ils firent un certain nombre d'emprunts avant de développer, dans la taïga, une civilisation essentiellement sylvestre.

Les Toungouses portent — mieux vaudrait dire portaient — des vêtements dont l'étrangeté surprend quiconque n'a pas vécu à leur contact. On dirait une camisole largement ouverte sur le devant dont l'ouverture est dissimulée par une sorte de long tablier que maintiennent des cordons noués au cou et à la taille.

On pourrait en conclure qu'un vêtement aussi léger implique

une origine méridionale du fait qu'il n'est pas adapté aux rigueurs du climat. C'est d'ailleurs ce qu'a fait Koppers en comparant le tablier qu'il appelle « corsage » au tablier des femmes Miaos.

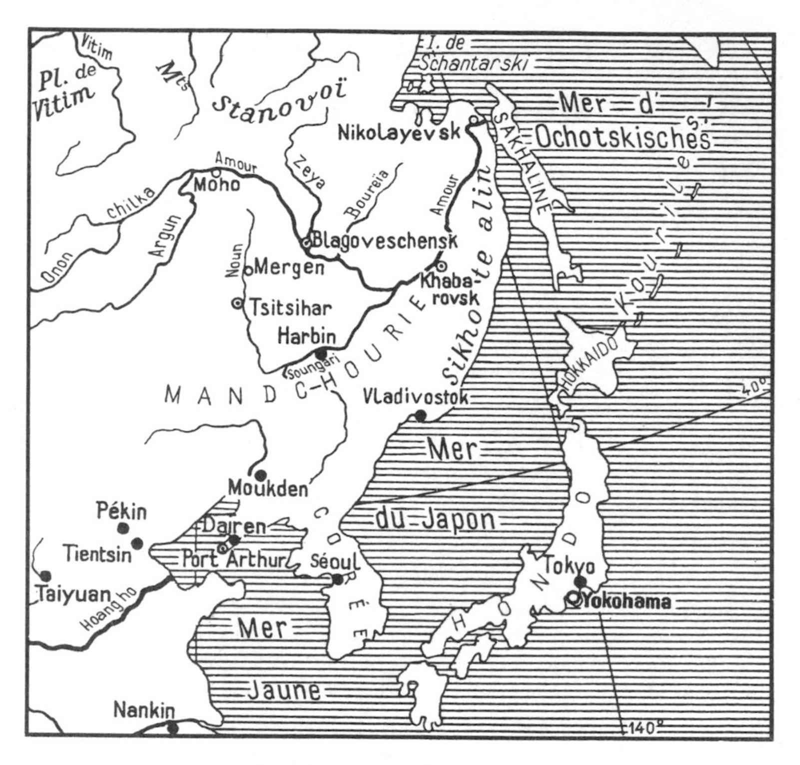

Mandchourie et Sibérie orientale.

Les Miaos, descendants des premiers habitants de la Chine, ne subsistent qu'à l'état de vestiges dans les provinces du sud-ouest : Kouei-tchéou, Yunnan, Kouang-toung et Se-tch'ouan, au Tonkin et en Annam. Les Miaos ont effectivement conservé nombre d'usages et de traditions qui trahissent une origine nordique. De leur côté, les Toungouses ont emprunté aux populations méridionales certaines traditions. En outre, Toungouses et Miaos possèdent en commun quelques traits anthropologiques. Parmi les peuples asiatiques, les Toungouses occupent, sur le plan de la linguistique, une place à part ainsi que la langue parlée par les Miaos ; celle-ci ne ressemble ni au chinois, ni au siamois, ni au tibétain, ni au japonais. Les Toungouses, qui sont actuellement des chasseurs et des éleveurs de rennes, étaient, à l'origine, des chasseurs et des récolteurs. De leur côté, les Miaos affirment qu'ils n'ont pas toujours été des agriculteurs et des éleveurs de bétail ; leurs ancêtres se livraient jadis à la chasse dans des régions situées au nord de leur habitat actuel. Enfin, Toungouses et Miaos utilisaient, naguère, l'arc et la flèche.

Wilhelm Koppers souligne cet ensemble de concordances et estime plausible l'existence d'une lointaine et ancienne parenté entre Miaos et Toungouses qui peuplaient alors le territoire de la Chine. Néanmoins, un grand nombre d'arguments infirment cette hypothèse. Le terme « Miao » signifie « fils du sol » ; les idéogrammes chinois correspondants qui les désignent superposent le signe « herbe » au signe « champ ». C'est là un indice que l'agriculture a été pratiquée par les Miaos depuis la nuit des temps. Chez ce peuple, les traditions paysannes ont effectivement des origines extrêmement anciennes et l'expérience révèle, d'autre part, que des paysans aussi authentiques appartiennent à une catégorie d'individus profondément marqués par le nomadisme.

Certains éléments de l'ethnographie toungouse se réfèrent, il est vrai, au souvenir d'un climat plus tempéré et à une région située plus au sud que la Mandchourie. Il se peut toutefois que ces indices soient récents et qu'ils découlent des conquêtes effectuées, en Chine, par les Mandchous associés aux Toungouses. Mais le fait que les vêtements soient légers n'indique pas nécessairement une origine méridionale et quiconque a couvert, en hiver, de grandes distances à travers la taïga, et sait quels obstacles représentent, en automne, le sol détrempé et les marécages, sait que seul un habillement léger et pratique est supportable dans un tel milieu.

Les Toungouses sont des marcheurs rapides et dotés d'une extrême endurance. Leur secret, que l'on ne tarde pas d'ailleurs à découvrir lorsqu'on les observe dans la taïga, réside dans leur mobilité et dans la légèreté de leur habillement ; le Toungouse sait, en effet, tirer parti de la chaleur résultant de la rapidité de sa marche qui évoque le trot. Au repos, le Toungouse se chauffe près du feu auquel des liens ataviques le rattachent. Dans la mesure où ils n'ont pas renoncé au nomadisme, les Toungouses possèdent une curieuse caractéristique, celle de pouvoir rester accroupis et immobiles pendant des heures ; malgré le froid cruel quand, pour une raison quelconque, ils ne sont pas parvenus à allumer du feu, ils passent la nuit dans cette position. Cette particularité propre aux Toungouses m'a toujours plongé dans l'étonnement ! La camisole qu'ils portent est parfaitement adaptée à la marche dans la taïga, car elle ne constitue ni une gêne ni un obstacle. Dans les forêts du nord-est de l'Asie, on n'a pas l'impression que ce vêtement soit d'origine méridionale et c'est là un argument qui va à l'encontre de la thèse de Chirokogorov selon laquelle le sud de la Chine aurait été le berceau des peuples toungouses.

Le préhistorien Okladnikov suppose, pour sa part, qu'au Néolithique, c'est-à-dire entre 6000 et 2000 avant l'ère chrétienne, les Toungouses habitaient la Cisbaïkalie, autrement dit la région du bassin de l'Angara, et de la haute Léna. Les archéologues ont effectivement mis au jour dans la nécropole d'Oust-Ouda, sur l'Angara, le squelette d'une femme auquel adhéraient encore les restes d'une broderie en coquillages qui aurait pu orner le tablier d'un chamane toungouse de l'époque actuelle. On constata, par ailleurs, que les contemporains du Néolithique récent, qui habitaient cette région, portaient une camisole ouverte ainsi qu'un tablier et la frange de coquillages qui avait été mise au jour accusait une forme correspondante. Est-ce une preuve suffisante pour affirmer que cette partie de la Sibérie est le berceau des Toungouses ou que ses habitants avaient déjà adopté l'habillement des Toungouses ?

Les deux hypothèses sont également plausibles. Les découvertes effectuées dans des sépultures du deuxième siècle avant notre ère : diadèmes, pendentifs en dents d'animaux, canots en écorce de bouleau, poissons en os servant d'appât pour la pêche au harpon rappellent, en tout cas, le bagage culturel des Toungouses.

L'ethnologue soviétique Lévine envisage deux régions comme points de départ de la dispersion des Toungouses ; l'une est située en Cisbaïkalie, à l'ouest du lac Baïkal, et l'autre, à l'est, en Transbaïkalie ; par la suite, les deux groupes auraient fusionné.

Plusieurs préhistoriens et philosophes nient catégoriquement que le bassin de l'Amour ait été le berceau des Toungouses. En revanche, le Finnois Uno Harva affirme que les migrations toungouses s'effectuèrent dans le sens est-ouest et que le point de départ fut la vallée de l'Amour ; telle est aussi l'opinion d'Uno Holmberg, de l'université d'Helsinki, et de von Schrenck.

LE PAYS D'ORIGINE DES TOUNGOUSES

Qu'entend-on par « berceau » ou patrie d'origine ? En la matière, la plus grande circonspection s'impose ; d'une part, les « berceaux » sont généralement plus anciens qu'on ne le suppose et, d'autre part, le flair des scientifiques en matière de chronologie des « débuts » est sujet à caution. Plus les découvertes protohistoriques effectuées dans une région où l'on constate la présence d'une certaine population sont nombreuses, et plus on est tenté de voir dans cette région le berceau de la race. On en oublie que le nombre des découvertes est en grande partie fonction des fouilles effectuées au hasard, et il est évident que les vestiges de l'activité humaine qui demeurent dans le sol ont une tout autre importance que les quelques substructions et les quelques objets ramenés à la lumière du jour. Or, les fouilles exécutées en Transbaïkalie et dans la Mandchourie du Nord-Ouest sont beaucoup moins nombreuses que celles effectuées à l'ouest du lac Baïkal et, à ma connnaissance, aucune recherche n'a été faite sur la droite du fleuve Amour, dans la région frontière entre la Russie et la Mandchourie dont le Nord est à peine peuplé. Il en résulte que les peuples ont toujours un passé beaucoup plus ancien que les témoignages matériels ne le laissent pressentir. Or, c'est à une période tardive, vers la fin du premier millénaire de l'ère chrétienne, que la concentration de populations toungouses et leur apparition en force en Mandchourie sont historiquement attestées.

De nos jours, la Mandchourie n'est plus qu'une colonie chinoise, mais il y eut une époque où, avant que le moindre sillon n'y ait été tracé, avant que les champs de soja ne couvrent d'immenses superficies conquises sur la taïga, les Toungouses firent brusquement irruption sur la scène de l'histoire.

CHAPITRE XXIII

L'Ours qui sait tout

« De jour comme de nuit, par le brouillard comme en plein jour, son long museau humide le renseignait sur ce qu'il avait besoin de savoir, négligeant ce qui était subsidiaire. Il s'y fiait aveuglément.

« Même quand son œil et ses oreilles lui signalaient ensemble quelque chose, il n'y croyait que lorsque son nez lui disait « Oui, c'est bien vrai ! » Mais ce sont là choses que l'homme ne peut comprendre car il a échangé le sens inné de l'odorat pour le privilège de vivre, entassé, dans les villes géantes. »

ERNEST THOMPSON SETON : *Wahb ou l'histoire d'un grizzly.*

COMME l'homme, l'ours possède une âme et les Orotchons en sont persuadés ; de même, ils sont convaincus qu'une jeune fille portant un seau d'eau se cache dans la lune. A moins d'être en danger de mort, aucun Toungouse ne tuera un ours, l'hôte le plus gros et le plus fort de la taïga sibérienne. Ce ne sont ni la force ni l'aspect massif qui inspirent au Toungouse le respect et la crainte qu'il éprouve pour l'ours ; les raisons qui les inspirent sont beaucoup plus profondes. L'expression d'un ours peut être étrangement humaine et, dans certains cas, l'ours pleure comme le ferait un enfant ; il peut, comme l'homme, se tenir debout sur ses pattes postérieures et un ours dépouillé présente avec l'être humain une ressemblance frappante. A cela s'ajoute la croyance selon laquelle l'ours entretient des rapports permanents avec les esprits des montagnes et avec le ciel ; cet ensemble de faits justifie la prudence et le respect dont l'entourent les Toungouses.

De nombreux ours bruns hantent la taïga mandchoue, on y trouve surtout les représentants de l'espèce *Ursus arctos* dont les forêts denses de l'Asie centrale et septentrionale, l'Oural et l'Extrême-Orient soviétique, jusqu'aux rivages de la mer d'Okhotsk, constituent l'habitat et aussi, en beaucoup moins grand nombre, l'ours géant de Mandchourie, du Kamtchatka et des îles Sakhaline, proche parent du grizzly de l'Amérique du Nord. L'ours est volontiers qualifié de massif, de pataud et de malhabile, mais ses pattes, terminées par de fortes griffes, sa puissante mâchoire et les énormes muscles de la nuque et des épaules font de l'ours le plus gros un excellent grimpeur. En s'aidant de ses pattes, il grimpe après les troncs et se hisse dans les arbres. A la longue, il est vrai, la seule force musculaire n'est pas un atout décisif dans la lutte pour l'existence. L'extinction de l'ours des cavernes, énorme bête qui n'avait d'autre adversaire que l'homme, ne s'explique peut-être pas autrement. Il disparut, victime de son gigantisme et de la dégénérescence de l'espèce. Un jour viendra aussi où l'ours brun et le grizzly devront chercher refuge au plus profond de la taïga, où les derniers ours se cacheront au fond d'une grotte solitaire pour agoniser en paix.

Les ours sont de curieux animaux dont le comportement, si proche du comportement humain, laisse supposer l'existence d'une certaine intelligence. Ils savent, par exemple, constituer des provisions qu'ils enterrent puis déterrent pour les enterrer à nouveau dans un autre endroit. Jamais ils n'oublient l'emplacement de ces caches. Lourdauds, les ours ne peuvent attraper que de petites proies, des poissons ou des bêtes prises au piège ou blessées. Excellents grimpeurs, ce sont également des nageurs remarquables. Rien n'est plus fascinant que le spectacle d'une famille d'ours, s'ébrouant, au printemps, dans les eaux d'une rivière. D'un coup de patte, l'ours assomme les poissons qui passent à sa portée ; souvent même, un coup de patte suffit à projeter le poisson sur la berge ; d'ailleurs, l'ours ne mangera, plus tard, que la tête, car les cours d'eau sibériens sont tellement poissonneux et la pêche y est si aisée que les ours peuvent se permettre de faire les difficiles. Dans d'autres circonstances, ils sont omnivores ; friands, ils mangent volontiers champignons, baies, glands et, avant toute chose, le miel des abeilles sauvages. Quand il s'agit de miel, aucun arbre n'est trop haut ni aucun rocher trop dur à escalader !

En règle générale et à moins qu'il ne se sente menacé, l'ours n'attaque pas l'homme ; il le sent, se méfie et prend la fuite. Le fait est qu'il est extrêmement difficile de dépister un ours et de le débusquer. On retrouve des traces fraîches et il arrive qu'au petit matin on découvre des crottes encore fumantes, mais l'animal est depuis longtemps parti. Prudent, craintif, il préfère la fuite au combat ; aussi les femmes orotchones, qui le savent, ne sont-elles jamais armées lorsqu'elles s'enfoncent dans la taïga. Il est même assez fréquent, paraît-il, qu'au moment de la récolte des mûres,

Récipient en écorce de bouleau utilisé pour la récolte des baies. (Photo Rauchwetter.)

femmes et ours procèdent à la cueillette chacun de son côté et pour son propre compte. Les jeunes filles toungouses ne se laissent pas distraire de leurs occupations par la présence des ours, car elles savent que, si l'ours s'approche, c'est uniquement pour voler les baies qu'elles ont cueillies ; prévoyantes, elles s'éloignent en courant, mais sans pousser de cris qui risqueraient d'effrayer l'animal. L'ours ne fait même pas mine de poursuivre la Toungouse, car il répugne à s'attaquer à l'homme. Créature étrange, craintive et extrêmement circonspecte, l'ours est pourtant hardi et audacieux lorsqu'il s'introduit dans des huttes et même dans des maisons pour y lécher les plats qui traînent à la cuisine !

Seules les ourses qui ont des petits sont agressives, irritables et perpétuellement aux aguets ; elles sont plus dangereuses lorsqu'elles flairent un danger qu'elles ne connaissent pas que lorsqu'elles ont pleinement conscience de sa nature. Les oursons viennent au monde en plein hiver, aveugles et tout petits, après sept mois de gestation. Au printemps, ils suivent leur mère et commencent à rechercher eux-mêmes leur nourriture. A cette époque de l'année, l'ourse évite l'homme, soit qu'elle se cache, soit qu'elle prenne la fuite ; d'un coup de patte, elle oblige ses petits à lui emboîter le pas. En revanche, si elle est attaquée ou lorsqu'un ourson est blessé ou tué, elle fait face et attaque.

Quand les Toungouses veulent simplement faire peur aux ours qui rôdent autour de leurs campements, ils frappent sur le tronc d'un arbre, agitent des claquettes et crient à tue-tête. Mis en garde, les ours, mâles et femelles, se retirent.

Rien n'est moins facile que de tuer un ours ; plusieurs balles ne peuvent y parvenir. Des chasseurs m'ont parlé d'un ours qui, malgré les treize balles qu'il avait reçues, opposait à ses poursuivants une résistance opiniâtre. Pour tuer un ours, il faut l'atteindre au cœur et cela n'est possible que si la bête se dresse sur ses pattes postérieures. Il ne le fait qu'au dernier moment, à l'instant du corps à corps, pour assommer l'adversaire d'un coup de patte. Aussi les Orotchons s'efforcent-ils, en levant et en abaissant rapidement les mains, d'obliger l'ours à se mettre debout.

Jadis, les Orotchons ne chassaient l'ours qu'à la lance ; c'est là une méthode extrêmement périlleuse, car il faut d'abord s'approcher afin d'obliger l'ours à se lever. Une fois la lance pointée en direction du cœur, la bête s'empale d'elle-même en tentant d'avancer. Encore faut-il dissimuler l'arme jusqu'au dernier moment car, autrement, l'animal la détourne d'un coup de patte !

D'autres peuplades sibériennes attaquent l'ours au poignard ; en prévision, le chasseur entoure son bras et sa main gauches de bandes de cuir qui forment plusieurs épaisseurs. Les gladiateurs en faisaient autant dans les arènes de Rome. D'autres Sibériens chassaient l'ours à la hache ; ils n'avaient guère que cinquante chances sur cent d'atteindre un ours de cette manière et comme, à l'époque, les Orotchons ne possédaient que des fusils démodés et déficients, les pertes étaient lourdes parmi les chasseurs.

Quand l'ours croit que l'homme est mort, il se sert de ses griffes pour le recouvrir de feuilles, de branchages et de terre, puis il s'éloigne en trottinant et revient peu après pour s'assurer que son ennemi est réellement sans vie ; lorsqu'il en est définitivement convaincu, il s'en va.

L'ours flaire et devine les intentions de l'homme ; sa mémoire est aussi prodigieuse que la finesse de son instinct. Son ouïe et son odorat sont beaucoup plus dégagés que sa vue ; lorsqu'on demande à un Toungouse : « Comment l'ours sait-il qu'il t'a déjà rencontré ? » on s'attire invariablement cette réponse : « Il l'a senti ! » Rien ne lui échappe, même s'il s'agit d'un changement minime intervenu dans son territoire de chasse et sa puissance d'observation est telle que, sitôt averti par ses sens, il est sur ses gardes et agit en conséquence. Lorsqu'il se sent poursuivi, l'animal ne sort que la nuit et en se dissimulant ; là où l'homme le laisse en paix, comme dans les réserves des Etats-Unis, il s'enhardit et devient même familier.

La question de savoir si l'ours a déjà eu à se défendre contre un poursuivant a une grande importance, car les Toungouses prétendent que l'animal devine les intentions de l'homme, qu'il sait reconnaître celui qui a déjà eu maille à partir avec un ours et que c'est toujours lui qu'il attaque. Aussi les Toungouses se gardent-ils d'emmener à la chasse ceux d'entre eux qui ont approché de près l'ours dans des circonstances précédentes ; de même, ils ne touchent pas aux objets touchés par un ours et le chasseur qui a tué un ours fait mieux de s'en tenir là. Cette crainte qu'ont les Toungouses de la vengeance naturelle a été transmise par eux aux Russes vivant en Sibérie. Quiconque vit en bonne intelligence avec l'ours n'a rien à craindre de sa part et il court en Sibérie d'innombrables histoires dont les héros sont des « ours reconnaissants » qui sont devenus les « amis » de ceux qui leur ont sauvé la vie.

L'âme quitte le corps de l'ours sitôt après la mort et, comme toute âme qu'on laisse libre d'errer à sa guise, celle de l'animal risque de se venger sur qui a tué l'animal. La prudence conseille donc de la traiter avec égards ; la viande doit être préparée et mangée dans certaines conditions et en dehors de la présence des femmes. Et, surtout, il importe de donner aux ossements une sépulture décente ; les os sont suspendus à un arbre ou bien on les place sur un échafaudage surélevé ; la tête est posée sur un plateau de bois cloué au sommet d'un poteau ou dans la fourche d'un arbre. Certains Toungouses, à l'exception des Orotchons, suspendent egalement la peau de l'ours dans la taïga. Comme chacun sait, l'âme de l'ours entend tout ; il est donc conseillé de parler haut et fort des mauvais traitements infligés aux ours par une tribu éloignée. Induite en erreur, l'âme ne pourra pas, par conséquent, identifier le véritable meutrier. Il est vrai que, selon la croyance toungouse, les ours vivants sont aussi redoutables que ceux qui sont morts, du fait qu'ils voient et flairent tout ce qui se fait et se trame autour d'eux ; c'est pourquoi les Orotchons ne parlent jamais qu'à mots couverts d'un animal qu'ils ont aperçu et dont ils connaissent la tanière. En règle générale, le Toungouse évite d'ailleurs de parler de l'ours qu'il projette de tuer et, s'il découvre par hasard un trou ou une grotte servant d'abri au plantigrade, c'est uniquement par signes qu'il en indiquera l'emplacement à ses compagnons.

Je n'ai jamais entendu dire qu'un Orotchon parle d'un ours autrement qu'en employant une formule détournée telle que : le noir, le vilain, le pesant, l'honorable, l'aïeul, la grand-mère, etc. Et si, tout à coup, un ours débouche d'un taillis, il s'empresse de le rassurer. « Retourne d'où tu viens, nous ne voulons pas te faire de mal. » « L'ours, disent les Toungouses, pense comme nous. » Il suffit d'avoir vu un ours assis sur un tronc d'arbre, la gueule ouverte et la langue pendante, pour se dire que, somme toute, les Toungouses n'ont pas tout à fait tort...

Aucun animal de la taïga sibérienne n'a donné lieu à autant de légendes et d'histoires ; aucun n'a plus de pouvoir surnaturel lorsqu'il est mort et que son âme a repris sa liberté. Aussi, les griffes, les pattes et les dents d'ours sont-elles des talismans particulièrement efficaces et il existe en Sibérie d'innombrables ingrédients et remèdes préparés avec les différentes parties de la dépouille du plantigrade. Quiconque a pénétré dans une pharmacie extrême-orientale sait quel prix atteignent certains de ces « médicaments ».

CHAPITRE XXIV

Les crânes d'ours, objets de dévotion

Nous venons de découvrir que la conception purement monothéiste est l'objet du respect et de la chaude sympathie des peuples qu'on considère comme les plus anciens habitants des toundras froides et enneigées de la Sibérie et du Canada septentrional et des côtes inhospitalières de l'océan Glacial Arctique... Parmi les offrandes faites au dieu suprême figurent, notamment, le crâne et les os longs des animaux tués par les chasseurs... ; ce faisant, ils admettent les droits de la divinité sur leurs ressources alimentaires. Elle seule, par conséquent, peut décider de la vie et de la mort. »

P.W. Schmidt : *De l'origine de l'idée théiste,* vol. III.

Pourquoi attribue-t-on tant de valeur aux remèdes confectionnés avec telle partie ou avec tel organe du corps de l'ours ? Les Toungouses de l'Asie du Nord-Est, les Chinois de la Mandchourie, les Bouriates, les Mongols, les Coréens et, en général, toutes les populations chinoises les recherchent au même titre que ceux fabriqués avec les griffes du tigre, les jeunes bois du cerf et la racine de mandragore. L'idée initiale au nom de laquelle des vertus curatives sont associées à la force de l'ours, à la souplesse du tigre et au pouvoir procréateur du cerf a son origine dans l'univers moral des Toungouses, peuple de chasseurs. C'est pour la même raison que, chez plusieurs tribus toungouses, le chamane couronne son front d'une coiffure terminée par des bois de cerf et que, chez d'autres, il revêt une peau d'ours avant de célébrer les cérémonies magiques. Je n'ai jamais pu savoir, en ce qui me concerne, si la rate d'ours réduite en poudre et dissoute dans l'eau que la pharmacopée chinoise prescrit comme remède pour guérir les ophtalmies était efficace et si, d'autre part, cette médecine était d'origine chinoise ou toungouse.

Le « ginseng », nom chinois de la mandragore, pousse dans les forêts de l'Extrême-Orient soviétique, dans la Corée du Nord et en Mandchourie ; la forme de la racine évoque curieusement une silhouette humaine, de même qu'un ours dépouillé ressemble à un homme. Ainsi s'explique que les Toungouses aient fait un rapprochement entre l'ours et la mandragore à laquelle ils attribuent également une âme ; ils lui parlent comme s'ils parlaient à l'un de leurs semblables. De toute manière, les Toungouses conversent avec les animaux, avec les plantes et avec les phénomènes naturels, mais les « relations » qu'ils entretiennent avec l'ours et avec la mandragore ont un caractère intime et individuel particulier, mélange d'affection, de sympathie, de respect et de crainte.

Comme les Toungouses, les anciens Finnois croyaient que l'ours était doté d'une intelligence. A propos des chants que les Finnois entonnaient lors du sacrifice de l'ours, suivi du festin et de l'exposition du crâne, le professeur Kaarle Krohn, de l'université d'Helsinki, cite ce passage : « Dieu qui nous a donné ce qu'on ne mange pas sans chanter et dont on suspend le crâne aux branches de l'arbre. » Le crâne était considéré comme la partie noble de la dépouille de l'ours, ainsi que les os longs, car le crâne renfermait le cerveau, morceau délectable entre tous, et les os, la moelle dont raffolent les Toungouses. J'ai longuement interrogé des Orotchons et des Manegas et ceux-ci m'ont répondu qu'ils inhumaient toujours les ossements de l'ours afin d'apaiser l'âme de l'animal, mais qu'en revanche le crâne était suspendu à la branche d'un arbre pour plaire au dieu suprême, objet du sacrifice. Ils continuent d'ailleurs à le croire bien qu'ils aient en grande partie perdu la foi de leurs ancêtres dans l'existence d'un « Maître des forêts et de la montagne ».

Mais il n'en fut pas toujours ainsi et le « Maître des forêts et de la montagne » n'a joué un rôle qu'à partir du moment où la croyance dans un dieu unique perdait de sa vigueur. Le fait que l'usage qui consiste à offrir à la divinité le crâne et les os longs de l'ours soit tombé en désuétude et qu'il soit presque totalement oublié n'est qu'un des nombreux indices de l'irrémédiable décadence des Toungouses. A mesure que s'estompe la croyance en un dieu unique, disparaît la confiance dans le ciel, protecteur des créatures. Cette disparition entraîne nécessairement celle de la culture et de la civilisation et, en fin de compte, l'extinction de l'espèce.

Le dieu suprême porte, chez les Toungouses, le nom de « Boa » ; c'est ainsi, du moins, que le prononcent les Orotchons qui donnent le nom de « Dagatchan » à l'esprit du ciel. Il n'est pas facile de démêler si Dagatchan et Boa sont ou ne sont pas deux manifestations de la même divinité. Lors du séjour que j'ai fait dans la boucle de l'Amour, les Toungouses mandchous avaient encore vaguement conscience de l'existence d'un dieu suprême, maître du ciel. Divinité invisible, il sait tout ; rien, ni sur la terre ni dans l'espace, n'échappe à son œil vigilant. En revanche, les Toungouses n'imaginent pas que ce dieu puisse sévir et la notion d'enfer leur est totalement étrangère. Leur dieu est toujours bienveillant, généreux ; il ne punit jamais les hommes en leur envoyant maux et maladies et je doute même que les Toungouses puissent supposer que leur Etre Suprême songe à les châtier en les privant du produit de la chasse. En revanche, certains ethnologues, dont Chirokogorov, pensent que les Toungouses redoutent que Boa ne leur retire sa protection.

Ce dieu, ni les Orotchons ni les Manegas ne le matérialisent et les petites effigies qu'ils sculptent sur les arbres ou qu'ils placent sur des sortes d'autels représentent Bainca, le génie de la forêt, maître des bêtes sauvages et, par conséquent, génie de la chasse. De lui seul dépend la réussite ou l'échec. Dans la taïga nord-mandchourienne, les indigènes sacrifient à Bainca sous forme d'offrandes alimentaires ; on les dépose sur un socle ou sur un petit autel rudimentaire. Ces offrandes ont d'ailleurs un côté essentiellement pratique puisqu'il est admis que les voyageurs solitaires peuvent les utiliser pour apaiser leur faim à condition toutefois que les provisions soient renouvelées à la première occasion. Bainca, esprit de la forêt et génie inférieur, n'a rien de commun avec l'Etre Suprême des Toungouses, divinité immatérielle qui s'identifie avec le temps, avec le soleil et avec l'univers entier. Lui seul ne connaît ni frontières ni limites. Chirokogorov parle du dieu suprême des Toungouses qu'il nomme Buyam Boya ou Boga, mais non des sacrifices qu'on lui offre. Lui-même n'a vu que de petites offrandes faites à Bainca sous forme de crins de cheval, de produits alimentaires, de brindilles de bouleau. Manegas et Orotchons m'ont rapporté que leurs pères avaient pour habitude d'offrir à l'Etre Suprême le crâne des ours qu'ils avaient tués ; la tête était placée dans une sorte de boîte faite de plaques d'écorce de bouleau assemblées, puis suspendue à un arbre ou à un échafaudage léger. Ces détails concordent avec les observations de T.W. Atkinson, qui voyagea vers 1860 dans la vallée supérieure et moyenne de l'Amour, et également aux récits de Mlle M.A. Czaplicka ; ces derniers diffèrent en ceci que les crânes d'ours étaient mis non pas dans des boîtes, mais dans des sacs que les Toungouses accrochaient aux arbres, et que le squelette de l'animal devait rester complet.

Par l'intermédiaire des Toungouses septentrionaux, l'usage consistant à offrir à la divinité les crânes et les os longs des ours se transmit des Samoyèdes, habitants de l'ouest de la Sibérie, aux Esquimaux de l'Amérique du Nord. Là aussi, ces offrandes étaient destinées à une divinité suprême. Outre le dieu unique et ces offrandes, Samoyèdes, Toungouses et Esquimaux avaient en commun l'élevage du renne, à cette différence près que les Esquimaux chassaient également le renne sauvage. Ils vivaient — et vivent encore partiellement — dans des tentes coniques, assemblages de perches recouvertes de plaques d'écorce ou de peaux de renne ; enfin, comme le souligne expressément le professeur A. Gahs, de l'université de Zagreb, Samoyèdes, Toungouses et Esquimaux utilisaient l'arc et la flèche. Gahs a confronté les rapports et les comptes rendus d'un grand nombre d'ethnologues ; de leur étude résultent des constatations d'un très grand intérêt en ce qui concerne la notion de divinité chez les populations de l'aire circumpolaire. Les Samoyèdes Iouraks, qui peuplent le littoral septentrional de la Sibérie entre la Petchora et l'Iénisseï, à l'est de la pointe méridionale de la Nouvelle-Zemble, l'île Vaigatch et la péninsule de Yamal, entre l'embouchure de l'Ob et la mer de Kara, édifiaient des pyramides de bois de cerfs, de perches, d'ossements de rennes et d'ours, et, surtout, de crânes de plantigrades. Sur la côte nord-ouest de la presqu'île de Yamal, Nordenskjöld découvrit un autel fait d'ossements de rennes et d'une cinquantaine de crânes d'ours. Certains étaient suspendus à des perches enfoncées dans le sol. A proximité se trouvait un foyer dans lequel le feu avait fini de brûler depuis peu ; Nordenskjöld y vit une grande quantité d'ossements de rennes, restes de sacrifices récemment effectués. Telles sont les conclusions que l'explorateur rapporta du voyage qui le conduisit dans l'île de la Nouvelle-Zemble et dans le delta de l'Iénisseï.

En 1913, décrivant le voyage qu'il venait d'effectuer dans la péninsule de Yamal, le Russe B. Sitkov mentionne une sorte d'autel fait de crânes d'ours ; il apprit par la suite que les Samoyèdes avaient coutume d'entasser, depuis près d'un demi-siècle, des crânes à cet endroit, en l'honneur du dieu « Num ». « Num » est l'équivalent du « Boa » des Orotchons et des Toungouses, mais lui s'idenfie à l'univers inerte et au monde vivant. Le fait que le panthéon des Samoyèdes comporte un grand nombre de génies ne change rien à l'idée qu'ils se font de l'universalité de « Num ». Mais, aussi invisible qu'il soit, Num n'en aime pas moins les hommes ; par l'intermédiaire des génies, il leur dispense sa bienveillance et les favorise dans leurs expéditions de chasse.

Les Samoyèdes qui croient depuis la nuit des temps en Num, divinité suprême, et qui ont développé, au cours des millénaires, une civilisation profondément originale dans les toundras et dans les forêts de la Sibérie, sont à la veille de disparaître.

Eux-mêmes se qualifient de « Njentsi », terme qui signifie « hommes », et c'est d'ailleurs sous ce nom que les Russes les désignent. Samoyède, en russe, veut dire « anthropophage » ; or, les Samoyèdes ne l'ont jamais été et l'origine de cette dénomination est douteuse. Probablement dérivée du finnois, elle évoque les mots finlandais « Sameandna » qui signifie « Laponie » et « Suomi » dont le sens est « Finlande ».

Toujours en mouvement, ils emportent avec eux l'ensemble de leurs biens : tente, traîneau, canot, chiens. Au traîneau, les Samoyèdes attellent trois à quatre rennes de telle manière que la traction soit simultanée par suite de la disposition de l'attelage en oblique. Des courroies fixées à la base des andouillers servent à guider l'attelage car le renne ne supporte pas le mors. Légers comme des oiseaux, les traîneaux glissent rapidement sur la neige gelée. Petits, les traîneaux n'en sont pas moins solides, car les Samoyèdes bénéficient, dans ce domaine, d'une longue expérience ; seuls les rennes les tirent et les chiens ne sont jamais utilisés comme bêtes de trait. De poil jaune clair, ceux-ci sont d'une résistance à toute épreuve et aboient jour et nuit. Très voraces, ils se jettent sur les poissons crus qui constituent leur nourriture.

Si les Samoyèdes se nourrissent de viande de renne, ils ne boivent pas le lait de l'animal ; éleveurs, chasseurs et pêcheurs, les rennes constituent leur principale richesse et chacun souhaite en posséder le plus possible. Cela nécessite la recherche perpétuelle de nouveaux pâturages et la vie que mènent les Samoyèdes est l'une des plus dures qu'on puisse imaginer. Au printemps et en été, ils remontent vers le nord ; en automne, ils redescendent vers le sud pour fuir les taons et les moustiques. Il faut sans cesse rassembler les rennes, les compter, isoler les bêtes malades et les protéger contre les loups, fléau de la taïga et de la toundra. D'un bout de l'année à l'autre, le Samoyède se déplace sur son traîneau derrière son troupeau, lance ses chiens à la poursuite des rennes égarés pour les obliger à changer de direction et capture les bêtes qu'il entend habituer au traîneau à l'aide d'un lasso long d'une vingtaine de mètres.

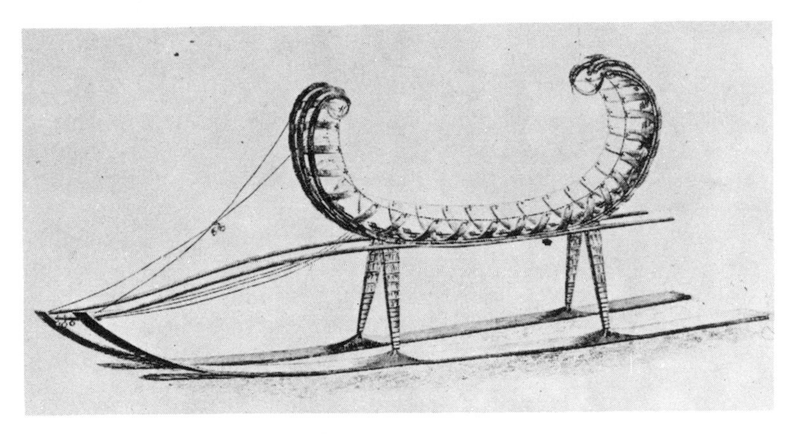

Traîneau du Kamtchatka. (B. N. Est.)

Etre en même temps pasteur, pêcheur et chasseur n'est pas chose facile. Pour y parvenir, il faut savoir monter une tente, construire un traîneau, un canot, confectionner un outillage de pêche, être initié aux secrets de la chasse, connaître mille tours de main et acquérir une endurance permettant de braver les rigueurs du milieu dont un Occidental a peine à se faire une idée, et une résistance presque surhumaine au froid et aux piqûres des taons et des moustiques. Tout cela implique un mode de vie, fruit d'une expérience multimillénaire ; on s'aperçoit, dans un cas semblable, que les peuples protohistoriques, c'est-à-dire antérieurs à l'histoire écrite, étaient tout le contraire de « sauvages ». Rompu aux vicissitudes de l'existence, le Samoyède ne se plaint jamais ;

il n'attend pas grand-chose de la vie et il sait qu'il ne peut guère compter que sur lui-même. Il ne mendie que s'il est dans un complet dénuement et rend, dès qu'il le peut, ce qu'on lui a prêté ; il ignore, enfin, ce qu'est le vol.

C'est à l'ethnologue finnois T. Lehtisalo qu'on doit d'être renseigné sur les mœurs et sur les usages des Samoyèdes, peuple qui a maintenant pratiquement disparu. En 1911-1912, il se rendit auprès des Samoyèdes-Iouraks du nord de la Russie et du nord-ouest de la Sibérie, gagna en canot l'embouchure des rivières Tass et Pur et suivit des éleveurs de rennes qui se dirigeaient vers la Sjoida. A Oksino, dans le delta de la Petchora, Lehtisalo se livra à des observations scientifiques et passa plusieurs mois dans la compagnie de Samoyèdes déjà déracinés qui vivaient misérablement dans de petits hameaux. En 1914, fort de l'appui de la Société des études finno-ougriennes, il étudia, dans la vallée de l'Irtych, la tribu des Iouraks, habitants de la grande forêt sibérienne. Les renseignements qu'il rapporta sont une mine de connaissances irremplaçables et tout ce qu'on a appris depuis lors sur les Samoyèdes n'est que la confirmation des dires du grand ethnologue.

En 1956, G.M. Vassilievitch écrit que, pour les Toungouses de l'Iénisseï, l'ours est un héros dont l'immolation a pour but de procurer aux hommes les rennes dont ils ont besoin. A l'extrémité orientale de la Sibérie, un mythe s'est partiellement conservé ; il a trait à une femme qui aurait mis simultanément au monde un ourson et un enfant ; devenus grands, ils se seraient livrés un combat à mort dont l'ours serait sorti vainqueur.

Le fait que cette légende se soit répandue et qu'elle ait été acceptée montre à quel point l'ours était respecté. Les Evenkis avaient une cinquantaine de noms pour désigner l'animal. Chaque fois, un membre d'une tribu différente était désigné pour dépouiller et vider l'ours tué afin que son âme ne sache pas qui l'avait abattu. Des Toungouses orientaux, Vassilievitch rapporte qu'ils conservaient à part le crâne et les ossements ; le premier était suspendu aux branches d'un arbre et les seconds étaient déposés sur une plate-forme, quelque part dans la taïga.

P.G. Pallas, qui entreprit, de 1768 à 1773, un voyage à travers les provinces russes, raconte, à propos des Karagasses, qu'ils déposent la tête et le cœur d'un ours sur un plateau d'écorce et qu'ils les élèvent vers le ciel en lui demandant de leur accorder une bonne chasse. Le Finnois Harvas précise, de son côté, que les Karagasses ne mangent pas le cerveau de l'ours de crainte d'endommager les os du crâne ; or, le cerveau représente, pour les peuples du Grand Nord, ce qu'il y a de plus précieux et de plus rare. Aussi le fait qu'on le laisse intact apparaît-il comme un hommage au Dieu Suprême.

Au siècle dernier, la science occidentale croyait encore à une évolution de l'idée religieuse, évolution qui, de la superstition et de la magie, aurait élevé l'homme jusqu'à la croyance monothéiste. Plus la créature se serait élevée dans l'échelle de la civilisation, plus elle se serait persuadée que la magie était une conception religieuse erronée

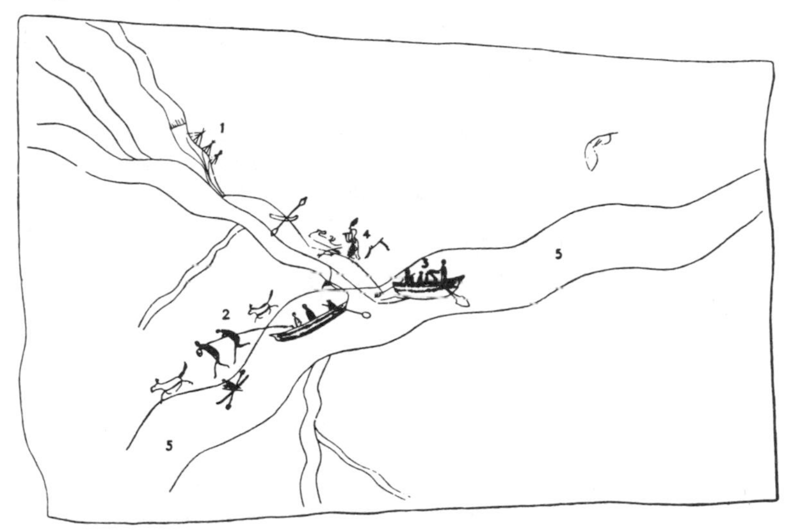

Message youkagire donnant des précisions géographiques ; le dessin représente la rivière Kolyma (5) *et ses affluents, la Yassachnaya et son tributaire, la Nelemnaya* (1). *Trois tentes sont dressées sur la berge de la Nelemnaya dont le cours est barré par des nasses. Une barque est halée à contre-courant* (2). *Deux chiens accompagnent les haleurs. L'autre barque, sur la Kolyma* (3), *se dirige vers un point de la rive où un chasseur* (4) *s'affaire à dépecer un renne.*

Cette opinion est fausse *a priori*, et le fait est qu'à l'époque historique, et même à l'époque actuelle, magie et monothéisme coexistent. Or, les ethnologues ont acquis l'absolue certitude que le plus ancien sentiment religieux était la croyance en un dieu unique ; par la suite, et à mesure des perturbations qu'apporta l'animisme, le monothéisme initial dégénéra en polythéisme et en superstition ; la magie l'emporta peu à peu sur la croyance en un dieu unique.

W. Jochelson s'est livré, en 1895, 1896, 1901 et 1902, à une étude approfondie des usages et des mœurs des Youkagires qui sacrifiaient des chiens, puis, plus tard, des rennes, à une divinité répondant au nom de « Pon » ; dans un lointain passé, des hommes furent immolés non pas à « Pon » mais au génie de l'élan. En même temps que la victime, une jeune fille qui, ayant vu la tête d'un élan abattu, était, de ce fait, condamnée à mourir, les Youkagires immolaient un chien et une chienne.

Uno Harva rapporte un détail supplémentaire, à savoir que, dans le cercle de Touroukhansk, les Toungouses conservaient non seulement la peau du crâne de l'ours, mais aussi les scalps des ennemis tués au combat. Or, chacun sait que les Ostiaks, proches cousins des Finnois, et un grand nombre de tribus indiennes de l'Amérique du Nord avaient pour habitude de prélever le scalp de leurs adversaires. Il en était de même en Sibérie. Quand mourait le chef d'une tribu youkagire, les ossements étaient débarrassés à l'aide d'un couteau d'os de la chair et des muscles qui y adhéraient et les lambeaux de chair étaient exposés au soleil et séchés. Pour ne pas toucher le cadavre, les Youkagires opéraient avec des gants et se dissimulaient le visage. Les lambeaux de chair séchée étaient enfermés dans un sac qu'en vertu de la coutume propre aux populations circumpolaires on suspendait à un poteau ou à la branche d'un arbre ; les os étaient distribués, comme autant de reliques, aux parents du défunt qui les portaient en guise d'amulettes. Lorsqu'il s'agissait de prendre une décision grave, c'est ces talismans que consultaient les Youkagires ; la tête, elle, était confiée à la garde du plus ancien de la tribu.

C'est la preuve que les crânes humains jouaient jadis un rôle capital dans les conceptions religieuses et que ce rôle était aussi important sinon plus que celui dévolu aux offrandes de crânes d'ours. Un rapprochement avec les découvertes de crânes datant de 300 000 à 400 000 ans effectuées dans la grotte de Chou-Kou-Tien, dans les environs de Pékin, s'impose inévitablement. Les crânes de Chou-Kou-Tien remplissaient-ils la même fonction que les crânes d'ours en Sibérie, autrement dit, étaient-ce des offrandes faites à une divinité ?

Le territoire habité par les Youkagires s'étendait jadis de la Léna à la Kolyma et de l'océan Glacial Arctique aux monts de Verkhoïansk ; confinés à la partie inférieure de la vallée de l'Indighirka, les Youkagires sont sur le point de disparaître. La région qu'ils habitent, sans cesse balayée par des vents du nord extrêmement violents, est l'une des plus inhospitalières de toute la Sibérie ; dans cette partie se trouve d'ailleurs le fameux pôle du froid.

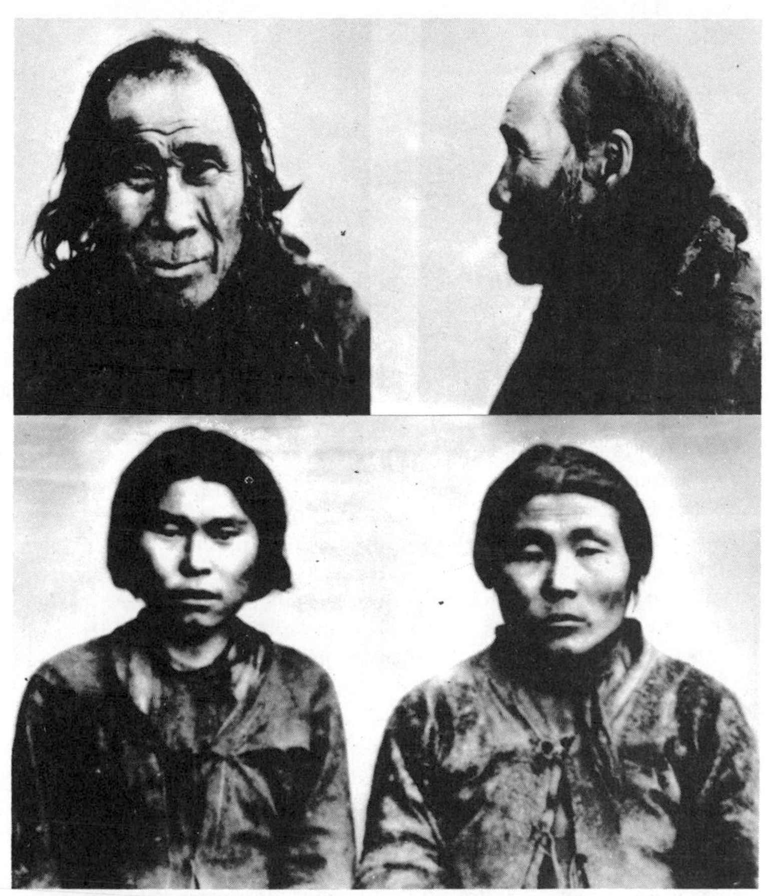

Les derniers survivants du peuple youkagire décimés par la variole et autres maladies importées par les Blancs vivant sur le littoral de l'océan Glacial Arctique. (Photo W. Jochelson : The Jukaghir...)

Le terme youkagire est vraisemblablement d'origine toungouse car, chez les Orotchons, la terminaison « gir » est fréquente dans les noms de clans ; le mot « youka » a également une consonance toungouse. Les Youkagires se donnent eux-mêmes le qualificatif d' « Odul » qui signifie « puissant », « fort ». Cette dénomination est d'autant plus ridicule et tragique qu'à la suite des guerres entre eux et les Tchoutches, d'épidémies de petite vérole, de l'exploitation éhontée dont ils furent victimes et des essais de « civilisation » de l'administration tsariste puis soviétique, les Youkagires ne sont plus qu'une poignée et que les quelques centaines de survivants se sont mêlés aux Toungouses.

Jochelson rapporte que les Youkagires éprouvent une profonde répulsion pour l'odeur que dégagent les autres populations sibériennes. D'après eux, les Lamoutes sentent l'écureuil, l'ours et la viande de renne avariée, les Yakoutes le foie de poisson et la bouse de vache et les Russes sibériens l'air vicié. Mais Jochelson précise que lui-même eut à souffrir de l'odeur des Youkagires dont les vêtements sont faits de peaux de poissons.

Pendant tout l'été, ils pêchent le long des fleuves et des rivières, mais ils ne se baignent jamais. Comme Jochelson faisait remarquer aux Youkagires qui sont infestés de poux que lui-même n'en avait pas, ils pâlirent et répondirent : « Nous savons pourtant que les poux ne quittent l'homme que lorsqu'il est mort. »

Les femmes youkagires sont extrêmement craintives et j'ai observé, chez les Orotchones, que la moindre émotion suffit à les jeter dans un état nerveux que l'on peut presque qualifier d'hystérique. Honnêtes et loyaux, les Youkagires sont si fiers que, même en période de disette, ils préfèrent mourir en silence plutôt que de quémander. Leur bravoure était également légendaire. Or, ce sont probablement leurs vertus et leurs qualités qui causèrent la perte des Youkagires, comme il arrive chaque fois que la bravoure ne va pas de pair avec la possession d'armes appropriées.

Comme les Orotchons, les Manegas et, en général, les populations sibériennes, les Youkagires sont très hospitaliers ; les filles pubères dorment dans leur propre tente et, comme les relations sexuelles avec les jeunes gens sont licites, c'est, chaque nuit, un va-et-vient autour des tentes qu'elles habitent. Nul n'y trouve à redire. Mais, si ces peuples sont honnêtes et loyaux, ils ont jadis été la proie d'aventuriers et d'exploiteurs et, dans leur cas, l'excès de rigueur morale fait presque figure de tare. Ce sont là, il est vrai, des traits spécifiques des très vieilles civilisations et il est impossible d'en juger objectivement à la lueur de nos critères.

A tout étranger qui rend visite aux Youkagires, on offre de partager la couche d'une jeune fille parce que dormir à deux tient chaud. Les Youkagires trouvent normal que les chasseurs venus de loin bénéficient du confort et de leur hospitalité.

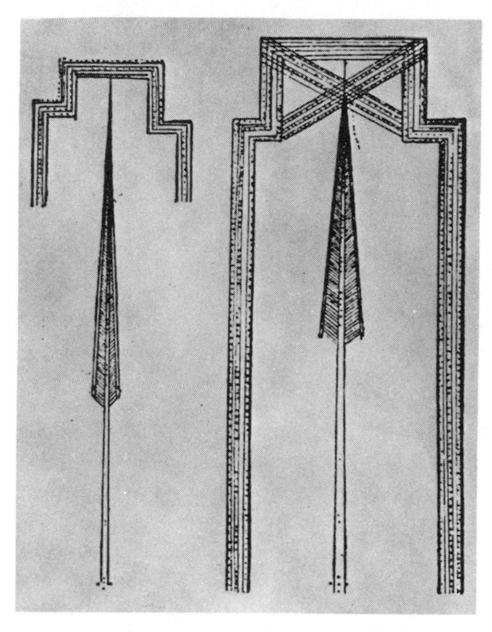

Lettre d'amour sur une écorce de bouleau. La flèche de gauche symbolise l'homme, celle de droite, la femme. (Photo W. Jokelson : The Jukaghir...)

Les jeunes filles n'écrivent pas, mais « dessinent » des lettres d'amour. En voici un échantillon : « Tu t'en vas, je reste seule, Et, à cause de toi, je pleure encore et je suis triste. » La « lettre » est une succession de dessins : une flèche représente l'homme ; au-dessus de la pointe, on voit une demi-tente de forme très stylisée. Cette disposition signifie que l'homme vient de la quitter. A côté, on aperçoit une autre flèche plus large, au centre d'une tente ; elle figure la jeune fille et, au-dessus de la pointe, des lignes entrecroisées symbolisent la douleur et l'ennui.

Pictogrammes youkagires sur écorce de bouleau ; ces messages étaient suspendus aux branches afin d'avertir les congénères. 1) *Trois chasseurs poursuivent des rennes.* 2) *Deux chasseurs chaussés de raquettes et armés de fusils ; le premier, qui pose son arme sur un appui, a atteint l'un des animaux.* 3) *Trois tentes de forme conique, des hommes, un chien et un traîneau ; derrière, deux tuniques toungouses.* 4) *Un chasseur rampe en direction d'un arbre sur lequel deux oiseaux sont perchés.*

On trouve chez les prétendus « primitifs » une fraîcheur de sentiments et un raffinement qu'on a grandement sous-estimés au siècle précédent. En 1925, après avoir vécu plusieurs années parmi les Esquimaux, Vilhialmur Stefanson écrivait : « Il fut un temps où je croyais connaître le sens du mot « sauvage ». Depuis, j'ai vécu en compagnie d'hommes qui se vêtent de peaux, se nourrissent de viande crue et qui sont aux antipodes de notre univers et de nos conceptions occidentales. Le terme « sauvage » ne signifie dorénavant plus rien en ce qui me concerne ! » La population esquimaude est dispersée entre les îles Aléoutiennes et l'Alaska, à l'ouest, et le Groenland, à l'est, soit sur une aire de dix mille kilomètres de large. Il existe encore de petites colonies d'Esquimaux à l'extrémité orientale de l'Asie, près des caps Dejenev, Tchoukosk et Oulapchen. Le nombre des Esquimaux actuellement vivants n'excède pas 43 000.

En 982 de l'ère chrétienne, l'Islandais Eric le Rouge fonda la première colonie scandinave sur la côte sud-ouest du Groenland. D'origine norvégienne, c'est lui qui envoya les premiers navigateurs à la découverte de l'Amérique du Nord ; ils donnèrent aux Esquimaux le nom de « skaellinger », ce qui signifie « les faibles ». Puis, lors du voyage qu'il effectua en 1003-1006, un autre Scandinave, Trofinn Karlsefne, rencontra, lui aussi, des Esquimaux sur le littoral du Labrador. Vers 1200, soit deux siècles plus tard, les Esquimaux commencèrent à investir et à attaquer les villages des Scandinaves et, en définitive, ce furent les « faibles » qui eurent raison des envahisseurs car, entre-temps, les colons avaient perdu le contact avec la mère patrie. Ou ils furent exterminés, ou, comme le suppose Nansen, progressivement assimilés, ils se fondirent dans le gros de la population. La redécouverte des Esquimaux remonte à 1500 environ, c'est-à-dire à l'époque où les navigateurs occidentaux longeaient les côtes de l'Amérique du Nord pour découvrir le passage du Nord-Ouest. Aussi, quand, en 1578, Martin Frobisher débarqua au Groenland, il n'y trouva aucun descendant des Vikings ; leurs traces avaient été effacées par la neige et la glace.

En 1933, mourut un homme auquel on est redevable de presque tout ce que l'on sait de la vie et des mœurs des Esquimaux ; cet homme, Knud Rasmussen, fils d'un Danois et d'une Esquimaude, était venu au monde en 1879 à Jakobshaven, sur la côte du Groenland. Fier de sa double origine, Rasmussen parla d'abord esquimau avant d'apprendre le danois sur les bancs de l'école. C'est à Illulissat (« les icebergs »), nom indigène de Jakobshaven, que Rasmussen et son frère passèrent leur enfance en compagnie des jeunes autochtones. En 1910, Rasmussen fonda, avec Peter Freuchen, la « Artic Station of Thule », la colonie la plus septentrionale du monde, et les sept expéditions qu'il organisa au Groenland et sur le continent nord-américain reçurent aussi le nom de Thulé. Il rendit visite à la plupart des tribus esquimaudes et constata que le dialecte parlé dans le sud du Groenland était compris de l'ensemble des Esquimaux. Lui-même était partout accueilli comme un frère. Dans ses relations de voyage, chaque ligne témoigne d'une profonde compréhension de l'univers et du caractère des Esquimaux : « Netsit et moi. nous n'avons pas grand-chose à nous dire ; le soir du premier jour, nous trouvons une congère où nous pourrons édifier un abri pour la nuit avant de faire plus amplement connaissance. J'ai mis de côté des cigarettes pour les occasions extraordinaires et, le soir, après avoir mangé de la viande de caribou et bu une tasse de café, je sens le moment venu de goûter la chaleur de la cigarette. J'en allume une et donne l'autre à Netsit. A ma grande surprise, il ne la fume pas, mais l'enveloppe soigneusement dans un chiffon. En dehors de nous deux qui venons, pendant dix heures, de lutter contre un vent glacial, qui trouverait notre igloo chaud et confortable ? La petite lampe alimentée à l'huile de phoque donne l'impression de dégager de la chaleur et nous nous sentons si bien que nous nous laissons aller à rêver d'entreprendre quelque chose. Nous préparons une seconde tasse de café et je réussis à convaincre Netsit de me conter une ou deux histoires. Puis, comble de luxe ! nous nous glissons dans nos sacs de couchage, après avoir hermétiquement fermé la porte de la hutte en recouvrant les blocs de neige d'une épaisse couche de neige molle. » (*Cinquième expédition*, 1932.)

Jusqu'à sa mort, Rasmussen recueillit et consigna soigneusement les mythes et les légendes des Esquimaux ; certaines, extrêmement curieuses et belles, manquaient de « brillant », comme nous dirions, nous autres Européens. Un jour, Rasmussen demanda à Netsit, son principal informateur : « Que signifie cette histoire ? Sa fin est tellement bizarre. » Sur quoi, Netsit lui répondit : « Quand une histoire nous amuse, il n'est pas indispensable qu'elle signifie quelque chose. L'homme blanc est le seul qui veuille toujours tout expliquer ; voilà pourquoi nos anciens disent que les Blancs sont des enfants qui n'en font qu'à leur tête. S'ils n'y parviennent pas, ils se fâchent et deviennent désagréables. » (*Cinquième expédition*, 1932.)

L'Etre Suprême des Esquimaux éleveurs de rennes porte, selon Rasmussen, le nom de Sila ; ce dieu est également connu sur l'île de Nounivak, dans le détroit de Béring, à l'extrême ouest du territoire peuplé par les Esquimaux. Rasmussen demanda à l'un de leurs chamanes : « Crois-tu à l'une de ces forces dont tu parles ? » Et le sorcier lui répondit : « Oui, je crois à une force que nous connaissons sous le nom de Sila et qu'il est impossible de décrire avec les mots de tous les jours. C'est un esprit puissant, maître de l'univers et de l'ensemble de la vie terrestre, tellement puissant même qu'il ne s'exprime pas dans un langage compréhensible aux hommes, mais par les tempêtes, les chutes de neige, les averses, les raz de marée, en un mot par toutes les manifestations qui inspirent de la crainte aux hommes. Mais il connaît une autre façon de se manifester : en faisant luire le soleil, à travers la mer calme et le jeu des enfants innocents et qui ne se soucient de rien. Dans les bonnes périodes, Sila n'a rien à dire à l'homme ; il disparaît dans le néant et reste caché tant que les hommes ne font pas mauvais usage de la vie et qu'ils respectent leur nourriture quotidienne. Nul n'a jamais vu Sila et sa demeure est tellement mystérieuse qu'il est à la fois très près et très loin de nous. »

Chez les Copper-Esquimaux, D. Jennes a retrouvé la même croyance dans l'existence de Sila « l'être qui habite le ciel et qui fait coucher le soleil ». Lors de sa cinquième expédit on, qui le mena chez les Esquimaux Iglulik, Rasmussen entendit de nouveau parler de Sila comme d'un « grand esprit, divin et redoutable, qui habite quelque part dans l'espace, entre le ciel et l'océan ». *(Cinquième expédition*, 1932.)

Dès 1928, William Thalbitzer, éminent spécialiste des civilisations esquimaudes, expliquait que Sila matérialisait d'antiques conceptions et que celles-ci avaient principalement survécu chez les Esquimaux Caribous ; pour eux, Sila s'identifiait avec le paysage, l'air, le temps, le monde, la sagesse, l'intelligence. Sur la terre du Roi-Guillaume, Rasmussen constata que les Esquimaux s'abstenaient de manger la moelle et le cerveau des rennes qu'ils abattaient et que les têtes des victimes étaient jetées dans une rivière, après que le corps eut été dépouillé de la viande débitée. Il s'agit là de sacrifices dont le but est d'attirer la chance sur le chasseur, comme en célèbrent la plupart des peuples de l'ère de la civilisation arctique pour qui le cerveau et la moelle sont la partie la plus précieuse d'un animal.

A l'extrémité orientale du continent asiatique et, plus exactement, sur l'isthme reliant la presqu'île d'Irkaipi au continent, A.E. Nordenskjöld rencontra les vestiges de huttes esquimaudes à demi enterrées ; elles avaient appartenu aux membres de la tribu

Onkilon que la pression exercée par les Tchoutches avait contrainte d'abandonner son habitat et de se réfugier sur les îles de l'océan Glacial Arctique. Recouvertes de terre, ces huttes avaient une charpente, assemblage d'os de baleines et de bois flottés et elles étaient reliées entre elles par un réseau de boyaux souterrains. Nordenskjöld écrit à ce propos : « Sur la pente et en plusieurs endroits, nous avons retrouvé des crânes d'ours en majorité couverts de mousse, placés en cercle et de telle manière que les museaux fussent tournés vers le centre ; d'autres se trouvaient mêlés à des crânes de rennes, de morses et à des andouillers de rennes entassés. Çà et là gisait un crâne d'élan ou de cerf auquel les bois adhéraient encore. Les crânes de phoques étaient là en grand nombre, mais les os manquaient en totalité. A proximité de ces « cimetières animaux » qui, d'après les indigènes tchoutches, sont l'œuvre des Onkilons, aucun fossile humain n'a été exhumé, ce qui laisse supposer que ces cimetières correspondent à autant de lieux de sacrifices. »

Il existe un si grand nombre de rapports, tous concordants, dus à d'illustres ethnologues, qui se réfèrent aux offrandes des Esquimaux à la divinité suprême, que nier l'évidence — ce que n'a pas hésité à faire un brillant ethnologue, Ivar Paulson — semble inconcevable. La religion des Esquimaux comprend un grand nombre d'esprits bons et mauvais, mais leur existence n'exclut pas la croyance en une divinité suprême que les indigènes craignent d'autant moins qu'elle veut du bien à l'espèce humaine. L'homme, d'ailleurs, est la création de ce Grand Esprit. (I.W. BILBY, 1923.)

La partie des peuples pratiquant les offrandes de crânes et d'os d'animaux est limitée à la partie septentrionale de l'Europe, de l'Asie et de l'Amérique, région dénuée de voies de communication, désolée et, par conséquent, prédestinée à assurer la conservation d'usages et de croyances plusieurs fois millénaires qui n'ont pratiquement jamais subi d'influences extérieures. L'important, c'est la constatation faite par Gahs, Hallowell et Hatt : les offrandes de crânes et d'os longs sont pratiquées dans tout l'extrême Nord, mais l'endroit où elles sont les plus nombreuses est une région située à l'écart du détroit de Béring, « charnière » entre l'Asie et l'Amérique.

Cette région est le « berceau » d'une autre religion, celle de l'ours, et de ses rites. Il y a donc, dans le nord de l'Asie, deux aires de civilisation, l'une paléo-arctique, caractérisée par les offrandes de crânes et d'os à une divinité invisible et immatérielle, et une civilisation subarctique, plus récente, liée au culte de l'ours.

Pour quelle raison, dans l'aire des civilisations arctiques, la conception monothéiste a-t-elle été préservée ? Avec la modestie que le sentiment de ne pouvoir pénétrer plus avant dans le passé lui inspire, P. Wilhelm Schmidt avoue qu'il est incapable d'expliquer cette anomalie. Mais il se peut aussi que la cause soit simplement d'origine naturelle et, de toute manière, les offrandes et la croyance en un Esprit Suprême subsistent. Comme le dit l'explorateur Stefanson : « Il n'est pas de jour où un miracle ne se produise sur la côte de l'océan Glacial Arctique ; les Esquimaux sont des hommes comme les autres, à cette différence près que, chez eux, les vertus civiques sont plus développées que chez nous autres, Européens. La dure lutte dont l'enjeu est le droit à l'existence leur a enseigné à vivre dans l'harmonie et dans la paix. »

Le fait qu'on ait sous-estimé le rôle que la métaphysique jouait chez les hommes du Paléolithique s'explique par l'erreur capitale commise par les ethnologues du siècle passé ; ils se sont montrés incapables de percevoir « l'essence » de la divinité et de comprendre en quoi consistait la loi religieuse des peuples primitifs. Le manque de connaissances générales dans les domaines de l'ethnologie et de la Préhistoire fut également une source d'erreurs. Il faut, en effet, se persuader qu'en plus de la terrible réalité de la vie quotidienne et de la lutte pour l'existence, les peuples des régions boréales avaient d'autres préoccupations plus élevées ; lorsque nous saurons en quoi consistaient leurs cérémonies et leurs rites sacrificatoires, la vie des hommes du Paléolithique apparaîtra sous un tout autre jour.

CHAPITRE XXV

L'idée religieuse il y a 70000 ans

« En 1941, P.W. Schmidt précisait, à propos du Drachenloch, qu'il s'agissait du sanctuaire le plus élevé et le plus important de la Préhistoire, car c'est là que les hommes contemporains adoraient l'Etre Suprême et qu'ils lui offraient, en signe de gratitude, les produits de leur chasse... Il ne s'agit donc pas d'un culte de l'ours, mais de sacrifices offerts à une divinité abstraite afin de se concilier sa protection. »

HEINZ BACHLER :
La Suisse primitive,
collection dirigée par Otto Tschumi.

« On peut affirmer avec certitude que c'est au Drachenloch qu'on a la preuve concrète de préoccupations métaphysiques qui rentrent dans le cadre de la culture proprement dite. »

EMIL BACHLER :
Le Drachenloch.

VERS 70000-80000 av. J.-C., la terre était peuplée par un homme d'aspect étrange. De petite taille, il avait une grosse tête, le front fuyant, les pommettes saillantes et des bourrelets sus-orbitaires proéminents. Le bas du visage, remarquable par son prognathisme, ne possédait aucune caractéristique animale ; le menton était pratiquement inexistant, mais les orbites étaient profondément enfoncées et l'ossature massive. Cet être, dont la taille ne dépassait pas 1,60 m, possédait une forte musculature. En 1848, des fouilles effectuées fortuitement dans les carrières de Forbes, au nord du rocher de Gibraltar, mirent au jour un crâne d'homme appartenant à une race inconnue.

En 1856, des ouvriers qui exploitaient une carrière dans la vallée de la Neander, entre Elberfeld et Düsseldorf, découvrirent des restes humains : calotte crânienne, deux humérus, une omoplate, un radius et d'autres ossements. On donna à l'homme dont les vestiges venaient d'être exhumés le nom d' *Homo neanderthalensis.* Gordon Childe décréta que cet homme avait une démarche traînante, mais les préhistoriens actuels réfutent cette opinion et objectent que cette hypothèse se fonde sur une reconstitution ancienne et erronée et que les performances cynégétiques du Neanderthalien prouvent, au contraire, son agilité et son habileté.

Sa capacité crânienne variait de 1 200 à 1 600 cm³, mais l'indice céphalique est un critère douteux, car le crâne peut être anormalement volumineux ou anormalement petit ; on ne peut avoir une idée exacte que si l'on dispose d'une série de crânes ayant appartenu à des êtres de même type et la moyenne est seule susceptible de fournir une indication précise. Un heureux concours de circonstances a amené la mise au jour d'un nombre relativement important de squelettes, partiels ou complets, de Neanderthaliens en Allemagne, en Moravie, en France, en Belgique, en Espagne, en Italie, dans la Russie du Sud, en Palestine, dans l'Ouzbékistan et jusqu'en Rhodésie.

On s'aperçut alors qu'il existait plusieurs types de Neanderthaliens ; par l'index céphalique et par la forme du menton, les crânes exhumés à Krapina, en Croatie, diffèrent, par exemple, du type neanderthalien classique.

Sur le Neanderthalien, sur son squelette, sur son mode de vie et sur son outillage, les renseignements sont assez abondants. Cela s'explique du fait qu'à l'inverse des fossiles de l'homme de Pékin, du *Pithecanthropus erectus* de Java et de l'homme de Mauer écrasés et comprimés sous les sédiments qui se déposèrent en l'espace de centaines de milliers d'années, les 100 000 ans qui nous séparent des Neanderthaliens n'ont pas suffi pour faire disparaître leurs traces. De plus, le Neanderthalien avait choisi d'inhumer ses morts dans les grottes et dans les abris sous roche où les conditions de conservation étaient nécessairement meilleures. On possède ainsi une centaine de squelettes, plus ou moins complets, d'hommes de Neanderthal qui ont permis de déterminer avec exactitude son volume crânien : 1 400 cm³ en moyenne. Chez les représentants des diverses races actuelles, la moyenne ne dépasse pas, pour les hommes, 1 300 cm³ et, pour les femmes, 1 200 cm³. En bref le Neanderthalien avait un cerveau plus gros que le nôtre.

Le professeur Franz Weidenreich estime que le volume du cerveau s'est progressivement accru, celui du Neanderthalien représentant un maximum, et qu'ensuite ses proportions ont diminué. Il n'y a, il est vrai, aucun rapport entre la capacité crânienne et l'intelligence. Les cerveaux de Jonathan Swift, de Lord Byron et de Tourgueniev étaient deux fois plus volumineux que le cerveau d'Anatole France ou de Gambetta (1 100 cm^3) ; on peut donc affirmer que, depuis 100 000 ans, c'est-à-dire depuis l'époque de l'homme de Neanderthal, la capacité cérébrale moyenne n'a pas augmenté. Ce qui compte, c'est la forme du cerveau, et l'on constate, à ce propos, que le cerveau du Neanderthalien était beaucoup plus aplati que celui de nos contemporains.

Si renseigné qu'on soit sur le compte du Neanderthalien, un certain nombre d'inconnues subsistent ; sa vaste diffusion géographique, son niveau élevé de civilisation et sa brusque disparition restent inexpliqués. D'après les datations du carbone 14, le Neanderthalien peuplait encore, en 30000 av. J.-C., le nord de l'Afrique ; il survécut un peu plus longtemps en Ethiopie. Chasseur et récolteur comme ses ancêtres, il témoignait, semble-t-il, d'une nette préférence pour la vie troglodytique ; cela s'expliquerait par la détérioration du climat qui s'accentua au début de la dernière phase de glaciation, c'est-à-dire il y a 120 000 ans. La nature fut la plus forte et elle eut finalement raison des Neanderthaliens dont l'extinction se situe à cette période.

L'outillage du Neanderthalien est qualifié de « Moustérien », du nom du gisement de Moustier, dans la vallée de la Vézère (Dordogne), où Lartet et Christy effectuèrent des fouilles en 1863. La première moitié de la période moustérienne coïncide avec la dernière interglaciaire et la seconde avec la première partie de la quatrième et dernière glaciation ; pour survivre et résister au froid de plus en plus intense, le Neanderthalien dut lutter avec une singulière âpreté.

Les témoignages qui subsistent de ses activités sont tellement stupéfiants qu'ils l'emportent presque en importance sur les constructions gigantesques de la Mésopotamie, de l'Egypte, de la Grèce et de la Rome ancienne. Si l'on calcule le temps en tenant compte du rythme extrêmement lent propre à la Préhistoire, les ziggurats, les mastabas, les pyramides, les temples, les cirques et les amphithéâtres se situent dans un passé très proche. Que sont en effet 6 000 ou 7 000 ans comparés aux 70 000 ou 80 000 ans qui nous séparent de l'homme de Neanderthal ?

Le Neanderthalien inhumait déjà ses morts dans des fosses

spécialement creusées dont il délimitait le pourtour avec des pierres et des ossements. Des tombes similaires ont été identifiées au Moustier, à La Chapelle-aux-Saints, à La Ferrassie, au mont Carmel (Palestine) et à Techik-Tach, en Ouzbékistan.

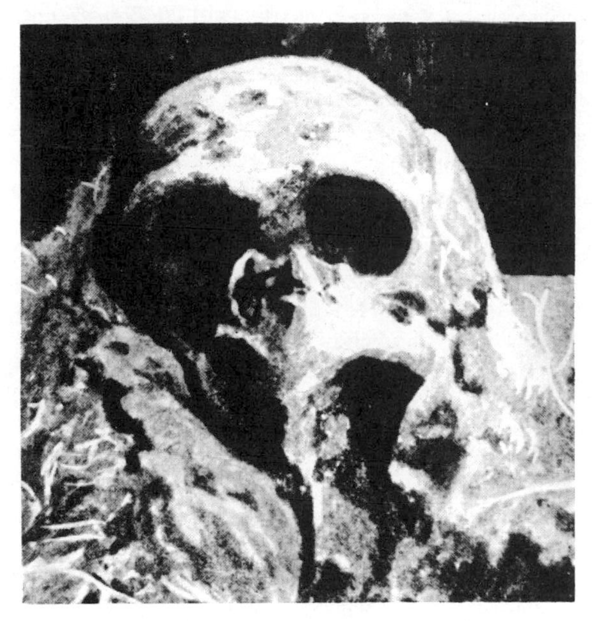

Un crâne néanderthalien de La Chapelle-aux-Saints, la disposition de la tombe témoigne d'une enfance dans une vie future. (Photo Musée de l'Homme.)

En 1908, sous un bloc de rocher tombé de la voûte de la grotte de La Chapelle-aux-Saints, on dégagea une sépulture que recouvraient plusieurs couches de gravats et d'argile. Elle contenait un crâne de vieillard ; ce crâne est le mieux conservé des ossements neanderthaliens. La fosse dans laquelle le squelette avait été déposé mesurait 1,45 m de long sur 1 mètre de large; profonde d'une trentaine de centimètres, elle témoignait du soin avec lequel les Neanderthaliens enterraient leurs morts. Cela prouve également autre chose. Auraient-ils, il y a 70 000 ans, pris tant de précautions pour assurer aux défunts un lieu de repos aussi protégé et capable de braver les millénaires s'ils n'avaient pas été convaincus de la survie de l'âme ? Cette préoccupation, déjà sensible chez l'homme de Neanderthal, est explicitée par le soin avec lequel il entassa des pierres autour des fosses pour protéger le cadavre de la pression des terres. La Ferrassie, autre gisement du département de la Dordogne, comporte même une modeste nécropole ; une grosse pierre servant de pierre tombale avait été creusée en différents endroits. Ces cupules étaient destinées à recevoir les offrandes alimentaires destinées aux défunts partis pour l'au-delà.

Menghin suppose que les prédécesseurs des Neanderthaliens se contentaient de poser les cadavres sur le sol et de les recouvrir de branchage et de terre.

Ce qui est étrange, c'est l'orientation ouest-est des sépultures (il en est de même de nos églises actuelles) et le fait que la tête du mort regarde vers l'est où le soleil levant était censé faire renaître le défunt à une nouvelle vie ; même quand le corps était couché sur le flanc, les jambes légèrement repliées, le mort attendait dans cette position de sommeil la lumière de vie.

Les contemporains du Moustérien pratiquaient déjà un véritable culte funéraire et leur croyance dans une survie ou dans une résurrection est attestée par la présence d'offrandes alimentaires, d'armes et d'outils ; le Neanderthalien recouvrait les cadavres de poudre d'ocre, censée — ce que perpétuent les mœurs des peuples primitifs — assurer au défunt une survie dans l'autre monde. Le rouge est le symbole du sang et du soleil levant, dispensateur de soleil et de vie ; d'autre part, le Neanderthalien était maître en matière de tatouages et il croyait certainement en un dieu unique et tout-puissant.

Ce dieu grand, solitaire, omniprésent qui semble avoir bravé les millénaires, s'est concrétisé, sous l'apparence d'un personnage portant une barbe majestueuse comme dans les livres destinés aux enfants, à mesure que les liens de l'homme et de la nature devenaient plus lâches, que l'être humain avait de moins en moins de préoccupations métaphysiques et qu'il s'habituait à accorder de l'importance au temps. Car, à mesure des progrès accomplis par la technique, l'homme a pris une conscience de plus en plus nette du facteur temps, mais le développement de son sens chronologique s'est effectué au détriment de sa capacité de mémoire. Du jour où il sut consigner ses pensées au moyen de signes d'écriture, les relier à l'instant présent et les « figer » en quelque sorte, le souvenir des « commencements » de l'époque humaine s'estompa et les livres et les textes se substituèrent à la mémoire. Petit à petit, l'expérience amassée par des centaines de générations et le souvenir du passé commun à l'homme et à la nature se perdirent. L'oubli dans lequel sombrèrent les forces primordiales, celles qui sont inséparables de l'univers des forêts, des glaciers, des montagnes, des grands fleuves et des océans eut pour corollaire l'oubli du dieu unique remplacé par des divinités multiples et multiformes.

Habitant des plaines, le Neanderthalien vivait aussi dans les montagnes et même sur les îles. Les découvertes effectuées au Mont-Dol, à la base de la péninsule armoricaine, relèvent, comme l'a souligné A. Vayson de Pradenne, du Moustérien typique, c'est-à-dire de l'aire de civilisation neanderthalienne. Le Mont-Dol n'est plus qu'une colline entourée de terres basses peu à peu assainies et gagnées sur la baie du Mont-Saint-Michel ; mais, à l'époque des hommes du Neanderthal, le Mont-Dol était encore une île que trois kilomètres d'eau séparaient du rivage. Il est peu probable que l'homme ait déjà su construire des canots, mais il est à peu près certain qu'il profitait des grandes marées pour gagner la terre ferme car l'île était bien incapable d'assurer la subsistance de ses habitants. La présence de Neanderthaliens sur le Mont-Dol est d'ailleurs difficilement explicable. Avaient-ils des ennemis ? Se sentaient-ils perpétuellement menacés ? Et, dans ce cas, par qui ?

Si, tournant le dos à la Manche, on explore les solitudes rocheuses et désolées de la chaîne des Alpes, on retrouve, là aussi, la trace du Neanderthalien. Les découvertes effectuées dans les grottes suisses : Wildkirchli, Wildenmannslisloch et Drachenloch (cantons de Saint-Gall et d'Appenzell) sont, en effet, sensationnelles. La grotte du Drachenloch s'enfonce de soixante-dix mètres sous la montagne et se subdivise en six salles. Près de l'entrée, les parois sont tapissées de lichens et de mousses d'un vert ardent et lumineux qui croissent jusqu'à l'endroit où pénètre le jour. Toutefois, dans un pareil milieu, la formation de la chlorophylle est pratiquement impossible.

Ces grottes renfermaient de véritables et authentiques merveilles. Toute sa vie, Emil Bächler s'est efforcé d'obtenir la reconnaissance, par les spécialistes, de l'authenticité de « sa » grotte et de leur faire admettre que là se trouvait un sanctuaire où, il y a 70 000 ou 80 000 ans, l'homme procédait à des sacrifices d'ours. Ces sacrifices sont un indice d'une importance capitale, car ils projettent un jour inattendu sur l'univers psychique de l'homme préhistorique.

La grotte renferme, notamment, des sortes de coffres en pierre ; après enlèvement d'une dalle formant côté, on s'aperçut que sept crânes d'ours, fort bien conservés et soigneusement empilés de sorte que le museau fût tourné vers l'entrée de la caverne, se trouvaient à l'intérieur.

Le pointillé indique le sentier conduisant à la grotte du Drachenloch, sanctuaire paléolithique. (Photo de Bächler : Das Drachenloch.)

Les « coffres » du Drachenloch sont les plus anciens produits de l'industrie humaine témoignant de préoccupations de nature esthétique. Les trois grottes suisses ont d'ailleurs livré une grande quantité d'ossements d'ours, les uns pêle-mêle, les autres symétriquement disposés ; c'est ainsi que trente et un fémurs avaient été rangés sur une grande dalle. dans le sens des articulations et qu'un cercle de petites pierres placées côte à côte, dont la forme évoquait celle d'une tête d'ours, entourait un crâne. A 50 cm du fond de la grotte du Drachenloch, des murets formant banquettes supportaient des ossements d'ours des cavernes et des crânes, les uns intacts, les autres défoncés ou même perforés. Certains avaient été placés dans des niches creusées dans la roche ou entre des blocs tombés de la voûte.

On trouva également dans ces grottes un outillage sous forme d'éclats retouchés et de lames grossièrement travaillées. Ces outils de petite taille — deux à trois centimètres pour la plupart — sont néanmoins le produit d'une industrie. D'autres ont été taillés dans des pierres de couleur ; jaspe rouge couleur de sang séché, quarzite verte, silex et nucléi. La taille s'effectuait par percussion en frappant les noyaux avec des rognons de quarzite. Les taillants sont grossiers et irréguliers et tous sont fortement usés. Il est vrai que les hommes de cette époque n'avaient que faire de l'esthétique et que les séjours qu'ils faisaient dans les grottes étaient de courte durée. Fabriquant leurs outils à mesure de leurs besoins, ils se contentaient d'un outillage rudimentaire puisqu'ils possédaient d'autres ustensiles plus maniables avec lesquels ils étaient parfaitement familiarisés.

Les ossements d'ours servaient de matière première ; c'est ainsi que les mâchoires inférieures, qui font défaut sur presque tous les crânes, tenaient lieu de massues après ablation des dents. Une molaire était néanmoins conservée. Les os des hanches servaient de grattoirs pour le tannage des peaux et des fourrures, comme l'atteste l'usure des bords. Les Neanderthaliens connaissaient la technique du tannage, ce qui porte à croire qu'il y a 80 000 ans l'homme se vêtait de peaux. Mais un os du bassin peut aussi servir à d'autres choses, et il suffit d'en saisir un pour constater qu'on peut aussi l'utiliser comme vase ; il est d'ailleurs probable que les Neanderthaliens s'en servaient également à cette fin. Une autre hypothèse est également plausible ; les cavités que présentent ces os pouvaient aussi contenir de l'huile et l'adjonction d'une mèche les transformait en lampes. En définitive, les os des ours des cavernes se prêtaient à des utilisations multiples et peut-être même à la fabrication de pointes de flèches. Les dents d'ours aiguisées tenaient lieu de couteaux et de grattoirs. Mais ce qui paraît le plus étonnant c'est que l'homme fût parvenu à chasser l'ours des cavernes, animal particulièrement redoutable ; on peut, toutefois, se demander s'il ne se contentait pas des cadavres des animaux ayant péri pendant leur sommeil hivernal. Le goût très prononcé de la viande ne l'aura sans doute pas gêné.

Sur un grand nombre d'ossements, Emil Bächler a signalé l'existence de traces de grattage, sur l'origine desquelles on ne possède aucune précision. Mais comme aucune reproduction n'accompagnait son ouvrage, plusieurs spécialistes en ont déduit qu'elles n'étaient

L'ours des cavernes, le principal fauve du Pléistocène européen. Répandu dans les chaînes alpestres, l'ours était pourchassé par les contemporains du Moustérien et de l'Aurignacien ; les Neanderthaliens offraient ses ossements et son crâne au Dieu Suprême. La cause de la disparition de l'ours des cavernes est inconnue.

pas des vestiges de blessures. Désireux d'en avoir le cœur net, j'ai demandé l'avis de Heinz Bächler, fils de l'explorateur des grottes suisses, et celui-ci m'a répondu : « L'année dernière, j'ai étudié une grande partie du matériel exhumé et constaté l'existence, à la hauteur de l'articulation de l'os occipital, des deux premières vertèbres et des articulations des épaules et des hanches, d'un grand nombre d'entailles qui n'ont rien à voir avec des détériorations ultérieures. Les os bien conservés ne comportent pas tous, il s'en faut, des traces de grattage ni des entailles ; je me suis moi-même livré à des expériences avec des outils en pierre préhistoriques et des os de bovins récemment tués et je me suis rendu compte qu'il est pratiquement impossible de ne pas entamer plus ou moins profondément la surface de l'os lorsqu'on s'efforce de sectionner des muscles et des tendons au niveau des articulations. »

Il n'est pas, non plus, impossible que l'homme préhistorique ait pris soin des os pour la bonne raison que, selon sa croyance, seuls les hommes et les animaux dont le squelette restait intact pouvaient prétendre à la vie future.

La tactique des chasseurs préhistoriques était élémentaire. L'homme armé d'une massue contraignait l'ours à se réfugier au fond de la grotte qui lui servait de tanière ; là, il s'efforçait de l'assommer. Peut-être l'épiait-il du haut d'un arbre ou d'un rocher, attendant le moment propice pour le transpercer d'un coup de lance ou de javelot ? Les crânes d'ours découverts en Styrie, dans le Drachenhöhle, portent des traces de chocs et même de fêlures sur le côté gauche de la boîte crânienne. Certaines, cicatrisées, se ressoudèrent ultérieurement, d'où il appert que, dans la lutte opposant l'homme à l'ours des cavernes, l'homme n'était pas nécessairement le vainqueur.

Les grottes suisses de Wildkirchli, du Drachenloch et du Wildenmanslisloch renfermaient, chacune, les restes d'un millier d'ours, et l'hypothèse de Bächler selon laquelle cette énorme masse de crânes et d'ossements aurait été transportée dans les cavernes à la période mésolithique apparaît vraisemblable. Ces cavernes, à l'exception toutefois de celle de Wildkirchli temporairement occupée durant la mauvaise saison, ne furent probablement jamais habitées par des ours. De toute manière, un tel amas d'ossements n'est pas concevable sans intervention humaine et l'un des crânes du Drachenloch dépourvu de maxillaire inférieur pose un problème ; un fémur d'ours a été introduit dans l'arcade zygomatique de telle manière que, pour le dégager, plusieurs manipulations compliquées sont indispensables. Une disposition aussi étrange implique un raisonnement complexe de la part de l'individu qui réalisa l'assemblage. D'autre part, l'existence d'un caisson quadrangulaire fait de dalles de pierre qui renfermait sept crânes d'ours ne peut pas être le fait du hasard.

Personne n'imaginait qu'on pût, un jour, découvrir, à plus de mille cinq cents mètres d'altitude, des traces de l'homme du Neanderthal. Or la grotte de Wildkirchli est située à cette altitude, celle de Wildenmanslisloch, dans le massif du Churfisten, à mille six cent vingt-huit mètres, et le Drachenloch, à l'extrémité de la vallée de la Tamina, à deux mille quatre cent quarante-cinq mètres.

Quelle raison poussa les Neanderthaliens à entreprendre l'ascension des montagnes ? La montée n'était-elle pas pénible ? Dangereuse ? Pourquoi ce travail gigantesque ? Pourquoi ce transport de quantités considérables de crânes et d'ossements de plantigrades ?

Et, enfin, pourquoi la surface des boîtes crâniennes est-elle brillante et polie comme si des mains les avaient palpées pendant des millénaires ? Ces crânes servaient-ils de coupes ? Que venait faire le Neanderthalien au-dessus de la limite supérieure des arbres où il ne pouvait d'ailleurs séjourner qu'au printemps et en été ?

Au Drachenloch, sous le seuil qui isole la première de la deuxième salle, Bächler identifia une couche de cendres qui renfermait des brindilles carbonisées, des ossements, des éclats de pierre, les uns brûlés, les autres semi-calcinés. Sous le foyer, la terre avait une teinte rougeâtre et une consistance pulvérulente. De l'analyse des restes, il résulte que le bois était du pin. Un autre foyer fut découvert au fond d'une fosse, entre les salles II et III : la dalle mesurait cinquante centimètres de côté. Vieille de 70 000 ans, elle était recouverte d'une épaisse couche de suie ; des cendres, du charbon de bois et des os calcinés gisaient au fond du trou. Bächler chercha quel était le meilleur moyen de faire du feu dans la grotte du Drachenloch et constata que le tirage était bien meilleur lorsque le feu brûlait dans les passages qui faisaient communiquer les salles.

Près du foyer, se trouvait « l'autel » (il supportait le crâne d'ours dont un fémur transperçait l'arcade zygomatique) ce qui implique une corrélation entre cet autel et le feu.

La grotte du Drachenloch est certainement le sanctuaire le plus ancien et le plus remarquable du passé de la race humaine, car c'est ici que les hommes de la Préhistoire sacrifiaient au dieu suprême pour lui exprimer leur gratitude. Mais il n'est pas exclu que ces offrandes aient eu une signification supérieure et plus générale ; s'il en est ainsi, la grotte serait le plus ancien temple aménagé.

Par nature, les hommes de science sont sceptiques. F.E. Koby, par exemple, nie que les os d'ours aient fait l'objet d'une préparation et que les contemporains du Paléolithique aient laissé dans les grottes des traces de leur passage ; il estime que l'ours était trop dangereux et que les hommes d'alors ne disposaient pas d'armes suffisamment efficaces. Pour Koby, les murets de pierres sèches, les caissons faits de dalles dressées, la présence, dans la grotte du Drachenloch, de crânes et d'ossements d'ours résultent de simples « coïncidences » et les outils découverts alentour ne sont que le « résultat » de l'usure provoquée par les allées et venues des plantigrades. Il suffit d'examiner attentivement

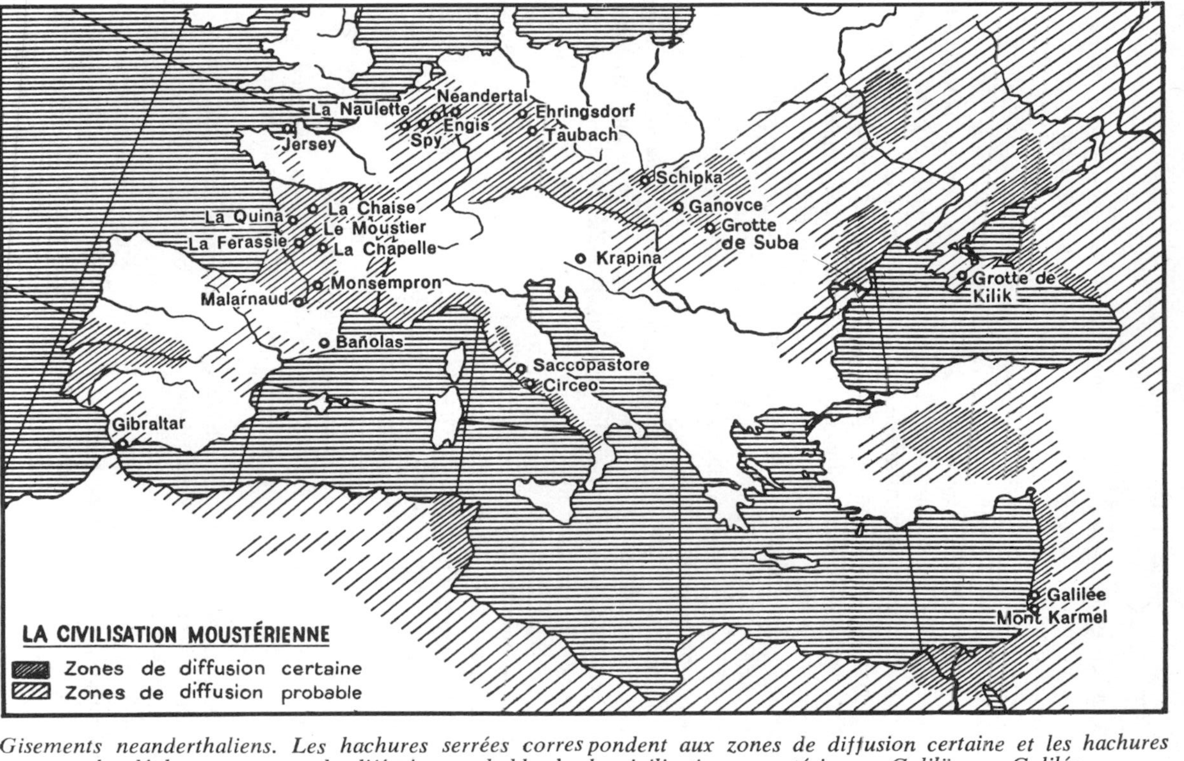

Gisements neanderthaliens. Les hachures serrées correspondent aux zones de diffusion certaine et les hachures plus lâches aux zones de diffusion probable de la civilisation moustérienne. Galiläa = Galilée ; Karmel Kafe = Mont Carmel ; Kiikhöhle = Grotte de Kiik ; Subahöhle = Grotte de Suba.

objets et outils mis au jour pour se persuader qu'ils ne doivent rien à la nature ni au hasard ; l'intervention de l'homme est patente et explicite.

Les objets, ossements et outils provenant du Drachenloch et des grottes de Wildkirchli et de Wildenmannslisloch ont été transportés au musée cantonal de Saint-Gall. Tout en les regardant, il me semblait entendre le bruit sourd des marteaux frappant les burins de pierre, les grondements et les plaintes des ours blessés, les cris qui se répercutaient jusqu'au fond des cavernes, le craquement des os sous les coups des massues et le crépitement du feu. Le petit musée de Saint-Gall est beaucoup plus riche qu'il n'y paraît et il ne faut jamais oublier que la chronologie jadis établie par Bächler n'a jamais été infirmée. Les Neanderthaliens qui fréquentèrent ces grottes ont été les contemporains de la dernière interglaciaire (Würm I et II), pendant laquelle le climat était à peu de chose près le même qu'à l'époque actuelle. Pendant les glaciations, les conditions climatiques étaient telles, à cette altitude, que, dans cet univers de glace et de neige, ni hommes ni bêtes n'auraient pu subsister ; de toute manière, l'homme n'aurait pas osé s'y risquer. Les outils découverts dans les grottes suisses sont contemporains du Pré-Moustérien, stade de civilisation correspondant à l'homme de Neanderthal, et le Drachenloch est l'illustration de la lutte acharnée que l'homme dut livrer au milieu pour survivre. Mais il dut également éprouver certaines joies, car on a découvert 30 petits galets de quarzite, pierre étrangère à la région, de forme presque sphérique, apportés par les Paléolithiques dans la caverne de Wildenmannslisloch. Ces cailloux avaient-ils une destination quelconque ? Il est probable qu'ils les avaient ramassés pour le plaisir esthétique qu'ils leur procuraient et peut-être même s'en servaient-ils pour jouer !

Aucune grotte suisse n'a livré d'ossements humains qui auraient pu se conserver au même titre que les ossements d'ours qui y furent découverts, mais cette anomalie s'explique, car l'homme redoutait le voisinage des défunts ; en vertu d'un raisonnement identique, dans d'autres régions les cadavres étaient ligotés avant d'être inhumés. Des grottes beaucoup plus profondes ont, il est vrai, parfois servi de cimetières. Une autre explication permet, semble-t-il, de dissiper le mystère : si les grottes suisses ne renferment pas de fossiles humains, c'est simplement que, refuges provisoires, elles étaient rarement habitées.

Quoi qu'il en soit et comme le dit Bächler, les grottes suisses posent une énigme jusqu'ici insoluble. Dans celle du Wildenmannslisloch, une niche creusée dans la paroi dont l'ouverture était fermée par des pierres renfermait la mâchoire inférieure d'un ours des cavernes dont la forme évoque une silhouette féminine grossièrement ébauchée. Rien ne permet d'affirmer qu'il s'agisse d'un travail humain mais ce qui est sûr c'est que le poli des surfaces, notamment de celles de la tête de la « statuette », provient d'une usure ; comme le suppose Bächler, il se peut que la mâchoire ait servi de racloir pour le traitement des peaux, auquel cas la « statuette » serait le produit du hasard. Après avoir longuement examiné la figurine, j'ai été frappé par le soin avec lequel les yeux fermés, la bouche, le front, le cou et le dos avaient été rendus. Il convient aussi de signaler qu'une autre « pseudo-Vénus » qui ne possède pas de tête nettement identifiable mais plusieurs surfaces polies, a été découverte dans la même cachette.

En admettant même que la « pseudo-Vénus » ne soit pas le produit de l'industrie paléolithique, il est difficilement croyable que cet homme n'ait pas « vu » dans cette figurine la matérialisation d'une silhouette féminine ; cela expliquerait son souci d'assurer sa conservation. Friedrich Behn déclare que les contemporains du Paléolithique n'avaient pas de préoccupations esthétiques et que les statuettes féminines datent de l'Aurignacien, période postérieure. Dans ce cas, la « pseudo-Vénus » du Wildenmannslisloch constituerait une exception et serait l'une des premières — sinon même la première — productions esthétiques créées ou, tout au moins, conçues par l'homme. Découverte le 21 octobre 1926, la « Vénus » du Wildenmannslisloch qui mesure douze centimètres de hauteur est visible au musée cantonal de Saint-Gall où les visiteurs qui s'arrêtent pour la regarder sont rares.

Un certain nombre d'indices permet d'affirmer que des sacrifices d'ours ont eu lieu ailleurs que sur le territoire de la confédération helvétique, ce qui prouverait que la notion de sacrifice et d'offrande était celle de la majorité et non pas l'apanage d'une minorité de sorciers et de prêtres. Des sépultures d'ours ont été effectivement retrouvées dans la Petershöhle, près de Velden (Franconie), dans la Teufelshöhle, près de Pottenstein (Suisse franconienne), dans la Kitzelberghöhle, près de Bober-Katzbach, à Cabrerets, dans le Lot, dans la caverne des Furtins (Saône-et-Loire) et dans les grottes et stations alpines et subalpines yougoslaves. « Crânes

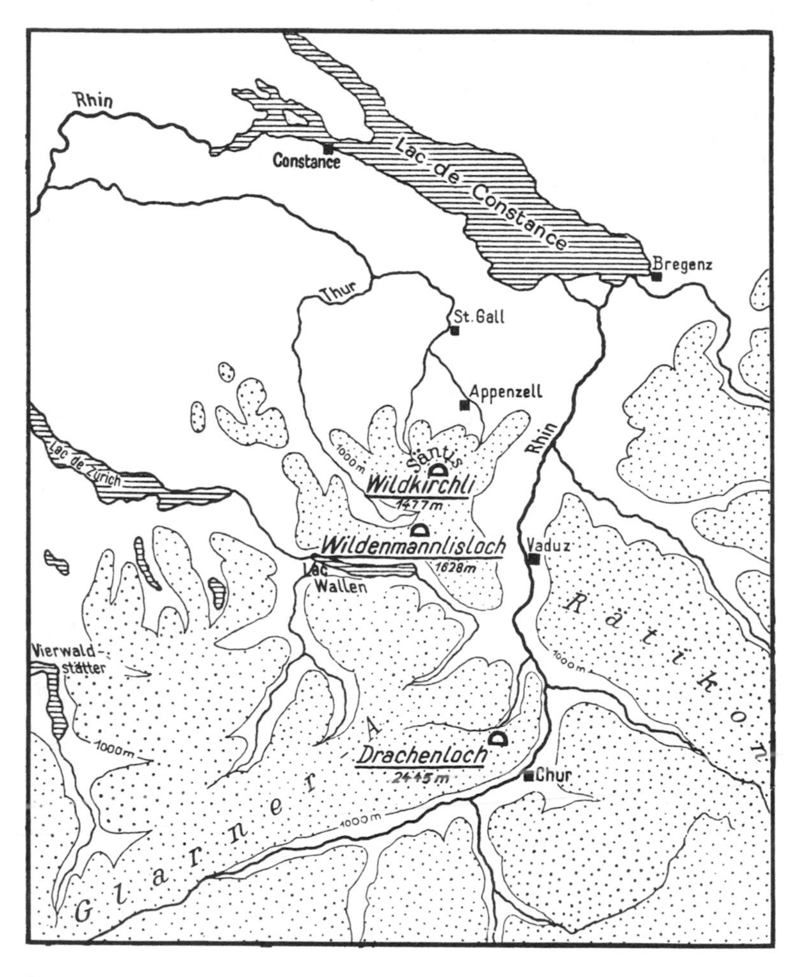

Les trois gisements de Wildkirchli, de Wildenmanslisloch et du Drachenloch sont les principaux sites où furent découverts des restes de l'ours des cavernes. Tous trois sont situés en Suisse dans les cantons de Saint-Gall, d'Appenzell et des Grisons. La grotte du Drachenloch contenait des coffres en pierre renfermant des crânes et des ossements d'ours.

d'ours, ossements et outillage moustérien ont été découverts dans des conditions géologiques tellement étranges qu'il est impossible de les relier à des phénomènes naturels » (S. Brodar). Dans la grotte de Salzofen, dans le Totengebirge (Autriche, deux mille mètres d'altitude), Kurt Ehrenberg a identifié trois crânes d'ours entourés d'une rangée de pierres ; dans les trois cas, des débris de charbon de bois gisaient à proximité immédiate. Dans la Petershöhle, les crânes étaient logés dans des niches artificielles et dans des cavités naturelles. L'une d'elles qu'un mètre vingt séparait du sol contenait cinq crânes, deux fémurs et un humérus d'ours des cavernes. Au premier contact, les crânes tombèrent en poussière. K. Hörmann qui explora la grotte est catégorique : « Il est impossible que les ossements soient parvenus dans les niches par des voies naturelles. Il s'agit bien d'une offrande, acte de piété et de dévotion à une puissance supérieure. »

Une grotte située près de Mixnitz (Styrie) a été surnommée « caverne du Dragon » en raison de l'abondance des fossiles d'ours qu'elle renfermait ; l'homme l'habita aussi à diverses reprises et en alternance avec des plantigrades. A deux cents mètres de l'entrée, on a localisé l'emplacement d'une cabane et d'un foyer à proximité immédiate d'une source ; on y découvrit, posés sur un socle de pierre, des os portant des traces de calcination et des outils. Des canines d'ours avaient été retouchées pour servir d'armes et de racloirs indispensables au nettoyage des peaux.

Les restes mis au jour dans ces grottes appartiennent à 50 000 ours, chiffre considérable mais qui, compte tenu de la longueur des périodes préhistoriques, est moins important qu'il n'y paraît. Le fond de la grotte est un dédale de corridors et de passages étroits provoqués par la chute de blocs tombés de la voûte et des parois ; les griffures d'ours y sont nombreuses ; on distingue nettement les cinq ongles et l'on s'aperçoit, à l'examen, que ces griffures sont celles d'ours luttant et s'efforçant d'échapper aux chasseurs qui les encerclaient.

Les mêmes traces se voient ailleurs, mais toujours aux endroits les plus étroits ; elles sont ou verticales ou horizontales et toutes témoignent de l'acharnement de la lutte. Le préhistorien Bachofen von Echt en a déduit que l'homme posait, dans ces passages, des pièges sous forme de nœuds coulants ; pour cela il s'éclairait avec des lampes à graisse dont la lueur perçait à grand-peine les ténèbres.

Quand l'animal était pris au piège, l'homme s'approchait et s'efforçait de lui assener des coups de massue.

L'homme dressait son plan d'attaque avant que le plantigrade ne prenne ses quartiers d'hiver ; une torche à la main, il explorait les grottes susceptibles de servir de tanières aux ours qu'il traquait. Effrayé par le feu, l'ours reculait pas à pas ; tôt ou tard, il lui fallait emprunter le boyau où le chasseur avait posé un nœud coulant. Prisonnier, l'ours vendait chèrement sa peau et répondait par la violence aux ruses et aux stratagèmes de l'homme. Certaines bêtes parvenaient à se libérer comme le prouvent les fêlures et les fractures cicatrisées. Pour tuer un ours, il est essentiel de l'atteindre directement à la base du nez et les blessures infligées par les chasseurs paléolithiques n'étaient pas toujours mortelles ; la découverte, à Brno, d'un crâne d'ours dans lequel était insérée une pointe de silex enkystée montre que l'ours des cavernes était un adversaire coriace et extrêmement dangereux car, avec les armes dérisoires dont disposait son ennemi, le corps à corps, pratiquement inévitable, impliquait de gros risques.

Les couches archéologiques de la grotte de Mixnitz renfermaient des ossements d'ours de plusieurs espèces et, notamment, des crânes de soixante centimètres de long qui sont ceux d'ours géants ; d'autres sont plus larges, certains plus étroits. L'abondance des fossiles qui y ont été exhumés s'explique du fait que cette grotte fut très longtemps habitée, peut-être même pendant 100 000 ans.

Dans un boyau latéral, dix-sept crânes avaient été entassés, ce qui suppose, comme c'est le cas pour les grottes suisses et franconiennes, l'immolation rituelle d'ours.

Mais qui dit offrande dit divinité. Si je n'avais pas moi-même entendu des Toungouses vivant dans la Mandchourie septentrionale me parler des crânes et des ossements d'ours que leurs ancêtres offraient au Dieu Suprême, je douterais de leur réalité. Il faut avoir vécu au contact des populations circumpolaires pour le « croire » et pour l'éprouver dans sa réalité. Auteur d'un ouvrage à la rédaction duquel il consacra toute son existence, l'ethnologue P.W. Schmidt est formel : « La croyance initiale de tous les représentants de l'espèce humaine était monothéiste. Comme les Toungouses, les paléolithiques ne connaissaient qu'un dieu unique qu'ils associaient à une éthique et à un code moral extrêmement rigide. Beaucoup plus tard, cette religion primitive dégénéra et s'abâtardit. En d'autres termes, le Dieu Suprême n'est pas l'aboutissement mais, au contraire, l'origine et le point de départ de l'évolution religieuse. » « Il est plus que probable que les contemporains du Pré-Moustérien offraient déjà des sacrifices. » (MENGHIN.) Ce qui revient à dire que les rites et les cérémonies étranges dont les grottes suisses, françaises, franconiennes et styriennes furent le théâtre répondaient à une nécessité religieuse et morale. Comme les populations sibériennes, les chasseurs paléolithiques qui assommaient des ours agissaient dans un but précis : offrir les parties nobles de l'animal à la divinité qu'ils imploraient. « C'est là, poursuit Menghin à propos des découvertes effectuées dans la grotte du Drachenloch, tout ce qu'on peut affirmer, dans la mesure où les preuves archéologiques permettent de le déterminer. »

Ces hommes considéraient le dieu unique comme le créateur et le « mainteneur » de l'univers. Comme le précise l'Ancien Testament et comme le dit saint Paul dans la première lettre aux Romains : « L'homme connaît Dieu depuis la création du monde. »

CHAPITRE XXVI

L'homme de Cro-Magnon

« Ne sachant ni lire ni écrire, sa mémoire était certainement prodigieuse ; son souvenir couvrait peut-être des centaines de milliers d'années dont plus rien ne subsiste. »

Le Paléolithique récent qui, selon Obermaier, dura de 30 000 à 10 000 av. J.-C. comporte une phase qui se situe entre 30 000 et 28 000 ans, phase pendant laquelle l'Europe centrale fut le théâtre d'une effroyable tragédie. Les immenses plaines au sol détrempé par le dégel consécutif au retrait des glaces qui laissaient derrière elles lacs, dépôts morainiques, rivières et torrents furieux qui s'engouffraient entre des collines et des montagnes aux cimes enneigées virent la disparition des Neanderthaliens ; ils abandonnèrent les cavernes et les grottes, leurs cris ne troublèrent plus le silence, leur civilisation s'éteignit. Cette disparition semble avoir été progressive puisque, vers 30000 av. J.-C., des hommes du Neanderthal subsistaient en Afrique du Nord et, plus tard, sans doute, en Ethiopie.

Mais, dès 60000 avant notre ère, d'autres hommes étaient apparus sur la terre ; nombreux, ils essaimèrent et se répandirent dans l'Europe centrale, dans la péninsule italienne, dans la France méridionale, en Espagne et dans toute l'Asie antérieure. La rapidité avec laquelle ils se substituèrent aux Neanderthaliens infirme précisément l'hypothèse selon laquelle ces hommes seraient leurs descendants. Les premiers vestiges des nouveaux venus ont été identifiés à Jabrud, sur le versant oriental de la chaîne de l'Anti-Liban (Syrie), et sur les pentes du mont Carmel, en Palestine.

Les nouveaux arrivants, les Cromagnidés, étaient plus grands que leurs prédécesseurs ; chez les hommes, la taille atteignait couramment 1,70 m à 1,80 m. Solidement bâtis et musclés, ils avaient un visage court et large. Le nom *Cromagnidés* qu'on leur a donné dérive de celui de la grotte, voisine du petit village des Eyzies, dans la vallée de la Dordogne, où Olaine Laganne et Louis Lartet mirent au jour cinq squelettes : celui d'un vieillard, ceux de deux adultes, celui d'une femme et celui d'un enfant. Le vieillard mesurait 1,82 m et le crâne de la femme portait la trace d'une ecchymose peut-être provoquée par l'arme en pierre qui gisait à côté de la dépouille. Des centaines de coquillages marins percés et destinés à être enfilés comme des perles de collier jonchaient le fond des tombes ; ils provenaient des côtes de l'Atlantique. Les Cromagnidés les avaient donc soit rapportés eux-mêmes, soit ramassés sur leur propre « territoire » de chasse, ou bien encore échangés.

Des restes de Cromagnidés très caractéristiques ont également été découverts dans les grottes de Baoussé-Roussé (Grimaldi) à quelques kilomètres de Menton. La grotte dite des Enfants abritait le squelette d'une vieille femme en position accroupie et celui d'un jeune homme aux jambes légèrement repliées qui gisait à côté d'elle, couché sur le flanc droit. Le jeune homme, allongé derrière la femme, semblait la serrer dans ses bras. Le simple fait que les os étaient dans leur position initiale implique la simultanéité des deux inhumations. Pour définir ce mode d'ensevelissement, O. Schrader inventa l'expression « mariage funèbre » ; en fait, elle ne correspond pas à la réalité car la femme est beaucoup plus âgée que l'homme enseveli auprès d'elle et ces cadavres sont plutôt ceux d'une mère et de son fils. Toutefois, une troisième hypothèse est à envisager ; l'homme étant mort et devant renaître dans l'au-delà, il lui fallait une servante pour s'occuper de lui dans l'autre monde. La femme fut peut-être immolée ; on a même l'impression qu'elle fut ligotée avant le raidissement du cadavre. Mais l'élément majeur c'est que les deux corps furent enterrés au-dessus d'un foyer, ce qui indique, comme pour les crânes et les ossements d'ours du Drachenloch, l'existence d'une relation entre le feu et l'idée de mort, entre la flamme, symbole de vie, et l'inertie du cadavre. En outre, le monticule élevé au-dessus de la sépulture avait été saupoudré de poudre ocre, couleur inséparable, dès l'époque neanderthalienne, de la conception métaphysique de l'au-delà. Contrairement à ce que professe l'ethnologue soviétique M.S. Pliseki, cette utilisation de l'ocre n'a rien à voir avec la coutume tasmanienne qui consistait à se protéger du froid en s'enduisant d'un mélange d'ocre et de graisse.

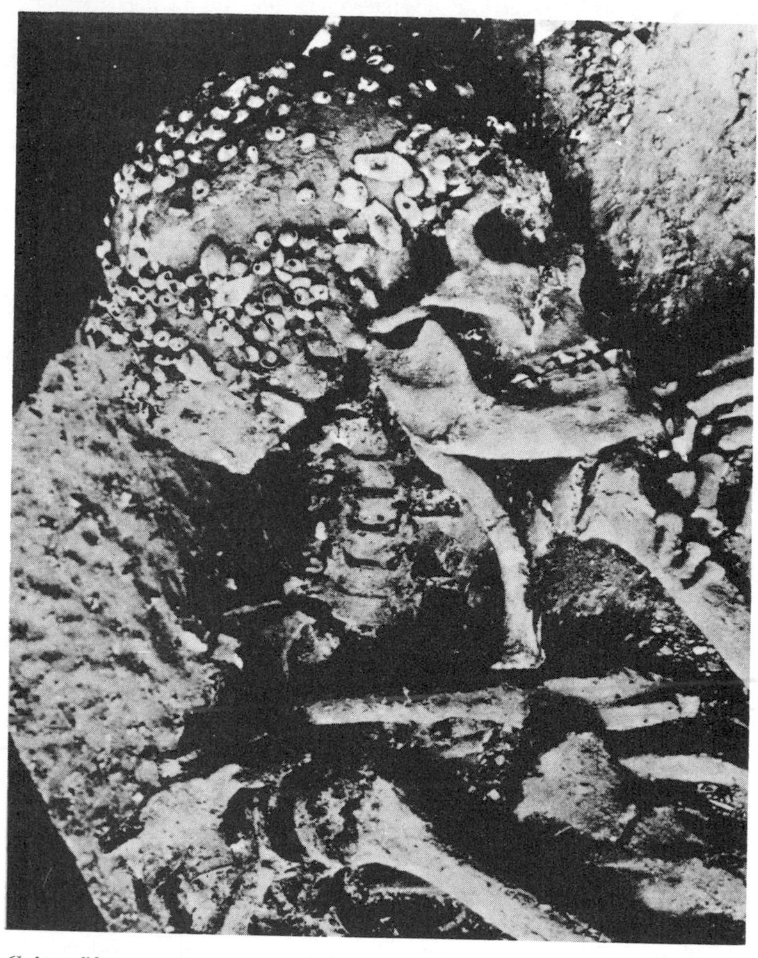

Crâne d'homme de Cro-Magnon découvert dans la grotte de Cavillon (Grimaldi); il portait une coiffure de cuir décorée de coquillages. (Photo Musée de l'Homme.)

Comme les défunts de Cro-Magnon, ceux de Grimaldi possédaient des bracelets et des colliers faits de coquillages, de coquilles de moules et de dents de cerf ; plusieurs lames de silex taillé reposaient également près du cadavre du jeune homme. Les coquilles agglomérées au crâne du jeune homme avaient dû orner une coiffure ou une sorte de diadème. En outre, un poignard en os avait été déposé sur la boîte crânienne ; ce détail relève de la croyance selon laquelle le mort devait pouvoir se défendre dans l'au-delà. On pense aux guerriers et aux monarques qui dormaient, leur épée cachée sous l'oreiller, prêts à répondre à toute éventualité. Au total, seize squelettes furent exhumés des grottes de Grimaldi et plusieurs ethnologues ont estimé que certains d'entre eux étaient ceux d'individus de type négroïde et, par conséquent, antérieurs aux Cromagnidés. Or, il est probable qu'il s'agit d'une variante de la race de Cro-Magnon.

On a longtemps considéré l'homme de Chancelade comme le représentant d'une race totalement différente car il était plus petit que le Cromagnidé (1,60 m, 1,65 m) et son crâne était long et étroit ; le volume du cerveau atteignait 1 700 cm^3 ; il était donc supérieur à la moyenne du volume cervical de l'homme actuel qui varie entre 1 350 et 1 500 cm^3. Le squelette de Chancelade avait été, lui aussi, saupoudré d'ocre, preuve supplémentaire de l'importance de la couleur rouge et du soin avec lequel les contemporains recouvraient d'ocre les restes des défunts ainsi assurés de survivre dans l'autre monde.

La position des jambes de l'homme de Chancelade révèle que le cadavre fut ficelé non pas comme celui d'un condamné, mais après le décès pour l'empêcher de tourmenter les vivants et pour le contraindre au repos.

Nombre de paléontologues dont Gervais, Boule, Testut et Hervé ont établi un parallèle entre l'homme de Chancelade et les Esquimaux du Labrador et du Groenland, et constaté l'existence d'un certain nombre de similitudes. H.V. Vallois s'inscrit en faux contre cette hypothèse, mais il n'exclut pas une origine commune et asiatique des hommes de Chancelade et des Esquimaux. Ce qui est certain, c'est la réalité de concordances indéniables entre Cromagnidés, Aïnous et les fossiles humains découverts dans la grotte supérieure de Chou-Kou-Tien. Weidenreich insiste, quant à lui, sur les différences qui existaient déjà, au Paléolithique, entre les hommes de Cro-Magnon, ceux de Chancelade et ceux de Grimaldi.

Aux Hoteaux, dans le département de l'Ain, le squelette d'un individu couché a été retrouvé ; lui aussi avait été saupoudré d'ocre. La découverte effectuée par Capelle, en 1909, des restes d'un individu sous l'abri de Combe-Capelle, dans le Périgord, montre bien quelles difficultés présente la classification des divers types humains englobés dans la catégorie des Cromagnidés. Pour l'ethnologue Mochi, le Cromagnidé, contemporain de l'Aurignacien, serait un Ethiopidé ; pour son collègue Sergi, il s'agirait d'un Méditerranoïde. Cet exemple prouve la quasi-impossibilité de classer des fossiles aussi anciens dans des catégories nettement définies par rapport aux races actuelles. L'homme de Combe-Capelle enseveli en position accroupie avait auprès de lui un collier de coquillages, des outils en silex et un os de porc, vestiges d'offrandes funéraires.

On possède, pour l'instant, 180 squelettes, complets ou partiels, de Cromagnidés ; le volume crânien de ces hommes était sensiblement égal à celui de l'homme contemporain et leur cerveau était aussi développé que le nôtre ; Henri V. Vallois estime, pour sa part, que les capacités intellectuelles des hommes de Cro-Magnon équivalaient à celles des hommes du XXe siècle et Georges Bataille considère que la seule différence entre le Cromagnidé et l'homme contemporain réside dans le manque d'expérience du premier.

Cette opinion est-elle exacte ?

Personnellement, j'en doute, car il est probable qu'en matière d'expérience l'homme de Cro-Magnon nous était très supérieur. Ne sachant ni lire ni écrire, il avait certainement une mémoire prodigieuse et son souvenir englobait peut-être des centaines de milliers d'années dont rien ne subsiste. Car l'expérience dont nous sommes si fiers ne dépasse pas les six mille ans de la période historique, c'est-à-dire épigraphique. Or, la mémoire est autrement fidèle que l'écriture tant que l'homme préfère se fier à elle plutôt qu'aux livres et aux textes. Même le problème consistant à savoir qui, de nous ou de l'homme de Cro-Magnon, possédait la plus grande expérience technique reste irrésolu car la fabrication d'outils en pierre, en bois et en os et leur utilisation rationnelle impliquent une longue tradition et présupposent une habileté qu'on n'a que trop tendance à sous-estimer. Les hommes contemporains appartiennent d'ailleurs au type *Homo sapiens* auquel appartenaient aussi les Cromagnidés. Or, l'*Homo sapiens* fut probablement l'ennemi mortel des Neanderthaliens qu'il traqua sans merci ni pitié.

De là à prétendre que l'extinction de l'homme du Neanderthal lui est imputable, il n'y a qu'un pas.

Cette hypothèse, parfaitement plausible, n'explique cependant pas la totale extinction des Neanderthaliens. Car, si impitoyable qu'ait été la lutte entre les représentants des deux races, la répartition géographique de la race de Neanderthal était telle que son anéantissement apparaît improbable. Or, son extinction fut complète et généralisée.

En admettant que l'hypothèse précédente soit exacte, qui furent ses vainqueurs et d'où venaient-ils ?

Le problème reste entier, car leur civilisation se manifeste sous tellement d'aspects en Europe qu'il est impossible de la faire dériver de la civilisation moustérienne, à moins, bien entendu, d'admettre un bouleversement subit. Les ethnologues supposent que les Cromagnidés étaient originaires d'une contrée située à l'est de l'Oural et de la mer Caspienne. Bien que, jusqu'ici, aucun témoignage n'ait permis d'étayer cette hypothèse, il faut reconnaître que ces régions ont été à peine explorées ; d'autre part, il est probable que, comme toujours en pareil cas, l'infiltration se fit par des voies différentes et par vagues successives.

Les découvertes effectuées au mont Carmel projettent une certaine lumière sur les origines des Cromagnidés ; les fouilles furent dirigées conjointement par des archéologues américains et anglais avec la participation de la « School of Prehistoric Research » américaine, de la « School of Archaeology » anglaise de Jérusalem et du « Royal College of Surgeons » britannique. Dans la préface qu'il écrivit au volumineux compte rendu des fouilles publié sous le titre : *The stone age of Mount Carmel,* le professeur John Beattie évoque ses « souvenirs » sonores des années 1934-1937 : bruit saccadé des marteaux pneumatiques utilisés au début pour fendre la roche, bruit sec des marteaux heurtant les burins, ronronnement des perceuses utilisées pour dégager les ossements à mesure de leur mise au jour, grattement des plumes sur le papier et, finalement, déclic des appareils photographiques.

Long d'une vingtaine de kilomètres, le massif du mont Carmel percé de grottes creusées dans le calcaire se dresse à la périphérie de l'agglomération de Haïfa ; c'est sur le versant sud, à trois kilomètres et demi du rivage, que les restes humains ont été identifiés. L'abri rocheux de Mugharet-es-Skul a livré, à lui seul, les ossements de dix individus : cinq hommes, deux femmes et trois enfants. Les restes d'une femme âgée de trente-cinq ans exhumés dans la grotte de Mugharet-et-Tabun suscitèrent le très vif intérêt des archéologues Mac Gown et Arthur Keith.

Mais si les hommes de la grotte de Tabun accusent un certain nombre de ressemblances avec les Neanderthaliens européens, ceux de la grotte de Skul sont proches des Cromagnidés. Et si, comme l'ont fait Mac Gown et Arthur Keith, on range dans un même groupe l'ensemble des individus correspondant aux restes découverts dans les grottes du mont Carmel, on obtient une race particulière, produit du métissage de Neanderthaliens et de Cromagnidés. Mac Gown et Keith estiment que ces individus appartiennent à une seule race du fait qu'ils vivaient au même endroit, à la même époque ou presque, que leur niveau culturel est sensiblement identique et qu'il est impossible de les distinguer en prenant la denture comme critère. L'os de la hanche d'un homme appartenant à la « variété » Skul porte les traces d'une blessure infligée par une arme dotée d'une grande puissance de pénétration : lance ou javelot... Si cette arme avait été en os ou en pierre, la pointe brisée se serait conservée de même que l'os dans lequel elle était insérée ; les préhistoriens en ont déduit que la « lance » ou le « javelot » se terminait par une pointe en bois durcie au feu qui était tombée en poussière. Mac Gown et Keith signalent un certain nombre d'autres détails assez surprenants ; on ne constate, par exemple, aucune trace de carie dentaire chez les hommes du mont Carmel ni de déformations rhumatismales en dépit du fait qu'ils vivaient perpétuellement en plein air.

La chose qui est sûre c'est que l'Asie antérieure a été habitée par une race d'hommes, « étape » intermédiaire entre les Neanderthaliens et les Cromagnidés, qui résulte du croisement de deux populations. Bien avant l'aube de la période historique en Europe, l'Asie antérieure fut un creuset et un foyer de dispersion ethnique, linguistique et culturel ; c'est à partir des pays du Levant que les nouveaux venus, qualifiés de « Caucasiens » par les ethnologues, se répandirent en Europe où ils submergèrent les Neanderthaliens de la même manière que les Australiens blancs sont en train d'exterminer les derniers autochtones qu'ils refoulent dans les régions les plus arides du semi-continent.

CHAPITRE XXVII

Empreintes, figurines et art religieux

« Précisons, pour commencer, que toutes les civilisations sont issues de formes initiales rudimentaires et que l'histoire de la civilisation, dans son ensemble, a débuté au Paléolithique ancien ; nous sommes en quelque sorte portés sur les épaules des hommes primitifs et, sans leurs réalisations, celles des générations ultérieures et les réalisations actuelles seraient inconcevables. »

GEORG KRAFT : *Der Urmensch als Schöpfer.*

LES CROMAGNIDÉS possédaient une civilisation connue sous le nom d'Aurignacien ; ce terme dérive du nom de la grotte où Lartet effectua des fouilles en 1860. L'Aurignacien est la première phase du Paléolithique récent que l'on peut également définir, d'une manière plus frappante et plus spectaculaire, comme l'âge du mammouth, puis du renne, car c'est à cette époque que les hommes commencèrent à chasser cet animal.

Les lances et les pointes de flèche en os étaient partiellement munies de rainures formant gouttière et le soin que prenait le chasseur pour s'assurer la possession du gibier qu'il convoitait est proprement stupéfiant. Pour la pêche, il utilisait des harpons à un cran ou à crans multiples. Comme à l'époque moustérienne, le javelot servait pour la chasse au mammouth, ou bien encore les chasseurs creusaient des fosses ou posaient des pièges de telle sorte que le sol cédait sous le poids de l'animal qu'un arbre assommait dans sa chute ; cette technique est toujours utilisée par les Toungouses et par les autres habitants du nord de la Sibérie. Une gravure de la grotte de Font-de-Gaume représente un mammouth pris au piège et une autre, à Johannisburg (Prusse-Orientale), un mammouth et une trappe qui, en s'ouvrant, provoque la chute d'un arbre. Comme le fait justement remarquer Kurt Lindner, la représentation rupestre de la grotte de Los Cantos de la Visera évoque la technique de l'abattage des arbres particulière à certains Indiens de l'Amérique du Nord. Julius Lips estime que la technique des pièges à trébuchet prit naissance en Asie d'où, par l'intermédiaire de l'Europe et de l'Espagne, elle gagna l'Afrique ; c'est seulement au Mésolithique qu'elle parvint dans la Sibérie septentrionale. Rien n'infirme ni ne confirme cette hypothèse et je crois, pour ma part, qu'en Sibérie ce procédé était utilisé depuis beaucoup plus longtemps qu'on ne suppose.

Les Cromagnidés ne se servaient plus, contrairement aux Neanderthaliens, de coups de poing et d'épieux, mais de lames en silex retouchées, de 8 à 10 cm de long, dont le taillant était affûté avec soin. Durant l'Aurignacien, les outils s'affinent et leur taille diminue, qu'il s'agisse de pointes, de perceurs ou de grattoirs à manche ou coniques. L'outillage caractéristique de l'Aurignacien n'est plus en pierre mais en os, en ivoire et en bois de renne ; qui servent à confectionner maillets, polissoirs, aiguilles, alènes et poinçons.

A la même époque (3 000 environ av. J.-C.), l'art fait son apparition avec les premiers modelages qui précèdent de peu les gravures, les peintures et les sculptures rupestres.

Mais les énigmes se succèdent et rien n'est plus émouvant ni plus angoissant que de rechercher, au plus profond de la Préhistoire, les premières manifestations et les premiers balbutiements de l'art. On constate alors à quel point le besoin de créer et de donner une forme est inséparable de la nature humaine.

Depuis toujours, l'homme tâtonne, cherche, expérimente, tente d'extérioriser un sentiment diffus qui le trouble et le hante, dont la matérialisation lui permettrait de sortir de lui-même et de révéler son être secret. C'est dans ce sens qu'on peut dire de l'homme qu'il est le reflet de Dieu ; tous deux sont des créateurs : Dieu, celui du monde et l'homme celui de l'art.

Pendant combien de milliers d'années l'être humain tailla-t-il le quartz, la quarzite, des lames dans des rognons de silex, au milieu des forêts, des déserts et des steppes immenses ? Pendant combien de temps, les gorges, les défilés, les parois des montagnes renvoyèrent-ils l'écho des coups assenés par l'homme qui extrayait la pierre dure, matière première de son outillage ? Et, enfin, quand l'homme façonna-t-il un outil dont la forme éveillât en lui un vague sentiment artistique ?

Car, dans les œuvres humaines vieilles de 50 000 ans, cette volonté de « faire beau » est déjà parfaitement explicite et matérialisée en vertu d'une tradition déjà multimillénaire.

Les parois des grottes d'Altamira, de Gargas, des Trois-Frères, du Portel, de Cabrerets, de Font-de-Gaume et de bien d'autres portent des empreintes de mains. Un Aurignacien eut, un jour, l'idée d'appliquer sa paume sur la pierre, d'utiliser de la poudre noire ou ocre contenue dans un tube et de la souffler sur cette main afin d'en dessiner les contours. Telle fut l'origine des empreintes dont la juxtaposition et la superposition évoquent un rite conjuratoire. Il en est d'autres qui, elles, ne sont plus négatives, mais positives ; préalablement plongée dans la couleur, la paume fut appliquée sur la paroi. A Baume-Latrone, 240 mètres séparent l'entrée de la grotte des premières marques digitées ; on connaît jusqu'ici 13 gisements préhistoriques où des mains, négatives ou positives, ont été identifiées. Trois se trouvent en Espagne et les autres en France.

Les empreintes positives, les plus rares, sont toujours teintées en rouge et les négatives en noir ; en outre, elles sont, pour la plupart, incomplètes et la couleur est estompée. Est-ce à dire qu'elles sont les plus anciennes ? Sont-elles le résultat d'un geste fortuit et inconscient ? L'hypothèse selon laquelle un homme dont, pour une raison quelconque, la main était enduite d'ocre se serait appuyé à la paroi est, en effet, plausible. Doit-on rapprocher ce détail du fait que les contemporains de l'Aurignacien saupoudraient d'ocre le cadavre des défunts ? Tout cela, bien entendu, est hypothétique et il est peu probable qu'on connaisse un jour la vérité. Certaines empreintes sont celles de mains mutilées, mais on n'en connaît que dans la grotte de Gargas, dans les Hautes-Pyrénées ; il manque tantôt un doigt, tantôt deux phalanges seulement, et il est impossible que cela soit dû au fait que l'homme replia un doigt au moment où il appliqua la main sur la paroi. Il s'agit là de véritables mutilations, peut-être conséquences de blessures de chasse ou même de mutilations volontaires, si l'on admet, ce qui n'a rien d'impossible, que l'homme n'hésitait pas à sacrifier tout ou partie de sa main pour des raisons relevant de la magie ou pour s'assurer le concours de la divinité dans ses entreprises. Peut-être cette automutilation était-elle considérée par lui comme un moyen d'échapper à la maladie ou à la mort ? Quoi qu'il en soit, il s'agit apparemment d'un acte conscient et volontaire car la plupart des doigts manquants sont le médius, l'annulaire et l'auriculaire, c'est-à-dire les doigts non indispensables ; par contre, le pouce et l'index font très rarement défaut, circonstance qui semble confirmer l'hypothèse de l'automutilation.

R.P. Verbrugge, qui a consacré un ouvrage du plus haut intérêt à l'art préhistorique, suppose que des danses et des rites magiques étaient associés à ces usages barbares. De nombreux peuples sont, en effet, persuadés que la simple apposition des mains sur un objet suffit pour en capter les effluves et les forces qui s'en dégagent. L'homme préhistorique croyait, peut-être, qu'une force vivifiante émanait de la paroi des grottes et qu'elle se transmettait à quiconque y laissait l'empreinte de sa main ; on peut aussi admettre que l'homme du Paléolithique posait sa main sur des dessins et des symboles ésotériques, mais cela suppose que les dessins étaient antérieurs aux empreintes. Or, ce n'est certainement pas le cas. Les marques digitées sont à l'origine même de l'art rupestre et la seule chose qu'on puisse dire pour l'instant c'est qu'on en ignore la signification véritable.

Il convient toutefois d'insister sur le fait que les mains, négatives ou positives, qui ornent les grottes de la région franco-cantabrique, ne sont pas encore l'émanation d'un sentiment artistique ; elles matérialisent néanmoins un « fait » nouveau, car elles représentent une image, celle d'une partie du corps humain, et concrétisent une idée, à savoir que la représentation de la nature et des objets était possible. Les plus anciens dessins qui aient été tracés par une main humaine sont des lignes et des stries gravées sur l'argile des grottes ; extrêmement frustres, ces dessins ont été surnommés « macaronis » par les spécialistes et il est peu probable que les méandres que certains préhistoriens identifient avec les premiers balbutiements de l'art, et qu'ils font remonter au début de la période aurignacienne, soient de simples graffiti, car les méandres comportent des appendices en forme de tête, de queue, de jambes qui sont autant de symboles de vie. Rien ne permet, d'ailleurs, d'affirmer que les macaronis sont les premières en date des manifestations « artistiques » et l'ancienneté qu'on leur attribue est essentiellement fonction de leur apparence rudimentaire.

Nous avons vu, précédemment, que l'ours des cavernes avait

laissé des traces, sous forme de griffures, sur les parois des grottes et l'on imagine aisément l'homme s'efforçant de tracer à son tour des sillons parallèles à l'imitation des griffes d'ours. L'apparition des premières peintures pariétales ne date guère que de l'Aurignacien moyen.

L'homme de l'âge de la pierre habitait presque toujours à l'entrée des cavités naturelles dont certaines s'enfonçaient de plusieurs centaines de mètres sous la roche ; s'il ne s'installait pas plus loin, c'est parce que le tirage était meilleur à l'entrée qu'à l'intérieur. Depuis des siècles, il utilisait la lampe, cupule ou trou taillé dans la pierre, qu'il emplissait d'huile ou de graisse. L'homme de l'Aurignacien ignorait la notion du temps et c'est donc à loisir qu'il laissait son regard errer sur les parois glaiseuses faiblement éclairées. Un jour, il lui sembla apercevoir, modelée par la nature dans l'argile qui recouvrait le rocher, la silhouette d'un animal connu, celle d'un mammouth, d'un bison ou d'un cheval. Saisissant un burin et une pierre en guise de marteau, il entreprit d'en dessiner les contours. Ses compagnons virent alors, eux aussi, les formes de l'animal et, peu à peu, tout ce qui était susceptible de stimuler leur âme de chasseurs se précisa, sur la pierre ou l'argile, sous l'aspect de bisons, de chevaux ou d'ours des cavernes vus de profil. Les premières images étaient nées...

Ce processus est parfaitement explicite dans un grand nombre de grottes ; les protubérances et les bosses ont été utilisées pour matérialiser le corps, la tête ou la croupe d'un animal et, comme la nature est souvent plus réaliste que l'artiste, peu de temps s'écoula avant que l'homme de l'Aurignacien ne distingue sur la paroi les formes d'un cheval cabré. A la lueur tremblotante des lampes à graisse qui projetaient des ombres mouvantes sur l'argile ou sur la roche humide, les murs des cavernes et des grottes furent les « maîtres » des imagiers de la Préhistoire. A l'origine, avant qu'existent dessins, gravures et peintures, il y eut la plastique car, avant de commencer à dessiner et à peindre, l'homme avait appris à transformer la pierre en outil. Du modelage à la sculpture, il n'y avait qu'un pas relativement facile à franchir ; les premières œuvres, figurines en ivoire, en os et en pierre, représentent logiquement des animaux. Les défenses de mammouth fournissaient l'ivoire. Dans la grotte de Vistonice, en Moravie, les fouilles ont mis au jour des statuettes d'argile durcie au feu montrant un mammouth, une tête de cheval, une petite tête d'ours, une autre de renard et un ours entier, sans compter un abondant outillage qui date, lui aussi, de l'Aurignacien. Le musée de Brno y a fait procéder à des fouilles sous la direction de K. Absolon. La grotte de Vogelberg, dans le Wurtemberg, a, elle aussi, livré des figurines : rhinocéros sans corne, cheval et chat sauvages, et celle de Predmost, en Tchécoslovaquie, plus de 50 000 outils de divers types. Predmost se trouve à 65 kilomètres au nord-est de Brno ; des recherches effectuées par K. Absolon ont amené la mise au jour de figurines animales remontant à l'Aurignacien, ce qui laisse supposer que l'Europe centrale a été le berceau des représentations plastiques animales et que c'est à partir de là qu'elles se répandirent dans l'ouest puis dans l'est de l'Europe.

Toutefois, les œuvres les plus sensationnelles de la période aurignacienne sont les fameuses statuettes dites de « Vénus », les premières figurines humaines connues. L'aire où elles furent découvertes va de la France méridionale au sud de la Russie et jusqu'en Sibérie. Chose curieuse, aucune statuette de ce type n'a été retrouvée en Espagne. Elles représentent des femmes nues, souvent obèses et dont les jambes se terminent en pointe comme si l'on avait voulu les planter verticalement dans la terre ; les pieds sont inexistants. 130 effigies de ce type ont été identifiées jusqu'ici.

A part quelques exceptions, les préhistoriens sont convaincus que les contemporains de l'Aurignacien moyen qui sculptèrent ces figurines n'avaient nulle intention de nature érotique ni celle de provoquer chez les spectateurs un trouble de cette sorte ; ils ne voulaient pas, non plus, faire œuvre d'art. De l'avis général, ces statuettes avaient une signification religieuse et symbolique.

Pourquoi représentent-elles presque uniquement des femmes ? S'agit-il de déesses de la fécondité, d'autant plus que certaines effigies sont celles de femmes enceintes ? Les figurines découvertes dans la grotte de Grimaldi, en stéatite verte ou jaune, en cristal verdâtre ou en os, sont conservées au musée de Saint-Germain-en-Laye. Dans la statuette de Savignano (environs de Modène), le sculpteur s'est visiblement attaché à rendre les caractéristiques spécifiquement féminines sans se préoccuper de rendre le modelé de la tête et des jambes. Cette Vénus (Musée préhistorique de Rome) est un type stéatopyge et possède des seins très volumineux. Mais ce qui retient plus encore l'attention c'est la coiffure — ou le chapeau — de forme conique ; les jambes se terminent en pointe et les pieds ne sont même pas figurés.

La Vénus de Willendorf, mise au jour en 1908 et conservée à Vienne, arbore une curieuse coiffure ; ses seins, ses cuisses et ses hanches sont énormes et son ventre proéminent. Elle mesure 11 centimètres de hauteur ; il s'agit probablement d'une déesse mère, la future « Magna Mater ». Par contre, les deux figurines exhumées, en 1928, par Zamjatnin, à Gagarino, sur le cours supérieur du Don, ne mesurent que 5,8 cm et 5,4 cm, mais elles ressemblent étrangement à la Vénus de Willendorf où des fouilles entreprises en 1926 amenèrent la découverte d'une seconde Vénus en ivoire contemporaine du Grovettien, dernière phase de l'Aurignacien ; elle est, toutefois, moins obèse que la première.

Mais le fait que d'autres figurines sans obésité ni stéatopygie aient été mises au jour infirme l'hypothèse selon laquelle les statuettes seraient associées au culte de la fécondité. M. M. Guérassimov localisa, en 1928, une agglomération paléolithique à Malta, à 85 kilomètres au nord-ouest d'Irkoutsk, et fouilla le site entre 1929 et 1934 ; il y découvrit 20 statuettes en ivoire de mammouth et en bois de cerf. Mesurant entre 3 et 13 centimètres, elles représentent presque toutes des femmes minces. Qui étudie attentivement ces statuettes est vite convaincu qu'il ne s'agit pas de symboles de la fécondité. Au même endroit, Guérassimov a mis au jour les vestiges de cinq huttes surélevées, quatre foyers montés en plaques de pierre, une sépulture d'enfant, un grand nombre d'ossements et d'andouillers de rennes, des tombes d'animaux d'un type insolite, 2 500 outils en pierre et 600 objets en os dont 150 décorés. Les huttes de Malta paraissent avoir consisté en une armature de perches sur lesquelles étaient posées des peaux ; au centre, un orifice servait à évacuer la fumée. Cette forme de hutte ressemble étrangement à celle des tentes toungouses. Une tombe ovale renfermait le squelette d'un enfant de quatre ans, couché sur le flanc, dont le visage était tourné vers l'est. La présence d'un diadème en ivoire de mammouth, de perles, de vestiges d'un collier, de bijoux et d'outils en silex et en os prouve combien les contemporains de la fin de l'Aurignacien croyaient à la survie dans un monde extraterrestre.

Les figurines de Malta et de Gagarino ont été mises au jour au milieu des vestiges de cabanes préhistoriques ; la position des statuettes indiquait qu'elles avaient été placées dans des niches ou suspendues et, le plus souvent, à proximité du foyer. Peut-être ces figurines étaient-elles censées représenter une aïeule qu'on

Figurines aurignaciennes représentant des divinités féminines en os et en ivoire, quelques-unes seulement sont stéatopyges. (Photo Musée de l'Homme.)

entourait d'une vénération particulière ? Peut-être lui rendait-on hommage au cours de cérémonies rituelles dont le processus nous est inconnu. Des statuettes similaires ont été également découvertes dans un grand nombre d'endroits : Kostjenki, Jelicevici, Mezin, Willendorf, Unterwisternitz, Predmost et Mayence. Ces effigies et leur contexte archéologique sont la preuve concrète que, dès l'Aurignacien, les habitants de l'Asie et de l'Europe étaient déjà des sédentaires ou, sinon, qu'ils séjournaient longtemps au même endroit. Ce détail les distingue de leurs successeurs, les chasseurs magdaléniens, qui erraient sans fin à la poursuite du gibier.

La tête de la Vénus de Brassempouy (Landes), en ivoire (sa taille n'excède pas trois centimètres), a été retrouvée en 1894 par E. Piette et Laporterie. Les proportions sont harmonieuses et humaines ; la facture témoigne d'une authentique élégance bien que les yeux et la bouche fassent défaut. La femme est coiffée avec soin, ou bien elle porte une sorte de bonnet qui valut à la figurine le nom de « tête à la capuche ».

L'une des plus belles œuvres de la plastique aurignacienne est la Vénus de Lespugue (Haute-Garonne), trouvée, en 1922, par le comte et par la comtesse de Saint-Périer, à 15 centimètres de profondeur, dans la grotte des Rideaux. En ivoire, elle mesure 14,7 cm de haut. La tête est légèrement inclinée en avant, le visage ovalisé dans un but de stylisation ; à partir de la taille, le corps est obèse et stéatopyge. Cette statuette représente apparemment un sommet de l'art aurignacien et ressemble étonnamment à certaines sculptures d'artistes contemporains.

Le préhistorien autrichien Franz Hançar insiste sur la présence d'une sorte de tablier que l'on distingue dans le dos de la Vénus de Lespugue, de stries ressemblant à des franges qu'on aperçoit sur les cuisses d'une statuette de Kostjenki et d'un pagne sur la seconde Vénus de Willendorf. Selon Zamjatnin, tablier et franges figureraient des queues d'animaux comme celles dont s'ornent le costume des chamanes sibériens et celui des sorciers du Paléolithique récent dont les effigies furent gravées et peintes sur la paroi des cavernes et des grottes. Hançar signale à ce propos que les chasseurs de rennes sibériens : Ostiaks, Goldis, Yakoutes et Tchouvaches confectionnent des figurines en bois de bouleau ou de tremble qu'ils connaissent sous le nom de « dzouli » ; ces effigies représentent toujours des femmes. Hançar a également découvert une particularité tout aussi étonnante. A en croire certains Toungouses, le « dzouli » serait l'ancêtre, le point de départ de la tribu. « Sur le plan psycho-historique, les figurines féminines du Paléolithique récent sont l'expression tangible de la notion immémoriale et indéracinable qui associe la femme à l'idée d'origine et de maintien de la vie et fait d'elle l'incarnation de l'immortalité et du triomphe de la vie sur la matière amorphe. » (HANÇAR.)

Si, dans leur immense majorité, les statuettes aurignaciennes représentent des femmes, quelques-unes figurent des personnages du sexe masculin. La sépulture d'un homme, excavée, en 1891, à Brno (Moravie), qui se trouvait à 4,50 m de profondeur, renfermait une figurine sculptée dans une défense d'ivoire, haute de 18 centimètres ; dépourvue de jambes, elle ne possédait que le bras gauche. L'abbé Breuil pense que cette double omission est voulue et qu'elle n'est la conséquence ni d'une cassure ni du hasard.

La tête en stéatite (3,8 cm) d'un homme de Grimaldi de type négroïde accusé, trouvée en 1885 par le docteur Julien, présente un intérêt particulier. Reconstituée à partir de fragments épars, elle est conservée au musée de la Préhistoire, à Saint-Germain-en-Laye. Vieille d'une trentaine de milliers d'années, elle remonte à l'Aurignacien supérieur.

Sur le site de Predmost, K. Absolon a récemment mis au jour un visage d'homme sculpté dans une dent de mammouth ; il date du Solutréen ou du Magdalénien ancien, c'est-à-dire de 20 000 à 22 000 ans. Un autre, trouvé, en 1934, près d'Unterwisternitz (Moravie), est vraisemblablement contemporain de la fin de l'Aurignacien. Les traits sont fortement marqués et il s'agit d'un portrait extrêmement réaliste. Mais, de même que les autres têtes de la même période, ce portrait ne fournit aucune indication précise sur la véritable physionomie de l'Aurignacien.

La signification de ce qu'on a appelé les « bâtons de commandement » est obscure ; en bois de cerf ou de renne, ils ne comportent aucune ornementation, mais se terminent par une sorte de T muni d'un ou de deux trous à l'intersection des deux branches. Cet accessoire énigmatique, qui apparut pendant l'Aurignacien, reçut, au Magdalénien, une décoration de plus en plus élaborée et variée. Ces bâtons étaient-ils des sceptres, emblèmes de majesté ? Des piquets de tente, des baguettes de tambours rituels, des propulseurs, des fibules ? Avaient-ils une fonction religieuse ? Et si, comme le suggère une autre hypothèse, ces bâtons troués servaient de passe-guides pour conduire les rennes, animaux qui ne supportent pas le mors, faut-il y voir la preuve que, contrairement à ce qu'on avait cru, l'élevage du renne se pratiquait déjà à la période aurignacienne ?

Plus mystérieuse encore est l'utilité des bâtonnets semi-cylindriques (quelques-uns sont cylindriques) de 20 centimètres de long sur 2 centimètres de diamètre trouvés à Lespugue, dans la grotte d'Arudy, à Lourdes, à Isturitz, à Hornos de la Peña et en d'autres endroits ; des baguettes similaires, mais non ornées, datant de l'Aurignacien moyen, ont aussi été mises au jour en Hongrie et dans l'Allemagne occidentale et méridionale. Servaient-elles à l'accomplissement de rites religieux ou bien les motifs gravés qui les décorent : spirales, cercles, lignes brisées sont-ils des pictogrammes servant à la transmission de messages, comme ceux dont se servent les autochtones australiens ? René de Saint-Périer, qui trouva deux de ces baguettes dans la grotte de Lespugue, et qui leur consacra un long et savant compte rendu, ne se prononce pas sur leur utilisation.

Les premiers représentants de l'espèce *Homo sapiens* développèrent une civilisation remarquablement riche et variée et c'est précisément parce que leur culture, leur mode de vie et leurs techniques sont si multiformes que les préhistoriens et les ethnologues les répartissent en plusieurs aires de civilisation.

L'une d'elles, extrêmement curieuse, énigmatique et encore mal connue, a été identifiée à Solutré, dans la Saône-et-Loire, à une trentaine de kilomètres de Mâcon. Le Paléolithique récent comprend trois périodes : l'Aurignacien, le Solutréen et le Magdalénien. A Solutré, une falaise abrupte termine les derniers contreforts orientaux des monts du Mâconnais ; elle ne constitue pas, néanmoins, un obstacle infranchissable. Vue de profil, cette falaise évoque un gigantesque tremplin et c'est d'ailleurs à cela qu'elle servait lorsque, poussant devant eux des milliers de chevaux sauvages, les chasseurs paléolithiques les contraignaient à sauter dans le vide. Les chasseurs se rassemblaient nuitamment puis, formant la chaîne, ils allumaient des torches. Dans un concert de cris, brandissant des javelots et décochant des flèches, ils obligeaient les chevaux à gravir la pente et à gagner le point le plus élevé de la falaise. Là, les chevaux ruaient, hennissaient, mais, apeurés, ils finissaient par tomber dans le gouffre.

Au pied de la paroi, des dizaines de milliers d'ossements attestent la réalité de ces gigantesques hécatombes ; la couche d'ossements de chevaux sauvages est antérieure au Solutréen et contemporaine du Gravettien ; on a également identifié, au pied de la falaise, des os de rennes, d'ours des cavernes, d'aurochs et de mammouths, mais on ignore si ces animaux, traqués par les chasseurs, moururent de la même manière que les chevaux ou si leurs dépouilles n'ont pas été transportées dans cet endroit transformé en abattoir. Des vestiges de foyers indiquent, par ailleurs, que les chasseurs consommaient sur place leur gibier.

Retouche d'une lame de silex par percussion en vue de son affûtage.

La découverte, près des traces de foyers, d'un outillage de pointes lancéolées en silex et de couteaux aux arêtes tranchantes indique que les bêtes étaient aussitôt dépecées. Les habitants de l'aire de la civilisation solutréenne étaient des maîtres en matière de taille et leurs outils sont d'un tel fini qu'ils semblent avoir été taillés sans peine ; ils frisent la perfection, sur le double plan esthétique et fonctionnel.

La civilisation solutréenne, répandue dans le sud et le centre de la France, l'était également en Hongrie. Quant au Solutréen récent, son aire de diffusion resta limitée au nord-ouest de la péninsule Ibérique ; dans cette aire furent découvertes des pointes de flèches en os d'une facture très perfectionnée, terminées par un cran à la manière d'un hameçon. A l'autre extrémité, l'os avait été limé pour permettre l'insertion dans un manche. Dans la région cantabrique de l'aire solutréenne, l'arc et la flèche étaient d'un usage courant. Au Roc-de-Sers, près d'Angoulême, une grotte renfermait les témoignages solutréens les plus explicites. Ils ont la forme de sculptures en semi-ronde bosse représentant des animaux. Cette grotte était-elle un sanctuaire ? L'atelier d'un artiste ? Telles sont les questions que pose, sans les résoudre, Alfred Rust, qui fait, par ailleurs, remarquer que le Solutréen est pauvre en manifestations esthétiques.

Il semble que les contemporains se soient surtout bornés à fabriquer des outils et des ustensiles car, à l'époque, survivre était leur principal souci ; mais, tout fonctionnels qu'ils fussent, les objets qui sortaient de leurs mains témoignent d'une habileté extraordinaire et proche de la perfection. Ils n'avaient probablement guère le loisir de se consacrer à l'art, alors étroitement apparenté à la magie, et les découvertes effectuées au Roc-de-Sers font figure d'exceptions.

La civilisation magdalénienne dérive en droite ligne de la civilisation aurignacienne occidentale. Car c'est à la fin de l'Aurignacien et, plus particulièrement, au Magdalénien que furent conçues et exécutées les fresques pleines de vie, les peintures polychromes, les frises à relief, les sculptures sur pierre et les modelages représentant des animaux. Dans les nombreuses grottes actuellement connues, l'art de la gravure et de la peinture atteint un développement d'autant plus prodigieux qu'on se demande comment les contemporains d'un si lointain passé ont pu éprouver et extérioriser une telle émotion artistique.

Les grottes où l'homme a laissé les grandioses témoignages de son génie esthétique sont situées dans le sud-ouest de la France et dans l'Espagne septentrionale et c'est avec juste raison que Georges Bataille a dit de la Dordogne qu'elle était à cette époque le « nombril du monde ».

A quelle époque ?

L'époque magdalénienne débuta il y a vingt mille ans environ, mais les plus belles peintures de Lascaux datent de 23000 à 25000 avant notre ère, c'est-à-dire du Gravettien (Aurignacien tardif). Toutefois, ces datations sont approximatives et les critères chronologiques varient. Le fait est que, depuis la découverte, en 1940, des fresques monumentales de Lascaux, l'art rupestre a fait un pas de géant dans la direction du passé.

Paroi gravée de la salle dite « le Sanctuaire » de la grotte des Trois-Frères à Montesquieu-Avantès.

Détail représentant les trois éléments essentiels du chamanisme sibérien et extrême-oriental. (Photos Musée de l'Homme.)

Les grottes décorées soulèvent un monde de problèmes qui resteront probablement insolubles. Pourquoi, par exemple, les silhouettes d'un grand nombre d'animaux sont-elles disposées arbitrairement ? Pourquoi n'ont-elles pas de ligne d'horizon commune ? Pourquoi les fresques se recoupent-elles et se superposent-elles ? Pourquoi les pattes sont-elles placées latéralement par rapport au corps, alors que chacune d'elles est figurée en fonction d'un plan imaginaire ? Dans le bestiaire représenté sur les fresques de la grotte de Lascaux, l'écart entre les silhouettes et la ligne d'horizon varie souvent de 45 à 90 degrés ! Ce qui vaut pour Lascaux vaut également pour la « Salle des petits bisons » de Font-de-Gaume, pour les grottes de Niaux et pour beaucoup d'autres.

Rennes, bisons, chevaux sauvages, mammouths, bœufs musqués, rhinocéros, ours des cavernes, loups, élans, cerfs, bouquetins, tous ces animaux sont peints avec une perfection qui témoigne d'une connaissance approfondie de leur anatomie et de leur mode de vie. Mais alors pourquoi les représentations humaines sont-elles rarissimes ? Pourquoi l'homme n'est-il jamais figuré que travesti, masqué, costumé en sorcier dont les yeux vides et inexpressifs refusent de révéler le secret qu'ils détiennent ? Doit-on conclure que les sorciers, les chamanes de l'époque, étaient aveugles ? Que signifient les barbes et les barbiches dont ils s'affublent ? Pourquoi les bras sont-ils arrondis, tels des défenses de mammouth ? Et pourquoi, surtout, l'homme a-t-il peint les fresques les plus belles et les plus éclatantes dans les couloirs, les galeries et les recoins les plus inaccessibles des grottes ?

A ces questions, une seule réponse : l'art pour l'art n'existait pas encore ; dessins, gravures, peintures, reliefs, modelages et sculptures sont l'extériorisation d'un sentiment religieux. Voilà pourquoi la plupart des représentations humaines et animales sont toujours situées dans la partie la moins accessible des grottes. A Font-de-Gaume, les parois ornées débutent à soixante-cinq mètres de l'entrée ; à La Mouthe, à quatre-vingt-quinze mètres ; aux Combarelles, à cent vingt mètres ; à La Baume-de-Latrone, à deux cent trente-sept mètres ; à la grotte des Trois-Frères, à sept cents mètres ; à Niaux, à huit cents mètres et, à Rouffignac enfin, la dernière grotte qui ait été explorée, gravures et peintures se succèdent sur les murs jusqu'à mille deux cents mètres de l'ouverture. A Cabrerets, d'étroits passages et des galeries à plafond surbaissé conduisent à une vaste salle où les peintures rupestres et les stalactites voisinent.

Comme le signale Raymond Furon, cette partie de la grotte n'a jamais été habitée et l'abbé Lemozi, qui l'explora, n'y a découvert qu'un poinçon. A Font-de-Gaume, pour atteindre les plus belles salles ornées, il faut parcourir en rampant un boyau extrêmement étroit. Souvent, les peintures et les gravures se trouvent dans les coins les plus inattendus ou sous des voûtes basses où il est extrêmement difficile de les identifier. Les bisons de la grotte de Marsoulas décorent, par exemple, un corridor où un homme a peine à se mouvoir. Comme l'écrit Menghin : « On se demande vraiment comment certains motifs ont pu être peints dans de telles conditions. »

On peut imaginer que les premiers « artistes », ceux de l'Aurignacien, dessinèrent et peignirent à une époque où les grottes servaient d'habitations ; mais, plus tard, au Magdalénien, gravures et fresques furent tracées dans des grottes où l'homme ne séjourna pratiquement jamais et au fond de galeries d'accès difficile (Furon).

Mouvements et comportement des animaux furent observés avec une acuité extraordinaire et seuls les chasseurs éprouvés étaient à même de dessiner de cette manière ; de même, les corrections apportées aux dessins originaux — elles sont aisées à reconnaître — sont d'une stupéfiante précision. Or, tracer une silhouette avec un poinçon de silex sur une paroi rocheuse de telle sorte qu'on ait l'impression d'un croquis pris sur le vif n'est pas donné à tous les artistes. En fait, les animaux sont tellement réels et vivants qu'on est tenté de chercher une explication à cette technique et de parler de compréhension et d'affinités entre le sujet et l'artiste.

Nul n'ignore que le don d'observation des primitifs est beaucoup plus développé que le nôtre ; en d'autres termes, ils voient mieux et plus que nous. Devant un tribunal, un Toungouse, par exemple, serait un témoin autrement redoutable qu'un Européen ou un Américain. La multiplication des impressions et des sollicitations de toutes sortes et l'accélération constante du rythme du progrès et de la vie moderne ont émoussé les facultés de perception si bien que nous sommes désormais incapables d'embrasser l'ensemble de ce qui nous entoure et d'en effectuer la synthèse. Les sens ne perçoivent plus qu'une partie du milieu ambiant ; sollicité de mille manières, l'esprit est obligé de se disperser.

Or, un bon pouvoir d'observation est un sérieux avantage dans la vie, un gage d'équilibre et de simplicité en matière de technique. Mais, de l'observation à la reproduction réaliste, il y a un abîme et il faut autre chose pour le combler. Modeler, graver et peindre mettent en jeu un ensemble de capacités et de dons multiples physiques et psychiques et la route est longue entre le moment où l'image est perçue et celui où, par l'intermédiaire du bras, de la main, du pinceau ou du stylet, elle se trouve projetée sur un panneau ou sur une toile ou sculptée dans la pierre. Comme le dit Max Liebermann : « En chemin, bien des choses se perdent. » Mais, quand un individu sait voir et observer et qu'en plus il possède le don inné ou acquis de dessiner ou de peindre, les conditions préalables à la réalisation d'un chef-d'œuvre sont réunies. Tel était le cas des artistes de la Préhistoire ; plus proches que nous de la nature, ils en percevaient les rythmes et les cadences.

Il faut admettre qu'à l'Aurignacien et, plus particulièrement, au Magdalénien, l'homme possédait un sens esthétique hérité des générations précédentes et que ce sens n'était pas l'apanage d'une minorité ; la minutie dont font preuve les artistes dans l'exécution de chaque figure est inexplicable autrement. Il y a 20 000, 30 000 ou 40 000 ans, l'œil humain avait un pouvoir de perception supérieur ; le toucher, lui aussi, était plus subtil, comme l'attestent les dessins exécutés d'un trait avec un poinçon en pierre. Dans son *Histoire de l'Antiquité,* Eduard Mayer précise qu'aux divers stades du Paléolithique récent, on assiste à l'apparition d'une civilisation dont le contenu mystique et spirituel implique une très nette supériorité sur les civilisations néolithiques. Car, pour juger d'une civilisation, le critère n'est pas le niveau du progrès technique, mais l'esprit et les mobiles qui président aux réalisations techniques.

J'estime, quant à moi, que le seuil séparant l'Aurignacien du Magdalénien représente, sur le plan spirituel, le sommet de l'évolution humaine car, en matière de religion, le déclin s'amorçait en ce sens que, répudiant le monothéisme, l'homme avait déjà sombré dans la magie et dans la superstition.

Il offrait jadis au dieu unique des crânes et des ossements d'ours et il se sentait tout proche de la divinité. Désormais, entre le dieu et l'homme, un élément nouveau s'interpose sous forme de pratiques cultuelles, de magie et d'expression artistique.

CHAPITRE XXVIII

Les Giliaks : la fin d'un peuple de pêcheurs

> *« N'as-tu pas vu, me disait un Giliak, l'homme sur la lune lorsqu'elle est pleine ? C'est un Giliak ! »*
>
> VICTOR VACHDAYEV : *Dans les campements des nomades Giliaks,* Moscou, 1934.

ON A L'IMPRESSION que la religion de l'homme primordial qui voyait dans l'ours un médiateur entre le ciel et la terre, s'est perpétuée, intacte, depuis 30 000 ou 20 000 ans. J'ai, moi-même, constaté que la foi primitive s'est conservée chez certains peuples de la Sibérie et chez les Aïnous. Si, de nouveau, il devenait possible d'explorer les forêts du nord-est asiatique, je suis persuadé qu'on y rencontrerait encore les vestiges de la trinité primitive : homme, ours et divinité.

Le dieu auquel s'adressait le culte de l'ours dans l'Extrême-Nord de l'Asie se situe à un degré légèrement inférieur par rapport au dieu unique que vénéraient les premiers représentants de l'espèce humaine. Il n'est que le maître des animaux, des montagnes et de l'eau ; c'est, si l'on veut, un « dieu second » qu'il est permis de matérialiser à l'inverse du dieu véritable qui, lui, est, par nature, invisible et immatériel. La divinité s'est, en quelque sorte, dédoublée ; elle s'est mise au niveau de l'espèce humaine en choisissant de résider sur la montagne la plus élevée. Ce dieu second règne sur l'univers montagneux et sur l'ensemble du règne animal.

LES GILIAKS : FIN D'UN PEUPLE DE PECHEURS

La religion de l'ours, curieuse réminiscence des pratiques cultuelles de l'Aurignacien et du Magdalénien, est pratiquée dans une très grande partie de l'hémisphère boréal. Il y a peu de temps, nombre de peuples s'adonnaient — certains s'y adonnent encore — à ce culte étrange ; ce sont les Paléo-Finnois, les Lappons, les Ostiaks, les Vogoules, les Iénisseïens, les Goldis, les Oltches, les Oudehes, les Aïnous et les Giliaks.

On sait depuis longtemps que les Giliaks sont le peuple dont le mode de vie est le plus étroitement associé à la religion de l'ours ; chez eux, la fête de l'ours est l'événement majeur de l'année, car elle rassemble les divers clans de la tribu ; par ailleurs, la forme et l'ornementation d'un grand nombre d'ustensiles d'usage quotidien témoignent du rôle primordial que joue la religion de l'ours dans l'existence des Giliaks.

Leur habitat se limite au cours inférieur de l'Amour, aux rives de la baie d'Ouski, au littoral de la mer d'Okhotsk et, dans une faible mesure, au nord de l'île de Sakhaline. Leur extinction est prévisible et inévitable. Ressemblant aux Toungouses, les Giliaks leur sont néanmoins antérieurs ; ils sont les représentants caractéristiques des populations dites paléo-sibériennes. Leur langue diffère, d'ailleurs, des idiomes des autres populations circumpolaires ; avec ses consonnes nombreuses et ses sifflantes, elle évoque certaines langues indiennes de l'Extrême-Nord américain.

Le nom : giliak, est une déformation du mot chinois « kileng » qui désigne les autochtones fixés à proximité de l'embouchure de l'Amour et, comme beaucoup d'autres peuples, les Giliaks se qualifient eux-mêmes de « Nibach », mot qui signifie simplement « hommes » ou « gens ». Leur peau a une teinte brun jaunâtre, mais les jeunes filles au teint blanc et aux joues roses ne sont pas rares. D'aucuns objecteront qu'il est malaisé de déterminer la couleur de la peau d'individus qui ont horreur de l'eau, qui ne se lavent jamais et qui, confinés à l'intérieur des yourtes, sont perpétuellement exposés à la suie et à la fumée. Toutefois, les Giliaks sont si souvent dans la neige et sous la pluie, en proie au vent, aux embruns et aux vagues de l'embouchure de l'Amour que, tout au moins sur le visage, la crasse est lavée.

Pendant 600 000 ans, l'homme a vécu dans l'ignorance du savon, de la baignoire, de l'eau de Cologne et des désodorants mais, à mesure du perfectionnement de l'hygiène, l'organisme devenait de plus en plus sensible aux bactéries, aux virus et aux microbes.

Comme tous les peuples du Grand Nord, les Giliaks n'éprouvent aucun plaisir à vivre dans la saleté ; ils s'efforcent, au contraire, de garder propre l'intérieur de leurs huttes. Eté comme hiver, ils prennent des bains d'air, détail sur lequel Christian Leden insiste aussi à propos des Esquimaux ; de toute manière, ils exécutent, même en plein hiver et par grand froid, des travaux torse nu et ils aèrent fréquemment leurs vêtements. Mettre des vêtements raidis par le gel est effectivement une épreuve dont les Giliaks se tirent avec honneur.

Hommes et femmes ont la chevelure noire, dense et luisante ; la natte et les tresses des femmes pendent souvent jusqu'à la taille ; quand les cheveux sont courts, ils retombent en mèches sur les épaules. Aucune population sibérienne n'a les cheveux bouclés ni, à plus forte raison, crépus et, comme la barbe est rare, les hommes en sont fiers et ne la coupent jamais. Les peuples de l'Asie septentrionale sont tous persuadés que la force réside dans la chevelure et dans le système pileux et que la chute des cheveux est funeste au chasseur et au pêcheur. C'est là, en quelque sorte, la version sibérienne du mythe de Samson ; comme, d'autre part, la vermine préfère les chevelures abondantes, avoir des poux est l'indice d'une bonne santé. Néanmoins, pour quiconque a séjourné ou longuement voyagé en Extrême-Orient, le bruit des poux qu'on écrase entre deux ongles ou même entre les dents est presque familier.

Les Giliaks ont toujours eu le sens de la polychromie, et imaginer les peuples circumpolaires perdus dans la grisaille repose sur une idée totalement fausse. En hiver, les Giliaks portent une houppelande qui tombe jusqu'aux chevilles ; elle est confectionnée avec des peaux de chien cousues sur deux épaisseurs, de telle sorte que les poils de l'une soient tournés vers l'intérieur et les poils de l'autre vers l'extérieur ; suivant l'animal, ces peaux sont noires, blanches, brunes ou grises. Les Giliaks portent tous une ceinture à laquelle ils fixent leur couteau, des amulettes, une dent de sanglier ou des bois de daguet. Pour dormir, les Giliaks s'enroulent dans des couvertures de fourrure ; de toute manière, ils ne se séparent jamais de leurs vêtements ; ceux-ci se composent, pour les femmes, d'une longue camisole qui arrive aux genoux et d'une robe boutonnée sur le devant. Pour les jeunes filles, ces boutons ont une grande importance ; en bois pour la plupart, ils sont sculptés ou peints. Sur la camisole et sur la robe sont cousues des plaquettes de laiton ou des pièces de monnaie, si bien que chaque mouvement s'accompagne d'un cliquetis métallique. Les robes et les vêtements des hommes sont faits de peaux de poissons tannées, pressées et cousues ; teints en bleu marine ou en rouge, ces vêtements sont rigoureusement imperméables et richement décorés de broderies qui témoignent d'une vive fantaisie.

Tunique de femme giliake en peau de poisson. Elle est ornée de motifs bleus et rouges et de plaquettes de laiton fixées à la frange inférieure. (Photo Rauchwetter.)

On a l'impression que le déclin des peuples primitifs sibériens a pour corollaire la diminution de la polychromie du costume ; de plus en plus, ils adoptent l'habillement des Russes et des Chinois et les couleurs lumineuses de jadis ne sont plus qu'un souvenir. Il y a une trentaine d'années, le spectacle d'une jeune Giliake avec sa cape de fourrure, sa robe multicolore, ses bottes à tige en peau de poisson, était un régal pour les yeux et une revanche sur la monotonie de la nature ambiante.

Les conditions atmosphériques contraignirent également les Giliaks à prévoir deux sortes d'habitations. La maison d'hiver devait pouvoir protéger ses occupants du froid intense, des blizzards et des tempêtes de neige ; mi-enterrée, elle est conçue comme une immense tente. En madriers, les murs supportent une solide charpente ;

au centre, une ouverture, à l'aplomb du foyer, sert à évacuer la fumée qui s'échappe d'un grand chaudron posé sur des pierres. A droite et à gauche de l'entrée, très exiguë, se trouvent les réservoirs à eau ; le sol est jonché d'aiguilles de sapin au-dessus desquelles on déploie des peaux d'ours. Ce mode de construction est extrêmement ancien et ces huttes sont identiques à celles datant du Pléistocène dont les vestiges furent exhumés en 1931 et en 1933, près de Kostjenki et près de Voronej.

Chacune abrite deux à trois familles, soit une vingtaine d'individus au total ; les couchettes s'alignent le long des murs et, quand tout le monde est réuni, la lueur du foyer et la fumée des pipes s'associent pour créer l'ambiance. C'est ce moment que les Giliaks, peuple plutôt taciturne, choisissent pour raconter des histoires. Que chaque fois que la porte s'ouvre, un vent glacé balaie l'intérieur, qu'une fumée dense pique les yeux, que les poutres soient tapissées d'une épaisse couche de suie, que, la nuit, le feu s'éteigne et que le froid pénètre par l'ouverture du toit laisse les Giliaks indifférents.

Le déménagement a lieu au printemps, mais il faut faire vite, car la fonte des neiges et les pluies diluviennes ont tôt fait de détremper le sol de la hutte hivernale. La maison d'été, elle, est construite sur pilotis ; ils la protègent des inondations et de l'humidité, car l'air circule librement sous le plancher. Troglodytes l'hiver, les Giliaks sont des habitants de palafittes pendant la belle saison ; ils vivent comme vivaient, il y a bien longtemps, les hommes de la Préhistoire.

La plupart des animaux de la taïga constituent leur gibier, mais ce qui les intéresse surtout c'est la pêche et la chasse aux phoques. Les Giliaks sont des ichtyophages caractérisés, car il n'est pratiquement pas de poissons qu'ils ne mangent. Ce sont, en tout cas, des connaisseurs extraordinaires en matière de salmonidés ; montant leurs canots et munis de filets, ils vont à la recherche des saumons qui remontent les fleuves et les rivières. Les femmes vident les poissons et les coupent en tranches ; mises à macérer dans des fosses, elles sont ensuite enfilées et sèchent à l'air et au soleil. Dans toute la Sibérie, le poisson séché par les Giliaks est connu et apprécié sous le nom de « jukola » ; les Giliaks donnent aux tranches le nom de « ma », terme qui signifie également « pain ». Ils en prennent une, la plongent dans l'huile, la saisissent entre leurs dents et, d'un coup de couteau, ils la sectionnent au ras des lèvres. Qu'on aime ou non, en hiver cette nourriture devient indispensable ; elle fait alterner saumon, silure, brochet et esturgeon. Au moment de la débâcle de l'Amour, les esturgeons se groupent pour remonter le fleuve. Les Giliaks préfèrent sa chair au caviar noir qu'ils vendent aux Russes ; ils consomment le poisson séché ou mariné, mais ils ne le font jamais cuire ni rôtir sur le gril ; seule la peau est mise à cuire jusqu'au moment où elle forme une bouillie épaisse à laquelle on ajoute de l'huile de poisson et des airelles. Le « résultat », baptisé « mossi », n'est pas aussi mauvais qu'on pourrait s'y attendre...

Chose curieuse, les Giliaks ne salent pas leur nourriture et éprouvent une sorte d'aversion pour le sel ; cette anomalie s'explique car, gros mangeurs de poisson, ils satisfont ainsi leurs besoins. De même que la viande des autres mammifères, les Giliaks font cuire celle des phoques avant de la consommer, mais ils lui préfèrent la graisse coupée en fines lamelles qu'ils considèrent comme un régal. L'huile de phoque ne manque à aucun repas ; on l'utilise également pour l'éclairage. En revanche, la chair de la baleine, si appréciée des populations paléo-sibériennes, ne l'est pas des Giliaks.

La chasse au phoque, qui commence dès avril sur les rivages de la mer d'Okhotsk, se poursuit jusqu'au mois d'août, époque à laquelle les phoques remontent l'Amour à la poursuite des saumons. Les Giliaks les tuent au harpon ou avec une arme faite d'une gaffe terminée par un morceau de bois sur lequel est fixée une pierre ou une pointe de fer ; les phoques ainsi « harponnés » sont assommés à coups de massue. Les Giliaks savent aussi s'approcher sans bruit des phoques endormis.

Dépourvus de quille, leurs canots sont surtout conçus pour la navigation fluviale et, de toute manière, les Giliaks ne sortent jamais des eaux littorales ni des embouchures. Ils font fréquemment allusion à un pays lointain, situé à l'est, dont parle leur tradition mythique.

Avant la dernière guerre, les Giliaks possédaient chacun un fusil, de type ancien et rudimentaire, mais leurs ancêtres se servaient, pour chasser, de l'arc, de la lance et du javelot ; par la suite, ils se mirent à l'école des Chinois et des Japonais et devinrent d'excellents forgerons. Par nature, par tradition et fidèles à leur civilisation originale, les Giliaks sont surtout des pêcheurs ; s'ils s'adonnent également à la chasse, c'est uniquement pour vendre les peaux des bêtes qu'ils capturent et pour se nourrir de leur chair. Mais, s'ils consomment sans répulsion celle du renard, du loup, du glouton, du cerf, de la zibeline, jamais ils ne s'abaisseraient à manger celle des rats qui pullulent dans leurs huttes d'hiver. De tous les animaux-gibier, l'ours est le plus apprécié et, plus encore, la graisse de l'animal ; pendant des siècles, les Giliaks n'ont eu comme boissons que des infusions de feuilles et d'écorce et le jus des baies sauvages. L'introduction du thé et de la vodka fut beaucoup plus tardive. Femmes, hommes et enfants fument, quel que soit leur âge ; la légende attribue aux Portugais l'introduction du tabac au Japon et dans cette partie de l'Extrême-Orient. Malgré les frimas, le tabac pousse bien en Mandchourie ; quant aux pipes, les Giliaks les ont empruntées aux Chinois. La pipe qu'ils fument consiste en un long tuyau de laiton supportant un fourneau dont la contenance est celle d'un dé à coudre ; la quantité de tabac qu'on peut y introduire équivaut à deux ou trois bouffées, ce qui oblige à la remplir à tout moment. A l'hôte qui prend place dans une hutte, le maître de céans offre toujours la première bouffée.

Les Giliaks ont toujours résisté à la tentation de fumer l'opium et de priser l'héroïne ; mais, à l'époque où j'ai pris contact avec eux sur les bords de l'Amour, ils buvaient de l'alcool de riz chinois et mandchou.

Le chien occupe une place à part dans l'existence des Giliaks, car c'est lui qui tire le traîneau, lui dont la fourrure sert à confectionner les houppelandes, lui, enfin, dont on mange la viande. Il en va de même chez certains peuples indiens et chez les Esquimaux de l'Amérique du Nord. Les Iroquois mangeaient du chien lorsqu'ils étaient affamés, les Ojiwas en faisaient autant dans certaines occasions, les Assiniboines lors de la fête du solstice d'été et les Nootkas lors du sacrifice du loup. Quant aux Esquimaux du sud-est de la Terre de Baffin, ils élevaient des chiens de petite taille ; les autres, plus grands et plus forts, étaient utilisés comme animaux de trait. Toutefois, la première race disparut rapidement, car elle ne put se reproduire.

Les chiens des Giliaks ressemblent étonnamment au loup ; ils ont de longs poils, des oreilles courtes, toujours dressées, et évoquent les chiens esquimaux. Leur poil est noir, blanc, brun, roux et, la plupart du temps, gris jaunâtre ; leur taille est réduite, car les Giliaks n'ont jamais essayé d'améliorer la race. Seuls les mâles sont jugés aptes à tirer les traîneaux et cette circonstance explique que les chiennes soient mal nourries et que les jeunes chiots soient abondonnés à leur sort. Les Giliaks nourrissent leurs chiens avec du poisson et toujours à l'intérieur de la hutte ; les animaux passent le reste du temps attachés, exposés au froid et aux intempéries. Semi-sauvages et nourris exclusivement par les femmes, ces bêtes n'éprouvent aucune affection pour leur maître et les relations amicales et confiantes qui, dans nos pays, unissent le chien à l'homme n'existent pas dans le nord-est de la Sibérie ni en Mandchourie. Les chiens sont utilisés, sans le moindre scrupule, comme bêtes de boucherie.

L'attelage est rudimentaire ; les chiens sont attachés par leur collier alternativement à gauche et à droite des rênes, longues courroies en peau de phoque. Quelques minutes suffisent pour atteler un traîneau. Toutefois, pesant sur leur collier qui leur serre la gorge, les chiens giliaks se fatiguent plus vite que les chiens russes qui, eux, tirent sur des rênes fixées à un harnais. En hiver, les chiennes sont nourries irrégulièrement ; en été, pourvoyant elles-mêmes à leur subsistance, elles avalent goulûment tout ce qui leur tombe sous la dent ; les Giliaks prennent, en revanche, le plus grand soin des mâles qu'ils s'ingénient à ne jamais fatiguer. Les chiens passent la nuit à l'air libre ; mais, en prévision de la nuit, le Giliak creuse, à l'intention de son auxiliaire, une petite fosse dans la neige et il la garnit de branches de sapins ; les chiens sont attachés séparément pour éviter qu'ils ne se battent.

Comme tous les peuples sibériens, les Giliaks sont monogames ; les cas de polygamie sont rarissimes et il s'agit alors d'une influence chinoise. Le jeune Giliak est tenu d'acheter son épouse, comme cela se fait chez les Toungouses, les Ostiaks, les Samoyèdes, les Tartares, les Tchérémisses, les Tchouvaches et autres peuples apparentés. Il verse au père de la jeune fille ou, à défaut, à son frère aîné, une redevance sous forme de harpons, de chaudrons en métal, de canots, de traîneaux et de chiens ; soit, il y a quelques années, la contre-valeur de 300 roubles-or, ou à peu de chose près un millier de dollars. Ce paiement se fait en une fois.

Aux protestations des Occidentaux qui considère ces usages comme immoraux s'opposent les considérations suivantes. L'achat d'une épouse n'implique aucune négation des droits de la femme ; ce n'est ni un acte de mépris ni une manifestation d'irrespect et la femme n'est pas assimilée à une marchandise, car c'est seulement au prix d'un dur labeur que le jeune Giliak peut songer à se marier et à fonder un foyer. « L'achat » consacre précisément l'ardeur au travail du postulant ; les Giliaks estiment qu'un individu qui a réussi, par son zèle et par son endurance, à amasser suffisamment pour se « payer » une épouse est, *ipso facto,* capable de nourrir une famille. Par ailleurs, une femme achetée de cette manière est traitée avec des égards que nombre d'Occidentales lui envieraient ; d'autre part, les parents « soignent » et éduquent leurs filles avec d'autant plus de soin qu'ils savent qu'ils la « vendront » plus cher. Je me demande d'ailleurs si, en définitive, cette façon de faire ne garantit pas à la femme un sort meilleur !

Mais cette coutume comporte également des risques, car le prix à payer est élevé et, de tout temps, les jeunes gens appartenant aux populations de la Sibérie ont enlevé des jeunes filles, généralement avec leur consentement. On imagine aisément une jeune Giliake se faisant enlever par l'homme qu'elle aime, sachant qu'il est incapable de verser le montant jugé équitable et convenable. Le père et les frères de la jeune fille et, plus rarement, toute la population d'un village, partent à la recherche des fuyards ; si le malheur veut qu'ils les rattrapent, cela se termine par une effusion de sang. Les Giliaks sont, il est vrai, d'extraordinaires coureurs des bois et, la plupart du temps, l'auteur du rapt et sa « victime » parviennent à s'échapper ; mais les haines subsistent et pendant des années les familles du jeune homme et de la jeune fille sont à couteaux tirés. Il existe pourtant des chansons giliakes pour exalter le côté romantique des rapts et des enlèvements.

Lorsque le montant fixé est versé, le mariage passe pour conclu ; l'homme emmène son épouse et la conduit à la hutte qu'il partage avec ses parents et ses frères.

Jusqu'à l'époque où, sous l'influence étrangère, les Giliaks commencèrent à perdre leurs caractéristiques originales, ils étaient, de tous les peuples paléo-asiatiques, celui qui possédait le plus de qualités et d'aptitudes. On les appréciait pour leur énergie, pour leur tempérance, pour leur discipline et pour la rigueur de leurs mœurs. La conquête par les Russes du bassin de l'Amour amena de profonds et lents bouleversements. Les relations prémaritales étaient l'exception, les jeunes filles se montraient réservées, les jeunes gens déférents et lorsqu'une fille était enceinte, sa mère lui infligeait une sévère correction et tuait l'enfant dès sa naissance.

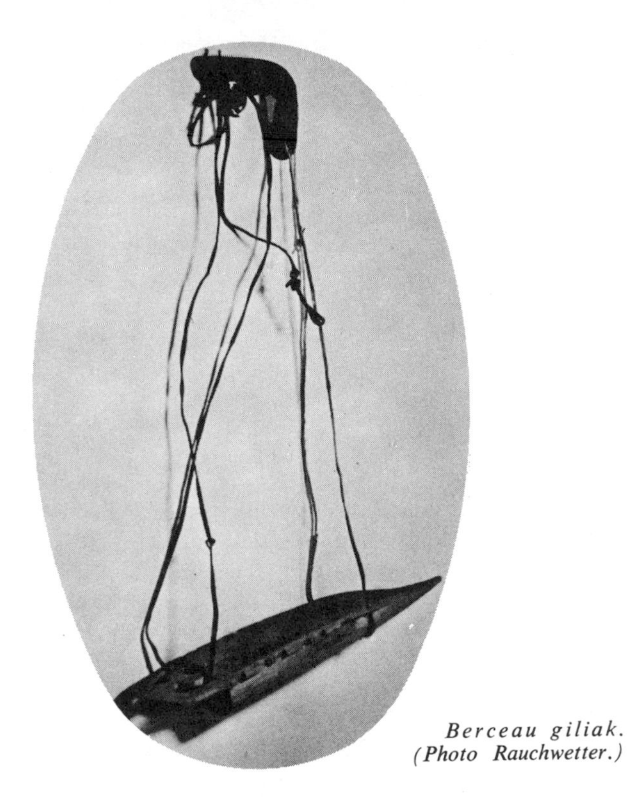

Berceau giliak.
(Photo Rauchwetter.)

Les mariages contractés par « achat » étaient généralement heureux ou, du moins, satisfaisants pour les conjoints et la fidélité conjugale n'était jamais enfreinte. Je n'ai jamais vu un Giliak embrasser son épouse en public, alors que les enfants sont l'objet, de la part des femmes et des hommes, d'attentions et de marques d'affection touchantes. Les femmes ont interdiction d'accoucher à l'intérieur des huttes et mettent leurs enfants au monde à l'air libre ou dans une cabane en écorce de bouleau spécialement construite ; des parentes les assistent. Cette coutume se justifie peut-être par la conception que les parturientes sont impures, mais il se peut aussi que la très forte mortalité infantile l'explique, car toute maison où un individu est mort est obligatoirement rasée. Aussi les Giliaks portent-ils les moribonds à l'extérieur peu de temps avant qu'ils ne rendent le dernier soupir.

Il y a un siècle, les Giliaks possédaient encore des esclaves qu'ils achetaient aux Aïnous et aux Goldis. Léopold von Schrenck insiste, à ce propos, sur le fait que les Aïnous et les Goldis étaient les seuls qui acceptaient la vente de membres de leurs tribus. Une esclave valait plus cher qu'une épouse ; traitée comme une bête de somme, elle accomplissait les besognes les plus pénibles : couper le bois, aller chercher l'eau, nourrir les chiens. Plus cotées que les hommes, les esclaves femmes n'accédaient jamais au rang de concubines, car c'eût été déchoir, pour un Giliak, que de transformer une servante en maîtresse. En revanche, les unions entre esclaves étaient les bienvenues, car les enfants venaient accroître gratuitement l'effectif domestique.

Les Koriaks, les Aléoutes et les Tchoutches avaient, eux aussi, l'habitude de réduire en esclavage les femmes et les filles de leurs ennemis vaincus ; nourries et habillées, on les chargeait des tâches les plus pénibles.

De toute manière, l'esclavage n'a pas été inventé par les peuples paléo-sibériens et la découverte de sépultures de chefs renfermant, outre les restes du propriétaire, les corps ligotés de servantes témoigne de la réalité de l'esclavage dès l'époque préhistorique. Il en est d'ailleurs ainsi, depuis des millénaires, en Chine et en Corée. Quiconque a vécu en Extrême-Orient se souvient qu'il y a quelques dizaines d'années, les paysans de la Corée du Nord vendaient leurs filles aux tenanciers des maisons publiques ; ceux-ci les nourrissaient juste assez pour les empêcher de mourir d'inanition.

Il serait injuste d'attribuer une importance démesurée à ce côté immoral des coutumes et de la mentalité giliakes, car ce peuple est extrêmement sociable, hospitalier, aimable et honnête. Schrenck signale que les Giliaks ont dû emprunter aux Russes le verbe « ukratch » (voler) qui n'existait pas dans leur langue ; ce détail est explicite, car il révèle qui a appris aux Giliaks, sous prétexte de « civilisation », à faire la différence entre le bien de chacun et le bien d'autrui.

Les qualités foncières et le pouvoir de distinguer entre le bon et le mauvais, le mensonge et la franchise, la fidélité et l'infidélité ont toujours été l'apanage des Giliaks et, si l'on tient compte des seuls critères moraux pour apprécier leur civilisation, il faut bien reconnaître qu'elle se situe à un niveau supérieur. Conformément à cette conception, les Giliaks voient dans la divinité l'incarnation du bien. Affrontant une nature rude et inhumaine où l'homme ne peut se fier qu'à son canot, qu'à ses forces et qu'à son expérience personnelle, les Giliaks croient en l'existence de « Kur », dieu unique et tout-puissant. Mais leur religion est d'une simplicité extrême et les prières que les Giliaks adressent à la divinité se résument à cette seule formule : « Kur Pionguchia » (Oh ! Dieu, je t'en supplie !)

Que les Giliaks soient persuadés de l'existence d'un dieu unique, invisible et immatériel, n'est pas le fruit de l'invention d'ethnologues obsédés par les préoccupations religieuses, mais une réalité concrète. Ce n'est pas non plus une invention du père Schmidt, qui vécut parmi les Giliaks bien avant que Léopold von Schrenck ne rédigeât son livre. Celui-ci écrivait déjà avant 1880 : « Ces nomades possèdent la conception religieuse la plus ancienne ; pour eux, dieu et le bien se confondent et c'est au bien qu'ils rendent hommage. » Léo Sternberg, qui connaissait, lui aussi, fort bien les mœurs des Giliaks, parle, dès 1905, de « Kur », leur dieu suprême, qui incarne l'ensemble de l'univers.

L'ancienneté de cette croyance est indubitable, car elle remonte au plus lointain passé. Beaucoup plus tard, chez les Giliaks comme chez beaucoup d'autres populations paléo-sibériennes, les notions polythéistes relatives à des forces et à des puissances susceptibles d'influencer les destinées du monde prirent le dessus sur le monothéisme. La foi monothéiste est, comme l'écrit von Schrenck : « L'écho d'une conception primordiale datant des origines mêmes du peuple des Giliaks ; ce qui est venu s'y ajouter par la suite n'a pas pu effacer l'image que les Giliaks se faisaient de la divinité ».

Plus tard, génies et esprits firent leur apparition ; « Nibach », tel est le nom générique sous lequel les Giliaks les désignent. Celui de la taïga, des montagnes et des animaux s'appelle Pal-Nibach, celui de la mer et des animaux marins Toll-Nibach. Pêcheurs avant tout, les Giliaks s'efforcent d'entretenir de bons rapports avec Toll-Nibach puisque de lui dépendent les phoques, les baleines et les poissons.

Par contre, les Giliaks ignorent les idoles, car qui dit idole dit objet, image ou sculpture, entouré de vénération et de respect. Or, les sculptures giliakes représentent exclusivement des animaux et chacune est censée abriter un esprit enfermé dans la figurine, associé à elle et susceptible de se manifester de diverses manières. Presque tous les peuples sibériens possèdent des figurines de ce genre auxquelles les Russes ont donné le nom de « Lekan », terme qui implique celui de « Chaitan » qui signifie démon. C'est cet esprit qui peut apporter aux hommes les maladies, mais c'est également lui qui peut les faire disparaître en les prenant à son compte. Il existe divers « lekan » qui, tous, sont associés à un certain « chaitan ». Ils sont en bois, en pierre et, chez certains peuples, en débris de cuir ou même en chiffons. Mais l'aide du « chaitan » n'est pas gratuite et il faut se concilier ses bonnes grâces, lui accorder une place de choix dans la yourte, lui faire des offrandes et exécuter devant lui les danses prescrites. On le punit, le cas échéant, en le frappant ou en le jetant au feu. Il s'agit là, certes, plus d'une superstition que d'une coutume religieuse. Le « Kaegn » des Giliaks et l' « Ongon » des Mongols et des Bouriates constituent en quelque sorte un moyen pratique et direct pour obtenir une faveur ; libre à chacun de choyer son fétiche ou, au contraire, de le tromper. De toute manière, on ne le prie jamais, car il est totalement indépendant de l'Etre Suprême.

Ce qui revient à dire que la conception des Giliaks prévoit trois sortes de divinités : un dieu unique, les génies des forêts, des montagnes et des mers et les fétiches qui correspondent aux trois étapes de l'évolution de la pensée religieuse. L'exemple des Giliaks illustre le chemin parcouru par l'humanité : monothéisme, polythéisme, puis idolâtrie et fétichisme.

Fétiche représentant l'homme " Tigre ". (Photo Rauchwetter.)

CHAPITRE XXIX

La fête de l'ours

« Les Aïnous croient en un Dieu suprême, créateur de tous les êtres supérieurs ; tous sont responsables devant lui, car tous sont ses serviteurs et ses représentants. »

J. BATCHELOR : *The Ainu of Japan,* Londres, 1892.

« Lorsque les Orotchons tuent l'ours, ils lui disent : « Va, fais vite, rejoins ton maître. Prends une fourrure chaude et reviens l'an prochain pour que je puisse te contempler. »

STERNBERG.

JUSQU'ICI, aucune science n'a encore pu expliquer de manière satisfaisante en vertu de quel phénomène les hominidés passèrent un jour de la pensée concrète à la pensée abstraite. Et, si l'on admet, avec Albright, que « l'homme ne s'est pas élevé en tirant lui-même sur ses lacets de soulier », on est bien obligé de reconnaître qu'une autre force exerce une influence décisive.

Les plus anciennes populations, dont l'économie se fondait sur la chasse et sur la cueillette, ont cru, dès le début, à l'existence d'un Dieu suprême. C'est là un fait dûment confirmé et cela nous rapproche de la tradition propre aux peuples archaïques qui confondaient divinité et principe créateur.

Si nous autres, Occidentaux, nous ne sommes pas convaincus que la croyance initiale fut monothéiste, la confusion générale qui sévit durant la troisième étape de l'histoire religieuse de l'humanité explique cette carence. Or, cette étape correspond à l'époque actuelle ; c'est celle des fétiches et des idoles, celle des « lekanes » et des « chaitans » des peuples paléo-sibériens. Mais cela ne signifie pas que la recherche de dieu soit close ; elle est, au contraire, plus active que jamais du fait que, sous l'impulsion du rationalisme scientifique, l'idée d'une dépendance de l'homme par rapport au divin s'est largement atténuée.

C'est précisément à mesure que s'estompait progressivement la croyance monothéiste que la notion d'une divinité maîtresse des montagnes, des forêts et des océans se précisa. Plus le dieu suprême perdait de son prestige et échappait à la mémoire des hommes et plus l'homme tentait de se rapprocher de lui, car on ne souhaite rien tant que ce qui semble inaccessible. C'est la raison pour laquelle l'homme s'ingénia à localiser sur les montagnes l'image de la divinité qu'il situait jusqu'alors dans le ciel. Mais cela ne le satisfit pas ; ce qu'il souhaitait, c'était une communication directe avec la divinité avec laquelle le contact était rompu. Il se mit donc à la recherche d'un intermédiaire. Car à quoi pouvait servir le maître des montagnes, des forêts et des océans s'il était impossible de se faire entendre de lui ? Telle est, en fait, la raison pour laquelle plusieurs populations archaïques circumpolaires choisirent l'ours comme « porte-parole ». Il l'est resté depuis 20 000 ou 30 000 ans et il l'est même encore.

Avant la disparition des derniers hommes qui considèrent l'ours comme un médiateur entre l'univers des hommes et la divinité, je suis parvenu à retrouver les ultimes vestiges du culte et de la religion de l'ours ; il en est de ce culte comme de beaucoup d'autres, en ce sens qu'il peut disparaître du jour au lendemain. Dans quelques dizaines d'années, il n'en restera rien, sinon un vague souvenir que l'on qualifiera peut-être d'invention. Un jour viendra où le culte de l'ours fera partie du mythe et de la légende. Or, avec l'ours, les peuples du Grand Nord étaient convaincus de posséder un intermédiaire sûr, c'est-à-dire un messager qui accomplirait jusqu'au bout la mission dont il était chargé.

Comment rétablir le lien rompu entre le Maître des Montagnes et l'univers terrestre ? Envoyer l'ours vivant dans les sphères éthérées est impensable ; en revanche, si on le tue, son « âme » gagnera le lieu où se prennent les décisions qui intéressent les Giliaks. On n'immole plus l'ours comme le faisaient les Neanderthaliens, mais on le sacrifie à la divinité ; il n'est pas une victime, mais le dépositaire des offrandes et des dons des fidèles.

L'importance du rôle que joue l'ours dans l'existence des Giliaks, rôle qui n'est rien comparé à celui qu'il joua durant toute la protohistoire, est désormais facile à discerner.

LA FETE DE L'OURS

Les Giliaks capturent un ourson qu'ils emmènent dans leur village et qu'ils gardent dans une cage pendant deux ou trois ans ; personne n'ignore quelle sera la fin de l'animal, aussi est-il l'objet de soins et d'attentions constantes. On le nourrit, on le gâte, on le brosse, on le lave, on l'emmène promener à la chaîne et le clan se félicite que l'ours grossisse et prospère.

Puis, quand approche la fête de l'ours, on prépare des victuailles et de la boisson pour les membres de la tribu et pour les invités ; l'ensemble des clans participe à ces préparatifs. On aménage l'aire où la bête sera mise à mort, puis on sculpte les « inaos », figurines représentant des hommes et des femmes associés par couples. Fixés à des perches, ils sont censés assurer sous une forme symbolique la communication entre les Giliaks et le maître des montagnes. C'est alors que les festivités commencent. La cage est ouverte et l'ours conduit de maison en maison où chacun l'accueille par des rires et par des cris de joie. Chaque famille tient à montrer à la bête combien elle la tient en estime, ce qui n'empêche qu'on l'excite de toutes les manières en s'efforçant de la rendre enragée. Un « exercice » consiste à s'emparer de la tête du plantigrade, à l'embrasser et à sauter de côté pour échapper à ses coups de pattes. Mais il arrive que l'ours soit le plus rapide et que ses griffes labourent l'épaule d'un Giliak ; la cicatrice passe pour honorifique. Puis on conduit l'ours sur le fleuve ou sur la mer gelée, près d'un trou creusé dans la glace par les pêcheurs. La présence du plantigrade est un gage de succès et d'abondance.

Par trois fois, l'ours fait le tour de la maison qu'habite la famille qui l'a élevé ; le maître de céans l'accueille, l'excite avec un bâton, chante ses louanges et l'exalte en termes chaleureux.

Ce curieux mélange de cruauté et de respect dont les Giliaks font preuve à l'égard de l'ours s'explique par la conviction que la chair doit être humiliée et anéantie et que l'âme de l'ours, au contraire, doit être traitée avec amour et ménagements avant d'entreprendre le long voyage qui la mènera dans l'autre monde, car elle échappe plus facilement que le corps aux tourments et aux peines.

Attaché à deux piquets auxquels sont fixés des « inaos », l'ours reste seul pendant que, dans leurs huttes, les Giliaks font bombance et que les « Narch-en » préparent arc et flèches servant à « dépêcher » le plantigrade dans l'autre monde.

Pour les Giliaks, la fête de l'ours est le « jeu de l'ours », mais il serait plus exact de lui donner le nom de « drame » ou de « spectacle » de l'ours. Alexander Slawik précise à ce propos que trois clans participent traditionnellement à la fête ; ce sont ceux dont les membres ont contracté mariage. Le clan A fournit, par exemple, les épouses des hommes du clan B, lequel donne ses filles en mariage aux hommes du clan C ; parmi ces derniers se recrutent les « Narch-en ». Si l'ours a été élevé par une famille appartenant au clan A, les membres de ce clan sont chargés d'organiser la fête ; ceux du clan C font simplement figure d'invités. Or, chez les Giliaks, l'ours n'est tué que par les hôtes, c'est-à-dire par les « Narch-en » ; eux seuls mangent la viande du plantigrade et emportent ce qu'ils n'ont pu manger.

Dans le cadre de la cérémonie, les clans A et B figurent les clans de l'ours et le clan C celui du peuple Giliak ; autrement dit, les premiers représentent les ours et les seconds les chasseurs. La mise à mort du plantigrade est l'affaire des hôtes, mais les habitants du village se contentent de simulacres. Alexander Slawik conclut que l'immolation solennelle du plantigrade constitue la « dramatisation » de la chasse à l'ours ; les invités personnifient les chasseurs et les membres des clans sont les alliés de l'ours. Cette interprétation est certainement exacte, mais alors à quoi rime une division aussi tranchée ? L'explication réside, je crois, dans la crainte que l'âme de l'ours immolé inspire aux peuples du Grand Nord. La division des rôles n'est, somme toute, qu'une feinte en ce sens que les hôtes s'identifient aux Giliaks qui, ayant élevé l'ours, ne lui font aucun mal et que les invités figurent les étrangers qui le tuent. Compte tenu de cette optique, c'est avec des intentions pures que l'ours est « expédié » dans l'autre monde ; dans ces conditions, il ne peut dire que du bien des Giliaks, car il s'imagine que sa mort a été causée par autrui. Avant de l'immoler, les Giliaks le nourrissent, le gâtent et le supplient d'accepter le sort qu'ils lui réservent ; on lui souhaite de rejoindre promptement le dieu, son maître, et on lui demande d'intercéder auprès du dieu des montagnes et des animaux pour que la chance favorise les chasseurs giliaks.

Après de longs préliminaires, l'animal est conduit à l'endroit prévu ; les hommes seuls assistent à l'immolation. Les chasseurs s'exercent au tir à l'arc sur une cible quelconque, tandis que les enfants lapident le plantigrade. Puis le silence se fait : le plus ancien des « Narch-en », qui est en général le meilleur tireur, bande son arc, attend que l'ours enchaîné lui présente le flanc et décoche sa flèche en visant le cœur. Aussitôt, des hommes se précipitent sur l'animal blessé et, comme le rapporte Hallowell, ils le maltraitent jusqu'à ce que mort s'ensuive. Des Giliaks m'ont même expliqué que cette « opération » avait pour raison d'être d'accélérer « le départ de l'âme ».

Le cadavre est allongé sur la neige, le museau tourné vers l'ouest de peur que le soleil levant ne l'éveille avant qu'il n'ait aperçu le maître des montagnes. Les Giliaks mangent alors les provisions enfermées dans des sacs fixés au cou de l'animal qu'ils dépècent et dépouillent suivant des rites millénaires. La peau et le crâne sont suspendus à des perches et la viande est jetée dans un chaudron ; les membres doivent se contenter de consommer le bouillon, les hôtes mangent la chair, ne s'interrompant que pour boire. Le festin dure ainsi pendant plusieurs jours et quand, à la fin des cérémonies, les « Narch-en » prennent congé, les Giliaks chargent leurs traîneaux de quartiers de viande et de provisions en échange de présents offerts à la mémoire de l'ours ; ces présents sont souvent des chiens vivants.

N'ayant découvert, chez les Giliaks, qu'un petit nombre d'individus capables de me renseigner sur la religion de l'ours, j'ai été chercher des précisions chez les Aïnous. L'ethnologue japonais Torri, spécialiste de la civilisation toungouse, estime qu'à l'époque protohistorique, les Aïnous ignoraient la religion de l'ours et qu'ils l'ont, ultérieurement, empruntée aux Giliaks.

Cantonnés sur l'île de Hokkaïdo, la plus septentrionale de l'archipel nippon, les Aïnous vivaient naguère sur l'île de Sakhaline, cédée à la Russie à la fin de la dernière guerre, et sur les îles Kouriles ; ils sont à la veille de disparaître, mais le problème de leurs origines n'a pas encore été éclairci. Les Aïnous représentent vraisemblablement un rameau isolé de la race caucasienne, une variété très archaïque d'humanité, très voisine, par la couleur de la peau, par l'anatomie et par la forme du crâne, des races européennes.

J'ai visité les villages grisâtres aux toits de chaume et aux parois de planches où vivent les Aïnous de Hokkaïdo : Horobetsu, Piratori, Nieptani, Chitose, Jurappo, Oshamanu, Chiraoi et Chadai et je me suis entretenu avec leurs habitants. A les voir — car leurs yeux ne comportent pas, à l'inverse des Mongoloïdes, de fente palpébrale — on croirait des Européens ; les femmes se distinguent toutefois par des caractéristiques asiatiques et même polynésiennes.

Les tatouages sont très remarquables ; aux petites filles, on tatoue, sur la lèvre supérieure, une bande assez large qui évoque une moustache et qui se termine en pointe au-dessus des commissures des lèvres. C'est uniquement un motif ornemental.

Chasseur Aïnou. (Photo Musée de l'Homme.)

Selon Léo Sternberg, les Aïnous sont originaires des îles du Pacifique ; il s'emploie à justifier cette théorie en établissant des parallèles entre la civilisation matérielle des Aïnous et celle des Micronésiens et des habitants des archipels du Pacifique : métier à tisser, pirogue à balancier, arc (jadis utilisé par les Aïnous), massue de forme spéciale, berceau en bois, motifs ornementaux.

En fait, il y a des milliers d'années que les Aïnous sont fixés dans l'archipel nippon ; ils y étaient avant l'arrivée des populations malaises et mongoloïdes dont le métissage donna naissance au peuple japonais. Les Aïnous dominaient l'espace maritime compris entre les îles, ce qui explique l'utilisation par eux de pirogues à balancier et de l'arc dont l'origine polynésienne est incontestable. L'ethnologue japonais Koya a probablement raison lorsqu'il suppose que les Aïnous, rameau détaché d'une souche européenne, ont été progressivement contraints de gagner l'Extrême-Orient. A ce propos, j'aimerais signaler l'existence de baguettes dites « baguettes de libations », qui n'existent que chez les Aïnous ; elles remontent très probablement à la civilisation paléolithique eurasiatique. Longs de trente centimètres, ces bâtons sont ornés de cercles concentriques qui représentent des yeux, des méandres, des têtes animales stylisées et des hachures gravées. Un rapprochement s'impose entre ces baguettes et celles, en corne, de l'Aurignacien et du Moustérien. Ces baguettes auxquelles les Aïnous attribuent une grande importance ont été qualifiées de « porte-barbes », dénomination erronée car, lorsqu'ils offrent une libation, les Aïnous plongent les baguettes dans le liquide et offrent quelques gouttes à la divinité ; quand ils boivent, les baguettes leur servent à écarter leur barbe, fort abondante, car les Aïnous ont un système pileux extrêmement développé. L'expression « baguettes de libation » est une invention, très imagée, de l'ethnologue français Georges Montandon.

A l'heure actuelle, 15 000 Aïnous vivent sur l'île de Hokkaïdo ; la plupart sont métissés de Japonais. Au VIIe siècle de notre ère, leur habitat s'étendait jusqu'à Tokyo ; jusqu'en 720, ils opposèrent aux Japonais une résistance farouche, mais la pression des Nippons les contraignit à gagner les îles septentrionales de l'archipel, au climat plus rude et plus froid. De nos jours, les anciens maîtres du Japon vivent du travail du bois ; ils sculptent des oursons, confectionnent une sorte de vêtement en écorce d'orme qu'ils vendent aux touristes et attendent passivement dans des cabanes misérables transformées en musée l'extinction de leur race. Un grand nombre de mots japonais ont été empruntés à l'idiome très riche des Aïnous et le célèbre volcan de l'archipel nippon, le Fuji-Yama, porte un nom aïnou. Un très grand nombre de concepts, de réminiscences et de rites associent les Aïnous à la religion de l'ours et c'est lui qu'ils considèrent comme leur ancêtre et comme le mainteneur de leurs traditions. En aïnou, l'ours se nomme « kimumkamui », terme très voisin du mot japonais « kami » qui signifie « divinité ». « Etre supérieur qui réside au milieu des montagnes », l'ours est l'intermédiaire entre le monde terrestre et l'au-delà ; aucun autre animal n'est aussi qualifié pour assurer le rôle de médiateur car il présente une ressemblance frappante avec l'homme et, comme lui, l'ours possède une « âme ». La grande fête des Aïnous est la « iomante », mot qui signifie « renvoi de l'âme ».

Comme les Giliaks, les Aïnous capturent un ourson et l'élèvent. John Batchelor, grand spécialiste de la civilisation aïnou, rapporte qu'avant de l'avoir vu, il n'aurait jamais imaginé que des femmes pussent allaiter des oursons : « Je me vois obligé de réviser mon jugement depuis qu'au cours des cinq dernières années j'ai vu nombre de femmes donner le sein à des oursons. L'an passé, alors que je prêchais à l'extrémité d'une hutte, j'ai vu, à l'autre bout, des femmes assises en cercle qui se passaient un ourson qu'elles allaitaient à tour de rôle. » Et cela se passait à l'aube du XXe siècle.

Tout au début, l'ourson, traité comme un enfant, dort dans la hutte ; le cas échéant, il partage la couche de celui qui l'héberge mais, lorsqu'il devient grand, on l'enferme dans une cage. Plus tard, sonne pour lui l'heure du « grand départ ». La fête rassemble les Aïnous du village et les habitants des villages voisins. Tous revêtent leurs habits d'apparat et l'invitation transmise aux amis est libellée en ces termes : « Je projette de sacrifier le cher animal divin qui vit dans la montagne. Honorables amis, venez assister à la fête et communions dans l'allégresse en assistant au départ de son âme. » L'assemblée se groupe autour d'un bûcher. Commencent alors les libations, abondantes pour les hommes, modérées pour les femmes ; on rit, on danse, on frappe dans ses mains, puis un ancien annonce à l'ours que son âme va rejoindre les mânes des ancêtres. Il implore son pardon et exprime l'espoir que l'ours ne lui tiendra pas rigueur car un ours immolé dans ces conditions ressuscite pour être de nouveau « envoyé ». « Tu as été mis au monde pour chasser à notre place ; nous t'avons élevé avec amour et affection ; maintenant que te voilà adulte, nous t'envoyons rejoindre tes parents. Quand tu les verras, dis-leur à quel point nous avons été bons pour toi. Je t'en conjure, reviens afin que nous t'immolions de nouveau. »

Après cette prière, l'ours solidement garrotté est conduit au centre du cercle que forment les participants, puis attaché à un pieu. Alors, les Aïnous le bombardent avec des flèches dépourvues de pointe et ils le battent jusqu'à ce que la bête entre en rage. La bastonnade se poursuit jusqu'au moment où les forces de l'ours le trahissent. Alors, le meilleur tireur le tue d'une flèche décochée en plein cœur, mais aucune goutte de sang ne doit toucher le sol : l'animal est aussitôt étouffé entre deux madriers qui lui serrent le cou à la manière d'un garrot. On dépouille la bête dont la chair est mise à cuire dans un chaudron ; la tête est plantée sur un pieu appelé « keommandemi » ce qui signifie « pieu de l'envoi ». Recueilli avec soin, le sang est bu par les hommes persuadés qu'ainsi ils s'assimilent la force et les qualités de la bête immolée.

La fête de l'ours se célèbre chez les Udehes comme chez les Giliaks et chez les Aïnous. Les derniers Udehes ne sont pas plus de deux à trois cents et leur habitat est compris entre l'Oussouri, la mer du Japon et les vallées des rivières Chor, Bickin et Iman ; les Udehes sont les derniers survivants d'une population métissée de Toungouses et de Mandchous.

Quand l'âme de l'ours avait entrepris son voyage en décembre, janvier ou février afin de rejoindre le maître des montagnes et des forêts et quand la constellation de l'ours apparaissait nettement sur la voûte du ciel, les Udehes étaient convaincus que l'ours qu'ils avaient immolé serait un excellent médiateur une garantie de chasses fructueuses. Mais l'ours aura sans doute failli — car les Udehes sont près de disparaître.

Harva rapporte que, chez les Ostiaks et les Vogouls, les fêtes de l'ours s'accompagne de danses et de mimodrames. Les femmes Ostiaks tournent en rond ; les bras repliés, elles agitent les mains comme s'il s'agissait d'ailes ; les Vogouls, eux, se travestissent en oiseaux de proie. Harva ajoute : « Cette caractéristique des civilisations chasseresses primitives qui remonte aux ténèbres de la Préhistoire éclaire d'un jour nouveau les origines de l'art théâtral. » Après le festin au cours duquel les participants se gavent de viande d'ours, les os de l'animal sont entassés sur une plate-forme et, avant de regagner leurs huttes et leurs campements, les chasseurs décochent une dernière volée de flèches sur les ossements.

Les anciens Finnois adressaient à l'ours qu'ils venaient de tuer la prière suivante : « Quand tu seras arrivé au cœur de la forêt, raconte que nous ne t'avons pas maltraité, que nous t'avons nourri de miel et abreuvé de lait caillé. » Cette invocation est extraite par Kaarle Krohn des épopées populaires finnoises ; outre des hymnes à la gloire de l'ours, elles se réfèrent à un grand nombre de traditions qui se rapportent au culte de l'ours.

En Amérique du Nord, les Indiens Tlingit, Kwakiutl, Nutka et, plus particulièrement, les Algonquins célèbrent, en observant pratiquement les mêmes rites, des fêtes de l'ours analogues. Ces concordances attestent l'existence de liens étroits entre les Toungouses asiatiques et les populations indiennes de l'Amérique du Nord et on ne peut plus douter que l'Eurasie fut le point de départ et l'aire de dispersion initiale de la religion de l'ours. Nombre d'indices prouvent, par ailleurs, la parenté des ancêtres des Indiens algonquins et des chasseurs paléo-sibériens. De toute manière, aucun ethnologue ne conteste que l'Asie ait été le point de départ des vagues d'immigrants qui peuplèrent progressivement l'Amérique ; l'unique exception à la règle est la tentative de colonisation effectuée au haut Moyen Age par les Scandinaves du Groenland et sur les côtes du Labrador. C'est pourquoi Robert Heine-Geldern s'insurge contre certaines hypothèses : le problème des relations entre l'Amérique du Nord-Ouest, l'Asie et l'Océanie n'est pas aussi simple que l'imagine Thor Heyerdahl ; en matière de peuplement de l'Amérique, il faut tenir compte des réalités asiatiques.

En de nombreuses régions périphériques du cercle polaire, on constate, en effet, que la civilisation de l'ours a été celle des populations et que la symbolique est partout identique. Les Paléo-Sibériens dépêchaient au maître des montagnes un médiateur et c'était toujours l'ours qui jouait le rôle d'intermédiaire. Or, cette coutume est précisément celle des contemporains de l'âge de la pierre.

Chez les Aïnous et chez les Giliaks l'ours est tué d'une flèche en plein cœur ; or, l'ours peint sur la paroi de la grotte des Trois-Frères a également le cœur percé d'une flèche et du sang jaillit de sa gueule et de son nez. Chez les Giliaks, l'ours est lapidé avant d'être tué et, à la grotte des Trois-Frères, des dessins ovales figurent les impacts des pierres. D'autre part, les Aïnous décochent à l'ours des flèches dépourvues de pointe avant de le tuer et l'ours — simulacre en argile de la grotte de Montespan — est, lui aussi, percé de trous provenant d'impacts de flèches ou d'armes blanches. Enfin, outre la coutume giliake qui consiste à revêtir une armature avec la peau du plantigrade et celle des hommes de la Préhistoire qui couvraient d'une peau d'ours le simulacre de la grotte de Montespan un rapprochement s'impose.

En d'autres termes, les offrandes de crânes et la religion de l'ours telles qu'elles se pratiquent encore à l'heure actuelle prolongent les rites et les coutumes des hommes du Paléolithique. Il y a 70 000 ans, au Moustérien, les Neanderthaliens offraient au dieu suprême le crâne et les os des ours qu'ils tuaient ; les derniers survivants des populations paléo-sibériennes en font autant à l'heure actuelle.

Quant aux cérémonies de l'Aurignacien et du Magdalénien qui remontent à 30 000-20 000 ans, elles sont exactement semblables aux rites de la religion de l'ours des Giliaks, des Aïnous, etc.

Dans tout cela, le hasard n'est pour rien. L'homme de Pékin, il y a 300 000 ans, les Neanderthaliens il y a 70 000 ans, les Magdaléniens du sud-ouest de la France il y a 30 000 ans croyaient en un dieu unique, créateur de toutes choses. En ce qui concerne le Sinanthrope, on peut encore avoir des doutes, mais les croyances des Neanderthaliens et des Cromagnidés sont attestées par un très grand nombre de découvertes. Il est vrai que le dieu qu'ils vénéraient n'était plus l'Etre Suprême mais seulement le « Maître des Montagnes, de l'Eau et des Animaux ».

Fête de l'ours chez les Giliaks et les Aïnous. Enchaîné, l'ours est lardé de flèches épointées puis tué par le meilleur tireur à l'arc. (Photo Musée de l'Homme.)

CHAPITRE XXX

Rite magique et religieux de la préhistoire

« *Tout indique que cette floraison de manifestations esthétiques est étroitement conditionnée par une fonction cultuelle, émanation directe d'un authentique sentiment religieux... Cette motivation de l'art pariétal correspond dans l'ensemble à l'idée que nous nous faisons de l'essence même de l'art. On ne voit d'ailleurs pas pourquoi la manifestation créatrice de l'art que nous classons parmi les réalisations les plus nobles de l'activité humaine ne prendrait pas racine dans un psychisme pour nous incompréhensible et fondé sur des concepts erronés.* »

A.E. JENSEN : *Mythos und Kult bei Naturvölkern.*

« *Quiconque est confronté avec ces images, quiconque constate avec quel soin les lignes ont été gravées profondément dans la pierre, quiconque, enfin, a le sens du monumental et du beau, ne peut pas ne pas être frappé par le caractère grandiose de ces sanctuaires naturels.* »

LEO FROBENIUS : *Das unbekannte Afrika.*

NOMBRE DE PEUPLES sont persuadés qu'un portrait ou une silhouette n'est pas que la reproduction des traits ou de la forme, mais que le fait de représenter un individu implique une emprise sur son âme. Telle est la raison pour laquelle ils refusent de se laisser dessiner, sculpter et photographier. La conception selon laquelle le sort de l'image détermine celui de l'individu qu'elle représente est vieille comme le monde et, pour des millions d'hommes, posséder le portrait d'autrui équivaut à avoir barre sur lui.

Il y a 20 000 ans, au seuil de l'Aurignacien et du Magdalénien, il se produisit sans doute un événement qui inspira à l'homme la crainte de sa propre image car, à quelques exceptions près, les statuettes de Vénus ont toutes été sculptées ou modelées durant l'Aurignacien. D'autre part, les figurines magdaléniennes sont rarissimes et, en plus, dénuées d'expression artistique ; on a le sentiment que les artistes de l'époque n'osaient plus représenter l'homme. Cette peur de la représentation individuelle et de l'image personnalisée a son origine dans les civilisations chasseresses et, très tôt, la notion de péril associée à l'image fut étendue à la créature animale.

A l'heure actuelle, les Toungouses sculptent dans un morceau de bois la bête qu'ils convoitent et l'emmènent avec eux lorsqu'ils vont à la chasse ; l'âme de l'animal étant prisonnière, la bête ne peut que tomber au pouvoir du chasseur. Les riverains de l'Iénisseï confectionnent des poissons en bois pour s'assurer une pêche fructueuse. De même, les Ostiaks, les Vogouls et d'autres populations sibériennes s'efforcent, au moyen d'amulettes taillées dans le bois, de confisquer l'âme de l'animal-gibier. Il s'agit, somme toute, d'un envoûtement, le sort de l'animal étant lié à celui de sa représentation. La bête est, en quelque sorte, prisonnière par anticipation. Mais l'homme peut aussi mimer la mise à mort en tuant symboliquement l'image ; l'observation de rites multimillénaires est une garantie de succès. Frobenius a raconté comment s'y prennent les Pygmées du Congo avant de partir à la chasse à l'antilope. Dès l'aube, ils dessinent sur le sable les formes de l'animal puis, au moment précis où le soleil apparaît sur la ligne d'horizon, ils tirent une flèche dans le cou du simulacre et l'y laissent. Plus tard, quand l'antilope a été tuée, ils recueillent des gouttes de sang et en aspergent la figure dessinée sur le sable. A ce moment seulement, ils retirent la flèche et effacent l'image.

Cette manière d'opérer a pour but de persuader les génies protecteurs de l'animal-gibier qu'ils sont vaincus d'avance. Il ne s'agit pas de sorcellerie, mais de l'extériorisation d'une volonté ardente et farouche au moyen de procédés et de rites magiques. Frobenius décrit longuement les préparatifs de la chasse à l'antilope chez les Pygmées et il signale à ce propos : « Quiconque se souvient que les peintures rupestres espagnoles représentent des animaux au cœur soigneusement dessiné ou transpercé d'une flèche comprendra aussitôt pourquoi les gravures et les peintures pariétales de l'Afrique du

Sud et du Sahara représentent presque exclusivement des animaux et pourquoi leurs auteurs ont choisi de les situer sur les emplacements qui recevaient les premiers rayons du soleil ; la parenté entre les coutumes et les rites des populations africaines résiduelles et les vestiges du Paléolithique africain est évidente. »

Les animaux peints ou gravés isolément dans un style extrêmement réaliste sur les parois des grottes françaises et espagnoles témoignent de la même préoccupation ; l'artiste entend s'assurer par anticipation la possession de l'animal représenté. Tout geste accompli sur l'image affecte la bête visée et cela justifie le soin avec lequel peintres et sculpteurs de la Préhistoire s'appliquèrent à figurer les formes animales.

Les grottes furent également le théâtre de cérémonies magiques et la magie inspira, elle aussi, un grand nombre de représentations. L'enchevêtrement, la superposition des figures, l'individualisation de chaque animal, l'absence de composition générale et de ligne de sol ne s'expliquent pas autrement. L'animal n'a été dessiné, peint ou gravé qu'en fonction de l'envoûtement.

Toutefois, l'art pariétal n'est pas exclusivement « utilitaire » ; un parallèle avec les manifestations esthétiques similaires dues à certains peuples primitifs actuels et avec des peintures rupestres relativement récentes en apporte la preuve. Parlant de chasseurs dont l'habitat est situé entre le Tchad et le Niger, Frobenius signale l'existence d'une population magussaua que les Haoussas connaissent sous le nom de Mahalbis, nom qui signifie simplement « chasseurs ». Chez les Mahalbis, il est interdit aux jeunes gens d'approcher une femme avant l'initiation et aussi de chasser. La cérémonie de l'initiation se déroule en pleine brousse avec accompagnement de musique et de danses extatiques ; brusquement un homme costumé en léopard attaque les jeunes gens et en blesse légèrement quelques-uns. Les initiés quittent alors l'aire sacrée en marchant sur leurs talons car, s'ils posaient le pied sur le sol, ils laisseraient une empreinte que les esprits malins n'auraient qu'à suivre pour retrouver les intéressés.

Cette coutume bizarre fournit un élément de comparaison extrêmement important lorsqu'on le rapproche des découvertes effectuées dans la grotte de Montespan. L'argile a conservé les empreintes de talons laissées par des jeunes gens qui se livraient apparemment à une ronde cultuelle à la suite, croit-on (K. J. Narr), de leur admission dans le cercle des adultes, des chasseurs et des hommes parvenus à la maturité sexuelle ». Or, les vestiges identifiés dans la grotte de Montespan n'ont rien à voir avec la magie ; ils prouvent seulement que les membres d'un même clan prenaient part, en commun, à des cérémonies religieuses et rituelles.

Il convient de mentionner, dans ce contexte, les manifestations artistiques des Boschimans, peuple africain très archaïque qui exécuta jusque vers 1850 des peintures rupestres en noir, jaune, rouge et blanc. Des grottes ornées ont été identifiées dans une grande partie de l'Afrique australe, et tout indique que ce mode d'expression remonte directement à la préhistoire, c'est-à-dire à 10 ou à 20 000 ans. La disparition de l'art boschiman ne date que du siècle dernier et l'art des Boschimans qui, comme les contemporains du Paléolithique, s'adonnaient à la chasse et à la cueillette, se fonde sur des concepts analogues à ceux qui provoquèrent l'éclosion de l'art paléolithique. L'origine de l'art boschiman est essentiellement religieuse et justifiée par la magie.

Les peintures rupestres de l'Australie du Nord-Ouest sont, elles aussi, la matérialisation d'une pensée religieuse et la survie des animaux et des hommes n'est assurée que si ces représentations sont repeintes à intervalles réguliers. Les peintures décorant les parois des falaises bordant la King Edward River et les abris de la presqu'île comprise entre les golfes de Napier et de Broome sont plus curieuses encore. De grandes figures anthropomorphes dépourvues de bouche sont censées figurer des êtres surnaturels dont dépend le bien-être des règnes animal et végétal. E.A. Worms qui effectua le relevé de ces peintures en 1953-1954 souligne le côté religieux et mythique de ces effigies connues sous le nom de « wondchinas » ; A.E. Jensen insiste, pour sa part, sur le fait que les rites australiens sont la répétition d'événements qui se sont produits à une époque immémoriale.

Si les représentations pariétales qui ornent les grottes françaises et espagnoles n'avaient pour raison d'être que celle d'assurer au chasseur la possession du gibier convoité, nombre de détails resteraient incompréhensibles. La grotte de Bernifal, par exemple, avait été artificiellement fermée, ce qui implique qu'elle était ouverte à certaines époques ; H. Danthine se fonde sur cette particularité pour conclure que la grotte ne servait pas à l'accomplissement de rites magiques destinés à assurer au chasseur la satisfaction de ses besoins quotidiens, mais à la célébration de cérémonies religieuses ou de rites d'initiation ; c'est dans ces sanctuaires que l'homme entrait en communication avec la divinité suprême, protectrice des animaux, dispensatrice du gibier et médiatrice entre l'homme, la nature et le règne animal. Car, au Magdalénien, les hommes, essentiellement chasseurs, dépendaient étroitement du renne pour leur subsistance, leur alimentation et leur habillement. D'innombrables expressions, coutumes, conceptions et habitudes témoignent, encore à l'heure actuelle, de cette intimité, maintenant disparue, entre l'homme et l'animal.

« Si l'on admet que les grottes ne servaient pas seulement à la célébration de rites magiques et que l'homme conversait avec la divinité, les représentations d'animaux blessés et couverts de plaies avaient probablement une signification religieuse. » (K. J. NARR.) Il s'agissait de commémorer, sous une forme symbolique, une victoire remportée par l'homme dans un lointain passé et, sans doute un épisode de chasse. La vie de l'homme préhistorique était, en effet, entièrement centrée autour de la chasse dont les phases rythmaient son existence. Depuis toujours, l'homme a éprouvé le besoin d'expliciter le côté divin de l'existence sous forme de jeux sacrés, de danses, de fêtes, de cérémonies rituelles et de manifestations esthétiques. La danse, manifestation de ferveur religieuse, a une origine plusieurs fois millénaire et ce qui était vrai il y a 20 000 ans l'est encore dans la liturgie propre aux grandes religions.

Les peuples primitifs ont tous connaissance d'un « Maître des animaux » ou d'un « Gardien du gibier » qu'il s'agisse des Esquimaux du Labrador, des Kascapis, des Quichés du Guatemala ou des Taulipangs du Venezuela et de la Colombie, derniers représentants de la race caraïbe. Chez les Toungouses, le « Maître de la Forêt » porte le nom d' « Ure Amaka », protecteur des bêtes sauvages et « Maître des Montagnes ». Ure Amaka est un vieillard aux cheveux blancs vivant dans la taïga, souvent reproduit sous forme de statuettes en bois. Samoyèdes, Finnois, Lapons, Mongols et Bouriates connaissent tous un maître de la forêt à la voix nasillarde, qui appelle, pleure et rit en secret, beaucoup plus grand que tous les autres hommes. Ce géant se retrouve dans les légendes russes et dans le fonds mythique de plusieurs peuples européens ; comme le suppose P.W. Schmidt, son origine se situe dans l'aire de civilisation arctique et cette divinité est dérivée du concept de l'Etre Suprême. Lui-même n'est pas un dieu, mais symbolise la continuité de la civilisation chasseresse. Garant du bien-être des animaux, il a à cœur d'avantager les chasseurs qui se montrent dignes de ses largesses.

Or, il n'est pas de grand art sur cette terre qui n'ait son point de départ dans la foi ; c'est elle qui détermina la construction des pyramides d'Egypte, elle qui provoqua l'éclosion de l'art de la Renaissance, elle qui inspira les cathédrales romanes et gothiques. Dans un monde où l'économie prime tout, l'art n'a pas de place. Toutefois, la foi ne se confond pas avec la pratique religieuse, c'est-à-dire avec l'accomplissement scrupuleux de rites dont l'unique raison d'être est d'avantager quiconque les observe ; la foi exige qu'on croie à la possibilité de communiquer avec les puissances supérieures et la communion avec l'Etre Suprême est seule susceptible de stimuler l'esprit créateur. La superstition, en effet, n'a donné naissance qu'à un art mineur, celui des fétiches, des gris-gris et des amulettes.

Les ziggurats, les pyramides les cathédrales et les peintures rupestres procèdent d'une tout autre inspiration beaucoup plus noble que celle qui se propose de recourir aux pratiques magiques pour obtenir certains avantages matériels.

Les figures animales n'ont pas été dessinées ni peintes pour faciliter leur capture par des chasseurs et assurer par avance au chasseur une emprise sur le gibier ; les animaux ont été représentés en tant que protégés du Maître des animaux et de la chasse derrière lequel — invisible et immatériel pour les hommes du Paléolithique — se dissimulait l'Etre Suprême. Cette conception guida la main des peintres et des graveurs, et des chefs-d'œuvre tels que les grandioses fresques d'Altamira et de Lascaux n'ont été la conséquence ni de calculs égoïstes ni de considérations matérielles.

Nous avons, il est vrai, de la peine à comprendre qu'à l'époque préhistorique le chasseur ait pu avoir d'autres préoccupations que celle de tuer du gibier, la chasse étant le fondement même de son existence, mais cela s'explique du fait qu'à mesure que les besoins psychiques de l'homme diminuaient, ses besoins matériels s'accrurent. De plus, il y a 500 000 ans, l'intervalle qui séparait l'homme de la création était relativement réduit et il croyait encore en un dieu unique ; l'établissement d'une association, sous une forme artistique, entre nature humaine et idée de divinité ne remonte guère à plus de 20 000 ans.

Des œuvres contemporaines de l'époque magdalénienne constituent la preuve que les grottes servaient à la célébration d'un culte religieux. La grotte de Montespan (Haute-Garonne) contient un modelage représentant un ours ; le comte Bégouen le comparait aux modelages malhabiles et frustes tels qu'en exécutent les enfants. A Montespan, le sculpteur n'a pas tenté de faire étalage de son savoir-faire. Le réalisme de la figurine n'a rien de comparable avec celui des deux magnifiques bisons du Tuc d'Audoubert. Pourtant, l'inconnu qui modela l'ours dans une salle à plafond bas située à 160 mètres de l'entrée de la grotte de Montespan savait exactement ce qu'il voulait puisqu'il conçut volontairement un ours acéphale. Tel un sphinx, l'ours est tapi, les pattes antérieures posées à plat sur le sol comme celles d'un chien. Entre les pattes, le comte Bégouen trouva un authentique crâne d'ours.

Une seule explication s'imposait : dans certaines occasions, un crâne d'ours était adapté au cou du simulacre d'argile ou encore celui-ci était recouvert d'une peau d'ours. Bégouen constata que les parties arrondies du corps du plantigrade paraissaient usées par un frottement plusieurs fois millénaire. La position du crâne indiquait, par ailleurs, que celui-ci reposait à l'endroit précis où il était tombé lorsqu'il s'était détaché du simulacre. Au centre du cou tronqué, une ouverture triangulaire avait été aménagée pour recevoir un coin en bois ou en os qui assurait la fixation du crâne. Un certain nombre de préhistoriens objectent que ce trou était beaucoup trop petit pour un tel usage. Or, si l'on admet que la tête adhérait encore à la peau d'ours dont était revêtue la sculpture, il suffisait de peu de chose pour maintenir le crâne à l'horizontale et une simple cheville pouvait l'empêcher de choir. Dans la description qu'il fit de sa découverte, le comte Bégouen fournit cette précision dont l'importance apparaît capitale : « Nous pouvons supposer avoir trouvé la tête laissée sur place lors de la dernière cérémonie dont la grotte a été le théâtre. »

Un autre détail attire l'attention : le corps de l'ours est comme ponctué de trous circulaires analogues à ceux que produiraient des bâtons ou des doigts enfoncés dans l'argile molle. Trente de ces trous portent encore la marque des pointes des flèches décochées sur le simulacre.

La grotte des Trois-Frères, à Montesquieu-Avantès, fut découverte, le 20 juillet 1914, par le comte Bégouen et par ses fils (d'où le nom qu'elle porte). Les peintures qui la décorent débutent à 500 mètres de l'entrée. On voit, entre autres, un ours crachant le sang par la gueule ; l'animal agonise et son corps est couvert de petites marques circulaires ou ovales qui correspondent aux points d'impact des pierres ayant servi à lapider l'animal. Quant aux jets de sang qui s'échappent du museau et des narines, ils ne s'expliquent que si le poumon a été transpercé par une lance.

Othenico Abel cite deux autres représentations d'ours blessés ou mourants qu'il classe parmi les effigies *cultuelles,* mais ce qui surprend c'est que, dans l'iconographie pariétale, les seuls animaux représentés saignant par la gueule et par les narines soient des ours. Deux autres détails laissent supposer à Abel qu'on pratiquait encore le culte de l'ours au Paléolithique récent ; on connaît également trois silhouettes d'hommes revêtus de peaux de plantigrades et vingt-cinq autres reproductions de têtes d'ours.

Il y a 70 000 ans, au Paléolithique ancien, l'homme de Neanderthal offrait au dieu suprême des ossements et des crânes d'ours mais, au Paléolithique récent, il y a 20 000 ans, un changement s'est produit. L'homme n'offre plus en holocauste les parties les plus précieuses de l'animal : la mise à mort de l'ours donne lieu à une cérémonie qui se déroule selon un rituel déterminé ; cette cérémonie constitue le sommet de la vie religieuse mais, désormais, l'homme n'est plus seul face à la divinité. Il existe un médiateur, intermédiaire obligé entre le terrestre et le surnaturel, que l'on immole dans certaines circonstances. Les grottes furent ce qu'on a appelé les « Cathédrales de la Préhistoire » ; les peintures décorent en général les galeries et les coins les plus difficilement accessibles et nombre de détails confirment l'utilisation à des fins religieuses de ces cavités naturelles. « De fait, écrit Frobenius, chaque grotte devient un sanctuaire, chaque peinture et chaque dessin rupestre acquiert une importance exceptionnelle. »

Il existe également une très grande différence entre l'activité des Neanderthaliens contemporains de l'époque moustérienne et celle des représentants de la variété *Homo sapiens,* au Magdalénien ; il y a 70 000 ans, l'homme conversait directement avec la divinité, à la manière de Job s'entretenant avec Jéhovah ; dieu était encore aniconique. En revanche, la puissance d'imagination et de perception de son prédécesseur, l'homme de Neanderthal, qui choisissait les solitudes alpestres et sacrifiait dans des grottes comme celle du Drachenloch était infiniment plus grande. La nature de ses préoccupations et de ses pensées restera probablement inconnue, mais il n'en est pas moins vrai que cet être possédait toutes les aptitudes et les qualifications dont nous sommes si fiers. Elles étaient peut-être plus développées chez lui que chez nos contemporains ? Plus tard, la connaissance et la certitude de l'existence d'un Etre Suprême se perdirent et l'opinion d'Andrew Lang et de P.W. Schmidt selon lesquels cette disparition ne s'explique pas par une altération ou par une diminution des qualités et des aptitudes spécifiquement humaines me paraît pertinente. « D'après Lang, ce serait l'esprit de facilité qui aurait convaincu l'homme de préférer au mode de vie conforme aux lois strictes et rigides édictées par l'Etre Suprême, un autre, plus facile et moins rude, à base de compromis avec les génies et les esprits. » (A.E. JENSEN.)

Le fait que le Neanderthalien, sacrifiant à un dieu unique, ait encore chassé l'ours des cavernes jusqu'à la fin de l'Aurignacien moyen européen constitue une autre différence. En revanche, l'ours des cavernes avait déjà disparu à l'époque où furent peintes les plus belles représentations des grottes des Trois-Frères et de Montespan et tous les plantigrades qui furent peints, gravés ou modelés au Magdalénien sont des ours bruns. Or, l'*Ursus speleus* était autrement massif et redoutable et, si l'on connaît son aspect, on le doit moins aux ossements et aux vestiges découverts en nombre considérable qu'à un dessin remontant à l'Aurignacien gravé sur une plaque de calcaire conservée à l'Institut de Géologie et de Paléontologie de l'université de Lyon. La tête de l'ours des cavernes est fixée beaucoup plus bas que celle de l'ours brun et le mufle est légèrement relevé. Ce dessin criant de vérité l'emporte de très loin sur toutes les reconstitutions. Ce qui vaut pour l'ours s'applique également au mammouth dont la silhouette a été rendue avec une extraordinaire fidélité par les artistes du Paléolithique.

A l'origine des peintures rupestres et des représentations animales, il y eut une foi ardente, un élan dérivé de l'idée religieuse et non de la magie ; cette dernière n'est, en fait, qu'un acte qu'on accomplit en vue d'un objectif donné : s'assurer la possession d'un animal-gibier, par exemple. Cette foi était non seulement ardente, mais sincère, et son authenticité transparaît dans l'art qu'elle inspira. Elle contredit formellement l'idée d'évolution. Car, si l'on estime que l'homme s'efforçait d'aller toujours plus haut, qu'il perfectionnait son intellect, que l'on considère que chaque phase se situait à un niveau supérieur au stade précédent et, qu'au début, l'homme était plus proche de la bête que de l'être humain, l'existence de l'art pariétal, il y a 40 000, 30 000 et 20 000 ans, est proprement inconcevable.

RITE MAGIQUE ET RELIGIEUX

Un art aussi développé et perfectionné met, en effet, dans l'embarras les partisans de l'école évolutionniste. Or, depuis qu'en 1879 la fille de Sautuola vit, pour la première fois, les fresques d'Altamira, chacun sait qu'en 30 000 ans, l'intellect ne s'est ni développé ni amélioré. Il se peut que la qualité esthétique des peintures d'Altamira et l'esprit qui lui donna naissance se retrouvent dans l'art classique grec et dans celui de la Renaissance, mais il est certain qu'elles n'ont jamais été dépassées.

Que l'homme ait eu depuis toujours le même potentiel intellectuel et qu'il ait été le reflet terrestre de Dieu, les découvertes effectuées dans les grottes des Alpes suisses, les peintures et les gravures paléolithiques de l'aire franco-cantabrique le prouvent.

Pour les savants férus d'évolutionnisme, l'existence des grottes ornées contredisait leurs théories ; les « iconoclastes » de l'époque s'en donnèrent à cœur joie en prétendant que l'Eglise avait seule intérêt à démontrer l'existence, à une époque aussi lointaine, de préoccupations métaphysiques chez l'être humain. Les fresques d'Altamira furent taxées de « supercheries » dont la paternité fut attribuée au clergé espagnol. Et quand, en fin de compte, l'authenticité et l'ancienneté des peintures et des fresques furent reconnues, les évolutionnistes firent volte-face en qualifiant « d'art primitif » l'art des cavernes.

L'art paléolithique n'est ni « primitif » ni barbare et on ne saurait le comparer aux graffiti plus ou moins grossiers que tracent, pour se distraire, les pâtres et les enfants. Il suffit, pour s'en convaincre, d'examiner de près la Vénus de Lespugue. Elle témoigne d'un esprit créateur et d'une intelligence préoccupée par l'harmonie des formes. L'humanité actuelle n'est nullement au sommet d'une courbe et la route suivie est infiniment longue. Pour parvenir au stade actuel, l'homme a dû atteindre des centaines de paliers situés à des niveaux divers, et cela durant des centaines de milliers d'années. S'imaginer qu'au terme de ce qu'il appelle l'évolution, l'homme peut atteindre le ciel, est une absurdité. Il en était, jadis, beaucoup plus proche.

CHAPITRE XXXI

L'Animisme

> *« Comme le fils éternuait, son âme s'échappa de son corps et tenta de s'enfuir par la porte, mais l'esprit qui veillait l'arrêta au passage ; malgré les cris poussés par l'âme infortunée, il ne desserra pas son étreinte. »*
> Légende bouriate reproduite par Uno Harva dans *Conceptions religieuses des populations altaïques.*

Quand le crépuscule tombe lentement sur la taïga, tel ou tel arbre, les racines d'un géant terrassé dont les branches font l'effet de bras dressés et suppliants, un branchage isolé sortent de l'ombre. Il en est de même en matière de religion ; on distingue encore des vestiges et des formes qui se profilent sur le fond de plus en plus obscur de la révélation initiale ; à mesure que l'ombre s'étend, ces vestiges acquièrent de plus en plus d'importance. Ces reliques ultimes ont pour nom chamanisme, animisme et magie. Ceux-ci n'existaient pas au commencement des temps et ils ne sont pas, par conséquent, à l'origine d'une religion ; la magie, par exemple, est souvent plus marquée et répandue dans l'aire des civilisations évoluées qu'elle ne l'était, à l'origine, dans les croyances des peuples primitifs.

On englobe sous le vocable de magie un ensemble de pratiques dont l'observation est propre à susciter l'intervention de forces et de puissances occultes ; ce qui frappe c'est le caractère automatique et contraignant de l'intervention. Certains peuples brûlent en effigie ou mutilent des figurines censées représenter des ennemis promis, de ce fait même, à un sort analogue. D'autres opérations magiques s'exercent non plus sur des simulacres, mais sur l'individu lui-même que l'on souhaite guérir, influencer ou auquel on veut nuire. Dans plusieurs pays et même en Russie, la magie par contact est encore répandue ; en touchant un individu, en mêlant à sa nourriture des substances diverses, toxiques ou non, on cherche à l'envoûter. Auparavant, ces subtances subissent un traitement destiné à leur conférer des propriétés qu'elles ne possèdent pas au naturel. De cette « magie » relèvent la sorcellerie, le « mauvais œil », les procédés conjuratoires et la magie à distance telle que la pratiquent les autochtones australiens et les Tchoutches sur des cheveux, des rognures d'ongle ou des morceaux de vêtements pour provoquer la mort d'un adversaire. Les activités des chamanes et des sorciers qui, pour guérir un malade, transfèrent son mal sur un objet, appartiennent à cette même catégorie de magie, mais cela n'implique pas qu'un bon chamane soit un bon sorcier.

Le besoin d'orienter le sort est surtout ressenti par les individus dont l'activité, les occupations professionnelles ou le succès dépendent, pour une large part, du hasard et des circonstances ; c'est, notamment, le cas des joueurs, des artistes, des comédiens, des pilotes de course, des sportifs, des malfaiteurs et aussi de quiconque doit prendre une décision grave ou franchir un obstacle.

Il existe également une magie dont la justification est l'établissement d'un lien entre une créature ou la divinité, d'une part, et l'homme, d'autre part. Ce n'est pas parce que des objets sont choisis comme intermédiaires que cette magie est dégradée au rang de magie mécanique. En 1949, le Russe S. A. Tokarev consacra une importante étude à la magie ; il n'envisage malheureusement que le côté superstitieux, l'aspect « magie noire » et démoniaque, d'une technique qui se propose, par l'emploi de moyens surnaturels, d'exercer une influence sur des choses, des personnes ou des phénomènes physiques. Or, il est évident qu'on ne peut pas taxer de sorcellerie et de magie « utilitaire » des rites et des croyances d'inspiration religieuse.

Dans le cadre de la religion, l'homme libre est directement confronté avec la divinité créatrice et il ne peut rien obtenir par l'exercice de rites et de pratiques religieuses. La décision dépend exclusivement du dieu qu'il implore de lui accorder aide et protection. La magie « contraignante » n'implique ni bonnes dispositions, ni préparation morale, ni ferveur religieuse. Au sens propre du mot, cette magie n'est pas subjective et les objectifs qu'elle assigne sont exclusivement matériels.

Il existe, par conséquent, une différence essentielle entre la magie « utilitaire » et la véritable magie, manifestation de spiritualité, qui ne vise pas à inverser le cours normal des choses et dont l'influence s'exerce principalement sur l'exécutant. Le sorcier, par exemple, est un « technicien » ; le prêtre, lui, est un intermédiaire entre l'homme et la divinité ; c'est également pour cette raison que les mages de la Babylonie n'étaient pas des sorciers, mais des sages dont les mobiles étaient essentiellement religieux et mystiques.

Lorsqu'on oblige l'esprit à quitter les régions célestes et à se fixer sur la terre, on en arrive à croire que chaque chose, chaque objet possède une âme et que rien n'est inanimé. J'ai moi-même pris conscience, dans la taïga, de ce que les Toungouses entendent par animisme.

Ce soir-là, j'étais seul ; je dormais près d'un feu de camp, non loin de la rivière Kumara. Tout à coup, je m'éveillai et j'entendis ces mots : « Je suis venu vers toi pour voir ce que tu fais. »

La voix que je venais d'entendre était celle d'un vieillard orotchon ; assis sur ses talons, il me fixait de ses yeux obliques. Son visage tanné de coureur des bois, sa face aplatie, sa peau brune ressemblant à du cuir paraissaient avoir été façonnés par le milieu dans lequel il vivait ; ses cheveux courts étaient gris et le pli de sa paupière se prolongeait jusqu'à la base du nez. L'homme était trapu et solide et les périls de toute sorte, les mille épreuves et les incessants déplacements avaient buriné son visage qu'éclairait la lueur du foyer.

Je lui demandai :

— Et les autres ? Où sont tes compagnons ?

— Par-là, derrière, à deux ou trois heures de marche.

Pour un Sibérien, deux ou trois heures de marche est une expression dont le sens est précis ; cela équivaut à une trentaine de kilomètres, autrement dit à une journée de marche à travers la forêt.

Brusquement, comme sous l'effet d'un souffle puissant, les arbres se courbèrent ; passant entre les branches, le vent leur arrachait une plainte et l'on eût dit le grondement du ressac.

— Aujourd'hui, le vieil homme de la forêt est triste, déclara l'Orotchon.

— Crois-tu vraiment que le temps se détériore ?

— Ce soir, les ombres se sont allongées lentement, avec hésitation, derrière les broussailles et les troncs tout en rasant la terre ; le soir a tardé à venir, et demain, il fera frais.

— Veux-tu te reposer ?

— Non, répondit l'Orotchon, dors tranquille ; je parle rarement au feu et aujourd'hui d'ailleurs le feu est mal disposé. Le feu est une mauvaise femme, je vais aller bavarder un peu avec.

— Tu prétends que le feu peut parler !

L'inconnu se mit à rire :

— Rien n'est plus noble que le feu ; tout-puissant, il éloigne les mauvais esprits et peut tenir à l'écart les génies malfaisants. Regarde-le bien ! A l'extérieur, on dirait une vieille femme bavarde aux mille langues et aux cheveux blancs mais, au centre, le sang circule et le cœur bat puissamment.

— Mais, vous autres, êtes-vous capables de rajeunir le feu ?

— Un peu de graisse d'ours suffit ; le feu devient tout rouge et il est satisfait. Le feu est vorace ; il faut le nourrir et lui tenir constamment compagnie, car il déteste la solitude. Si on le laisse seul, il devient acariâtre comme une mauvaise femme ; privé de graisse et de bois, il risque de se répandre à travers la forêt.

Il enduisit de graisse un morceau de bois qu'il jeta dans le foyer d'où jaillirent des étincelles. L'Orotchon se frotta les mains :

— Le feu rit !

Nous restâmes plusieurs heures assis près du foyer. Et plus je m'entretenais avec l'étranger, mieux je comprenais la taïga et mieux je me rendais compte qu'il n'y a pas d'objet inanimé et que les choses possèdent des aptitudes humaines. J'enviais à l'indigène sa compréhension, sa connaissance profonde, l'intimité dans laquelle il vivait avec les objets, les animaux, le soleil, la pluie, le vent, la tempête et le feu. Le qualificatif de sauvages et de primitifs appliqué aux peuples restés proches de la nature est véritablement absurde.

Mon nouvel ami s'appelait Sagdikikan et je le rencontrai à diverses reprises. De lui, j'appris que le soleil pouvait répandre une pluie d'or, que l'eau est distraite, qu'elle pleure, qu'elle rit, qu'elle crie, que le brouillard se plaît à se transformer en ours et à dévaler ainsi de la montagne et que, confronté avec le feu, chaque arbre : bouleau, pin, mélèze, etc., parle un langage différent. Puis, un soir, il me révéla le plus grand mystère de cet univers inconnu, celui d'un monde grouillant de choses animées et vivantes. Je ne pus me retenir de lui poser cette question :

— S'il existe autant d'esprits respectables et de génies dans les vieux troncs, autant d'eaux murmurantes et de figurines sculptées qui permettent d'envoûter le loup, le cerf et l'ours, si la vie est partout présente sous une forme quelconque, croyez-vous encore à un Etre Suprême ?

L'Orotchon me regarda tranquillement. J'ignorais quelles pensées se cachaient derrière ses yeux noirs, derrière ses pommettes larges et je ne voyais que l'éclat du feu dansant dans ses pupilles. Il me répondit d'une voix calme et posée :

— Le dieu du ciel, le grand dieu, est toujours présent. Il vit en haut de la voûte céleste et la cime du plus haut pin n'arrive pas à sa hauteur. Il a sept fils qui l'aident à accomplir sa tâche.

— Votre chamane, n'est-il pas, lui aussi, son auxiliaire ?

Sagdikikan parut stupéfait de mon ignorance :

— Le chamane n'est qu'un homme, mais il connaît les détours de l'âme humaine. C'est un excellent médecin, mais les chamanes meurent aussi ; leur âme s'échappe et elle peut converser avec les aides du dieu suprême. La tâche est malaisée car, pour en arriver là, le chamane doit beaucoup souffrir.

Le dieu du ciel et le chamane appartiennent à deux mondes différents et le premier occupe un rang très supérieur à l'homme qui n'est que son subordonné. De même que les autres Toungouses, les Orotchons croient en un dieu unique qui se confond avec le ciel ; les esprits, les génies, la vie incluse dans les choses et les objets ne jouent qu'un rôle secondaire et ils résultent de la nécessité, pour l'homme, de se mesurer avec les forces du milieu. La moitié de la population du globe terrestre, de l'Australie à la Polynésie en passant par l'Inde, le Tibet, le Turkestan, la Chine, le Japon et la Sibérie, croit à la réalité des esprits, mais au-dessus de ces peuples dont on qualifie, parfois à tort, la mentalité de « primitive », trône un dieu unique devant lequel l'homme se prosternait déjà il y a plusieurs centaines de milliers d'années.

Mais l'homme possède avant tout une âme et il en a toujours été conscient. Dans le sommeil et dans le songe, il a constaté depuis bien longtemps la réalité du subconscient. Et comme, dans

Femme chamane orotchone de la Mandchourie septentrionale. (Photo Museum Für Välkerkunde, Berlin.)

le sommeil, il se dépouille de son être, il crut, tout en dormant, pouvoir « saisir » son âme ; il s'imagina qu'elle pouvait se libérer, errer à sa guise, se métamorphoser, ressentir, elle aussi, des choses bonnes et mauvaises. Telle est la définition du rêve pour les Orotchons, les Toungouses et, en général, pour tous les peuples de l'Asie septentrionale. Légère et primesautière, l'âme se déplace avec une extrême rapidité ; elle tombe dans des abîmes sans fond et remonte, l'instant d'après, à des hauteurs vertigineuses ; elle peut se réjouir, s'attrister, rire, pleurer, tuer à l'égal d'un être humain. Ombre impalpable, elle ne laisse aucune trace de son passage, mais elle peut aussi souffrir. Si le dormeur soupire, c'est parce que son âme est triste et parce qu'elle a de la peine.

Parfois, l'homme qui rêve quitte sa couche et emprunte les voies que lui fraie sa vision intérieure. Il met ses pas dans ceux de son âme. Telle est la définition que les Toungouses donnent du somnambulisme. A la lumière de tels faits, on conçoit d'autant mieux que l'homme ait assimilé la mort à ce phénomène : l'âme quitte le corps, vagabonde, voit tout et fait tout. Mais elle n'a pas de véritable vie si elle est séparée du corps et, si son âme meurt, l'homme meurt aussi. C'est sur cette vérité première que se fonde l'idée religieuse. Toutefois, au terme du voyage que l'âme entreprend dans les sphères célestes il y a, presque toujours, la divinité.

Pour les Toungouses, les animaux, les arbres, les plantes, les rivières, les objets, les pierres elles-mêmes ont une âme à l'égal de la créature humaine ; chaque forêt, chaque montagne a la sienne propre. Ces esprits restent, certes, invisibles mais leurs voix sont perceptibles, car ils sont l'expression de leur propre nature. Et comme, de tous les esprits, ceux de la forêt sont les plus animés et les plus remuants, ils s'en prennent à l'homme ; ils le tourmentent, le tirent à hue et à dia et dansent, la nuit, autour de sa couche. Le matin, au réveil, l'homme se sent las et l'esprit embrumé. Il existe, d'autre part, d'innombrables cachettes où les âmes des morts sont susceptibles de s'embusquer et comme, en outre, tous les objets sont dotés de vie, il est indispensable de converser avec eux.

Cette conception est qualifiée d'animiste, mais le contact avec les Toungouses, les Polynésiens, les Mélanésiens, les autochtones australiens et les Aïnous m'a appris que l'animisme n'est pas une religion ; pas plus qu'elle n'est celle des Japonais, des Chinois, des Mongols et des populations de race turque qui vivent dans un univers que hantent les esprits et les génies. Tous croient pourtant en un dieu unique. Aussi, lorsqu'un ethnologue comme E. Royston Pike estime à 135 millions l'effectif des animistes répartis entre l'Asie, l'Afrique centrale et la Polynésie, on a l'impression qu'il veut mesurer la densité de la faculté de rêve de l'humanité. L'univers terrestre et céleste est animé et mû par une force dont la nature nous est inconnue et c'est la raison pour laquelle, sciemment ou inconsciemment, chacun est peu ou prou animiste ; plus l'individu est proche de la nature, plus il en a conscience. Aussi n'est-ce pas en millions, mais en milliards que se comptent les animistes.

Signes peints sur les parois de grottes de la sierra Morena ; ces signes dont l'ancienneté est de 10 000 ans environ représentent, selon l'abbé Breuil, des symboles associés au culte des morts, évocations d'une vie extraterrestre. La multiplicité des yeux indiquerait, par ailleurs, que les âmes des défunts possèdent le don de clairvoyance.

Le mot « âme » n'est pas à prendre dans son acception chrétienne et ce n'est qu'après être entrés en contact avec d'autres civilisations que les Toungouses donnèrent au mot âme une signification proche de celle qu'elle a dans les langues occidentales. En fait, cette âme est un second « moi » puisque, pour les habitants de la taïga, le « double » possède les mêmes qualités et les mêmes aptitudes que l'individu auquel il appartient. Un sage, un homme habile, intelligent, possède, par conséquent, une âme à sa ressemblance et son double connaît mieux que celui d'un être fruste les voies et les sentiers qui sillonnent les univers terrestre et céleste ; lui ne vagabonde pas et retrouve à coup sûr l'homme auquel il s'identifie. Ce « second moi » ne quitte le corps qu'avec le dernier souffle.

C'est pendant le sommeil que l'âme raconte à son propriétaire ce qui lui est advenu au cours de ses pérégrinations. Réveiller en sursaut un dormeur est extrêmement dangereux car, si l'âme s'est trop éloignée, elle n'a pas le temps de revenir. Les peuples paléo-sibériens sont presque tous persuadés qu'un homme qu'on réveille en sursaut sombre dans la folie. Si une maladie grave se déclare, cela signifie que l'âme s'est éloignée plus qu'elle ne l'aurait dû ; c'est d'ailleurs vrai si l'on admet qu'une maladie grave peut conduire à la mort. J'ai connu, sur les bords de la Volga, des Samoyèdes et des Tchouvaches convaincus que la surprise est capable de séparer l'âme du corps.

Ce qui vaut pour l'âme vaut également pour l'ombre en ce sens que, comme l'âme, elle fait partie du moi. Quiconque a vécu en Chine sait que les Chinois craignent qu'en passant quelqu'un ne les sépare de leur ombre ; si celle-ci leur déplaît, leurs propriétaires s'arrangent pour qu'un véhicule les frôle et pour qu'il coupe ainsi tout lien avec l'ombre détestée. L'ombre se déplace rapidement et excelle à se dissimuler. Les orifices par lesquels l'âme risque de quitter le corps sont la bouche et les narines, mais c'est aussi par le nez et par la bouche qu'elle regagne son « habitacle »...

CHAPITRE XXXII

Le secret des Chamanes

« Les chamanes naissent loin dans le Nord, là où se trouve le berceau des graves maladies. Un mélèze dont les branches supportent des nids placés à des hauteurs différentes s'y dresse. Les plus grands chamanes naissent à la cime de l'arbre, ceux qui le sont moins dans les branches médianes et les petits sur les branches inférieures. On rapporte qu'un grand oiseau aux plumes d'acier repose sur l'arbre, s'arrête sur un nid et qu'il y dépose un œuf ; il ressemble à un aigle. Puis l'oiseau couve ; il y en a parfois pour trois ans lorsqu'un grand chamane doit naître. Pour un petit, un an suffit. »

G. W. KSENOFONTOV : *Lengendy i rasskasy o schamanach,* Moscou, 1930.

RIEN N'A PLUS INTRIGUÉ l'homme, rien ne lui a inspiré plus de crainte depuis des temps immémoriaux que le spectacle du ciel étoilé ; les chasseurs de la Préhistoire se sentaient beaucoup plus proches que nous des constellations ; ce lien s'est relâché à mesure du développement des civilisations citadines.

Sur la voûte céleste, un point fascinait particulièrement les êtres humains, car il excitait l'imagination ; ce point n'était autre que le centre de l'espace, l'axe du tourbillon cosmique, l'alpha et l'oméga de l'univers. La terre tourne sur son axe et le ciel semble tourner dans le sens contraire ; la notion d'un pivot central situé à proximité de l'étoile polaire devait tôt ou tard s'imposer.

De tout temps, la constellation de la Grande Ourse, qui tourne autour de l'étoile polaire sans jamais disparaître sous la ligne d'horizon, a frappé l'esprit des habitants de l'hémisphère septentrional. La Grande Ourse et les étoiles fixes entourant l'étoile polaire, celle-ci revêtait à leurs yeux une importance particulière.

Pour les Indiens de l'Amérique du Nord, elle était le « chef » des corps célestes, pour les Babyloniens, le siège du dieu Anu et, pour les Aztèques, une divinité supérieure même au dieu Soleil. Astronomiquement parlant, cette hiérarchie se justifie en ce sens que l'étoile polaire a un rayonnement 4 000 fois plus intense que le soleil. Puisqu'il existait un centre céleste, puisque le cosmos tournait autour d'un point médian, il était logique que les peuples archaïques cherchent son équivalent sur la terre, car ils croyaient à l'existence d'un lien direct entre les pôles céleste et terrestre. Les Grecs l'identifiaient avec l'omphalos, l'ombilic du monde, consacré à Apollon qui se trouvait à Delphes, dans le temps du dieu.

Les peuples paléo-asiatiques croyaient, eux aussi, à l'existence de cet « ombilic », lieu retiré, secret, sorte de paradis sur terre d'où un chemin menait au centre de l'univers. Cela explique les innombrables tentatives des représentants de la race humaine pour concevoir une échelle, une colonne, un sanctuaire, une tour joignant le centre de la terre au centre du firmanent où se trouve l'étoile immobile, « l'étoile-clou » comme disent les Tchoutches. Telle est l'explication de l'arbre de vie qui se dresse au centre du jardin d'Eden, de la tour de Babel, des « montagnes artificielles » des Sumériens et des ziggurats de la Babylonie et autres « lieux élevés » mentionnés dans l'Ancien Testament.

Pour la majorité des peuples asiatiques, la cohésion du ciel n'est pas assurée par le « clou », autrement dit par l'étoile polaire ; la voûte céleste est soutenue par une colonne, par un pilier, ou, comme le croient les Orotchons, par un pieu d'or. Cette colonne du monde est matérialisée, en Asie, par un pilier, par une colonne, par un fût dressé au centre du village ou par une perche au sommet de laquelle sont juchés les « oiseaux célestes » : l'aigle, oie sauvage ou plongeon. Pour les Ostiaks des bords de l'Iénisseï, l'aigle bicéphale est omniscient, il voit tout et rien ne lui échappe ; cette conception est multimillénaire et la même relation entre le centre du monde et l'aigle se retrouve également chez les Grecs ; les deux aigles que Zeus fit s'envoler en sens contraire pour faire le tour de la terre se rencontrent, à Delphes, au-dessus de l'omphalos. Chez les Dolganes, la colonne céleste comporte une barre transversale et celle des Ostiaks s'orne de sept têtes de divinités. Samoyèdes et Ostiaks sculptent dans le bois des « sjaadais », figurines représentant des dieux, dont la partie supérieure est appointée ; ces figurines sont aussi des symboles de la colonne céleste et du cosmos. Lehtisalo rapporte à propos des Ostiaks : « De longues perches comportant sept entailles se voient souvent dans leurs villages. » De toute manière, pour les populations de la Sibérie — et même dans d'autres parties du monde — le chiffre 7 a une importance particulière ; il rappelle, en effet, les sept degrés de la colonne céleste. Presque toutes les pagodes de l'Asie du Sud-Est possèdent, par ailleurs, sept étages. Mais ce qu'on continue à ignorer c'est l'origine de cette symbolique. Certains pensent qu'elle résulte de la division par quatre de la période lunaire (28 jours), mais on peut aussi l'expliquer du fait que les constellations de la Grande et de la Petite Ourse comportent toutes deux sept étoiles.

Nombre de peuples paléo-asiatiques se représentent le ciel sous l'aspect d'une tente circulaire ou, comme le précise l'ethnologue finnois Uno Holmberg, d'une toile de tente qui recouvrirait l'univers et les étoiles comme des trous ouvrant sur l'infini du cosmos. Pour les Yakoutes, le ciel est un dôme fait de peaux tendues et cousues. Curieux de ce qui se passe sur la terre, l'Etre Suprême des Tchouvaches pratique, de temps à autre, une ouverture dans la voûte céleste ; à ces orifices correspondent les traînées lumineuses des comètes ; aussi, pour qu'un vœu soit exaucé, faut-il le formuler pendant que le ciel s'entrouvre.

En escaladant la colonne céleste, l'homme peut accéder aux régions éthérées, mais les seuls qui sont censés y parvenir sont les chamanes. Telle est la raison pour laquelle, au centre de la tente où le chamane officie, une perche dépasse le haut du toit ; en grimpant à cette perche, l'âme du chamane s'échappe et gagne l'étoile polaire, porte des espaces sidéraux.

Le chamane est le « produit » de la spiritualité des populations sibériennes. On s'est longtemps interrogé sur l'origine du mot chamane et certains ethnologues ont tenté d'expliquer qu'il dérive du mot sanscrit « sraman » dont le sens, en Inde, est « moine mendiant ». Ce qui est certain, c'est que le chamanisme, sous sa forme sibérienne et centrale asiatique, a forcément subi l'influence bouddhiste ce qui ne signifie pas qu'il soit une création du bouddhisme.

Le mot a été étendu, avec le sens de sorcier, aux thaumaturges, aux prêtres et aux rebouteux de divers peuples qui n'ont rien de commun avec la Sibérie ni avec l'Orient asiatique. Le chamanisme, en fait, est une chose différente ; il en est résulté nombre de malen-

Poteaux chamaniques avec les degrés que franchit le chaman pour passer de la terre au ciel. (Photo Musée de l'Homme.)

tendus et une méconnaissance absolue de la véritable nature du chamanisme. Pour comprendre ce que ce terme implique, il faut avoir longtemps vécu en Mandchourie et, plus particulièrement, dans la partie limitrophe à la grande boucle de l'Amour. Mandchous et Toungouses utilisent le même mot « saman » et quiconque connaît les Toungouses de la Mandchourie sait que le berceau du chamanisme se situe dans ce pays. Dès 1846, Bansarov, auteur de l'ouvrage *La Croyance noire*, l'avait compris et Georg Nioradzé le justifie de la manière suivante : sortir de soi, être en transe, se dit « samarambi » en toungouse et « samoromoi » en mandchou ; d'autre part, « sam-dambi », en mandchou, signifie également « danser ».

Le lien entre le terme « chamane », le fait de « sortir de soi » et l'état extatique est déjà apparent. Mais seuls les Bouriates, les Yakoutes et les Toungouses utilisent le mot « saman » ; le terme vient donc du toungouse, mais il a été russifié. En fait, les origines du chamanisme se perdent dans la nuit des temps ou, plus exactement, dans les ténèbres de la préhistoire circumpolaire. Les spécialistes de l'histoire des religions et, notamment, l'un des plus connus d'entre eux, Mircea Eliade, sont d'accord sur ce point.

Le chamane est l'individu qui entretient des relations constantes avec les esprits ; il sait comment les influencer et les guider, ce qui l'apparente nécessairement au magicien. Un magicien n'est pas forcément un chamane, mais il peut, par contre, s'adonner à la sorcellerie. Ce qui compte, dans le chamanisme, c'est l'état second, l'extase, l'entrée en transes. Le distinguo est subtil et la difficulté consiste précisément à établir une frontière nette ; les grossières erreurs d'interprétation dont les chamanes et le chamanisme furent les victimes ne s'expliquent pas autrement. Par contre, l'influence exercée par le bouddhisme tibétain sur les pratiques des chamanes, en Asie centrale, en Sibérie et dans les régions circumpolaires, est indubitable.

Sous sa forme authentique et originale, c'est-à-dire en tant qu'expression d'une magie spiritualisée fondée sur l'extase, le chamanisme n'est pratiqué que par les Toungouses de la taïga et par les peuples circumpolaires.

Et d'abord, qu'entend-on par extase, fondement du chamanisme ? Il s'agit d'une sublimation de l'individu qui consiste à le détacher de son « enveloppe » habituelle. La conscience s'efface ; le chamane est, dès lors, habité par l'esprit qui le soustrait à sa condition humaine ; dans cet état second, il perçoit des voix, capte des messages, découvre des vérités ; son âme peut quitter temporairement son corps et vagabonder à sa guise.

Les Toungouses croient en l'existence d'un Etre Suprême mais cette divinité n'a rien à voir avec le chamanisme qui n'est pas la religion des nomades de l'Arctique ou turco-tartares. La Russie tzariste a commis l'erreur de considérer le chamanisme comme une religion car il n'implique ni foi, ni reconnaissance d'un dogme, ni l'observation de rites déterminés. Enfin, il n'y a pas de dieux chamanistes. Le chamanisme est un ensemble de pratiques qui ont pour but de guérir les maladies, de prévenir les épizooties, de connaître la vérité et l'avenir et d'établir un lien avec les esprits et les âmes des défunts. Mais le chamanisme a beau ne pas être une religion, Wilhelm Schmidt est en droit de prétendre qu'il a exercé une profonde influence sur la plupart des religions propres aux populations de chasseurs et de pasteurs de race turco-tartare.

Les peuples circumpolaires sont tous persuadés de l'immortalité de l'âme, mais leurs opinions diffèrent en ce qui concerne la vie extraterrestre de l'âme. Pour certains, elle séjourne encore un temps auprès de la dépouille ; pour d'autres, elle s'en échappe avec le dernier souffle. Toutefois, les morts sont inhumés de telle manière que leur survie soit assurée ; on dépose dans les tombes des provisions, de l'outillage, des armes et, parfois même, des peaux en prévision de l'hiver. On sacrifie enfin un cheval ou un renne afin que le défunt puisse se déplacer commodément. Il est probable qu'on immolait jadis des serviteurs et des servantes, à l'exemple de ce qui fut fait lors de l'inhumation de la reine Shub-ad dont le sépulcre a été mis au jour, dans la nécropole royale d'Ur, par Leonard Woolley, entre 1922 et 1932.

Nioradzé rapporte qu'après la mort de son époux, la femme goldi continue à partager sa couche et qu'après l'inhumation elle dort près de la tombe. Les quelques Goldis qui survivent sur les rives de la Soungari, dans la province de Heilungkian, et avec lesquels j'ai pu m'entretenir, ne se souvenaient plus de cette coutume mais, là encore, il n'est pas exclu que les veuves aient dû jadis suivre leur conjoint dans la mort.

Le mode d'inhumation en élévation des autochtones sibériens s'explique peut-être par la croyance dans la cohabitation momentanée, après la mort, du corps et de l'âme. S'il y avait inhumation, l'âme serait, elle aussi, enterrée et elle serait détruite si le cadavre était incinéré. De même que les Parsis déposent les cadavres dans les « Tours du Silence » où ils les abandonnent aux vautours et autres oiseaux de proie, les Paléo-Sibériens déposent les dépouilles dans les arbres ou sur un échafaudage onstruit sur pilotis. S'il s'agit d'un chamane, ses vêtements et son attirail rituel l'accompagnent après avoir été déchirés et brisés afin d'en chasser les génies.

Les morts sont inhumés dans des cercueils surélevés pour mettre les cadavres hors de portée des loups et des fauves. (Photo W. Jockelson : The Jukaghir...)

Les chamanes se distinguent du commun des mortels, car eux seuls ont accès à l'univers des esprits et des âmes. Ces contacts surnaturels sont beaucoup plus fréquents chez les chamanes que chez les autres hommes ; ils tentent d'abord de s'emparer d'un esprit, puis d'un nombre de plus en plus grand de génies. Leur prestige en dépend. Pour capturer les esprits errants, le chamane dispose de l'attirail suivant : un miroir de bronze, un tambour et une défroque particulière.

Même chez les Toungouses et, à plus forte raison, chez les autres populations de race altaïque, on chercherait vainement un authentique costume de chamane car, en même temps que la vieille civilisation sylvestre, les mœurs d'antan et les rites séculaires dégénèrent et s'altèrent. Et c'est à peine si l'on en trouverait encore chez les Orotchons, bien que, dans la taïga de la Mandchourie septentrionale, des chamanes continuent à exercer.

La robe de cérémonie qu'ils revêtent pour l'accomplissement des rites prescrits est un travesti qui évoque la silhouette d'un oiseau, d'un renne ou d'un chevreuil. La jupe est taillée dans du cuir de renne ou de chevreuil ; des lanières, nombreuses, y sont fixées de même qu'une multitude de fétiches, de symboles et d'amulettes. Le Finnois Uno Harva a ainsi identifié douze peaux d'hermine disposées en bandes sur le dos, des clochettes sous les aisselles, des griffes de hibou, des figurines représentant des serpents, des mains de fer cousues à l'ouverture des manches, des osselets de pied d'ours aux chaussures, des plaquettes métalliques figurant des pattes d'ours sur les gants et sur les jambières. Le costume diffère selon les peuples altaïques.

Quelle est l'utilité d'un tel travesti et des multiples symboles qui le complètent ? Harva insiste sur l'intention de chasser les esprits mauvais et j'ai moi-même questionné des Orotchons sur l'utilité du vêtement et des accessoires des chamanes. On m'a toujours répondu que le zoomorphisme et les symboles animaux avaient pour raison d'être de faciliter les relations entre l'homme et les esprits. Dans la plupart des cas, le chamane entend se concilier les génies, les asservir et entretenir avec eux des rapports permanents ; beaucoup plus rarement, il les exorcise.

Ce que dit Mircea Eliade du chamanisme concorde avec mes propres observations : le vêtement du chamane est un microcosme, un univers emblématique. L'initiation et la consécration chargent cet ensemble de forces multiples et en font une sorte « d'accumulateur » d'esprits. En endossant son costume, le chamane échappe aux influences telluriques et engage le dialogue avec les puissances surnaturelles. La partie essentielle est, sans conteste, la coiffure et c'est là-dessus qu'insistent tous les voyageurs et les ethnologues qui ont vécu au contact des populations sibériennes. Kay Donner souligne, notamment, le fait qu'une grande partie du pouvoir magique du chamane réside dans sa coiffure. Celle des chamanes soyotes se compose d'un bandeau sur lequel sont cousues des plumes de hibou ; dans la taïga et chez les Toungouses de Sibérie, la coiffure est surmontée de motifs, généralement en fer forgé, figurant des bois de renne ou de chevreuil. Chirokogorov souligne que, jadis, les coiffures de chamanes sommées d'andouillers étaient la règle et qu'à défaut les bois de chevreuil faisaient l'affaire.

Chamanes bouriates avec le tambour rituel.
(Photo Musée de l'Homme.)

Quant aux miroirs métalliques, ils dérivent en droite ligne des conceptions extrême-orientales ; à l'origine, se trouve probablement un mythe ou une légende chinoise, japonaise, coréenne ou toungouse. Au Japon, par exemple, le miroir est un des trois principaux symboles de la majesté impériale ; hexagonal et métallique, il est conservé dans le saint des saints, le « daijingu », du sanctuaire d'Isé. Les Japonais affirment qu'il s'agit du miroir d'Amaterasu, déesse du soleil.

Chamane yakoute. (Photo Musée de l'Homme.)

Le tambour des chamanes est généralement ovale ; le cadre est en bouleau, en bois de pin ou en jonc tressé et les chamanes racontent qu'il est confectionné avec le bois de l'arbre cosmique. Les communications entre le ciel et la terre sont assurées de la manière suivante : lorsqu'il frappe son tambour, le chamane est, par la voie magique, confronté avec cet arbre et transporté au centre du monde où se trouve l'accès aux sphères célestes. Chez les Orotchons, les rennes fournissent la peau servant à recouvrir le tambour, instrument dont se sert le chamane pour échapper à l'univers terrestre, pour capturer les esprits, pour entrer en transes et pour agir sur les nerfs des assistants. Ce qui compte c'est l'extase ; il ne s'agit nullement d'une supercherie, mais de la concrétisation de connaissances multimillénaires se rapportant à l'âme, au psychisme humain et aux manifestations de la nature vivante. Ces choses ne sont pas du ressort de la logique et elles se situent en dehors de l'univers de la raison, univers dans lequel le chamane doit savoir s'introduire.

Ne devient pas chamane qui veut ; il faut d'abord bénéficier de l'appui et de la connivence de la nature ambiante. Le chamane ressent brusquement les atteintes d'un mal mystérieux : état fiévreux, possession démoniaque, épilepsie. Là encore, la métempsychose joue un rôle décisif. Des Orotchons m'ont dit que l'âme d'un chamane est condamnée à errer tant qu'une enveloppe charnelle ne lui donne pas asile ; l'homme qui lui sert d'abri devient de ce fait chamane, mais cela ne se fait ni sans douleurs ni sans tracas. Des crises nerveuses de type épileptique le secouent ; il perd conscience, tombe en catalepsie et peut même en mourir.

Les responsables sont les esprits qui le « dévorent » vivant, lui arrachent les yeux, le transforment en squelette et rongent sa chair. Un chamane réputé se soumet, à trois reprises, à cette épreuve à la fois morale et physique ; chaque fois, les esprits remettent les choses en place, recouvrent de chair les ossements et remettent les yeux dans les orbites. C'est cela que les Toungouses appellent « mort » et « résurrection » du chamane. Cela, le chamane le vit, mais seulement en esprit ; ayant perdu conscience, il reste plusieurs jours dans un état voisin du coma et sur son corps apparaissent des sortes de stigmates. Parfois même, ses vêtements se teintent de sang et des taches maculent sa couche faite d'écorce de bouleau fraîchement détachée.

Le raisonnement initial est que l'enveloppe charnelle doit être détruite avant que l'âme du chamane puisse établir le lien avec les esprits et les génies. Dès lors, les esprits l'habitent ; de même que l'ours et les autres animaux, l'homme ne peut ressusciter que si ses ossements sont au complet ; les chasseurs archaïques étaient persuadés que les animaux qu'ils tuaient étaient assurés de renaître, ce qui explique le caractère sacré de l'immolation de l'ours chez les Giliaks et chez les Aïnous. Ce qui vaut pour l'ours vaut également pour le chamane. Toutefois, la transformation d'un homme en chamane s'accompagne de douleurs et de peines aiguës. Mais le chamane peut s'y soustraire s'il utilise le tambour, instrument essentiel de sa fonction. En le frappant et en se balançant selon un rythme régulier, il se rapproche des sphères surnaturelles. Mais les esprits ne se ressemblent pas et ils n'entendent pas tous le même langage ; aussi certains chamanes possèdent-ils parfois le don des langues. Les génies stimulent leur imagination, développent leurs aptitudes cérébrales, ils les obligent à parler et à agir conformément à leurs désirs et à leurs intentions.

Un feu brûle ; à la lueur des flammes, le chamane commence à se mouvoir en mesure, à battre du tambour, à danser, à chanter, à sauter ; les clochettes qui pendent à ses vêtements tintent, les objets métalliques s'entrechoquent, tandis qu'autour de lui, à la limite de la zone éclairée et de l'obscurité, les Toungouses font cercle, fascinés par les mouvements du danseur dont l'exaspération gagne bientôt les spectateurs. Plus les assistants sont nombreux plus le sortilège est actif et puissant ; tous se connaissent puisqu'ils font partie du même clan. L'émotion s'empare des uns et se communique aux autres à la manière d'une traînée de poudre.

Tout à coup, il n'y a plus ni chamane ni spectateurs, mais un groupe de participants qui communient dans le même esprit et dans la même extase.

Quand la séance a pour objectif la guérison d'un malade, une partie de cette hystérie collective est transférée sur le patient et il est médicalement certain que, dans certains cas, le psychisme est un facteur de guérison. Pour ma part, je me rallie à l'opinion exprimée par Chirokogorov : « Les gens qui se rassemblent autour d'un chamane éprouvent une satisfaction très supérieure à celle que l'on éprouve à écouter un concert ou à assister à une belle représentation théâtrale. »

Le doute est l'antithèse du réel, mais il n'en est pas moins vrai que les miracles authentiques sont une réalité et que seule la foi les rend possibles. C'est la ferveur religieuse dont le chamane se sent environné qui lui confère ses pouvoirs ; il commence par s'autosuggestionner et ce n'est qu'ensuite qu'il utilise les moyens dont il dispose pour agir sur autrui. Son prestige est fonction du potentiel d'émotion qu'il est capable de faire naître chez ceux qui le regardent et qui l'écoutent. Les phénomènes de communion mystique, le sentiment de la présence physique des esprits et des génies et leur « matérialisation » résultent de l'hallucination collective.

Chamane orotchon. (Cliché Toumanof, 1882.) (Photo Musée de l'Homme.)

Les ethnologues qui ont étudié avec une objectivité scientifique les méthodes et les procédés chamanistes sont incapables de définir la nature de l'émotion que suscite l'action du chamane. Car la rigueur scientifique nie l'efficacité du chamanisme et la présence de sceptiques parmi l'assistance empêche le chamane d'atteindre l'extase qui est le fondement même de son action sur autrui. Au contraire, la présence d'un public attentif, convaincu et réceptif, exerce une action positive indéniable ; elle contribue à la guérison d'un patient ou à l'éveil de ses forces vitales. Les effets sur le physique sont tout aussi indéniables mais, de même qu'on ne pèse pas l'impondérable, ce n'est pas parce que les guérisons semblent incompréhensibles qu'on doit les taxer de supercheries. Les pratiques chamanistes se déroulent selon un rituel déterminé et le moindre incident intempestif risque d'annuler l'effet qu'on attend d'elles. Ce qui compte, c'est que l'excitation soit portée à son paroxysme, que la communion entre chamane et spectateurs soit aussi étroite que possible et qu'aucun contretemps ne vienne rompre le charme.

Un grand chamane est, par nécessité, un excellent psychologue versé dans la connaissance de la nature humaine et, si j'en crois ma propre expérience, sur le plan psychique, un chamane est très supérieur aux meilleurs psychiatres occidentaux ; en revanche, dans le traitement clinique des maladies, il ne vaut pas le médecin. Remarquable observateur, d'une extraordinaire sûreté de diagnostic, il possède, sur la science occidentale, l'avantage de déceler d'instinct les lacunes de l'intellect. De toute manière, ses patients sont d'emblée décidés à se laisser guider passivement et influencer par lui, alors que le patricien occidental est obligé de persuader son malade, sceptique par nature, de s'en remettre à lui. Le domaine où l'action du chamane s'exerce avec le plus d'efficacité est essentiellement psychosomatique.

Que les chamanes soient seuls aptes à deviner les pensées d'autrui, à pratiquer la télépathie en orientant les rêves, en suscitant des impulsions émotives, en braquant sur tel individu un faisceau d'ondes psychiques, je le crois volontiers, car seule la vie en pleine nature permet aux forces de ce genre de se manifester et de s'épanouir.

Les capacités des chamanes sont scientifiquement improuvables et l'on ignore la véritable nature de l'influence qu'ils exercent, mais nier ce que notre raison est incapable de concevoir et l'existence de choses pour lesquelles il n'existe pas de preuves irréfutables serait de la folie.

Le chamanisme remonte au plus lointain passé de l'humanité et le fameux sorcier de la grotte des Trois-Frères n'est vraisemblablement qu'un chamane ; il vivait il y a 25 000 ans et il n'était sans doute pas le premier. Comme, d'autre part, l'humanité s'est passée, pendant 600 000 ans, de la médecine moderne, le chamanisme est une science qui a sur elle le bénéfice d'une longue antériorité. Très proche de la magie, il est aussi beaucoup plus proche du ciel, du cosmos et des vérités premières.

Voilà pourquoi le chamanisme est une manifestation de spiritualité ; mais, bien avant lui, existait le monothéisme et c'est du dieu unique que l'homme s'est toujours efforcé de se rapprocher. Il cherchait quelque chose dont il savait qu'elle avait existé, il voulait renouer un lien rompu. Au début de l'humanisation, au moment où l'esprit commença à émerger de la matière et où, délaissant le concret, l'homme se mit à raisonner dans l'abstrait, l'homme ne reconnaissait pour dieu que son seul créateur.

L'ascension dans le ciel du chamane, le moment où son esprit quitte son corps pour vagabonder dans les espaces célestes, se justifiait par la connaissance qui exista jadis de liens étroits entre dieu et la créature humaine, entre la terre et le ciel. Le chamanisme s'efforce de les rétablir.

CHAPITRE XXXIII

Les origines du Chamanisme

« Ils tentaient de trouver une voie pour atteindre un monde transcendant en détachant leur âme de leur enveloppe charnelle ; ils considéraient l'oiseau comme le symbole de cette ascension et de cette libération des influences terrestres. Ainsi ils espéraient rejoindre leur dieu, le Maître des forêts, des montagnes et des océans, ou tout au moins, le royaume des âmes. »

LES GRANDS MYSTÈRES de l'humanité sont loin d'être résolus ; nous vivons à la manière des fourmis, c'est-à-dire que, capables d'extraordinaires réalisations techniques, nous vivons entassés dans des agglomérations qui sont de véritables termitières. Mais, tout comme les fourmis, nous ignorons ce qui s'est produit avant nous, ce qui nous attend, ce que deviendra le genre humain et quelles puissances nous dominent. Affirmer que l'humanité a atteint le sommet de la sagesse et de la connaissance, alors qu'il fut un temps où l'homme était beaucoup plus proche qu'il ne l'est aujourd'hui de la connaissance des mystères de la terre et du cosmos, serait à la fois osé et prétentieux.

A quoi ressemblait l'homme, il y a 20 000 ans et quelle était la couleur de sa peau ? A grand-peine, il a été possible de reconstituer en partie la nature de ses croyances et de ses préoccupations au moment où lui-même commença à se représenter. De cet homme, on ne possède, en effet, que des ossements et ceux-ci ne suffisent pas pour reconstituer une physionomie. De nos jours, après des centaines de milliers d'années de métissage, les races ont conservé leurs caractéristiques mais, par le squelette, par les aptitudes intellectuelles, par la pensée, les actuels habitants de la planète se ressemblent étrangement. Dans leur âme et dans leur psychisme, ils sont même pratiquement identiques.

Il existe environ six cents sculptures, bas-reliefs, dessins et peintures typiques de l'art franco-cantabrique qui représentent des hommes ou, tout au moins, des motifs anthropomorphes. A l'exception de quelques statuettes : celle de Brassempouy, de la figurine de type négroïde de Grimaldi et de celle de Vistonice, ce sont généralement des silhouettes à l'aspect bizarre, des hommes à tête de lion, d'oiseau, de bélier et des hybrides mi-homme mi-bête sans expression, au nez proéminent, aux barbes abondantes et aux crânes grossièrement déformés. Ces anomalies ne sont pas le fait de déficiences artistiques, car, il y a 15 000 ou 20 000 ans, l'homme était déjà parfaitement capable de représenter, sous forme de peinture, de gravure ou de sculpture, ce qu'il avait sous les yeux. Les animaux sont dessinés et peints avec un réalisme qui témoigne d'un don d'observation stupéfiant et rarement atteint.

L'homme, en revanche, dissimule son visage, son corps, ses mouvements derrière des masques et des simulacres indéchiffrables et presque enfantins. Il cherche à s'identifier avec l'image d'un animal et associe souvent et simultanément, sur une même représentation, les caractéristiques de plusieurs animaux. Il se transforme, s'ingénie à dissimuler sa véritable apparence et à passer le plus possible inaperçu. Ainsi s'explique qu'en dépit de ses extraordinaires aptitudes artistiques, l'homme préhistorique ne nous ait pas transmis les traits de ses contemporains. Les seuls humains qu'il ait représentés sont des mages ou des chamanes qui sont peut-être les auteurs des gravures et des dessins rupestres. Ils désiraient, avant toute chose, s'identifier à des êtres hybrides, représenter quelque chose qui fut susceptible de s'intégrer à l'univers des dieux, des hommes et des animaux.

L'exemple des populations circumpolaires nous enseigne que le meilleur moyen d'acquérir des forces surnaturelles consiste à emprunter une forme ou un masque animal et qu'il faut avoir recours au truchement de la bête pour s'immiscer dans l'univers des esprits. On est d'ailleurs tenté d'imaginer que des êtres qui, en matière de représentation, se comportaient un peu à la manière des chamanes, raisonnaient de cette manière.

En ce qui concerne les conceptions religieuses et magiques, tenir compte de la durée et du délai chronologiques est une nécessité, car la distance n'a jamais été un obstacle aux échanges de traditions rituelles et religieuses. L'échange des idées et des idéologies n'a, apparemment, bénéficié d'aucune amélioration à la suite des progrès enregistrés dans les domaines de la technique et des transports ; on peut même supposer qu'il y a 15 000 ans les relations culturelles entre la Sibérie, la France du Sud-Ouest et l'Espagne cantabrique étaient plus étroites qu'elles ne le sont aujourd'hui.

Du 12 septembre 1940 date la découverte, par quatre jeunes gens, de la grotte de Lascaux, proche du village de Montignac-sur-Vézère (Dordogne). Dans une galerie de ce que l'abbé Breuil a appelé la « Chapelle Sixtine de l'Aurignacien », les jeunes gens aperçurent une étrange figure. A peu de distance du sol, la paroi d'une galerie s'ornait de dessins en noir sur fond de calcaire jaune et brun ; on y voyait, notamment, un bison blessé par un javelot et perdant ses entrailles, dont les poils se hérissent en signe de rage impuissante. Les bras écartés et terminés par des mains à quatre doigts, un homme gît devant le bison. Sa tête est celle d'un oiseau et le dessin est primitif et grossier. Sur la gauche du dessin, on voit un rhinocéros qui s'éloigne, un harpon et une perche surmontée d'un oiseau.

La facture du bison et du rhinocéros est très naturaliste ; le spectacle du bison, dont les intestins ont été arrachés par le cran du javelot, est extrêmement dramatique ; il tourne la tête en direction de la blessure. En figurant l'homme étendu et l'oiseau au sommet de la perche l'artiste a voulu concrétiser une notion, une idée impossible à matérialiser par les seuls procédés graphiques.

Nombre de préhistoriens se sont interrogés sur la signification de cette scène, mais les explications diffèrent dans des proportions considérables. L'abbé Breuil l'interprète de la manière suivante : le chasseur a blessé le bison d'un coup de lance ou de javelot ; mais, à son tour, il a été victime du rhinocéros qui l'a tué. Leroi-Gourhan pense, en revanche, que l'homme représenté sous une forme très schématisée a été la victime du bison et il n'exclut pas la possibilité de la présence, sous cette représentation, d'une tombe paléolithique.

Dans l'hypothèse où l'artiste se serait borné à représenter un simple épisode de chasse, trois détails demeurent inexpliqués. Pourquoi le gisant a-t-il une tête d'oiseau ? Pourquoi l'homme est-il représenté sous une forme aussi stylisée ? A quoi correspond l'image de l'oiseau ?

Dans la mesure où l'on admet, avec l'abbé Breuil, que la grotte de Lascaux est véritablement la « Chapelle Sixtine de l'Aurignacien » et, éventuellement, de la période périgordienne, il est peu probable que l'artiste n'ait voulu représenter que la mort d'un chasseur de bison ou d'un individu poursuivant un rhinocéros. Cette scène représente plus vraisemblablement un rite chamaniste, comme le suppose, à juste titre, Horst Kirchner. Dans cette hypothèse, le bison est l'animal immolé, le gisant le chamane en état de transe et l'oiseau un génie tutélaire juché sur une perche funéraire ou sur une colonne céleste. On sait, en effet que, chez de nombreuses populations circumpolaires, des oiseaux perchés sculptés dans le bois symbolisent le voyage qu'accomplissent, après leur mort, les âmes des chamanes ; des emblèmes similaires sont plantés sur leurs sépultures en vertu de la croyance selon laquelle un oiseau porte l'âme du chamane durant son ascension vers le ciel. En 1896, dans le livre qu'il consacra aux Yakoutes, Serochevski décrit l'immolation d'un bœuf pendant une cérémonie chamaniste ; elle a lieu devant trois perches surmontées d'une représentation d'oiseau. Ces perches sont, en quelque sorte, un guide, un sentier qu'empruntent les esprits supérieurs pour se manifester sur les autels et autres lieux de culte.

Si l'on compare la scène de Lascaux aux épisodes des sacrifices rituels qu'effectuent les populations circumpolaires durant « l'ascension » de l'âme du chamane, on est tenté de voir dans le bison blessé qui perd ses entrailles la victime sacrificielle, dans la perche surmontée d'un oiseau un lien symbolique entre l'homme et les puissances supérieures et dans l'homme étendu sur le sol le chamane qui, délaissé par son âme, est dans un état voisin de la catalepsie. Dans ce contexte, le rhinocéros joue un rôle purement marginal et secondaire.

Compte tenu de cette perspective, il apparaît que la conception chamaniste inspira l'artiste auteur des fresques de Lascaux, ce qui implique l'existence, au Paléolithique récent, de relations entre les habitants des régions circumpolaires et ceux du Sud-Ouest de la France et de la Cantabrie.

A Altamira (province de Santander), des gravures représentent des hommes affublés de masques en forme d'oiseau ; ils dansent, lèvent les bras en signe d'invocation et sont visiblement en état d'extase. Karjalainen rapporte que, lorsqu'ils exécutent les danses de l'ours, les Ostiaks lèvent les bras et agitent les mains d'une certaine manière ; ce sont là des rites dont la signification échappe aux représentants de la jeune génération. Les chamanes dansent sensiblement de la même façon et il est très probable que les hommes masqués d'Altamira sont tout simplement des chamanes.

Les Tchoutches de Sibérie connaissent eux aussi des créatures hybrides mi-hommes mi-bêtes qui symbolisent sans doute les esprits bons ou mauvais. (Photo Musée de l'Homme.)

Des personnages masqués décorent également les parois de la grotte des Combarelles, mais les animaux qu'ils ont choisis pour dissimuler leur identité sont difficiles à identifier ; de toute manière, il est impossible que ces effigies soient celles de singes ou d'anthropopithèques.

Dans une grotte proche de Lourdes est gravée la silhouette d'un homme affublé d'une queue d'animal, de ramures de cerf et d'une barbiche. Quiconque a été en contact avec les Toungouses et les autres populations sibériennes verra dans cette représentation l'effigie d'un chamane; l'emploi d'attributs empruntés aux animaux accroît en effet les pouvoirs du chamane et l'aide dans ses rapports avec les esprits.

Les trois dessins qui ornent l'abri Mège, à Teyat (Dordogne), évoquent des hippocampes ; ce sont, en réalité, des sorciers ou, peut-être, des chamanes dont le buste est dissimulé sous des peaux de bêtes et le visage derrière un masque de bouc ; ces étranges créatures donnent l'impression de danser.

De toutes les représentations datant du Paléolithique, celle qui présente le plus grand intérêt est celle d'un « sorcier » que l'abbé Breuil identifie à une divinité. L'artiste avait probablement l'intention de figurer non pas un animal, mais un homme masqué afin, comme l'explique K.J. Narr, de conférer par l'iconographie une durée à un fait unique magique ou cultuel. Le « sorcier » ressemble plus encore à un chamane car, pour faciliter sa transmutation, il s'est entouré du plus grand nombre possible de symboles et d'attributs animaux. Il porte un masque surmonté de bois de cerf, ses yeux sont ceux d'une chouette, il a des oreilles de loup, une queue de cheval et des pattes d'ours et il danse ainsi accoutré. Or, les chamanes sibériens et extrême-orientaux considèrent comme éléments magiques essentiels les pattes d'ours et les bois des cervidés et, d'autre part, la chouette (« oiseau qui voit tout ») joue un rôle important dans le chamanisme ; ce n'est donc pas l'effet du hasard si ces attributs se retrouvent dans le déguisement du sorcier de la grotte des Trois-Frères. Si j'en juge par ce que j'ai pu voir et étudier du chamanisme toungouse dans l'Asie du Nord-Est, le « sorcier » des Trois-Frères est certainement un chamane plutôt qu'un sorcier ou un dieu.

Un autre personnage travesti en bison, peint sur les parois de la même grotte, joue de la flûte ou d'un instrument à cordes : il se sert apparemment de la musique pour provoquer l'extase chez ses auditeurs. Encore aujourd'hui, les chamanes se servent d'instruments de musique, mais ils utilisent surtout le tambour pour exacerber les sens et les esprits, pour « capter » les génies et pour se dédoubler.

Il a été question, précédemment, des baguettes de commandement contemporaines de l'Aurignacien moyen et même du Magdalénien, découvertes dans l'Europe occidentale, en Autriche, en Moravie, en Ukraine et dans les environs de Krasnoïarsk, en Sibérie. L'expression « baguette de commandement » est due à Edmond Lartet, mais rien n'empêche de supposer qu'il y a 15 000, 20 000 ou 30 000 ans, ces baguettes servaient à battre le tambour.

Les baguettes dont se servent les chamanes de l'Est asiatique sont, en général, taillées dans le bois de jeunes bouleaux ou de jeunes arbres et, plus rarement, confectionnées avec des ramures de rennes et de cervidés ; l'extrémité, en forme de palette, est recouverte de peau de lièvre ou d'animal à fourrure. L'autre bout, c'est-à-dire le manche, comporte un trou par lequel passe un cordon ou une courroie formant boucle qui sert à suspendre la baguette au poignet du chamane et l'empêche de tomber lorsque celui-ci entre en transe. Chez certains peuples circumpolaires, elle se termine par une poignée sculptée en forme de tête d'animal. J'ai vu, par exemple, chez les Goldis de la Mandchourie, des baguettes de tambour décorées de grotesques et Loptine le précise aussi de son côté.

H. Obermaier et Horst Kirchner soulignent le fait que les prétendues baguettes de commandement du Paléolithique récent représentent autre chose et que, chez les populations circumpolaires, le tambour et les baguettes étaient considérés comme sacrés et devaient être soustraits à toute souillure. On les conserve en lieu sûr et, pendant leurs déplacements, les autochtones en ont le plus grand soin. Les premiers, P. Girod et E. Massénat constatèrent une ressemblance entre certaines baguettes de commandement et les baguettes de tambour dont se servent les Lapons et les chamanes. Elles aussi sont percées d'un trou par lequel passe un cordon ou une courroie. Seul un ustensile aussi étroitement associé aux croyances religieuses pouvait être orné et décoré avec autant de soin que l'avaient été les prétendues baguettes de commandement ; s'il s'était agi, comme on l'a prétendu, de simples piquets de tente, les Paléolithiques ne se seraient pas donné tant de mal. D'autre part, le trou est ovalisé par le frottement des courroies ou des cordelettes et la poignée témoigne d'une usure indubitable. On objecte à cela que certains de ces mystérieux ustensiles furent découverts associés par paire, mais cette remarque est spécieuse : pour battre le tambour, le chamane se sert d'une baguette et non de deux et les seules paires connues sont celles qui furent mises au jour à Petersfeld.

Cela laisse supposer que le chamanisme est plus ancien qu'on ne le pensait et l'on imagine sans peine les cavernes et les grottes de la France du Sud-Ouest et de la Cantabrie renvoyant l'écho des tambours de chamanes utilisés comme ils le sont encore dans la taïga du nord de la Mandchourie.

Figure dite « Le sorcier de Lourdes », découverte par Nelli dans la grotte des Espelugues ; portant une coiffure cornue et une queue d'animal, le personnage rappelle étrangement les chamanes toungouses.

Il n'est pas exclu, non plus, que les statuettes féminines aurignaciennes aient été associées aux curieuses figures hybrides peintes ou gravées, aux êtres anthropomorphes et aux sorciers batteurs de tambours. Il existe, en effet, en Sibérie, des femmes chamanes ; âgées, ce sont d'habiles magiciennes et leurs pouvoirs sont considérables. A Malta, à quatre-vingt-cinq kilomètres au nord-ouest d'Irkoutsk, près du lac Baïkal, les fouilles ont mis au jour douze figurines féminines et des oiseaux en os sculpté : canards et oies sauvages. Horst Kirchner fait remarquer que ces oiseaux, « sommet de l'art de cette période », rappellent les oiseaux dont les effigies décorent les colonnes du monde. La queue de toutes ces figurines est perforée, ce qui indique qu'elles étaient fixées, de même manière que les emblèmes et les symboles, aux franges de la robe du chamane. Ce détail vaut également pour les figurines anthropomorphes ou cousues aux vêtements des sorciers. Ces statuettes féminines, premières représentations humaines connues, jouaient-elles un rôle dans les rites magiques ? Nul ne le sait, mais la chose semble probable et, d'une manière ou d'une autre, il y a une corrélation certaine entre les pratiques des habitants des grottes, les baguettes de commandement, les statuettes féminines et le chamanisme asiatique.

Il y avait donc, dès cette époque, des chamanes capables d'exercer une magie authentique, qui s'efforçaient de guérir en agissant sur le psychisme et qui pouvaient s'évader en esprit de ce monde terrestre. Etaient-ce les médecins de la préhistoire ?

Il est, par ailleurs, indéniable que les personnages à tête d'oiseau, les sorciers costumés, les baguettes et les statuettes de Vénus relèvent d'une civilisation de chasseur. Les figures anthropomorphes à tête d'oiseau, les pattes d'ours et les bois de cervidés sont tellement intégrés à l'univers des chamanes toungouses qu'il est impossible d'interpréter les représentations rupestres autrement que comme des scènes se rapportant au chamanisme. Comme les chasseurs de la taïga sibérienne, ceux de la préhistoire connaissaient les vertus magiques du travesti animal. Leur objectif était de découvrir un moyen leur permettant d'accéder à un état second caractérisé par la séparation de l'âme et du corps. L'oiseau symbolisait pour eux l'infini, la coupure d'avec la terre, le terme d'un voyage dont l'aboutissement était le dieu suprême, maître des forêts, des montagnes et des océans.

Mais l'âme était une création divine ; seul un dieu avait pu donner à l'homme la faculté de penser d'une manière abstraite. Avant que l'esprit l'emporte sur la matière, la créature humaine était vraisemblablement très proche de la bête. Les artistes de la préhistoire entendaient-ils commémorer cette période, étape transitoire de l'histoire de l'humanité ? Peut-être voulaient-ils, par l'intermédiaire de l'animal, retrouver le dieu des origines ou, sinon, capter une partie de la force qui émanait de lui.

CHAPITRE XXXIV

La découverte d'Alfred Rust

« Il est, je crois, essentiel et souhaitable d'obtenir rapidement une meilleure vue d'ensemble ; je vous saurais donc gré de m'autoriser à entreprendre des fouilles. Aucune modification de la couleur du sol, indice de décomposition de pieux de palafittes ou de la présence d'un foyer, etc., ne passera inaperçue. »

A. Rust : lettre du 14 mai 1932, adressée au professeur Schwantes.

De 1924 à 1928, le préhistorien Gustav Schwantes donna des cours du soir à l'université de Hambourg. L'assiduité et l'ardeur au travail d'un de ses auditeurs, particulièrement doué, attira son attention. Ingénieur électricien, il s'appelait Alfred Rust.

Un jour, Rust déclara à son professeur qu'il se rendait en Palestine méridionale pour y retrouver le berceau de la civilisation ascalonienne. Pendant la Première Guerre mondiale, J. Bayer avait identifié à El-Hulekat, près d'Ascalon, un site préhistorique. Il convient toutefois de signaler que, dans son rapport paru en 1936, Rust qualifia d'absurde l'existence de cette civilisation. Comme Schwantes lui demandait comment il couvrirait les frais occasionnés par un tel voyage, Rust répondit qu'il n'avait besoin que d'un peu d'argent de poche et que, de toute manière, il possédait une bicyclette. Le 1er septembre 1930, il prit la direction de la péninsule

Balkanique et d'Istanbul où le grand hittitologue Bittel lui conseilla de ne pas s'attarder, car la saison des pluies approchait. En un mois, Rust traversa l'Anatolie ; il se nourrissait exclusivement de pain et de sucre, mais l'eau dont il se servait pour préparer le thé était contaminée et il contracta une dysentrie amibienne. Sans argent ou presque, sans remèdes, sans médicaments, couchant souvent dans des grottes ou à la belle étoile, Rust atteignit finalement la Syrie ; à Hama, il fit la connaissance d'un Allemand qui l'hébergea, mais il lui fallut plusieurs semaines avant de pouvoir s'alimenter normalement.

Par Homs, Rust gagna Nébek mais là, comme il l'avoue lui-même, la dysenterie « eut raison de sa volonté ». Gravement malade, il rencontra dans ce village de trois mille âmes un Arabe qui comprenait un peu l'anglais ; il lui fit part de ses ennuis de santé. Il apprit ainsi qu'il existait, à proximité et à mille trois cents mètres d'altitude, en plein désert de Syrie, un hôpital danois. Rust y fut admis et guérit. Le convalescent fut informé qu'à une dizaine de kilomètres et à l'écart de la piste principale se trouvait le village de Jabrud, ancienne résidence d'été de Zénobie, reine de Palmyre, et qu'on y avait fait des découvertes dans des grottes.

Sous trois abris, Rust trouva effectivement un outillage d'éclats et, dans la plaine de Nébek, sur le site d'agglomérations paléolithiques, des centaines de noyaux, de lames, de grattoirs, de poinçons, de burins, de scies, vestiges de civilisations lithiques connues sous le nom générique de Jabrudien.

Le professeur Schwantes reconnaît qu'au début il ne prit pas au sérieux les projets de son disciple mais il ajoute aussitôt : « Il les mena cependant à bien ! »

En définitive, Rust fit quatre séjours en Syrie ; de retour en Allemagne, il se mit en tête de retrouver l'outillage en os qu'utilisaient les contemporains du Pléistocène. Schwantes ne cache pas son admiration pour son élève : « Quelques mois plus tard, il l'avait effectivement retrouvé ! »

Maintenant cela semble facile, mais il ne faut pas oublier qu'à l'époque les préhistoriens considéraient comme exclu que l'Europe septentrionale eût été habitée pendant la période glaciaire ; selon eux, ni les hommes ni les bêtes n'auraient pu supporter les rigueurs du climat.

Prenant à son compte l'hypothèse avancée une première fois

en 1924 puis, en 1928, par Schwantes, qui avait affirmé que l'Europe du Nord était peuplée depuis le Pléistocène, Rust jura d'en fournir la preuve.

C'est par les vestiges laissés par les hommes de l'âge de la pierre dans les grottes de l'Europe centrale et méridionale que l'on connaît, en partie, l'héritage du passé ; le fait qu'ils se trouvaient à l'abri des grottes leur valut d'être protégés de la destruction. Le chasseur qui hantait les grandes plaines de l'Europe septentrionale ne disposait, lui, ni de grottes ni d'abris sous roche ; il lui fallut donc édifier des cabanes fragiles et tout ce qui rappelait son passage fut réduit en poussière par le frottement des glaces, par les pluies et autres agents naturels. L'outillage et les os bravèrent seuls les millénaires.

En 1932, Rust examinait un champ fraîchement labouré dans une vallée comprise entre Mainendorf et Ahrensburg ; il y trouva une centaine d'outils de facture magdalénienne. Pendant les étés de 1933 et 1934, Rust et Gripp se livrèrent à des fouilles plus importantes et dégagèrent l'emplacement d'une agglomération proche d'un ancien étang. Les trouvailles effectuées par Rust sur ce site habité par des chasseurs paléolithiques ont permis la reconstitution partielle des conceptions religieuses des hommes qui vécurent là il y a 16 000 ans. L'ancienneté du Niveau I de Meinendorf (Holstein) a été fixée à 13 800 ans par le carbone.

Alfred Rust mérite le surnom de Schliemann de l'Europe du Nord ; les découvertes qu'il effectua ont autant d'importance que la découverte de Troie sous la colline d'Ilion. Il faut, d'autre part, se souvenir que la couche correspondant à la Troie contemporaine des héros d'Homère n'a été détruite qu'en 1185 av. J.-C. ; il est, par ailleurs, évident qu'en raison même de son ancienneté, une civilisation disparue depuis 16 000 ans est moins facile à étudier qu'une civilisation dont les débuts se situent 3 000 ans avant l'ère chrétienne. Or, ce qui a été découvert par Rust, près des villages de Meinendorf et de Stellmoor, dépasse tout ce qu'on peut imaginer.

CHAPITRE XXXV

Sacrifices vieux de 13 800 ans

« Lorsqu'on s'efforce d'approfondir le psychisme des éleveurs de rennes de la taïga et lorsqu'on se penche sur les découvertes effectuées à la périphérie de Hambourg, une évidence s'impose : Dieu est une réalité ! »

QUEL ÉTAIT, il y a 16 000 ans, le mode de vie des habitants des grandes plaines de l'Europe septentrionale ? Qui les avait conduits dans cette région et pourquoi y arrivèrent-ils à la période würmienne, dernière phase du Pléistocène ? Il existait d'autres contrées plus chaudes sur la terre et, il y a **16 000** ans, ni frontière ni obstacle n'empêchaient l'homme de descendre vers le Sud. Il se fixa pourtant dans ces contrées désolées et désertes occupées par des toundras.

Tout s'explique lorsqu'on sait que ces hommes, contemporains de la période dite « hambourgeoise », étaient des chasseurs de rennes. Le renne fuit la chaleur estivale, il craint les moustiques et les taons. En hiver, il descendait jusqu'à la vallée de la Dordogne et même plus au sud. A la belle saison, des troupeaux de rennes, qui rassemblaient des milliers d'animaux, empruntaient la vallée comprise entre Meinendorf et Ahrensburg qui drainait les eaux de fonte des glaciers. Quand ceux-ci eurent définitivement régressé, laissant derrière eux cailloutis, graviers et sable et que le sol eut absorbé l'eau, des chasseurs s'y établirent.

Les hommes qui vivaient, il y a 10 000 ans, dans l'Europe du

Nord, restent néanmoins entourés de mystère. Arrivèrent-ils à la suite des troupeaux de rennes qui leur fournissaient leur subsistance ? Etaient-ils déjà tellement adaptés au climat nordique qu'ils ne pouvaient plus vivre que dans la toundra ? Etaient-ils, au contraire, des autochtones et non des immigrants ?

Le fait est que, transplantés dans des régions au climat tempéré, les Esquimaux succombent. Or, par leur civilisation, les contemporains du Hambourgeois étaient les égaux des Esquimaux en ce sens qu'ils chassaient le renne comme les Esquimaux du Grand Nord chassent le caribou. Les autres peuples circumpolaires ne sont pas des chasseurs, mais des éleveurs. Il semble, par conséquent, logique d'assimiler les contemporains de la période de Würm aux Esquimaux qui possèdent sensiblement les mêmes habitudes et un mode de vie identique ; comme eux, ils se livraient à la chasse et tiraient du renne la viande, la graisse, la moelle, bases de leur alimentation, les andouillers avec lesquels ils fabriquaient des outils, la peau et la fourrure qui leur fournissaient le vêtement et, sans doute aussi, les peaux dont ils recouvraient l'armature de leurs tentes.

Il est, en effet, probable que des hommes capables de fabriquer un outillage aussi varié et aussi raffiné possédaient également des tentes. Rust se mit, en conséquence, à la recherche de pierres dont la disposition circulaire aurait permis de conclure à l'existence de tentes, de vestiges de huttes semi-enterrées et de foyers, mais il ne trouva rien. Existait-il d'autres restes permettant de conclure à la présence de tentes ? Rust mit longtemps à localiser, dans l'aire comprise entre Ahrensburg et Meinendorf, une agglomération de néolithiques caractérisée par un grand nombre d'outils en silex taillé.

Rust découvrit encore autre chose : vingt-cinq mètres séparaient l'ancienne rive d'un étang asséché de la limite de l'agglomération.

Lors des fouilles, l'eau du sous-sol envahit les excavations et il fallut mettre des pompes en batteries pour pouvoir poursuivre les recherches ; sans même attendre l'assèchement, Rust aperçut sous l'eau un objet qu'il parvint à extraire. Il s'agissait d'un andouiller de renne si bien conservé « qu'on eût cru qu'il venait d'être immergé ». Un éclat de 45 centimètres de long avait été séparé de la branche principale. Rust constata que cette technique était celle des contemporains de la période magdalénienne.

Le sacrum du renne comporte quatre et, parfois, cinq vertèbres soudées. Le nombre de sacrums retrouvés sur les lieux indique que soixante et onze rennes furent tués sur place durant la belle saison. Ce détail présente un immense intérêt, car il prouve que rennes et chasseurs abandonnaient la région à l'approche de l'hiver ; la plupart des ossements et des andouillers ont été exhumés sur les rives de l'étang disparu, mais les jeunes bêtes sont en majorité, comme le prouve l'examen des vertèbres sacrales.

Des entailles révèlent, par ailleurs, que les os furent nettoyés à l'aide de lames ou d'éclats de silex ; on commençait par sectionner le cou, puis on dépeçait le thorax avant de pratiquer l'ablation des membres. Crânes et os étaient ensuite fendus à coups de masse pour en extraire la matière cérébrale et la moelle. Près de Meinendorf, les fouilleurs ont mis au jour 105 bois de renne dont l'examen a permis de déterminer l'âge et même le sexe des animaux.

2 426 outils en silex ont été trouvés *in situ*, dont 272 au fond de l'étang disparu. La plupart sont des éclats, des lames non retouchées, de simples pointes, des grattoirs ou des lames crantées.

En 1934, on découvrit, à Meinendorf, une plaquette d'ambre ornée de dessins gravés représentant des silhouettes animales ; on reconnaît encore une tête de cheval et plusieurs pattes de renne groupées par paires. Lorsque ces effigies avaient rempli leur but propitiatoire, on les effaçait pour en tracer de nouvelles à leur place. Sur une autre plaque d'ambre, se détache, fantomatique, l'œil d'un cheval et, sur un morceau de grès, le profil d'une bête fauve. Tantôt, on reconnaît une crinière, tantôt la tête d'un oiseau ; sur certaines pierres, l'homme s'est contenté d'inciser une croix. Deux autres croix allongées ressemblant à des lettres décorent un andouiller transformé en pièce de harnachement. S'agit-il de marques de possession ?

La présence au même endroit d'aiguilles, de pointes de flèches et même d'un harpon en os, atteste que là vécurent des pêcheurs et des chasseurs qui surent tirer parti des ressources que leur offrait la région.

Un bois de jeune renne a été travaillé de telle sorte qu'on croirait un bâton de commandement et des omoplates sont percées de trous circulaires qui donnent une idée de l'extraordinaire force de pénétration des armes qu'utilisaient les chasseurs du Néolithique. Pour chasser le petit gibier : perdrix des neiges, grues, etc., ils se servaient de l'arc et de la flèche.

Famille samoyède (Cliché Eichtal, 1884.) (Photo Musée de l'Homme.)

La découverte la plus spectaculaire est celle d'un renne sacrifié dans une intention nettement déterminée ; les chasseurs l'avaient immergé au centre de l'étang où il gisait sur le flanc gauche. Un bloc de gneiss pesant 8 kilos 25 avait été placé dans la cage thoracique pour empêcher le cadavre de remonter à la surface. Le fait que les os n'aient pas été fendus pour en extraire la moelle prouve bien qu'on a affaire à une victime sacrificielle ; la boîte crânienne est intacte et encore surmontée de ses andouillers. Alfred Rust insiste sur l'intégralité du squelette et sur sa position, preuves irréfutables que le renne fut mis à mort et précipité dans l'étang. Il est probable que ce sacrifice, dicté par des mobiles supérieurs, avait pour but d'honorer une divinité. L'animal était une femelle et son bois, encore incomplètement ossifié, indique qu'elle fut immolée au mois de mai ou en juin, c'est-à-dire à l'époque où le campement était habité.

Rust exhuma une seconde civilisation du renne dans un niveau archéologique, postérieur de 6 000 ans au précédent, qui porte le nom de niveau d'Ahrensburg. De cette période date un pieu de 12 centimètres de diamètre et long de 2,15 m, dont l'extrémité supportait un crâne de renne femelle de seize ans.

Comme le suppose Alois Closs, le culte du pieu et la victime sacrificielle s'intègrent au même contexte religieux ; deux dépouilles de rennes ont été exhumées du niveau hambourgeois et dix-huit du niveau d'Ahrensburg. Le fait de renoncer à une proie chassée et abattue a nécessairement un caractère d'offrande religieuse. Là encore on ne peut s'empêcher de penser que le pieu symbolise vraisemblablement la colonne céleste ; le pieu surmonté d'un crâne constituait, par ailleurs, une offrande analogue à celle que font encore les Toungouses et les populations paléo-sibériennes qui hissent une tête de renne au sommet d'une perche. L'hypothèse de Henn Pohlausen selon laquelle les rennes noyés ne seraient pas des victimes sacrificielles, mais que leur immersion dans l'eau glacée avait pour but de conserver la viande ne mérite pas qu'on s'y arrête ; elle est d'autant plus aberrante que je me suis rendu compte, personnellement dans la taïga, que le fait de planter un crâne de renne ou d'ours au sommet d'un pieu ou d'une perche n'avait aucune utilité. Pohlausen prétend également que le pieu enfoncé dans le lit de l'étang servait à identifier le dépôt de viande. C'est oublier que des chasseurs aussi expérimentés que l'étaient les hommes du Néolithique n'avaient nul besoin de repères de ce genre. Quant à

Rust qui procéda lui-même au dégagement du pieu, il était persuadé que, pour les néolithiques, il s'agissait d'un rite religieux, d'un hommage rendu à l'Etre Suprême, divinité unique.

Il convient de souligner que les Toungouses, de même que les peuples paléo-sibériens, prennent garde de ne rien jeter dans l'eau par peur de la souiller ; cela provoquerait l'ire du « Maître des eaux ». Sachant que, même immergée dans l'eau froide, la viande se putréfie, ils n'imagineraient jamais de sacrifier de cette manière à une divinité d'autant que, pour les Toungouses, les lacs de la taïga sont sacrés. Il se peut que cet usage soit tombé en désuétude lorsque le chasseur de rennes se mua en éleveur et lorsqu'il substitua au dieu unique un Maître de la forêt, un Maître des montagnes et un Maître des eaux.

La découverte de la nature des préoccupations religieuses des hommes qui vécurent il y a 16 000 ans est, en fait, la grande révélation des fouilles effectuées dans la vallée comprise entre Meinendorf et Ahrensburg, car elle prouve que, bien avant la période épigraphique et avant même que l'activité humaine se concrétise dans les vallées de l'Euphrate et du Tigre, du Nil, de l'Indus et du Hoang-Ho, des chasseurs du Paléolithique récent sacrifiaient à un dieu unique.

Lorsqu'on s'efforce de comprendre le raisonnement des éleveurs de la taïga et qu'on étudie les vestiges mis au jour dans les environs de Hambourg, une conclusion s'impose : pour ces hommes, dieu était une réalité concrète. On l'adorait, dans l'Allemagne du Nord, avec la même ferveur, le même élan et la même foi qu'à l'autre bout du monde, dans le nord-est de l'Asie.

CHAPITRE XXXVI

L'homme, cette merveille

> *« Quelle est l'origine de la prodigieuse impulsion qui arrache l'homme au chaos et aux contingences de la matière en le haussant au-dessus de toutes les autres créatures ? Ce n'est pas le hasard, mais une volonté supérieure. »*
>
> A. CRESSY MORRISON : *Man does not stand alone.*

L'HOMME n'offre des sacrifices que s'il est intimement persuadé de l'existence d'une puissance supérieure ; cette conception monothéiste de la divinité, les contemporains du Paléolithique la possédaient déjà, car on ne sacrifie pas simultanément à plusieurs dieux. Le sacrifice est toujours un acte individuel.

Reconstituer par l'imagination les scènes qui se déroulèrent à Ahrensburg il y a 10 000 ans est évidemment impossible, mais il apparaît évident qu'elles furent prétexte à de vastes hécatombes, à des danses et à des chants. Les feux allumés par les chasseurs s'apercevaient de loin dans la nuit claire. Et quand, il y a 16 000 ans, les chasseurs précipitaient dans l'étang de Meinendorf un renne dont la dépouille était alourdie par une pierre pour rendre hommage à une puissance supérieure, c'était pour resserrer les liens avec la divinité. Le sacrifice est un acte religieux et il n'a rien de commun avec la magie.

La religion de l'ours telle que la pratiquaient les hommes du Magdalénien, les cérémonies qui se déroulèrent devant le simulacre d'argile de la grotte de Montespan n'ont rien à voir avec la sorcellerie des primitifs. C'était, comparée au culte que les Giliaks, les Aïnous et les populations paléo-sibériennes rendent à l'ours, la première tentative fait par l'homme pour communiquer avec l'Etre Suprême par l'intermédiaire d'une victime sacrificielle.

Les découvertes datant du Paléolithique ancien effectuées dans les grottes des cantons de Saint-Gall et d'Appenzell sont dans la même ligne que les offrandes de crânes et d'ossements des populations subarctiques. Et même si ces vestiges, vieux de 70 000 ans, sont muets, ils n'en sont pas moins la preuve que déjà l'homme s'efforçait d'engager le dialogue avec la divinité.

Plus loin encore dans le passé, il y a 300 000 ans, l'homme de Pékin avait eu recours à son intelligence pour concevoir et fabriquer des outils et des armes ; il connaissait le feu et il a laissé dans la grotte de Chou-Kou-Tien des crânes qui sont peut-être les restes d'actes sacrificiels. Il est certain que l'homme de Pékin était déjà assujetti à l'intellect, qu'il possédait une organisation sociale et qu'il pratiquait la monogamie ; il est d'autre part vraisemblable qu'il avait des préoccupations religieuses et que, comme les peuples archaïques, il croyait en un dieu suprême.

Plus loin encore dans le temps, il y a 600 000 ans, les Australopithécidés laissèrent des amas de crânes de babouins et d'ossements de mammifères. Le fait que ces crânes aient été intentionnellement fendus avait-il une signification religieuse ? Les Australopithécidés

R. A. Dart et R. Broom, « inventeurs » de l'Australopithèque, l'abbé Breuil, le maître de la Préhistoire et C. van Riet Lowe, un des principaux archéologues sud-africains (Photo Musée de l'Homme.)

connaissaient-ils déjà le feu ? Aussi primitifs qu'ils fussent, il est possible, comme le pense un nombre croissant de paléontologues, que ces hominidés avaient déjà franchi le seuil de l'hominisation.

Le monde organique est en perpétuel devenir ; tout ce qui vit évolue et se transforme et on a l'impression que la nature s'efforce de s'élever toujours plus haut dans la hiérarchie des créatures : poissons, amphibiens, reptiles, mammifères, oiseaux, primates, homme, en vertu d'une évolution progressive. Pourtant, l'hypothèse d'une évolution généralisée pose de telles énigmes, elle comporte tant de points sombres et d'incertitudes que l'expression : « évolution progressive » doit être employée avec une circonspection extrême. « On ignore, notamment, l'essentiel, autrement dit le schéma général de la structure du monde animal. On ignore, par exemple, pourquoi les premiers mammifères sont apparus seulement au Silurien. » (OVERHAGE, 1959.) Pascual Jordan résume ainsi le problème : « La dépendance des phénomènes vitaux par rapport aux processus de l'évolution qui, de leur côté, échappent aux principes de causalité des formations physiques, soustrait les phénomènes biologiques à une causalité mécanique stricte. »

On ne connaît, c'est un fait, aucune étape transitoire entre une forme et une autre forme dérivée de la précédente ; les ancêtres des chevaux furent tous des ongulés et l'on a même retrouvé des fossiles d'ongulés à dix doigts, de la taille d'un renard. On sait, par ailleurs, qu'il y a soixante millions d'années vécurent des animaux très proches du cheval et plus petits encore que les précédents. La seule chose que l'on connaisse est l'ordre de succession chronologique, or, comme l'écrit Portmann : « Cette succession ne nous apprend rien de nouveau ; elle ne nous dit pas quel genre de relations existe entre les différents maillons de la chaîne généalogique. »

Sous ses épaisseurs de lard, la baleine dissimule des membres embryonnaires ou, au contraire, atrophiés. Doit-on en conclure que les ancêtres de la baleine étaient des quadrupèdes terrestres revenus dans l'élément liquide ? Les pattes furent-elles l'objet d'une atrophie progressive à mesure que se développait la nageoire caudale ? Ou encore, les pattes se sont-elles développées si bien qu'un jour l'animal put se hisser sur la terre ferme ? Les paléontologues pensent que la baleine est un mammifère revenu à la mer, mais cette hypothèse est gratuite dans la mesure où l'on n'a encore trouvé aucun fossile de balénoptère terrestre.

Arthur Neuberg, biologiste et théologien de l'université de Dresde, insiste sur le fait qu'une cellule embryonnaire de chien ne peut donner naissance qu'à un chien ; on continue cependant à enseigner dans les écoles que l'homme, issu d'un protozoaire, ne s'est différencié qu'après avoir franchi tous les stades de l'évolution animale.

Le cerf et le chevreuil sont étroitement apparentés et cependant le chevreuil a toujours été différent du cerf. En admettant qu'ils soient le produit de deux processus évolutifs, on ignore comment cette évolution s'effectua sur le plan généalogique et la paléontologie, science des fossiles animaux et végétaux, ne fournit aucune précision sur l'origine et sur la formation des espèces.

La théorie de l'évolution organique ne peut donc s'appliquer à l'homme. « Nous ne savons pas comment l'homme a été créé et la biologie ne fournit aucun indice certain. Il apparut tout à coup, quand le moment fut venu et lorsque les conditions de vie sur la terre le permirent. » (SPULBECK, 1957.) « L'homme est un phénomène unique et exceptionnel, un « événement » dont l'importance dépasse de très loin celle de n'importe quelle lignée organique. » (OVERHAGE, 1959.) Voilà pourquoi il est impossible de prouver que l'organisme humain procède d'une souche animale. Voilà pourquoi aucune doctrine attribuant aux primates préhistoriques la « paternité » humaine n'a pu rallier les suffrages. Les avis diffèrent et l'utilisation extrême des arbres généalogiques ne permet pas de se faire une idée. Car, si l'on admet que l'être humain est issu de créatures animales, il faut bien constater que cette évolution était déjà close chez les représentants des formes humaines les plus archaïques et les plus primitives. Là aussi un problème se pose : Qu'entend-on par formes archaïques ? S'agit-il d'hommes ou d'hominiens ?

Un certain nombre de faits infirment les théories relatives au perfectionnement de l'être humain à travers les stades : *Anthropos*, Neanderthalien et *Homo sapiens*. Ces faits furent recueillis par des spécialistes de diverses nationalités tels que Leakey, Connoly, Oakley, Howell, Montagu, Remane et Overhage. L'humanité ne s'est pas développée, durant le Pléistocène, en passant du type *Anthropos* au type *Homo sapiens*, en vertu d'un cycle analogue à celui qui fait de l'enfant un jeune homme, un adulte puis un vieillard ; les formes *sapiens* ont tou jours existé, elles cohabitaient avec les types les plus anciens d'hominidés.

Les hommes contemporains appartiennent tous au type *sapiens ;* les autres formes sont depuis longtemps éteintes, mais depuis la découverte effectuée par Leakey, le 29 mars 1932 à West Kanam, sur la rive méridionale du lac Victoria, on sait que l'*Homo sapiens* vivait déjà au Pléistocène. Leakey trouva les fragments d'un maxillaire au menton bien développé datant du Pélistocène récent. L'*Homo kanamensis* est beaucoup plus proche de l'*Homo sapiens* qu'aucun autre type humain et il est vraisemblable que le premier est l'ancêtre du second. » (LEAKEY, 1935.)

Il faut néanmoins préciser que le côté *sapiens* de la mâchoire n'est pas nettement identifiable, car une tumeur a déformé la partie antérieure du maxillaire au voisinage du menton. En 1957, Ashley Montagu procéda à un nouvel examen de la mâchoire dans les laboratoires du British Museum. Sa conclusion est la suivante : « Il apparaît en tout cas vraisemblable que cet être possédait un menton bien developpé. » Cette opinion confirme la conclusion de Leakey, à savoir : « La mâchoire de Kanam présente de telles similitudes avec celle des hommes du type *Homo sapiens* que l'*Homo kanamensis* peut être considéré comme un ancêtre et non comme un cousin éloigné de l'*Homo sapiens.* Oakley suppose que l'*Homo kanamensis* vécut à la même époque que l'homme de Mauer, ce qui implique la coexistence, à une époque extrêmement lointaine, d'hommes du type *sapiens* et d'autres du type *anthropos,* le Pithécanthrope de Java, par exemple.

Le crâne mis au jour, en 1933, dans une ballastière proche de Steinheim-an-der-Mur date de la période Mindel Riss, c'est-à-dire du Pléistocène moyen. Le Gros Clark et d'autres préhistoriens classent l'homme auquel ce crâne appartenait dans la catégorie *Homo sapiens* ; l'important c'est que l'homme de Steinheim habitait déjà la terre avant l'apparition de l'homme de Neanderthal.

Les trois os crâniens que A.T. Marston exhuma à Swanscombe (Kent) « sont les plus anciens fossiles humains jusqu'ici découverts en Angleterre. Ces os sont très semblables à ceux du crâne de nos contemporains ». (LE GROS CLARK, 1958.) Abbie affirme, de son côté, que l'homme de Swanscombe « ne se distingue en rien d'un homme actuel ».

De même que les restes de l'homme de Swanscombe, les crânes mis au jour à Kanjara, au nord-ouest du lac Victoria, remontent au Pléistocène moyen ce qui prouve la contemporanéité des hommes de type *sapiens* et de type *anthropos* à Java, en Chine et sur le littoral de l'Afrique du Nord.

Les découvertes effectuées, en 1947, dans la grotte de Fontéchevade ont démontré l'existence, en France, d'un type voisin du type *sapiens* à l'époque pré-neanderthalienne. Vallois classe les hommes de Swanscombe et de Fontéchevade dans une catégorie *présapiens* qui aurait coexisté avec les Neanderthaliens depuis la moyenne Interglaciaire. Les restes exhumés à Fontéchevade sont, à ce jour, les plus anciens qui aient été exhumés sur le territoire français.

C'est la raison pour laquelle le Sinanthrope ou l'hommme de Neanderthal ne sont plus, contrairement à ce qu'on crut longtemps, le point de départ, la souche de l'évolution humaine. La prétendue « ascension biologique », « la généalogie classique », formules utilisées naguère, se heurtent au scepticisme des spécialistes ; car, si certains fossiles, parmi les plus anciens, présentent déjà des caractéristiques voisines de celles du type *sapiens*, il ne peut plus être question d'évolution ; on peut, à l'extrême rigueur parler d'un « épanouissement » de la race humaine, lequel se serait produit durant le Pléistocène.

« Les caractéristiques *sapiens* sont un très ancien patrimoine de l'humanité. » (Overhage, 1959) ; elles le sont tellement qu'on considère maintenant que nos ancêtres furent non pas les Neanderthaliens, mais les hommes de type *présapiens*. Selon le paléontologue Kälin, le fait le plus spectaculaire est, du point de vue strictement biologique, l'humanisation progressive de l'homme primitif. Un homme dont la physionomie est, dès le début, irradiée par l'intelligence a pris la place de la brute au faciès animal, telle que l'imaginait encore Ernst Haeckel.

On s'est obstiné pendant des décennies à dresser une généalogie humaine dont le rameau inférieur était l'homme de Pékin et le sommet de l'*Homo sapiens* ; on s'est, bien entendu, appliqué à classer dans l'étage supérieur les formes apparentées à l'*Homo sapiens*. La prétendue objectivité scientifique, autrement dit celle en vertu de laquelle le développement psychique des paléolithiques aurait pour origine le « préjugé religieux », s'est révélée néfaste. Pour porter un jugement sur les plus anciens représentants de l'espèce humaine, on s'imagina que les méthodes biologiques permettraient, à elles seules, de déterminer les étapes du développement de l'intelligence et personne n'eut l'idée de se tourner vers les ethnologues.

On sait, désormais, que les processus biologiques sont incapables, à eux seuls, de fournir des éclaircissements sur les origines de l'homme ; aussi s'efforce-t-on d'étudier avec plus d'objectivité le psychisme humain, de délimiter les notions d'âme et d'intelligence que la paléontologie ne permet pas de définir. De nouvelles fouilles, des connaissances plus complètes et, surtout, une rigueur scientifique accrue, ont infirmé le vieux mythe d'une évolution qui, de l'homme, créature animale à l'origine, fit un être intelligent et créateur.

L'exemple de l'évolution technique a si souvent fait croire à une évolution parallèle du psychisme et du physique que les spécialistes du siècle dernier ont eu beaucoup de peine à trouver aux hommes archaïques des qualités et des aptitudes psychiques.

En fait, les formes *sapiens* existaient, comme Leakey l'avait déjà précisé dès 1938, depuis le début du Pléistocène.

Cela signifie, dans la pratique, que les dessins montrant les ramifications multiples de l'arbre généalogique de l'espèce humaine au sommet duquel trône l'actuel *Homo sapiens* relèvent d'une simplification à outrance ; ils ne résistent pas à l'examen scientifique.

On commence, de même, à s'apercevoir que l'homme primitif n'était pas un « sauvage » ; il nous reste encore à nous persuader que les contemporains du Péistocène n'étaient pas des brutes. et encore moins des créatures simiesques au psychisme rudimentaire. C'est pourquoi les reconstitutions qui prétendent représenter le Neanderthalien ou le Pithécanthrope sont grotesques.

Les musées des grandes villes exhibent des têtes d'individus hirsutes, à la peau couleur de terre, à la barbe d'une longueur démesurée, au front fuyant et atteints de prognathisme. En fait on ne sait rien de la couleur de peau, des traits ni de la pilosité de l'homme du Pléistocène ; l'Américain T.D. Stewart avoue qu'il est impossible de reconstituer quoi que ce soit dans de telles conditions. « Il est néanmoins probable que la physionomie de l'homme archaïque n'était pas moins aimable que celle de l'homme moderne. » (STEWART.)

La juxtaposition, dans un musée, de mannequins représentant l'un un Pithécanthrope, l'autre un Neanderthalien et le troisième un *Homo sapiens* donne l'impression que ces reconstitutions matérialisent autant d'étapes d'une évolution physique et psychique qui ne correspond pas à l'état de la science actuelle. Les auteurs de ces fantaisies soulignent l'aspect simiesque et repoussant des hommes primitifs ; le front fuyant et le prognathisme font inévitablement partie de ces caricatures. En réalité, ces deux caractéristiques archaïques n'impliquent aucune dégénérescence et l'on peut fort bien être à la fois prognathe et intelligent. Ces prétendues reconstitutions d'exemplaires d'humanité qui se situent à mi-chemin de l'homme et de la bête explicitent un sentiment de supériorité que rien ne justifie. Tel est le déplorable aboutissement de l'appréciation purement biologique de l'être humain ; on minimise son psychisme afin de démontrer que l'être humain procède, en fin de compte, de l'instinct animal.

En définitive, il y a des centaines de milliers d'années, un homme apparenté à l'*Homo sapiens* a commencé à marcher sur une route ; en chemin, des variantes nombreuses apparurent. Variantes et formes aberrantes s'écartèrent, dès le début, du type *Homo sapiens* et s'engagèrent dans des chemins et dans des sentiers latéraux qui furent autant d'impasses.

Etre et avoir sont deux notions différentes. Dans la grisaille du début du Pléistocène, les hommes ressemblaient, physiquement et psychiquement, aux représentants actuels du type *sapiens,* mais ce qu'ils possédaient était différent ; ce qu'ils concevaient, créaient et exécutaient n'a rien de comparable aux réalisations actuelles. Il fallait cependant autant d'intelligence pour détacher une lame d'un rognon de silex et pour la transformer en couteau que pour réaliser la fission de l'atome. Une concentration psychique et un raisonnement identique étaient indispensables, car ce qui est simple est aussi difficile à inventer que ce qui est compliqué, résultat de milliers d'expériences préalables, de dessins et d'études. Or, d'une somme d'expériences multiples et millénaires résulte nécessairement autre chose que ce qui est l'unique produit d'une tradition orale, de techniques manuelles et artisanales.

Les débuts de l'humanité sont, plus que jamais, environnés de ténèbres et les débuts des représentants de l'espèce humaine nous inspirent une plus grande modestie qu'ils n'en inspiraient au siècle dernier. Mais, plus l'énigme s'épaissit, plus la science devient exacte et systématique. Incapables d'expliquer l'apparition de l'homme, être pensant et créature sans équivalent dans le monde animal, nous sommes contraints d'admettre l'existence d'une puissance créatrice, d'un Etre Suprême, et la réalité d'un Dieu qui, chaque jour, nous apparaît plus proche.

CHAPITRE XXXVII

Le second bras de la Croix

« Nous ne sommes que trop souvent tentés d'imaginer que le monde est régi par les lois naturelles et à l'écart de Dieu. L'ancien concept hébraïque qui assimile le cosmos à une sphère où Dieu peut intervenir directement et au moment choisi par lui et où, d'ailleurs, il intervient est sans doute plus proche de la réalité. »

JOHN BRIGHT,
New York, 1953,

SUR NOTRE GLOBE une multitude de hasards et de circonstances ont permis à l'homme d'apparaître et de subsister. Pourquoi l'homme n'existerait-il pas aussi sur d'autres planètes ? La créature humaine serait-elle donc une exception dans l'univers ? Il existe, en effet, d'innombrables soleils intégrés à une infinité de systèmes galactiques qui sont eux-mêmes le centre d'autant de systèmes planétaires. Or, au-delà des limites du système solaire, les télescopes les plus puissants sont incapables de repérer la moindre de ces planètes. On peut tout au plus pressentir leur présence, en vérifiant, à intervalles réguliers, l'atténuation de la luminosité d'un soleil à l'instant où la planète se profile devant lui. Le Russe Voronzoff-Veliaminov en a déduit que, parmi les centaines de millions de planètes du cosmos, certaines abritent des formes de vie évoluées.

On sait, en effet, qu'en commençant par les créatures inférieures, la vie organique est théoriquement possible sur trois planètes du système solaire, sous réserve que soient remplies certaines conditions : exigences thermiques, existence d'une atmosphère contenant de la vapeur d'eau, pression et pesanteur déterminées. Tel est le cas de Mars, de Vénus et de Mercure, dont on sait aussi que les organismes supérieurs ne peuvent s'y maintenir. Même si le nombre des planètes est incommensurable, l'homme est un

« phénomène » exceptionnel car le passage de l'animalité au rang de créature pensante implique la conjonction de tant de préalables, de coïncidences et de hasards qu'en fonction des probabilités la répétition d'un tel phénomène est difficilement concevable. Seule Vénus, dont les astronomes n'ont pu percer l'enveloppe brumeuse, pourrait laisser planer un doute. Mais si, d'une part, cette couche de nuages opaque fait obstacle à l'étude de l'atmosphère vénusienne, d'autre part cet écran protège la planète contre l'irradiation solaire. Sur Vénus, la température ne peut donc pas être aussi élevée qu'elle l'est sur Mercure, et l'existence sur Vénus d'une vie organique analogue à celle qui exista sur la terre au Tertiaire est théoriquement possible. Il s'agit, il est vrai, d'une très vague éventualité et certaines raisons, trop nombreuses pour être exposées ici, s'y opposent.

Lorsqu'on tente, de nos jours, de capter les signaux qui émanent du cosmos, c'est en vertu du postulat suivant : une évolution technique analogue à celle qui s'est produite sur la terre a eu lieu sur une quelconque planète, et des êtres dotés d'une intelligence ont atteint quelque part le même niveau de développement que la race humaine. Le fait que la chronologie cosmique ou divine répartisse le temps en périodes qui ne sont pas à l'échelle humaine contredit néanmoins cette hypothèse. Le système galactique dont fait partie la terre est l'objet d'une gestation et d'une disparition continues. De nouveaux soleils se constituent, d'autres refroidissent, se contractent, se disloquent. Nuages de gaz et poussières cosmiques se condensent et forment de nouvelles étoiles fixes ; d'autres au contraire se dissolvent dans le néant. Les planètes qui gravitent autour de ces soleils subissent le même sort. Ces phénomènes se déroulent dans de tels espaces de temps que la collision de deux planètes est chronologiquement inconcevable, mais on peut cependant admettre qu'à une époque immémoriale certaines planètes furent l'objet des mêmes processus et de la même évolution que le globe terrestre et que cette évolution soit terminée depuis des millénaires. Mais que des processus analogues se soient produits simultanément et que des êtres pensants aient élaboré les mêmes techniques est contraire aux lois universelles. L'échelle chronologique est tellement vaste et sans bornes que les événements qui la jalonnent font l'effet de minuscules points tout juste perceptibles.

En admettant que l'homme n'ait pas été créé par Dieu, son apparition résulterait d'une telle multitude de coïncidences que cette réunion de hasards paraîtrait plus inconcevable encore que l'acte de création.

Car si l'on compte sur la terre un million environ d'espèces animales et trois cent mille espèces végétales, une seule créature a franchi le seuil de l'hominisation. C'est là un tel miracle, un tel phénomène qui réduit à néant les théories des évolutionnistes eux-mêmes que l'homme fait figure de phénomène unique.

Même si Voronzoff-Veliaminov devait avoir raison, il n'en existe pas moins une conception du cosmos différente de la sienne en vertu de laquelle le cosmos résulterait des réactions et de la pénétration réciproque de l'esprit et de la matière dans l'univers spatial. Ce qui fait dire à l'astronome anglais James Hopwood Jeans que l'univers évoque plus une grande idée qu'une grande machine. L'esprit ne fait plus désormais figure d'intrus dans le domaine de la matière ; on commence même à supposer qu'il en est le créateur et le maître et à s'apercevoir que l'univers prouve l'existence d'une volonté qui conçoit, contrôle, coordonne, et qui présente une certaine analogie avec l'esprit individuel.

L'homme est une « mécanique » infiniment complexe et son cerveau est sans conteste le « produit » le plus élaboré et le plus parfait de l'univers créé. Nul n'est parvenu jusqu'alors à explorer entièrement l'organisme humain et les facultés et les possibilités du cerveau ne seront probablement jamais élucidées. Car la faculté de raisonnement va infiniment plus loin que les nécessités et les contingences vitales ; l'homme est non seulement capable de formuler sa pensée, mais aussi de l'orienter selon ses convenances. Il sait ce qu'il pense et sait, en plus, pourquoi il pense ceci plutôt que cela. L'homme a utilisé la nature à son profit mieux que n'importe quelle autre créature et il peut même se déplacer dans le cosmos avec l'aide des engins spéciaux dont il se peut qu'un jour, comme l'escargot l'est de sa coquille protectrice, il devienne solidaire.

Pour exercer son immense potentiel intellectuel, l'homme n'a que l'embarras du choix entre vingt-quatre sciences diverses et complexes dont chacune constitue un tout autonome, mais les créations du génie humain sont plus nombreuses encore. Ange et diable à la fois, cruel et bienfaisant, avide de nouvelles connaissances, versant quotidiennement dans l'erreur, l'homme, éternel rêveur, est en même temps la plus réaliste et la moins émotive des créatures. Rapace, omnivore, gaspilleur et destructeur, l'homme est également capable de privations inouïes qui vont jusqu'à l'abolition totale de sa nature physique. Et, si l'homme possède une histoire, il se rend compte qu'il est lui-même une créature historique et la période historique dont il a connaissance lui reste perceptible. Toutefois l'homme, créature raisonnable, est aussi une créature sensible ; ses sentiments n'appartiennent qu'à lui et sont pleinement justifiés. L'homme est capable d'édifier un univers à sa mesure dans n'importe quel environnement ; la nature s'efforce de lui dicter ses lois, mais l'homme est devenu, dans une large mesure, indépendant du milieu. Créature à l'esprit ouvert et réceptif, l'homme fait siens les facteurs réels et les notions scientifiques et abstraites : croyance, puissance d'imagination, notions immatérielles. C'est cet ensemble que le regard humain reflète, que l'intelligence envisage, que l'âme s'efforce de résoudre et de concilier.

Les témoignages, même préhistoriques, concordent : non seulement les êtres frustes, mais aussi les civilisés, ont laissé des traces de leur passage. L'homme est à tel point plongé dans un univers où priment les préoccupations intellectuelles, spirituelles et religieuses qu'une explication exclusivement biologique de la créature humaine, abstraction faite du contexte culturel, n'aurait aucune valeur scientifique. Il en serait ainsi pour les millions d'années du Paléolithique et pour l'époque actuelle. Contrairement aux autres vertébrés, l'homme ne regarde pas le sol, mais l'horizon et le ciel ; la station debout est la condition préliminaire de l'élévation de la pensée vers Dieu. L'homme a une âme et Héraclite qui déclarait que même « en explorant toutes les routes, il faut renoncer à atteindre les limites de l'âme humaine » en était déjà persuadé cinq siècles avant la naissance du Christ.

L'homme est tout entier tourné vers le spirituel et le besoin de se surpasser constitue, consciemment ou non, le principal moteur de la nature humaine. Ainsi qu'il est écrit dans le *Deutéronome* (8,3) et dans l'Evangile selon saint Matthieu (4,4), l'homme ne vit pas seulement de pain ; les véritables sages et les grands esprits l'ont compris. C'est aussi parce qu'ils l'ont compris et parce qu'ils se sont efforcés de satisfaire avant tout les besoins spirituels de l'individu, que les fondateurs de religions occupent la première place dans les annales des peuples. Il en sera ainsi malgré les calomnies, les interdictions, les poursuites et les persécutions dont religions et doctrinaires sont victimes. Nul ne peut exiger, ni même espérer, que son nom puisse être respecté s'il méconnaît le rôle essentiel que jouent, pour l'homme, l'élément spirituel, la quête de Dieu et la recherche de la vérité.

Perpétuellement inquiet, sans cesse à la poursuite de nouveaux horizons, l'homme, éternel errant, perpétue l'héritage de ses ancêtres nomades du Pléistocène ; il est toujours prêt à accueillir ce qui est nouveau, à se mêler à des peuples inconnus, à adopter des coutumes étrangères, à échanger des biens et des valeurs culturels. Ce sont là des aptitudes et des tendances qu'il possédait déjà à la période glaciaire et cela explique la diffusion intercontinentale de l'outillage de pierre.

Créature, l'homme est aussi le créateur de l'art, l'inventeur de la civilisation. L'art et la culture ont la foi et la croyance pour commune origine. Autour du drame de la vie, l'homme en est aussi l'interprète ; intégré à l'ordre naturel, il contribue à le façonner. Maître des énergies élémentaires, il n'est pourtant pas parvenu à se rapprocher de ses idéaux suprêmes : se maîtriser soi-même et favoriser la cohabitation pacifique de ses semblables. Seul être possédant la connaissance du passé, il vit plus dans l'avenir que dans le présent.

Car le destin seul n'a pas prescrit le sort futur qui attend l'individu ; l'histoire ne tourne pas en rond et nul ne connaît à l'avance l'état qui sera bientôt le sien. Impénétrable, l'avenir est fonction des décisions prises par chaque homme isolé et par la race humaine dans sa totalité.

Pour les peuples les plus anciens, il n'y a jamais eu de destinée rigide et automatique, ni de doctrine en vertu de laquelle l'homme serait, dès le berceau, inexorablement voué au bonheur ou à l'adversité. Un concept de ce genre, inspiré des sciences naturelles, qui veut que peuples et civilisations s'épanouissent et s'étiolent, mènerait à la paralysie, à l'indifférence, au fatalisme et au mépris de la mort ; les événements seraient soustraits à la volonté et à l'intervention humaine. Aux époques où l'existence des individus et des peuples n'est envisagée que sous l'angle rationaliste, les doctrines nihilistes connaissent la faveur. Lorsqu'on fournit la preuve que l'histoire n'est pas le produit de la libre volonté, la notion de liberté s'estompe et des peuples entiers se placent sous la férule d'un dictateur ou sous l'autorité d'un système politique omnipotent. Le mot liberté est alors vide de sens, les prières se taisent, l'Etat est déifié.

A en croire Spengler, le cours naturel et immuable de l'histoire serait, pour l'homme, le pire des despotes. Sous l'influence de cette doctrine pessimiste, une passivité associée à un désir de souffrir étranger à l'esprit occidental s'est appesantie sur les populations de l'Europe centrale ; l'individu cessa de penser par lui-même, la libre expression fut mise hors la loi. « On n'arrête pas le temps, écrivait Spengler en 1931. Il n'y a ni sage retournement ni sage renoncement. Les rêveurs seuls croient aux échappatoires. Optimisme égale lâcheté ! Nous autres, contemporains, nous marcherons hardiment sur la voie qui nous est tracée car il n'en est pas d'autre. Tenir, sans espoir de relève, sur des positions perdues à l'avance, là est notre devoir, là est la grandeur, là est la race. Une telle mort dans l'honneur est la seule dont l'homme ne puisse être frustré. » C'est en vertu de pareils principes que des peuples entiers marchèrent vers une fin prétendûment inéluctable.

Une destinée rigide dont rien ne peut modifier le cours exclut Dieu et rend la prière inutile et vaine. Mode de pensée spécifiquement asiatique, le fatalisme s'est introduit en Europe avec Spengler et Toynbee. Les peuples primitifs croyaient en un Etre Suprême et les sacrifices offerts par eux dès le Paléolithique prouvent qu'à leurs yeux le sort était susceptible d'être influencé et orienté. Ce n'est pas en se confinant dans un fatalisme aveugle que le genre humain aurait pu victorieusement surmonter les trois phases glaciaires. Mais peut-être l'homme a-t-il pu survivre plus de 600 000 ans parce qu'une qualité morale : le courage, qui s'oppose à la soumission aveugle au destin et à la quiétude, gage d'une longue vie terrestre, faisait défaut aux ramasseurs et aux chasseurs de l'époque. Le courage est en effet un « acquet » très tardif de la race humaine.

Au XIXe siècle, surestimant les connaissances biologiques les grands trésors du rationalisme ont imposé le silence à l'âme ; or l'âme reste muette chaque fois que la science objective la dissèque. Car c'est un fait fort regrettable que, sous prétexte d'accroître le bien-être et de favoriser l'économie, les sciences exactes ne cessent d'appauvrir le capital spirituel de l'humanité. Or, les plus grands physiciens et les plus grands penseurs, les Copernic, les Kepler, les Newton, les Leibnitz et les principaux savants de notre époque admettent tous le principe de l'interaction des influences réciproques de la puissance créatrice et de la nature. Toutes les sciences aboutiront sans doute à cette constatation.

Pascual Jordan, le physicien dont les travaux sur la mécanique des quanta et sur l'origine et la création de l'univers ont une importance considérable, écrit : « Les résultats obtenus par la physique moderne ont radicalement modifié les relations entre la religion et les sciences naturelles. L'expérimentation physique contredit formellement l'idée du phénomène naturel à caractère inéluctable... L'examen objectif des conséquences découlant des constatations théoriques et pratiques effectuées, au cours de ces dernières années, dans le domaine des sciences naturelles, ne permet plus de soutenir la thèse antithéologique traditionnelle des rationalistes. On peut donc prétendre, sans risque de se tromper, qu'avec le temps la logique interne des faits s'avérera autrement puissante que les tendances traditionnelles à caractère émotionnel. » Par « caractère émotionnel » Jordan entend le matérialisme sectaire.

Max Planck, inventeur de la théorie des quanta et prix Nobel, écrit de son côté : « Où et si loin que porte le regard, il n'y a aucune opposition entre la religion et les sciences naturelles mais, au contraire, une concordance parfaite qui porte précisément sur les points essentiels. »

Un autre prix Nobel, Erwin Schrödinger, célèbre pour ses travaux sur la mécanique ondulatoire et sur les théories de la relativité et des quanta, ne considère pas « comme une œuvre humaine malhabile » les éléments constitutifs de la matière vivante ; il la tient, au contraire, « pour la plus belle œuvre qui ait été concrétisée conformément aux principes directeurs de la mécanique des quanta, de conception divine ».

La solution du secret de la vie et du secret de l'univers ne doit pas être cherchée dans une direction unique ; de même que les peuples circumpolaires qui dressaient l'arbre de vie, il est indispensable de comprendre qu'il existe autre chose que la raison pure.

Les millions et les millions d'hommes qui crurent en Dieu et en une vie future ont-ils donc été les victimes d'une chimère ? Depuis des dizaines de millénaires, l'homme sait que rien ne peut barrer à l'âme le chemin de l'éternité. S'il s'est inhumer sous de lourdes dalles, enfoui au sein de la terre, c'est parce qu'il était convaincu que la foi est capable d'ouvrir les portes des prisons et des tombeaux. Le devoir commande d'exécuter la volonté suprême de la majorité des hommes et des milliards de morts ; leurs dépouilles sont devenues poussière mais le côté spirituel de l'existence était pour eux la promesse d'une vie future et éternelle.

Et cela seul importe...

Bibliographie

Les besoins de l'homme

BRIEFS, G.A. : The Crisis of Our Age, The Review of Politics, Vol. 4, Nr. 1, Notre Dame 1942, p. 319. - BRUNNER, A. : Die Religion, Freiburg 1956. The Holy Bible, Romans 8, 6. - SCHEBESTA, R.P. : Congo, Bruxelles 1931, p. 9.

La question essentielle

ALBRIGHT, W.F.: From the Stone Age to Christianity, Baltimore 1946, p. 310. - KUHN, H.: The Journal of Philosophy, 44, 1947, p. 491. - LIPS, J. : Einleitung in die vergleichende Völkerkunde. - OSGOOD, C.: Southwestern Journal of Anthropology, vol. 7, 1951, pp. 202-214. - SCHMIDT, W.: Handbuch der Methode der kulturhistorischen Ethnologie, Münster i. W. 1937.

L'homme, il y a 600 000 ans

BLACK, O.: Tertiary Man in Asia, Bull. Geol. Soc. China, Bd. 5, 1927, pp. 3-4. - BLANC, A.C.: Das Auftreten des Menschen, Handbuch der Weltgeschichte, Bd. 1, herausg, v. A. Randa, Olten und Freiburg i. Br. 1954, pp. 37-38. - BOULE, M.: Le Sinanthrope, L'Anthropologie, Bd. 39, 1929. Les Hommes Fossiles, Paris. - BREUIL, H.: Le feu et l'industrie de pierre et d'os dans le gisement du Sinanthropus à Chou Kou Tien, L'Anthropologie, Bd. 42, 1932, pp. 5, 6, 11. - BROOM, R./ROBINSON, J.T.: Further Evidence of the Structure of the Sterkfontein Ape-Man Plesianthropus, Transvaal Museum Memoir, Nr. 4, Pretoria 1950, p. 82; Man contemporaneous with the Swartkrans Ape-Man, Am. J. Phys. Anthrop., Bd. 8, 1950, pp. 151-184. - DART, R.A.: The Predatory Implemental Technique of Australopithecus, Am. Journ. Phys. Anthr., New Series, Bd. 7, 1949. - DUBOIS, E.: Pithecanthropus erectus, eine menschenähnliche Ubergangsform aus Java, Batavia 1894. - EHGARTNER, W. : Fossile Menschenaffen aus Südafrika, Mitt. Anthrop. Ges. Wien, Bd. 80, 1950, p. 207. Die stammesgeschichtliche Einstufung von Australopithecus Prometheus Dart, Mitt. Anthrop. Ges. Wien, Bd. 78-79, 1949, p. 2ff. - v. EICKSTEDT, E.: Der derzeitige

Stand der Urmenschforschung, Arch. Jul. Klaus Stiftung, Bd. 24, 1949, p. 31. - FEHRINGER, O.: Die Welt der Säugetiere, München 1953, p. 352. - GERVAIS, P.: Sur un singe fossile, d'espèce non encore décrite, qui a été découvert au Monte Bamboli, C.R. Acad. Sci. 74, 1872. - HOLMES, A.: An Estimate of the Age of the Earth, Nature, Bd. 157, London 1946, pp. 680-684. The Age of the Earth, Endeavour, Bd. 6, London 1946, pp. 99-108. - HURZELER, J.: Oreopithecus bambolii Gervais Basel 1958, p. 5. - KALIN, J.: Die ältesten Menschenreste und ihre stammes - geschichtliche Deutung, Historia Mundi, Bd. 1, München 1952, pp. 72, 75, 92-93. - v. KONIGSWALD, G.H.R.: Neue Pithecanthropusfunde 1936-1938, Wet. Meded. Dienst Mijnbouw Ned. Indie, Bd. 28, 1940. - KOPPERS, W.: Der historische Gedanke in Ethnologie und Prähistorie, Kultur und Sprache, Wiener Beitr. zur Kulturgeschichte und Linguistik, Wien 1952, p. 34. - LE GROS CLARK, W.E.: New Palaeontological Evidence Bearing on the Evolution of the Hominoidea, Quart. J. Geol. Soc. London, Bd. 105, Teil 2, 1950, pp. 225-264. - MILANKOWITSCH, M.: Astronomische Mittel zur Erforschung der erdgeschichtlichen Klimate, Handb. Geophys., Bd. 9, Berlin 1938. Kanon der Erdbestrahlung und seine Anwendung auf das Eiszeitenproblem, Ed. spec. Acad. R. Serbe, Belgrad 1941. - MOVIUS, H. L.: Early Man and Pleistocene Stratigraphy in Southern and Eastern Asia, Pap. Peabody Mus. Am. Arch. Ethnol., Harvard University, Bd. 19, 1944. - MUCKERMANN, H.: Der Mensch in der Weltwirtschaft, Berlin 1951. - OVERHAGE, P.: in « Das stammesgeschichtliche Werden der Organismen und des Menschen », Basel-Freiburg-Wien 1959, p. 238. - PEI, W.C.: Notice of the Discovery of Quartz and other Stone Artifacts in the Lower Pleistocene Hominid-Bearing Sediments of the Choukoutien Deposit, Bull. Geol. Soc. China, Bd. 11, 1931/32. - REMANE, A.: in: Frank-furter Allgemeine Zeitung, 3. 11. 59, Nr. 255, p. 12 " Doch keine Frühmenschen ". Ist Oreopithecus ein Hominide? Abh. Akad. Wiss. und Lit. Mainz, Nat.-Math. Kl. 12. - RUTIMEYER L.: Uber Pliocen und Eisperiode aufbeiden Seiten der Alpen, Basel 1876. - SALLER, K.: Art- und Rassenlehre des Menschen, Stuttgart 1949. Grundlagen der Anthropologie, Stuttgart 1949. - SCHMIDT, P.W.: Völkerkunde und Urgeschichte in gemeinsamer Arbeit an der Aufhellung ältester Menschheitsgeschichte, Mitt. d. Naturforsch. Ges., Bern 1941. - TSCHUMI, O.: Urgeschichte der Schweiz, Bd. 1, Frauenfeld 1949. p. 439. - VALLOIS, H. V.: Les preuves Anatomiques de l'origine Monophyletique de l'homme. L'Anthropologie, Bd. 39, 1929, pp. 77-101. - WEIDENREICH, F.: Die Sonderform des Menschenschädels als Anpassung an den aufrechten Gang, Z. Morph. Anthrop., Bd. 24, 1924. The skull of Sinanthropus pekinensis, Palaeontologica Sinica, n.s. D., Nr. 10, 1943. About the morphological character of the Australopithecinae skull, Robert Broom Commemor. Vol. Roy. Soc. S. Afr., 1948, pp. 153-158. - WEINERT, H.: Ursprung der Menschheit, Stuttgart 1932. - ZEUNER, F.E.: Dating the Past, London 1952, p. 307ff. Dating the Past, Third edition, London 1952, p. 274.

Ils n'étaient pas plus primitifs que nous

ADRIAN W.: Die Frage der norddeutschen Eolithen, Paderborn 1948. - ALIMEN, H.: Atlas de Préhistoire, Bd. 1, Paris 1950. - BAYER, J.: Die ältere Steinzeit in den Sudetenländern, Sudeta, Bd. 1, 1925. Das zeitliche und kulturelle Verhältnis zwischen den Kulturen des Schmalklingenkulturkreises während des Diluviums in Europa, Die Eiszeit, Bd. 5, 1928. - BLANC, A.C.: Sulla penetrazione e diffusione in Europa ed in Italia del Paleolitico superiore, Quartär, Bd. 1, 1938. - BREUIL, H.: Les industries à éclats du paléolithique ancien, Préhistoire, Bd. 1, 1932. - BREUIL, H./KOSLOWSKI, L.: Études et stratigraphie paléolithique dans le nord de la France, la Belgique et l'Angleterre, l'Anthropologie, Bd. 42, Paris 1932, pp. 27-47. - BREUIL, H./LANTIER, R.: Les hommes de la pierre ancienne, Paris 1951. - BURKITT, M.C.: The Old Stone Age, Cambridge 1934. - GAHS, A.: Die kulturhistorischen Beziehungen der östlichen Paläosibirier zu den austrischen Völkern, insbesondere zu jenen Formosas, Sitzungsberichte der Anthropologischen Gesellschaft in Wien, Jg. 1929-1930, Wien 1930, p. 5. -

BIBLIOGRAPHIE

LEAKEY, L. S. B.: Stone Age Africa, London 1936. - LEAKEY, L.S. B./OAKLEY, K.: in " The First Men ". Recent Discovery in East Africa, by Ray Inskeep, Antiquity, Vol. 33, December 1959, pp. 285-289. - MENGHIN, O.: Weltgeschichte der Steinzeit, Wien 1931. - MOIR, J.R.: The Darmsdenian Flint Implements, Proc. prehist. Soc., Bd. 1, London 1935. - MOVIUS, H.L.: Old-World Paleolithic Archaelogy, Bull. Geol. Soc. America, Bd. 60, 1949. Zur Archäologie des unteren Paläolithikums in Südasien und im Fernen Osten, Mitt. Anthr. Ges., Bd. 80, Wien 1950. - NARR, K.J.: Zur Frage altpaläolithischer Kulturkreise, Anthropos, Bd. 48, 1953, pp. 773-794. Vorderasien, Nordafrika und Europa, Abriss der Vorgeschichte, München 1957, pp. 1-79. - OAKLEY, K. P.: Man the Tool-Maker, British Museum Natural History, London 1949. - OBERMAIER, H.: Der Mensch der Vorzeit, Berlin-München 1912. - PEYRONY, D.: Les industries « aurignaciennes » dans le bassin de la Vézère, Bull. Soc. Préhist. Franc., Bd. 33, 1936. Le Perigordien et l'Aurignacien [Nouvelles observations], Bull. Soc. Préhist. Franc., Bd. 33, 1936. - RUHLMANN, A.: Le paléolithique marocain, Publ. Serv. Antiqu. Maroc. Bd. 7, 1945. - RUST, A.: Betrachtungen über eurasiatisch-afrikanische Kulturzusammenhänge in der Steinzeit, Offa 8, Neumünster 1949. SCHMIDT, P. W.: Die Urkulturen : Altere Jagd- und Sammelstufe [Feuererzeugung] Historia Mundi, Bd. 1, München 1952, pp. 424-427. - SCHULZ-WEIDNER, W.: Vorgeschichte Afrikas südlich der Sahara, Abriss der Vorgeschichte, München 1957, pp. 85-111. - VAUFREY, R.: Le paléolithique italien, Arch. Inst. Paléont. Humaine, Mém. 3, 1928. - WARREN, H. S.: The Clacton Flint Industry : A New Interpretation, Proceed. Geologists Assoc., Bd. 62, 1951. - WEINERT, H.: Menschen der Vorzeit Stuttgart, 1947. Uber die neuen Vor- und Frühmenschenfunde aus Afrika, Java, China und Frankreich, Zeitschr. Morph. Anthropol., Bd. 42, 1951. - WIELAND, W.: Schellings Lehre von der Zeit, Heidelberger Forschungen, Heft 4, Heidelberg 1956. - ZOTZ, L.F.: Altsteinzeitkunde Mitterleuropas, Stuttgart 1951.

L'Amérique est peuplée depuis 100 000 ans

ANTEVS, E.: The Age of " Minnesota Man " : Carnegie Institution Yearbook, No. 36, Washington 1937, pp. 335-338. The Great Basin, with Emphasis on Glacial and post-Glacial Times; Climatic Changes and pre-White Man : University of Utah Bull, Vol. 33, No. 20, Salt Lake City 1948, pp. 168-191. - BRYAN. K./RAY, L. L.: Geologie Antiquity of the Lindenmeier Site in Colorado ; Smithsonian Misc. Col. Vol. 99, No. 2, Washington 1940. - CARTER, G.F.: Man in America ; A. Criticism of Scientific Thought : Scientific Monthly, Vol. LXXIII, No. 5, Washington 1951, pp. 297-307. - COTTER, J.L.: The Occumence of Flints and Extinct Animals in Pluvial Deposits near Clovis, New Mexico, Proc. Phila. Acad. Nat. Sci., Vol. 89, 1937, pp. 2-16. The Occumence of Flints and Extinct Animals in Pluvial Deposits near Clovis, New Mexico, Proc. Phila. Acad. Na. Sci., Vol. 90, 1938, pp. 113-117. - CRESSMAN, L.S.: Western Prehistory in the Light of Carbon 14 Dating, Southwestern Journal of Anthropology. Vol. 7, 1951 Albuquerque, pp. 289-313. - DE TERRA, H./JAVIER, R./STEWART, T. D.: Tepexpan Man : Viking Fund Publications in Anthropology, No. 11, New York 1949. - EISELEY, L.C.: The Paleo Indians : Their Survival and Diffusion, New Interpretations of Aboriginal American Culture History, Washington, D.C. 1955, 75th Anniversary Volume of the Anthropological Society of Washington. - FIGGINS, J.D.: A further Contribution to the Antiquity of Man in America : Proc. Colorado Museum of Nat. Hist., Denver 1933. The Antiquity of Man in America : Natural History, Vol. XXVII, No. 3, New York 1927, pp. 229-239. - GIDDINGS, Jr. : Early Flint Horizons on the North Bering Sea Coast, Journal of the Washington Academy of Sciences, Vol. 39, 1949, pp. 85-90. - GROSS, H.: Mastodon, Mammoth, and Men in America : Bull. of the Texas Archaeo. and Palaeo. Soc., Lubbock 1951, pp. 217-224. - HANSEN, S.: Lagoa Santa Racen, E Museo Lundii, Vol. 1, part V, Kopenhagen. - HAURY, E. W.: A Mammoth Hunt in Arizona, Archaeology 1955, pp. 51-55. - HIBBEN, F.C. : Evidences of Early Occupation of Sandia Cave, New Mexico, and other Sites in the Sandia-Manzano Region : Smithsonian

Misc. Col., Vol. 99, No. 23, 1941. - IBARRA GRASSO, D. E.: Das Altpaläolithikum in Amerika, Zeitschrift für Ethnologie, Vol. 83, 1958, pp. 170-197. - IMBELLONI, J.: La industria de la piedra en Monte Heroso, Anal. de la Fac. de Cienc. de Educación, Parana, II, 1928, pp. 147-168. - JENKS, A. E.: Pleistocene Man in Minnesota, Minneapolis, 1936. - LIBBY, W.F./ANDERSON, E.C./ARNOLD, J.R.: Age Determination by Radiocarbon Content : World-Wide Assay of Natural Radiocarbon, Science, 109, 1949, pp. 227-228. - LUTKEN, C.F.: Indledende Bemaerkninger om Menneskelevninger i Brasiliens Huler og i de Lundske Samlinger, E. Museo Lundii, Kopenhagen, Vol. I, part IV. - MARINGER, J.: Contribution to the Prehistory of Mongolia, Reports from the Scientific Expedition to the North-Western Provinces of China under the Leadership of Dr. Sven Hedin, VII, Archaeology, Stockolm 1950. A Stone Industry of Patjitanian Tradition from Central, Kokohaku Zasshi XLII, No. 2, The Archaeological Society of Nippon, 1957. - MEGGERS, B.J.: The Coming of Age of American Archaeology, Washington, D.C. 1955, 75th Anniversary Volume of the Anthropological Society of Washington. - MENGHIN, O.F.A.: Das Protolithikum in Amerika, Acta Praehistorica I, Buenos Aires 1957, pp. 5-40. - PERICOT, L.: South American Prehistory : A. Review, Antiquity, 1955, pp. 89-94. - POCH, H.: Beitrag zur Kenntnis von den fossilen menschlichen Funden von Lagoa Santa [Brasilien] und Fontezuelas [Argentinien], Mitteilungen der Anthropologischen Gesellschaft, Wien 1938, pp. 311ff. - ROBERTS, Jr., F.H.H.: The Folsom Problem in American Archaeology, Annual Report of the Board of Regents of the Smithsonian Institution, Washington 1939, pp. 531 sq. - ROTH, S./SCHILLER, W.WITTE, L./KANTOR, M./TORRES, L.M./AMEGHINO, C.: Nuevas investigaciones geológicas y antropológicas en el litoral maritimo sur de la provincia de Buenos Aires, Anal. del Museo Nac. 36, 1915, pp. 417-431. - SCHULTEN, A.: Tartessos, Hamburg 1950. - SOLECKI, R.S.: Archaeology and Ecology of the Arctic Slope of Alaska, Annual Report of the Board of Regents of the Smithsonian Institution, Washington 1951, pp. 469ff. New data on the Inland Eskimo of Northern Alaska, Journal of the Washington Academy of Sciences, Vol. 40, 1950, pp. 137-156. - WORMINGTON, H.M.: Ancient Man in North America, The Denver Museum of Natural History, Denver 1957. Origins, Program of the History of America, I, I, Mexico, 1953. - YAWATA, ICHIRO : Anthropology, Contribution to the Prehistoric Archaeology of Northern Jehol, Report of the first Scientific Expedition to Manchoukuo, 1940.

Il n'y a pas de passé sans histoire

BARKER, SIR E.: Dr. Toynbee's Study of History, International Affairs, Vol. 31, 1955, pp. 5-16. - BERNHEIM, E.: Lehrbuch der historischen Methode, Leipzig 1908. - BREUIL, H.: Le Paléolithique ancien en Europe occidentale et sa chronologie, Bull. Soc. Préhist. Française, Bd. 29, 1932. - COLLINGWOOD, R.G.: The Idea of History, Oxford 1951. - COON, C.S.: The Races of Europe, New York 1939. - DAWSON, C.: Toynbee's Study of History, International Affairs, Vol. 31, London 1955, pp. 149-158. - GRAEBNER, F.: Methode der Ethnologie, Heidelberg 1911. - GURIAN, W.: Toynbee's Time Machine, The Review of Politics, Notre Dame, Ind. 1942, 4, pp. 508-514. - HEINE-GELDERN, R.: Herkunft und Ausbreitung der Hochkulturen, Almanach der Œsterr. Akad. d. Wiss., Jg. 105. Wien 1956. L'origine des anciennes civilisations et les théories de Tonybee, Diogène, Janvier 1956, Paris. - KAERST, J.: Universalgeschichte, Stuttgart 1930. - KIRN, P.: Einführung in die Geschichtswiessenschaft, Berlin 1952. - KOPPERS, W.: Das Problem der Universalgeschichte im Lichte von Ethnologie und Prähistorie, Anthropos, Bd. 52, 1957, pp. 369-389. Zusammenarbeit von Ethnologie und Prähistorie [Ein Beitrag zur Methode beider Wissenschaften], Bd. 78, 1953, pp. 1-16. Der historische Gedanke in Ethnologie und Prähistorie, Kultur and Sprache, Wien 1952, pp. 1-65. Der Urmensch und sein Weltbild, Wien 1949. - KRAFT, G.: Der Urmensch als Schöpfer, Tübingen 1948. - KUHN, H.: Book Review : Toynbee, A Study of History, Journal of Philosophy, Vol. 44, 1947, pp. 477-485 und p. 491. - LÉVY-BRUHL, L.: Die geistige Welt der

Primitiven, München 1927. Les carnets de Lucien Lévy-Bruhl, Paris 1949. MENGHIN, O.: Weltgeschichte der Steinzeit, Wien 1941. - PODACH, E.F.: Zum Abschluss von L. Lévy-Bruhls Theorie über die Mentalitat der Primitiven, Zeitschrift für Ethnologie, Bd. 76, 1951, pp. 42-49. - SCHIROKOGOROW, S.M.: Psychomental Complex of the Tungus, Schanghai-London 1935. - SCHMIDT, P.W.: Der Ursprung der Gottesidee, Münster i. W. 1955. - TOYNBEE, A.J.: A Study of History, London 1934-1954. - TYLOR. E.B.: Researches into the Early History of Mankind, 1865. Primitive Culture, 1871. Anthropology, 1881. - v. WINEL BEI BULACH, E.E.S.: Die philosophische und politische Kritik Oswald Spenglers, Zürich 1958.

De l'origine des Indiens d'Amérique

BOAS, F.: Relationships between North-West America and North-East Asia [1933] ; Race, Language and Culture, New York 1949. Classification of American Indian Languages ; Race, Language and Culture [1929], New York 1949. Relationships between North-West America and North-East Asia, The American Aborigines, Their Origin and Antiquity, ed. by Diamond Jenness, Toronto 1933. - BUSHNELL, G./McBURNEY, C. : New World Origins seen from the Old World, Antiquity, Vol. 33, No. 130, 1959, pp. 93-101. - CHARD, C. S. : New World Origins : A Reappraisal, Antiquity, Vol. 33, No. 129, 1959, pp. 44 sq. An Outline of the Prehistory of Siberia, Southwestern Journal of Anthropology, Vol. 14, 1958, pp. 1-33. - CRESSMAN, L.S.: Western Prehistory in the Light of Carbon 14 Dating, Southwestern Journal of Anthropology, Vol. 7, Albuquerque 1951, pp. 289-313. - EISELEY, L.C.: The Paleo Indians : Their Survival and Diffusion, New Interpretations of Aboriginal American Culture History, Washington, D.C. 1955, 75th Anniversary Volume of the Anthropological Society of Washington. - EKHOLM, G.F.: The New Orientation Toward Problems of Asiatic-American Relationships, Washington, D.C. 1955, 75th Anniversary Volume of the Anthropological Society of Washington. - FREUND, GISELA : Die Blattspitzen des Paläolithikums in Europa, Bonn 1952. - GIDDINGS, Jr.: Early Flint Horizons on the North Bering Sea Coast, Journal of the Washington Academy of Sciences, Vol. 39, 1949, pp. 85-90. - IBARRA GRASSO, D.E.: Das Altpaläolithikum in Amerika, Zeitschrift für Ethnologie, Bd. 83, 1958, pp. 170-197. - HANSEN, S.: Lagoa Santa Racen, E Museo Lundii, Vol. 1, part V, Kopenhagen. - HENTZE, C.: Bronzegerät, Kultbauten, Religion im ältesten China der Shang-Zeit, Antwerpen 1951. - JENNESS, D.: The Indians of Canada, Ottawa 1932. - JENKS, A.E.: Pleistocene Man in Minnesota, Minneapolis 1936. - LUTKEN, C.F.: Indledende Bemaerkninger om Menneskelevninger i Brasiliens Huler og i de Lundske Samlinger, E Mueso Lundii, Kopenhagen, Vol. 1, part IV. - MARINGER, J.: Contribution to the Prehistory of Mongolia, Reports from the Scientific Expedition to the North-Western Provinces of China under the Leadership of Dr. Sven Hedin, VII, Archaeology, Stockholm 1950. - MASON, J.A.: The Languages of South American Indians, handbook of South American Indians, 6, 1950, 157-317. - MEGGERS, B.J.: The Coming Age of American Archaeology, Washington, D.C. 1955, 75th Anniversary Volume of the Anthropological Society of Washington. - PERICOT, L.: South American Prehistory : A. Review, Antiquity 1955, pp. 89-94. - PÖCH, H.: Beitrag zur Kenntnis von den fossilen menschlichen Funden von Lagoa Santa [Brasilien] und Fontezuelas [Argentinien], Mitteilungen der Anthropologischen Gesselschaft, Wien 1938, pp. 311 ff. - RIVET, P.: Les origines de l'homme américain, Paris 1957. - ROBERTS, Jr., F.H.H.: The Folsom Problem in American Archaeology, Annual Report of the Board of Regents of the Smithsonian Institution, Washington 1939, pp. 531 ff. - SCHAFER, R.: Athapaskan and Sino-Tibetan, International Journal of American Linguists, Vol. 18, Baltimore 1952, pp. 12 sq. - SOLECKI, R.S.: Archaeology and Ecology of the Artic Slope of Alaska, Annual Report of the Board of Regents of the Smithsonian Institution, Washington 1951, pp. 469 sq. New data on the Inland Eskimo of Northern Alaska, Journal of the Washington Academy of Sciences, Vol. 40, 1950, pp. 137-156. - TSCHOPIK, jr., H.: Indians of North America, Man and

Nature Publications, Tne American Museum of Natural History, New York 1958. - WISSLER, C.: The American Indian, Third Edition, New York 1938. - WORMINGTON, H.M.: Ancient Man in North America, The Denver Museum of Natural History, Denver 1957.

Le Dieu Suprême des Amérindiens

BARETT, S.A.: A Composite Myth of the Pomo Indians, Journal of American Folk-Lore, Vol. 19, 1906, pp. 37-51. Pomo Bears Doctors, University of California Publications of American Archaeology and Ethnology, Vol. 12, 1917, pp. 443-465. - BIRD, J.: Antiquity and Migrations of the Early Inhabitants of Patagonia, The Geografical Review, 28, 1938, pp. 250-275. Before Magellan, Natural History, XLI, 1938, New York. - BIRKET-SMITH, K.: A geographic study of the Early history of the Algonquian Indians, Internationales Archiv für Ethnographie, Bd. 24, 1918, pp. 174-222. - CHAMBERLAIN, A.F.: Nanibozhu Amongst the Otchipwe, Mississagas, and other Algonkian Tribes, Journal of American Folk-Lore, Vol. IV, 1891, pp. 193-213. - COOPER, J.M.: Analytical and Critical Bibliography of the Tribes of Tierra del Fuego and Adjacent Territory, Bureau of American Ethnology, Bulletins, LXIII, Washington 1917. Culture Diffusion and Culture Areas in Southern South America, Inter nationale Amerikanisten-Kongresse, Proceedings, Göteborg, 1925. - DOBRIZHOFFER, M.: Geschichte der Abiponer, aus dem Lateinischen von A. Kreil, Wien 1783-84. - FALKNER, Th.: Description de la Patagonia, Trad. A. Lafone Quevedo, Univ. Nac. de La Plata, Bibl. Centenaria, Buenos Aires, 1911. - GIFFORD, E.W.: Miwok Myths, University of California Publications of American Archaeology and Ethnology, Vol. 8, 1917, pp. 283-338. - GODDARD, Pl.E.: Kato texts, University of California, Publications in American Archaeology and Ethnology, Berkeley 1909. - GUSINDE, M.: Die Feuerland Indianer, Mödling bei Wien 1931. - HAEKEL, J.: The Concept of a Supreme Being among the North-west-Coast Tribes of North America, Wiener Völkerkundliche Mitteilungen, Jahrgang 2, Wien 1954, pp. 171-183. - HARIOT, Th. : Narrative of the First English plantation of Virginia, 1588 and London 1893. - HARRINGTON, M.R.: Indian Notes and Monographs, Religion and Ceremonies of the Lenape, New York 1921. - HECKEWELDER, J.: An Account of the History, Manners and Customs of the Indian Nations who once inhabited Pennsylvania and the Neighboring States, Transactions of the American Philosophical Society, vol. I, Philadelphia 1819, p. 205. - HOFFMAN, W.J.: The Midewiwin or " Grand Medicine Society " of the Ojibwa, Seventh Annual Report of the Bureau of Ethnology, Washington 1891, p. 163. - JONES, W.: Ojibwa Tales From the North Shore of Lake Superior, Journal of American Folklore, vol. 29, 1916, pp. 368-391. - The Algonkin Manitou, Journal of American Folklore, vol. 18, 1905, p. 183. - KOPPERS, W.: Die Erstbesiedlung Amerikas im Lichte der Feuerland-Forschungen [Ethnologie, Prähistorie, Anthropologie, Blutgruppenuntersuchungen], Bulletin der Schweizerischen Gesellschaft für Anthropologie und Ethnologie, Jahrgang 20, 1944, pp. 49-63. - KRICKEBERG, W.: Beiträge zur Frage der alten Kulturgeschichtlichen Beziehungen zwischen Nor- und Südamerika, Zeitschrift für Ethnologie, Jahrgang 66, 1935, pp. 287-373. KROEBER, A.L.: Elements of Culture in Native California, University of California, Publications in Amer. Archaeol. and Ethnol., Berkeley 1922. Handbook of the Indians of California, Bureau of Amer. Ethnology, Reports, Washington 1925. Wishosk Myths, Journal of American Folk-Lore, vol. 18, 1905, pp. 85-107. Wiyot Folk-Lore, JAFL, vol. 21, 1908, pp. 37-39. JAFL, vol. 6, p. 348. JAFL, vol. 7, pp. 117-119. - LANG, A.: Magic and Religion, London-New York-Bombay 1901. Myth, Ritual and Religion, New Impression, London-New York-Bombay 1901. - MARKHAM, C.: Early Spanish Voyages to the Strait of Magellan, London 1911. - MERRIAM, C.H.: The down of the world, myths and weiro tales told by the Mewan Indians of California, Cleveland 1920. - MÉTRAUX, A.: Religion and Shamanism, Handbook of South American Indians, 5, 1949, pp. 559-599. - MORENO, F.P.: Viage a la Patagonia Austral, Buenos Aires, 1879. - MUSTERS, G.C.: Unter den Patagoniern, aus dem Englischen von Martin, Jena 1873. - D'ORBIGNY, A.: Voyage dans l'Amérique Méridionale, Paris 1835-44. L'homme américain [de l'Amérique Méridionale] considéré sous ses rapports physiologiques et moraux, Paris 1839. - PENN, W.: A letter William Penn, Proprietary and Governor of Pennsylvania in America to the Committee of the Free Society of Traders of that Province, Residing in London, London 1683, p. 6. - POWERS, St.: Tribes of California, Overland Monthly, I. ser. vol. 8-14. Tribes of California, Contributions to the North American Ethnology, Washington 1877.

L'agonie des Yaghans
Les Alacaloufs, premiers Américains
Temaukl, dieu des Selknams

BANKS, Sir J.: Journal of Sir Joseph Banks, ed. by Sir J. D. Hooker, London 1896, pp. 43-61. - BARCLAY, W.S.: The Land of Magellanes, with some account of the Ona and other indians. The Geographical Journal 23, 1904, pp. 62-79. - BIRD, J.: The Alacaluf, Handbook of South American Indians, 1, 1946, pp. 45-79, Antiquity and Migrations of the Early Inhabitants of Patagonia, The Geographical Review, 28, 1938, pp. 250-275. Before Magellan, Natural History, 41, 1938, New York. - BORGATELLO, M.: Notizie grammaticali e glossario della lingua degli indi Alakaluf, Torino 1928. - COOPER, J.M.: The Chono, Handbook of South American Indians, 1, 1946, pp. 47-54, The Yaghan, Handbook of South American Indians, 1, 1946, pp. 81-106, The Ona, Handbook of South American Indians, 1, 1946, pp. 107-125, The Patagonian and Pampean Hunters, Handbook of South American Indians, 1, 1946, pp. 127-168, Analytical and Critical Bibliography of the Tribes of Tierra del Fuego and Adjacent Territory. Bureau of American Ethnology, Bulletins, 63, Washington 1917, Culture Diffusion and Culture Areas in Southern South America, Internationale Amerikanisten-Kongresse, Proceedings, Goteborg 1925. - DARWIN, C.: Journal of Researches into the Natural History and Geology, London 1860. - EMPERAIRE. J.: Les Nomades de la Mer, Paris 1955. - FALKNER, Th.: Description de la Patagonia, Trad. A. Lafone Quevedo, Univ. Nac. de la Plata, Bibl. Centenaria, 1931, 2 1937, 3, 1939 und Anthropologie, Urmensch im Feneland, Berlin, Wien, Buenos Aires, 1911. - GUSINDE, M.: Die Fueerland-Indianer, Mödling bei Wien, 1, Leipzig 1946. - HILDEN, K.: Zwei Indianerschädel aus Feuerland, Helsinki 1930, Acta Geographica 3, Nr. 2. - KOPPERS, W.: Unter Feuerland-Indianern, Stuttgart 1924. Die Erstbesiedlung Amerikas im Lichte der Feuerland-Forschungen [Ethnologie, Prähistorie, Anthropologie, Blutgruppenuntersuchungen], Bulletin der Schweizerischen Gesellschaft für Anthropologie und Ethnologie, Jahrgang 20, 1944, pp. 49-63. - MARKHAM, C.: Early Spanish Voyages to the Strait of Magellan, London 1911. - MÉTRAUX, A.: Religion and Shamanism, Handbook of South American Indians, 1949, pp. 559-599. - MORENO, F.P.: Viaje a la Patagonia Austral, Buenos Aires, 1879. - MUSTERS, G.C.: Unter den Patagoniern, aus dem Englischen von Martin, Jena 1873. - NORDENSKJOLD, O.: Das Feuerland und seine Bewohner, Geographische Zeitschrift, herausgegeben v. A. Hettner, Leipzig 1896, pp. 662-674, Wissenschaf tliche Ergebnisse der schwedischen Expedition nach den Magellansländern 1895-1897, Stockholm 1899-1907. - D'ORBIGNY, A.: Voyage dans l'Amérique Méridionale, Paris 1835-1844, L'homme américain [de l'Amérique Méridionale] considéré sous ses rapports physiologiques et moraux, Paris 1839. RADIN, P. : Some-Myths and Tales of the Ojibwa of Southeastern Ontario, Ottawa 1914. - SCHMIDT, P.W.: Der Ursprung der Gottesidee, II. Teil, II. Band, Die Religionen der Urvölker Amerikas, Münster i.W. - SKINNER, A.: Plains Ojibwa Tales, Journal of American Folk-Lore, vol. 32, 1919, pp. 280-305. - SMITH, W.: General History of New England, 1606-1624. - STRACHEY, W.: Histoire of Travaile into Virginia Britannia, ed. Arber, Hakluyt Society, 1849. - TEIT, J.: Traditions of the Thompson River Indians of British Columbia, Boston-New York 1898, Memoirs of the American Folk-Lore Society, Vol. 6. - TYLOR, E.B.: Primitive Culture, vol. 2, London 1871, p. 308. On the Limits of Savage Religion, Journal of the Anthropological Institute, vol 21, 1892, p. 284 sq. - WAITZ, Th.: Anthropologie der Naturvölker, Dritter Teil : Die Amerikaner, Leipzig 1862. - WINSLOW, E.: siehe bei A. Young, Chronicles of the Pilgrim Fathers, Boston 1841, und Elliott, New England history, New York 1857. - ZEISBERGER, D.: History of the Northern American Indians, Ohio Archaeological and Historical Quarterly, Vol. XIX, Columbus 1910, p. 128.

Paléo-Asiates et Toungouses

BOGORAS, W.: Chukchee, Handbook of American Indian Languages by F. Boas, Washington 2, 1922. - JAKOBSON, R.: Structure of the Gilyak, Journal of the American Oriental Society, The Paleosiberian Languages, American Anthropologist, Vol. 44, 1942, pp. 602-620. - JORGENSEN, J.B.: The Eskimo Skeleton, Meddelelser om Grönland, Vol. 146, Nr. 2, Köbenhavn 1953, p. 114. - KORSAKOW, G. : Lingwistitscheskie materialy S.P. Krascheninnikowa i ich snatschenie dija issledowanija paleoasiatskich jasykow, Sowjetski Sewer II, 1939, Samoutschitel nymylanskowo jasyka, Moskau, 1936. - LAUFER, B.: Eininge linguistiche Bemerkungen zu Grabowsky's Giljakischen Studien, International. Archiv für Ethnographie II, 1898. - RADLOFF, L.: Uber die Sprache der Tschuktschen und ihr Verhältnis zum Korjakischen, Mémoires de l'Académie des Sciences, St. Petersburg, série 6, Vol. 3, No. 10, 1861. - RAMSTEDT, G.: Uber den Ursprung der sorgenannten Jenissei-Ostjaken Journal de la Société, Finno-Ougrienne 34, 1907. - STEENSBY, H.P.: An Anthropogeographical Study of the Origin of the Eskimo Culture, Meddelelser om Grönland, Vol. 13. Kopenhagen 1917, pp. 41-228. - STERNBERG, L.: Giljaki, orotschi, goldy, negidalzy, Chabarowsk, 1933. - Jasyki i pismennost paleoasiatskich narodow, Trudy po lingwistike Nautschno-issledowatelskoi Assoziazii Instituta Narodow Sewera, Leningrad III, 1934.

L'agonie des Toungouses

ANISIMOW, A.F.: Rodowoje obschtschestwo ewenkow [tungusow], Leningrad 1936. - BENZING, J.: Einführung in das Studium der altaischen Philologie und der Turkologie, Wiesbaden, 1953. - BOGORAS, W.G.: Otscherk materialnowo byta olennych tschuktschei, SMAE I, St. Petersburg, 1901. - COXWELL, G.F.: Siberian and other Folk-Tales, London 1925, p. 53 und p. 56. - FINDEISEN, H.: Aus Ostsibirien, Drei Beiträge zur Religions- und Wirtschaftskunde der Tungusen, Zeitschrift f. Ethnologie, Jahrgang 1953/1954. - FINNIE, R.: Canada moves North, New York, 1942, p. 78. - HANCAR, F.: Kulturelement Pferd, Saeculum, Bd. 7, 1956, pp. 442-453. - JAKUTSKI, N.: Der goldene Bach, Berlin 1951, pp. 295-296. - JOCHELSON, W.: The Yukaghir and the Yukaghirized Tungus, The Jesup North Pacific Expedition, Bd. 9, Leiden-New York, 1926, pp. 361-369. - KOLARZ, W.: The Peoples of the Soviet Far East, London 1954, p. 72. - LEWIN, M.G. : Antropologitscheskie issledowanija na Amure i Sachaline, IEKS, Bd. 5, 1949. - MINNS, E.H. : The Art of the Northern Nomads, Proceedings of the British Academy, London 1942, pp. 47-99. - THIEL, E. Sowjet-Fernost, München 1953. Die Mongolei, Land, Volk und Wirtschaft der mongolischen Volksrepublik, München 1958. - SHIROKOGOROW, S.M.: New Contributions to the Problem of the Origin of Chinese Culture, Anthropos, Bd. 26, 1931. - SIRELIUS, U.T.: Uber die Art und Zeit der Zähmung des Rentiers, Journal de la Société Finno-Ougrienne, Helsingfors 1916. - WASILEWITSCH, G.M.: Materialy jasyka k probleme etnogenesa tungusow, IEKS 2, 1946. Drewneischie etnonimy Asii i naswanija ewenkiskich rodow, Sowjetskaja Etnografija, 1946. Ewenkiskaja ekspedizija, IEKS,, 1949. Tungusski nagrudnik u narodow Sibiri, Sbornik museja antr. i etnogr. Bd. II Moskau-Leningrad 1949. K. woprosu o paleoasiatach Sibiri, IEKS 8, 1949.

BIBLIOGRAPHIE

Le pays d'origine des Toungouses

ANISIMOW, A.F.: Predstawlenija ewenkow o dusche i problema proischoschdenija animisma, Trudy institua etnografii, nowaja serija, Bd. 14, Moskau 1951, pp. 109-118. - BENZING, J.: Die tungusischen Sprachen, Akademie der Wissenschaften und der Literatur, Nr. 2, Wiesbaden 1955. - DEBEK, G. F.: Antropologitscheskie issledowanija w kamtschatskoi oblasti, Trudy instituta etnografii, nowaja serija, Bd. 17, Moskau 1951. - FINDEISEN, H.: Aus Ostsibirien, Augsburg 1955. - FLOR, F.: Zur Frage des Rentiernomadismus, Mitteilungen der Anthropologischen Gesellschaft in Wien, Bd. 60, Wien 1930. - GRAHAM, D.C.: Songs and stories of the Ch'uan Miao, Washington 1954. - HARVA, U.: Die religiösen Vorstellungen der altaischen Völker, Helsinki 1938. - HIEKISCH, C.: Die Tungusen, St. Petersburg 1879. - HOLMBERG, U.: The Mythology of all Races, Bd. 4, p. 300. - JETTMAR, K.: Zur Herkunft der türkischen Völkerschaften, Archiv. für Völkerkunde 3, 1948, p. 9, Zum Problem der tungusischen " Urheimat ", Kultur und Sprache, Wiener Beiträge zur Kulturgeschichte und Linguistik, 1952, pp. 484-511. - KOPPERS, W.: Tungusen und Miao, Mitteilungen der anthropologischen Gesellschaft, Bd. 60, Wien 1930, p. 306. - LEWIN, M.G.: Antropologitscheskie tipy Sibiri i Dalnewo Wostoka, Sowjetskaja Etnografija, Bd. 2, 1950. - v. MIDDENDORFF, A.: Reise in den äussersten Norden und Osten Sibiriens während der Jahre 1843 und 1844, St. Petersburg 1875. - MIRONOW, N.D./SHIROKOGOROW, S.M.: Sramana-Shaman Etymology of the Word " Shaman ", The Journal of the North China Branch of the Royal Asiatic Society, Bd. 55, 1924. - OKLADNIKOW, A.P.: Neolititscheskie pamjatniki kak istotschnik po etnogonii Sibiri i Dalnewo Wostoka, KSIIMK, 1941. Istorija Jakutii, Bd. 1, Jakutsk 1949. K isutscheniju natschalnych etapow formirowanija narodow Sibiri, Sowjetskaja Etnografija, Bd. 2, 1950. - SAVINA: Histoire des Miao, Hong-kong 1924. - SHIROKOROW, S.M.: Who are the Northern Chinese? Journal of the North-China Branch of the Royal Asiatic Society, Bd. 55, 1924, pp. 1-13. - v. SCHRENCK, L.: Reisen und Forschungen im Amur-Lande, Bd. 3, 1881, p. 11.

Les crânes d'ours, objets de dévotion

ALBERT, F.: Die Waldmenschen Udehe, Forschungsreisen im Amur-und Ussurigebiet, Dardmsdt 1956. - ATKINSON, T.W.: Travels in the Regions of the Upper and Lower Amoor, New York 1860. - BACHLER, H.: Die Altersgliederung der Hohlenbärenreste im Wildkirchli, Wildenmannlisloch und Drachenloch, Quartär, Bd. 9, 1957, pp. 131-146. - BILBY, J.W.: Among unknown Eskimos, London 1923. - BIRKET-SMITH: Uber die Herkunft der Eskimos und ihre Stellung in der zirkumpolaren Kulturentwicklung, Anthropos 25, 1930. - BRODAR, S.: Zur Frange der Höhlenbärenjagd und des Höhlenbärenkults in den paläolithischen Fundstellen Jugoslawiens, Quartär, Bd. 9, 1957, pp. 147-159. - BYHAN, A.: Die Polarvölker, Leipzig 1909. - CZAPLICKA, M.A.: Hastings' Encyclopaedia of Religion and Ethics, Bd. 12. Aboriginal Siberia, A study in social anthropology, Oxford 1914. - DE DOBBELER: Eine Reise nach dem Tas-Busen, Globus, Bd. 49, 1886. Die Samojeden, Globus, Bd. 49, 1886. - DONNER, K.: Bei den Samojeden in Sibirien, Stuttgart 1926. - GAHS, A.: Kopf-, Schädel- und Langknochenopfer bei Rentiervölkern, Wien 1928, pp. 231-268. - GJESSING, G.: Circumpolar Stone Age, Kopenhagen 1944. - HALLOWELL, A.J.: Bear Ceremonialism in the Northern Hemisphere, American Anthropologist, Bd. 28, 1926, pp. 1-175. - HARVA, U.: Die religiösen Vorstellungen der altaischen Völker, Helsinki 1938. - HATT, G.: Moccasins and their relation to Arctic Footwear, Mem. American Anthropologist, Bd. 3, 1916. - HAWKES, E.W.: The Dance Festivals of the Alaskan Eskimos, Philadelphia 1914. - HOESSLY, H.: Kranologische Studien an einer Schädelserie aus Ostgrönland, Ergebnisse der Schweizerischen Grönlandexpedition 1912-13, Zürich 1916. - HOLMBERG, U.: Uber die Jagdriten der nördlichen Völker Asiens und Europas, Société Finno-Ougrienne, Helsinki 1925. - JENNES, D.: Report of the Canadian Arctic Espedition 1913-18, Vol. 12, The Life of the Copper Eskimos, Ottawa 1922, p. 189. - JOCHELSON, W.: The Korjak, The Jesup North Pacific Expedition, Memoir of the American Museum of Natural History, Bd. 6, Leiden-New York, 1908, The Yukaghir and the Yukaghirized Tungus, The Jesup North Pacific Expedition, Memoir of the American Museum of Natural History, Bd. 9, Leiden-New York, 1926. - LEHTISALO, T.: Entwurf einer Mythologie der Jurak-Samojeden, Société Finno-Ougrienne, Helsinki 1924. - LINDNER, K.: Die Jagd der Vorzeit, Berlin und Leipzig 1937. - LOT-FALCK, E.: Les Rites de Chasse chez les Peuples Sibériens, l'Espèce humaine, Vol. 9, Bagneux 1953. - MADERNER, J.: Das Gemeinschaftsleben der Eskimo Mitteilungen der Anthropologischen Gesellschaft in Wien, 1939, pp. 273-348. - MALAURIE, J.: Les Derniers Rois de Thule, Paris 1955. - MATHESON, C.: Man and Bear in Europe, Antiquity, Bd. 16, 1942, pp. 151-159. - NORDENSKJOLD, A.E.: The Voyage of the " Vega " around Asia, 1881, Die Nordpolarreisen Adolf Erik Nordenskjölds 1858 bis 1879 Leipzig 1880, p. 338 ff. - PALLAS, P.S.: Merkwürdigkeiten der obischen Ostjaken, Samojeden, daurischen Tungusen, udinskischen Bergtateren usw., Frankfurt-Leipzig 1777. Reise durch verschiedene Provinzen des russischen Reiches, St. Petersburg 1776. - PAULSON, I.: Die Tierknochen im Jagdritual der nordeurasischen Völker, Zeitschrift für Ethnologie, Bd. 84, Heft 2, Braunschweig 1959, pp. 270-293. - RASMUSSEN, K.: Thulefahrt, Frankfurt 1921, Eskimo Folk-Tales, ed. by W. Worster, Copenhagen-Christiania, 1921, Report of the 5th Thule Expedition 1921-24, Vol. 9, Intellectual Culture of the Copper Eskimos, Copenhagen 1932, p. 120 and p. 124, Report of the 5th Expedition, Vol. 7, Nr. 1, Intellectual Culture of the Iglulik Eskimo, Copenhagen 1929, Rasmussens Thulefahrt, 2 Jahre im Schlitten durch unerforschetes Eskimo-Land Deutsche Ubersetzung von Fr. Sieburg, Frankfurt a. M. 1926. - RUBZOWA, E.S.: Materialy po jasyku i folkloru Eskimosow, Moskau-Leningrad, 1954, Teil 1. - SCHMIDT, P.W.: Der Ursprung der Gottesidee, Münster i. W., Bd. 3, 1931, p. 563 und Bd. 6, 1935. - SCHITKOW : Poluostrow Jamal, Sapiski I. R., Geograf. Obschtschestwa po obschtschei geografii, Bd. 49, St. Petersburg 1913. - STEFANSSON, V.: Das Geheimnis der Eskimos, Leipzig 1925, p. 240. - THALBITZER, W.: Knud Rasmussen in Memoriam, American Anthropologist, Vol. 36, 1934, pp. 585-594, Die kultischen Gottheiten der Eskimos, Archiv für Religionswissenschaft 26, 1928, pp. 364-430. - WASILEWITSCH, G.M.: Ewenki, in : Narodi sibiri, Moskau-Leningrad 1956. - ZÉLÉNINE, D.: Le culte des idoles en Sibérie, Paris 1952.

L'idée religieuse il y a 70 000 ans

ABEL, O. und KYRLE, G.: Die Drachenhöhle bei Mixnitz, Speläologische Monographien, Bd. 7-9, Wien 1931. - BACHLER, H.: Die Altersgliederung der Höhlenbärenreste im Wildkirchli Wildenmannlisloch und Drachenloch, Quartär, Bd. 9, Bonn 1957, pp. 131-146, Wildkirchli, Drachenloch und Wildenmannlisloch in : Urgeschichte der Schweiz, Bd. 1, Frauenfeld 1949. - BACHLER, E.: Das Drachenloch, St Gallen 1921. Die prähistorische Kulturstätte in der Wildkirchli-Ebenalp-Höhle, St. Gallen 1906. Das Wildkirchli, die älteste prähistorische Kulturstation der Schweiz, Schriften des Vereins für Geschichte des Bodensees, Frauenfeld 1912. Das Wildkirchli, St. Gallen 1936. Das alpine Paläolithikum der Schweiz im Wildkirchli, Drachenloch und Wildenmannlisloch, Monographien zur Ur- und Früh geschichte der Schweiz, Bd. 2, Basel 1940. - BACHOFEN VON ECHT, A.: Der Bär, Monographien der Wildsäugetiere, Bd. 7, Leipzig 1939. - BEHN, F.: Vorgeschichte Europas, Berlin 1949. - BRODAR, S.: Zur Frage der Höhlenbärenjagd und des Höhlenbärenkults in den paläolithischen Fundstellen Jugoslawiens, Quartär, Bd. 9, 1957, pp. 147-159. - CHILDE, G.: What happened in History, Edinburgh 1941. - EHRENBERG, K.: Die ontogenetische Entwicklung des Höhlenbären in : Abel und Kyrle : Die Drachenhöhle bei Mixnitz, Wien 1931, 30 Jahre paläobiologischer Forschung in österreichischen Höhlen, Quartär, Bd. 5, 1951, pp. 93-108. Über Höhlenbären und Bärenhöhlen, Verhandlg. zoolog.- botanischer Gellssechaften in Wien, Bd. 95, 1955. - HORMANN, K.: Die Petershöhle bei Velden in Mittelfranken, Abhandlungen der Naturhistorischen Gesellschaft zu Nürnberg, Bd. 21, 1923, pp. 123-153. - KOBY, F.E.: Les soi-disant instruments osseux du paléolithique alpin et le charriage à sec des os d'ours des cavernes, Verhandlg. Naturf. Ges., Bd. 54, Basel 1943. Les paléolithiques ont-ils chassé l'ours des cavernes? Actes de la Société jurassienne d'Emulation, Jahrgang 1953, Porrentruy 1954. - LANCZKOWSKI, G.: Forschungen zum Gottesglauben in der Religionsgeschichte, Saeculum, Bd. 8, 1957, pp. 392-403. - LARTET, L./CHRISTY : Comptes rendus de l'Académie des Sciences, 1865. - MARTIN, H. : Recherches sur l'évolution du Moustérien dans le gisement de la Quina, Bd. 2, Paris 1910. - NARR, K.J.: Die Steinwerkzeuge aus der Zeit des Neandertalers, Der Neandertaler und seine Umwelt, Bonn 1956. - NARR, K.J./VON USLAR, R.J.C.: Fuhlrott und der Neandertaler, Der Neandertaler und seine Umwelt, Bonn 1956. - SCHLOSSER, M.: Die Bären- oder Tischoferhöhle im Kaisertal bei Kufstein, München 1909. - SCHMIDT, P. W.: Die Urkulturen : Altere Jagd- und Sammelstufe, Historia Mundi, Bd. 1, München 1952, pp. 484-487, Der Ursprung der Gottesidee, Bd. 3, 1931 pp. 534-537. - SOERGEL, W.: Die Massenvorkommen des Höhlenbären, ihre biologische und stratigraphische Deutung, Jena 1940. - VAYSON DE PRADENNE, A.: La station paléolithique du Mont-Dol, L'Anthropologie, Bd. 39, Paris 1929, pp. 1-42. VUKOVITSCH, S.: Petschina vindija kao prethistorijzka staniza, Speleolog. Bd. 1, Zagreb 1953, p. 18. - ZOTZ, L.: Die altsteinzeitliche Besiedlung der Alpen und deren geistige und wirtschaftliche Hintergründe, Sitzungsberichte der Physikalisch-Medizinischen Sozietät zu Erlangen, Bd. 78. | 1955-57] 1958.

L'homme de Cro-Magnon

ARAMBOURG, C., BOULE, M., VALLOIS, H. und VERNEAU, R. : Grottes paléolithiques de Beni Segoual, Arch. Inst. Paléont. Hum., Bd. 8, 1934. - BATAILLE, G.: Die vorgeschichtliche Malerei Lascaux, Genf 1955, p. 18. - BEATTIE, J. : The Stone Age of Mount Carmel, Bd. 2, 1939, Oxford. - BOULE, M.: Les hommes fossiles, Paris 1946. - BOULE, M. und VALLOIS, H.: L'homme fossile d'Asselar, Arch. Inst. Paléont. Hum., Mém. 9, Paris 1932. - Bulletin Société Préhistorique, Bd. 49, 50, p. 643. - COON, C.St.: The Races of Europe, New York 1939. - v. EICKSTEDT, Z.: Rassenkunde und Rassengeschichte der Menschheit, Stuttgart 1934. - GIESELER, W.: Die Fossilgeschichte des Menschen, Die Evolution der Organismen, Stuttargt 1957, pp. 998. - HAUSER, O.: Der Mensch vor 100 000 Jahren, Leipzig 1917. - MCGOWN, T.D. und KEITH, A.: The Stone Age of Mount Carmel, Bd. 2, Oxford 1939. - MOCHI, A.: La succession des industries paléolithiques et les changements de la fauna du Pléistocène en Italie, Florenz 1912. - OBERMAIER, H. : Der Mensch der Vorzeit, Berlin 1912. Urgeschichte der Menschheit, Geschichte der führenden Völker, 1, Bd. Freiburg i. Br. 1931. - PEQUART, M., BOULE, M., VALLOIS, H : Teviec, station nécropole mésolithique du Morbihan, Arch. Inst. Paléont. Hum. Mém. 8, 1937. - RIETH, G.A.: Der Wildpferdfelsen bei Le Solutré, Antares, Bd. 1, Okt. 1952, pp. 97-99. - RUST, A.: Die jüngere Altsteinzeit, Historia Mundi, Bd 1, München 1952, p. 308. Die Höhlenfunde von Jabrud, Neumünster 1950. - DE SAINT-PÉRIER, R.: Les baguettes sculptées dans l'art paléolithique, L'Anthropologie, Bd. 39, 1929, pp. 43-64. - SCHRADER, O.: Reallexikon der indogermanischen Altertumskunde 2 Bde., 1911. - TSCHUMI, O.: Urgeschichte der Schweiz, Bd. 1, Frauenfeld 1949. - VALLOIS, H.: Recherches sur les ossements mésolithiques de Mugem., L'Anthropologie, Bd. 40, 1930. Nouvelles recherches sur le squelette de Chancelade, L'Anthropologie, Bd. 49, 1941/46. - VERNEAU, R.: Les Grottes de Grimaldi, 3 Bde., Monaco 1906. - WEIDENREICH F.: Apes, Giants, and Man, Chicago 1946. - WEINERT, H.: Menschen der Vorzeit, Stuttgart 1947.

Empreintes, figurines
et art religieux

ABSOLON, K.: Une nouvelle et importante station aurignacienne en Moravie, Revue Anthropologique, Paris 1927. Représentations idéo-plastiques anciennes et nouvelles de femmes du Paléolithique moravien, Congrès international d'Anthropologie et d'Archéologie préhistorique, 15e session, Paris 1931. Ergebnisse der neuesten paläolithischen Forschungen in Mähren, Mainzer Zeitschrift, Bd. 26, 1931. - BANDI, H.G.: Die Schweiz zur Rentierzeit, Frauenfeld 1947. - BATAILLE, G.: Lascaux Genf 1955. - BÉGOUEN, H.: A propos de l'idée de Fécondité dans l'iconographie préhistorique, Bulletin de la Société préhistorique française, Bd. 26, 1929. - DEWDNEY, S.: The Quetico Pictographs, The Beaver, Winnipeg, Summer 1958, pp. 15-22. - FINDEISEN, H. Karelische Hirtenzauberer und ihre Praktiken, Zeitschrift für Ethnologie, Bd, 78, 1953 pp. 103-110. - FURON, R. : Manuel de préhistoire genérale, Paris 1951. - GAERTE : Auf den Spuren des ostpreussischen Mammut- und Rentierjägers, Mannus, Bd. 18, 1926, pp. 253-257. - GERASIMOW, M.M. : Raskopki paleolititscheskoi stojanki w sele Malte, IGAIMK, Bd. 118, Leningrad 1935. - HANGAR, F.: Probleme und Ergebnisse der neuen russischen Urgeschichtsforschung, 33. Bericht der Römisch-Germanischen Kommission, 1943-1950, Berlin 1951, pp. 25-60. - HOERNES, M.: Urgeschichte der bildenden Kunst in Europa, Wien 1925. - KUHN, H.: Menschendarstellungen im Paläolithikum, Zeitschrift für Rassenkunde, Bd. 4, Stuttgart 1936. - LEMOZI, A.: Fouilles dans l'abri sous la roche de Murat, commune de Rocamadour, Bulletin de la Société Préhistorique française, 1924. La Grotte-temple du Pech-Merle, Un nouveau sanctuaire préhistorique, Paris 1929. - LINDNER, K.: Die Jagd der Vorzeit, Berlin-Leipzig 1937. - LIPS, J.: Fallensysteme der Naturvölker, Ethnologica, Bd. 3 Leipzig 1927. Paläolithische Fallenzeichnungen und das ethnologische Vergleichsmaterial, Tagungsberichte der Deutschen Anthropol. Ges., Leipzig 1928. Trap systems among the Montagnais-Naskapi Indians of Labrador Peninsula, Stockholm 1936. - LOUIS, M.: Le Mont-Bego, haut lieu de l'âge du bronze, Bulletin Société Préhistorique, Bd. 49, 1952, pp. 309-312. - LUQUET, G.H.: Les vénus paléolithiques, Journal de psychologie, Paris 1934, pp. 429-460. - MEYER, E.: Geschichte des Altertums, Bd. î, I. Abt., 7. Auflage, Stuttgart 1954, p. 245. - PETRI, H.: Tanz und Schauspied bei den Eingeborenen Nordwest-Australiens, Kosmos, 46. Jahrgang, Stuggart 1950, p. 49. - PETRI, H./SCHULZ, A.S.: Felsgra vierungen aus Nordwest-Australien, Zeitschrift für Ethnologie, 74, Jahrgang, 1942, Berlin 1944. - PEYRONY, D.: L'industrie et l'art de la couche des pointes en os à base à biseau simple de Laugerie-Haute, L'Anthropologie, Bd. 39, 1930, pp. 361-371. - PFIZENMAYER, E.W.: Mammutleichen und Urwaldmenschen in Nordost-Sibirien, Leipzig 1926. - PIETTE, E.: La station de Brassempouy et les statuettes humaines de la période glyptique, Anthropologie, Paris 1895. L'Art pendant l'âge du renne, Paris 1907. - RIDDELL, W.H.: Cave-Paintings, Lascaux, Antiquity, Bd. 16, pp. 359-360 Palaeolithic Paintings-Magdalenian Period, Antiquity, Bd. 16, 1942, pp. 134-150. - RUST, A.: Die Jüngere Altsteinzeit Jungpaläolithikum, Historia Mundi München 1952. - SACCASYN-DELLA SANTA, E.: Les figures humaines du paléolithique supérieur eurasiatique, Anvers 1947. - DE SAINT-PÉRIER, R.: Les baguettes sculptées dans l'art paléolithique, L'Anthropologie, Bd. 39, 1929, pp. 44-64. - VERBRUGGE, R.P.: La main dans l'art préhistorique, L'Ethnographie, Bd. 51, Paris 1957, p. 13. - VERWORN, M.: Zur Psychologie der primitiven Kunst, Naturwissenschaftliche Wochenschrift, Nr. 46, Jena 1907. - ZAMJATNIN, S.N.: Raskopki u. s. Tagarina, IGAIMK, Bd. 118, Moskau-Leningrad 1935.

Le culte des ours chez les peuples sibériens

ADAM, L.: North-West American Indian Art and its early Chinese Parallels, Man, Bd. 36, 1936. - ANISIMOW, A.F.: Kult medwedja u ewenkow i problema ewoljuzii totemistitscheskich werowanii, Sb. Inst. istorii AN SSSR, Wopr. istorii i ateisma,

Moskau 1950. - ATKINSON, T.W.: Travels in the Regions of the Upper and Lower Amoor, New York 1860. - BATCHELOR, J.: The Aino and their Folk-Lore, 1901. Ainu Life and Lore, 1927. - BIRD, I.L.: Unbeaten Tracks in Japan, 1880. - BOGORAS, W.: Ideas of Space and Time in the Conception of Primitive Religion, American Anthropologist, Bd. 27, 1925. - BUSCHAN, G.: Illustrierte Völkerkunde, Bd. 1, Stuttgart 1922, p. 60. - CESARESCO, E.M.: The Place of Animals in Human Thought, London 1909. - CHAMBERLAIN, B.H.: Aino Folk-Tales, 1888. - COLLINS, P.McD.: A Voyage Down the Amoor, New York 1860. - CZAPLICKA, M.A.: Aboriginal Siberia, Oxford 1914. - ERMAN, A.: Travels in Siberia, Bd. 2, London 1848. - FRAZER, J.G. The Golden Bough, London 1912. — GJESSING, GJERTRUD und GUTORM : Lappedrakten, Instituttet for Sammenlignende Kulturforskning, Oslo 1940. - GONDATTI, N.: The Bear-Cult among the Aborigines of North-Western Siberia, Bull. of the Imperial Society of Friends of Natural Science, Anthropology and Ethnology, Moskau 1888. - HALLOWELL, A.I.: Bear Ceremonialism in the Northern Hemisphere, American Anthropologist, new series, Bd. 28, 1926, pp. 1-175. - HEINE-GELDERN, R.: Some Problems of Migration in the Pacific, Kultur und Sprache, Jahrgang 9, Wien 1952. - HITCHCOCK, R.: The Ainos of Yezo, Reports, U.S. National Museum, Washington 1890. The Ainos of Japan, 1892. - INUKAI TETSUO : Ainu no kuma no atama no shochi ni tsuite, Tokyo-jinruigakkwai, Nipponminzokugakkwai-rengo-daikwai dai-ni-kai-kiji, 1937. - KHARUZIN, N.: Ethnography, 1905, Bd. 4. - KINDAICHI KYOKUKE : Kuma-matsuri no hanashi, Minzokugaku, Bd. 1, 1924. Aino, in Daihyakkwa-jiten, Bd. 7, 1935. Nihon- chiri-daikei, Bd. 10, 1930. - KROHN, K.: Bärenlieder der Finnen, Publication d'hommage offerte au P.W. Schmidt, Wien 1928. Suomalaisten runojen uskonto, Helsinki 1915. - MAAK, R.: Reise an den Amur, St. Petersburg 1859, pp. 209-210. - MONTANDON, G.: La Civilisation aïnoue, 1937. - MUHLMANN, W.: Uber den Auschluss der Polynesier an die Südasiatischen Hochkulturen, Baessler-Archiv, Bd. 18, Berlin 1935. - PILSUDSKI, B.: Niedzwiedzie Swieto u Ainów, Sphinx, Warschau 1905. Das Bärenfest der Ainen auf Sachalin, Globus, Bd. 96, 1909. - PODACH, E.F.: Der angebliche Bart der Ainu-Frauen, Zeitschrift für Ethnologie, Bd. 75, 1950, p. 79. - v. SCHRENCK, L.: Reisen und Forschungen im Amurlande, Die Volker des Amurlandes, Bd. 3, St. Petersburg 1881. - SEELAND, N.: Die Ghiliaken, Russische Revue, 11. Jahrgang, St. Petersburg 1882, pp. 97-130 u. 222-254. - SLAWIK, A.: Zum Problem des Bärenfestes bei den Ainu und Giljaken, Kultur und Sprache, Jahrgang 9, Wien 1952. - STERNBERG, L.: Die Religion der Giljaken, Archiv für Religionswissenschaft, Leipzig 1905, pp. 244-274 und 1906, pp. 456-473. Kult orla u sibirskikh narodov, Leningrad 1925. The Ainu Problem Anthropos, Bd. 24, 1929. - SUFFERN, C.: Review of " La Civilisation Ainou " by George Montadon, Man, Bd. 37, 1937, pp. 147-149. - TEICH, G. u. RUBEL, H.: Völker, Volksgruppen und Volksstämme auf dem ehemaligen Gebiet der UdSSR, Leipzig 1942. - WASILEW, B.A.: Medweschi prasdnik, Sowjetskaja Ethnografija, Bd. 4, 1948. - YONEMURA, YOSHIS : Kitami-Ainu, Abashiri 1937. - ZOLOTAREW, A.M.: The Bear Festival of the Olcha, American Anthropologist, Vol. 39, 1937, pp. 113 sq.

Rite magique et religieux de la Préhistoire

ABEL, O. und KOPPERS, W.: Eiszeitliche Bärendarstellungen und Bärenkulte in paläobiologischer und prähistorich-etnologischer Beleuchtung, Palaeobiologica, Bd. 5 1933, pp. 7-64. - BATCHELOR, J.: The Ainu and their Folk-Lore, London 1901. - BÉGOUEN, H.: La magie aux temps préhistoriques, Extr. des Mémoires de l'Académie des Sciences, Inscriptions et Belles-Lettres de Toulouse, Bd. 2, 12e série, 1924. - BEGOUEN, H./BREUIL, H.: Les Ours déguisés de la caverne des Trois Frères [Ariège], Festschrift du P.W. Schmidt, Wien 1928. - FROBENIUS, L.: Kulturgeschichte Afrikas Frankfurt a. M. 1933, Erlebte Erdteile, Bd. 7, Frankfurt 1929, p. 31. Das unbekannte Afrika, München, 1923, pp. 34-36. - HARVA, U.: Dieligiösen Vorstellungen der altaischen Völker, Helsinki 1938, pp. 389-395. - JENSEN, E.: Mythos und Kult bei Naturvölkern, Studien zur Kulturkunde, Bd. 10, Wiesbaden 1951, pp. 143-155. -

LANG, A.: The Making of Religion, London 1898. - NARR, K.J.: Interpretation altsteinzeitliche Kunstwerke durch volkerkundliche Parallelen, Anthropos, Bd. 50, 1955, pp. 513-545. - OBERMAIER, H. und KUHN, H.: Buschmannkunst, Felsmalereien aus Südwestafrika, Leipzig 1930. - SCHMIDT, P.W.: Der Ursprung der Gottesidee, Bd. 3, Münster 1931, p. 553. - WORMS, E.A.: Contemporary and Prehistoric Rock Paintings in Central and Northern North Kimberley, Anthropos, Bd. 50, 1955, pp. 546-566.

Le secret des chamanes

AGAPITOW, N./CHANGALOW, M.: Materialy dlja isutschenija schamanstwa w Sibiri, Isw. WSORGO, Irkutsk, 1883. - ANISIMOW, A.F.: Schamanskie duchi po wossrenijam ewenkow i totemitscheskie istoki ideologii schamanstwa, Sb. MAE, Bd. 13, Moskau-Leningrad 1951. - ANOCHIN, A.W.: Materialy po schamanstwu u altaizew, Sb. MAE, Bd. 4, Leningrad 1924. - ANUTSCHIN, W.I.: Otscherk schamanstwa u jenisseiskich ostjakow, Sb. MAE, Bd. 2, 1914. - AWRORIN, W.A./KOSMINSKI, I.I.: Predstawlenija orotschei o wselennoi, o pereselenii dusch i puteschestwijach schamanow, isobraschennye na « karte », Sb. MAE, Bd. 11, Moskau-Leningrad 1949. - BANSAROW : Tschornaja wera ili schamanstwo u Mongolow, Utschonie sapiski Kasanskowo uniwersiteta, Bd. 3, Kasan 1846. - BRUNNER, A.: Die Religion, Freiburg i. Br. 1956, pp. 298-319. - DAMEEW, D.: Legenda o proischoschdenii schamanstwa i padenii wolschebstwa, Burjatowedtschestk sb., Bd. 3, 4, Irkutsk 1927. - DELATTE, A.: Les conceptions, l'enthousiasme chez les philosophes présocratiques, Paris 1934. - DODDS, E.R.: The Greeks and the Irrational, Berkeley 1951. - DONNER, K.: Bei den Samojeden in Sibirien, Stuttgart 1926. - DYRENKOWA, N.P.: Materialy po schamanstwu u teleutow, Sb. MAE, Bd. 10, Moskau-Leningrad 1949. — ELIADE, M.: Le chamanisme et les techniques archaïques de l'extase, Paris 1951. - FINDEISEN H.: Schamanentum, 1957. - FRAZER, J.G.: The Golden Bough, New York 1923. - FRIEDRICH, A.: Knochen und Skelett in der Vorstellungswelt Nordasiens, Wiener Beiträge zur Kulturgeschichte und Linguistik, Jahrgang 5, 1943, p. 189. - FRIEDRICH, A., und BUDDRUSS, G.: Schamanengeschichten aus Sibirien, München 1955. - GRAEBNER, F. : Das Weltbild der Primitiven, München 1924. - GUNDERT, W.: Japanische Religionsgeschichte, Stuttgart 1943. - HOLMBERG, U.: Der Baum des Lebens, Annales Academiae Scientiarum Fennicae, Bd. 16, Helsinki 1922-1923. - KATANOW - Schamanski buben i ewo snatschenie, Jeniss. eparch. wedom., Nr. 6, 1889. - KSENIFONTOW, G.W.: Legendy i rasskasy o schamanach, Moskau 1930. - LANG, A.: Magic and Religion, London 1901. - MIRONOW, N.D., und SCHIROKOGOROW, S.M.: Sramana-Shaman Etymology of the Word " Shaman ", The Journal of the North China Branch of the Royal Asiatic Society, Bd. 55, 1924, pp. 105-130. - NACHTIGALL, H.: Die kulturhistorische Wurzel der Schamanenskelettierung, Zeitschrift für Ethnologie, Bd. 77, 1952, pp. 188-197. Die erhöhte Bestattung in Nord- und Hochasien, Anthropos 1953. - NILSSON, M.P.: Geschichte der griechischen Religion, Handbuch der Altertumswissenschaft, 5. Abt., 2. Teil, Bd. 1, pp. 204-205. - NIORADZE, G.: Der Schamanismus bei den sibirischen Völkern, Stuttgart 1925. - PFISTER, F.: " Ekstase ", Reallexikon für Antike und Christentum, Stuttgart, 1959, pp. 943-987. - POTAPOW, L.P.: Obrjad oschiwlenija schamanskowo bubna u tjurkojasytschnych plemen Altaja, Tr. Inst. etnograf., now. ser., Bd. 1, Moskau-Leningrad 1947. - RANK, G.: Die heilige Hinterecke im Hauskult der Völker Nordosteuropas und Nordasiens, Helsinki 1949. - SCHIROKOGOROW, S.M.: Versuch einer Erforschung der Grundlagen des Schamanentums bei den Tungusen, Baessler-Archiv, Bd. 18, 1935, pp. 41-96. - TOKAREW, S.A.: Suschtschnost i proichoschdenie magii, Trudy instituta etnografii, Bd. 51, 1959. - WEDEMEYER, A.: Das Verbergen den Sonnengottheit in der Felsenhöhle, Tokio 1935, p. 76. - WILBOIS, J.: Religion et Magie, Histoire des Religions, 1, 1953, pp. 30-34. - WOOLLEY C.L.: Excavations at Ur of the Chaldees, 7 Bde., 1923-1930.

BIBLIOGRAPHIE

Les origines du chamanisme

Bégouen, H./Breuil, H.: Nouvelle gravure d'Homme masqué de la caverne des Trois-Frères associées à des animaux composites, C.R. Ac. Inscr. 1930, De quelques figures hybrides, mi-humaines, mi-animales de la caverne des Trois-Frères, Rev. Anthrop., 1934. - Eppel, F.: Die Trois-Frères Höhle und das Problem paläolithischer Kunst, Mitteilungen der Österreichischen Gesellschaft für Anthropologie, Ethnologie und Prähistorie, Bd. 78-79, 1949, pp. 117-139. - Friedrich, A.: Knochen und Skelett in der Vorstellungswelt Nordasiens, Wiener Beiträge zur Kulturgeschichte und Linguistik, Jahrgang 5, 1943, pp. 189-247. - Girod, P., und Massénat, E.: Les stations de l'âge du renne, 1900. - Graebner F.: Das Weltbild der Primitiven, München 1924, pp. 95-104. - Harva, U.: Die religiösen Vorstellungen der altaischen Völker, Helsinki 1938, pp. 449-561. - Iwanow, S.W.: Materialy po isobrasitelnomu iskusstwu narodow Sibiri, 19. bis Anganf 20. Jahrhundert, Trudy instituta etnografii, neue Serie, Br. 22, Moskau-Leningrad 1954, pp. 182, 183, 319, 376, 385, 739. - Karjalainen, K.F.: Jugralaisten uskonto, Por. - Kirchner, H.: Ein archäologischer Beitrag zur Urgeschichte des Schamanismus, Anthropos, Bd. 47, 1952, pp. 244-286. - Lehtisalo, T.: Entwurf einer Mythologie der Jurak-Samojeden, Helsinki 1924. - Lopatin, I.A.: Goldy Amurskie, Ussuriskie i Sungariskie, Wladiwostok 1922. - Manker, E.: Die lappische Zaubertrommel 1938. - Maringer, J.: De Godsdienst der Praehistorie, 1952. - Narr, K.J.: Interpretation altsteinzeitlicher Kunstwerke durch völkerkundliche Parallelen, Anthropos, Bd. 50, 1955, pp. 513-545. - Peters, E.: Die altsteinzeitliche Kulturstätte Petersfels, 1930. - Rank, G.: Die heilige Hinterecke, Helsinki 1949, pp. 107, 113-114. - Seroschewski, W.L.: Jakuty, St. Petersburg 1896. - Windels, F.: The Lascaux Cave Paintings, London 1949, p. 49 ff.

La découverte d'Alfred Rust
Sacrifices vieux de 13 800 ans

Closs, A.: Das Versenkungsopfer, Wiener Beiträge zur Kulturgeschichte und Linguistik, Bd. 9, Wien 1952, pp. 66-107. - Gross, H.: Die geologische Gliederung und Chronologie des Jungpleistozäns in Mitteleuropa und den angrenzenden Gebieten, Quartär, Bd. 9, Bonn 1957, p. 28. - Laufer : The Reindeer and its Domestication, Mem. Amer. Anthrop. Ass., Lancaster 1917. Reindeer once more, American Anthropologist, Bd. 22, 1920. - Lehtisalo, T.: Beiträge zur Kenntnis der Rentierzucht bei den Juraksamojeden, Oslo 1932. - Pohlhausen, H.: Nachweisbare Ansätze zum Wanderhirtentum in der niederdeutschen Mittelsteinzeit, Zeitschrift für Ethnologie, Bd. 78, 1953, pp. 64-82. Das Wanderhirtentum und seine Vorstufen, Braunschweig 1954. - Rust, A.: Die Höhlenfunde von Jabrud, Neumünster 1950. Die al-tund mittelsteinzeitlichen Funde von Stellmoor, Neumünster 1943. Das alsteinzeitliche Rentierjägerlager Meiendorf, Neumünster 1937. Die Funde vom Pinnberg, Neumünster 1958. Die jung paläolithischen Zeltanlagen von Ahrensburg, Neumünster 1958. - Schmidt, W.: Zu den Anfängen der Tierzucht, Zeitschrifft für Ethnologie, Bd. 76, 1951, pp. 201-204. Zu den Anfängen der Herdentierzucht, Zeitschrift für Ethnologie, Bd. 76, 1951, pp. 1-41. - Schwantes, G.: Nordisches Paläolithikum und Mesolithikum, Festschrift d. Museums f. Völkerkunde, Hamburg 1928. Die Bedeutung der ältesten Siedlungsfunde Schleswig-Holsteins für die Weltgeschichte der Steinzeit, Festgabe für Anton Schifferer, Breslau 1931. Eine neue jung,paläolithische Zivilisation in Holstein, Nachrichtenblatt f. Deutsche Vorzeit Jahrgang 8 Heft 2, 1932. - Skalon/Choroschich : Ob olennych pisanizach Sewernoi, Asii, 1951. - Skalon/Lewin : K woprosu o drewnosti i proischoschdenil olenewodstwa, Problemy proischoschdenija, ewoljuzii i porodoobrasowanija domaschnich schiwotnych, Bd. 1, Moskau-Leningrad, 1940. - Wasilewitsch/Lewin : Tipy olenewodstwa i ich proischoschdenie, Sowjetskaja Etnografija, Bd. 1, 1951.

L'homme, cette merveille
Le second bras de la croix

ABBIE, A.A.: A New Approach to the Problem of Human Evolution, Transactions of the Royal Society of South Australia, Vol. 75, Adelaide 1952, p. 79. - ASHLEY MONTAGU, M.F.: The Chin of the Kanam Mandible American Anthropologist, Vol. 59, 1957, pp. 355-383. - BREITINGER, EMIL : Das Schädelfragment von Swanscombe und das " Praesapiensproblem ", Mitteilungen Anthrop. Ges. Wien, Vol. 84/85, 1955, p. 1 ff.; Zur phyletischen Evolution von Homo sapiens, Anthropologischer Anzeiger, Jahrgang 21, Stuttgart 1957, p. 62-83. - BRIGHT, J.: The Interpreter's Bible, New York 1953, Vol. II, p. 579. - CONOLLY, C.J.: Brain morphology and Taxonomy, in Antrop. Quarterly 26, 1953; External morphology of the Primate brain, Springfield 1950. - DENNERT, E.: Die Natur- das Wunder im Lichte der modernen Forschung, 5. Aufl., Bonn 1950. - DOBZHANSKY, T.: Evolution, Genetics, and Man, New York 1955, p. 332. - ENGELS, H.: Die grössten Geister über die höchsten Fragen, Konstanz. - FALKENBURGER, F.: Kritische Bemerkungen zur Entwicklung des Sapienstypus, Actes du IVe Congrès international des Sciences Anthropologiques et ethnologiques, Vol. 1. Wien 1954, p. 105, 106. - HAAS, A.: Naturphilosophische Erwägungen zum Menschenbild des Schöpfungsberichtes und der modernen Abstammungstheorie, Scholastik, Jahrgang 23, 1958, p. 369. - HOOTON, E.A.: Up from the Ape, London 1931. - HOWELL, F.Cl. : Place of Neandertal Man, Amer. J. Phys. Anthrop. 9, 1951 ; The evolutionary significance of variation and varieties of Neandertal Man, Quart, Review Biol. 32, 1957. - JEANS, J.H.: The Growth of Physical Science, The Universe Around Us, London. - JORDAN, P.: Zeitgeist im Spiegel der Naturwissenschaft, Hochland, München, Dez. 1951, p. 138/39, Die Physik und das Geheimnis des organischen Lebens, Braunschweig 1948, 6. Aufl. p. 155/56. - KALIN, J.: Die ältesten Menschenreste und ihre stammesgeschichtliche Deutung, Historia Mundi 1, München 1952, p. 96. - KOPPERS, W.: Der Urmensh und sein Welttbild Wien 1949. - KROEBER, A.L.: Anthropology Today, Chicago-Illinois 1957. - LEAKEY, L.S.B.: Adams Ancestors, London 1953, The Stone Age races of Kenya, London and New York 1935, p. 23. - LE GROS CLARK, W.E.: The Antiquity of Homo sapiens in Particular and the Hominidae in General, in : Scien. Progress 42, 1954, No. 167; ders. : The Fossil Evidence for Human Evolution, Chicago 1955. - MONTAGU, M.F.A.: The Chin of the Kanam Mandible, American Anthropologist 59, 1957. - MUSCHALEK, H.: Gottbekenntnisse moderner Naturforscher, Berlin 1954. - NEUBERG, A.: Das naturwissenschaftliche Weltbild der Gegenwart, Göttingen 1944. - OAKLEY, K.P.: Dating Fossil Human Remains, Anthropology Today, Chicago 1957, p. 43 sq. - OVERHAGE, P.: Das stammesgeschichtliche Werden der Organismen und des Menschen, Basel, Freiburg, Wien 1959, pp. 166-370, Um das Erscheinungsbild der erstern Menschen, Basel, Freiburg, Wien 1959. - PLANCK, M.: Kausalgesetz und Willensfreiheit in : Wege zur physikalischen Erkenntnis, Reden und Vorträge, Leipzig 1944. - PORTMANN, A.: Biologie und Geist, Zürich 1956, Das Tier als soziales Wesen, Zurich 1953, Probleme des Lebens, Basel 1955, Die Biologie und das neue Menschenbild, Bern 1942, Biologische Fragmente zu einer Lehre vom Menschen, Basel 1951. - REMANE, A.: Methodische Probleme der Hominidenphylogenie III. Die Phylogenie der Lebensweise und die Entstehung des aufrechten Ganges, Zeitschr. f. Morph. u. Anthrop. 48, 1957, Paläontologie und Evolution der Primaten, Primatologia, Bd. 1, hersg. von H. Hofer, A.H. Schultz, D. Starck, Basel-New York 1956. - SALLER, K.: Aufstand des Geistes, Düsseldorf 1953. - SCHRÖDINGER, E.: Was ist das Leben? Bern 1951, 2. Aufl., p. 151. - SPENGLER, O.: Der Mensh und die Technik, München 1931, p. 62. - SPULBECK, O.: Der Christ und das Weltbild der modernen Naturwissenschaft, Berlin 1957, pp. 180, 188, 189, 225. - STEWART, T.D.: in : American Journal of Physical Anthropology, Vol. 6, 1948, p. 321 sq. - VALLOIS, H.V. : Neandertals and Praesapiens, Journ. Roy. Anthrop. Inst. 84, 1954, pp. 111-130.

Table des matières